PROYECTOS 2

F. CONTRERAS
Carleton College

J. PÉREZ ZAPATERO
Barnard College

F. ROSALES VARO
Columbia University

Authors
Fernando Contreras
Javier Pérez
Francisco Rosales

Contributors
Kris Buyse
Wendy Elvira-García
Pablo Garrido
Matilde Martínez
Ana Martínez Lara
Teresa Moreno
Núria Murillo
Pilar Salamanca

Publisher
Agustín Garmendia

Project Managers
Emilia Conejo, Maribel García, Jaume Muntal, Núria Murillo

Director of Art & Design
Pedro Ponciano

Photo Researcher and Art Buyer
Sara Zucconi, Gaëlle Suñer

Translation and Proofreading in English
Javier Pérez Zapatero, Justine Ciovacco, Tom Keon, Kristin Swanson, Lisa Merschel

Proofreading in Spanish
Carmen Aranda, Manuel Felipe Álvarez Galeano, Sílvia Jofresa

Cover Image Credit
La verdad no tiene forma © Petroni/Dourone

Student Textbook ISBN: 978-84-18032-58-5
Bundle Student Textbook + 12-Month The Spanish Hub ISBN: 978-84-18224-01-0
Printed in the EU
2 3 4 5 6 7 8 9 10 29 28 27 26 25 24 23 22

www.klettworldlanguages.com

WHY **PROYECTOS**?

The term **project** implies the designing and building of a future from our present perspective. We live in a dynamic and changing world that is becoming increasingly heterogeneous. Our students aren't just algorithms in this digital global environment; they are also people as well as citizens who are learning to adapt to ever-changing circumstances. As language teachers and authors, we are devoted to our students as individuals. We want to emphasize and prioritize students' autonomy and identity, placing the learner at the forefront as an active agent who is able to generate skills to succeed in this new environment. This is why we created **PROYECTOS**–to meet the need for contemporary, vibrant, and diverse educational tools and materials, developed from a humanistic perspective.

By humanistic, we refer to a learning environment that is student centered, where learners are empowered and can participate in their own personal growth. We firmly believe that this educational experience needs to be supported by critical-thinking skills that are developed via real-life experiences. This approach is reflected throughout **PROYECTOS**. We strived to create an open and multidimensional proposal, which leaves room for the particular needs of students, following a learner-centered curriculum. Our experiences have shown us how essential it is to respect our students' needs. **PROYECTOS** helps meet these needs by developing multiple competencies simultaneously, not only linguistic and communicative, but also academic and multicultural. We believe that our Spanish classes should not only be focused on grammar, vocabulary, conversation and culture, but also be an interdisciplinary space. By combining these elements, **PROYECTOS** creates a new universe for exploration and communication.

We also believe that students should develop a positive view of themselves as learners. That is why we created a non-authoritarian learning model that helps students interpret the world in new and original ways. Instruction must always facilitate decision-making, without suppressing or controlling the learner's desire to communicate. This kind of meaningful learning fosters a high-motivation environment that helps the learner process information more successfully. Research in applied linguistics has taught us that exploratory learning and content-based projects help create the kind of classroom experience that develops the learner's critical-thinking skills via real and memorable engagement with the language.

PROYECTOS invites students to transform their present, create new meanings for this new world, and build the path that will lead them to their best future.

The Authors

PROYECTOS 2 is a program aimed at North American college and university students of Spanish at the intermediate Spanish level.

Its innovative design follows a project-based, content-focused approach. Its main goal is to stimulate students to build knowledge through explorative and expansive learning.
The Spanish classroom becomes a space where students develop 21st-century skills, such as collaboration, creativity, critical thinking, and communication.

PROYECTOS 2 OFFERS MANY EXCITING FEATURES.

→ **PROYECTOS 2** brings a contemporary view of Hispanic cultures to the Spanish classroom through engaging texts, themes, and topics: students are motivated to act and create in Spanish.

→ **PROYECTOS 2** offers a pedagogical sequence in which grammar, vocabulary, and discourse work in service of communication: students are truly capable of acting and creating in Spanish.

→ **PROYECTOS 2** presents groundbreaking content and language integration. Students use the language in interdisciplinary scenarios related to their own academic experiences, which helps them develop their professional skills and prepare for their future careers.

→ **PROYECTOS 2** promotes intercultural competence, enabling critical thinking about essential questions from a multidimensional, contemporary, and inclusive perspective that is free of stereotypes.

→ **PROYECTOS 2** offers an inclusive perspective on learning. Its approach makes it open to all learners and all types of intelligences (visual, linguistic, interpersonal, intrapersonal, etc.). In addition, its its diverse and stimulating vision of cultural realities embraces all the identities and communities in the Hispanic world —and in the students' world as well.

→ **PROYECTOS 2** allows for flipped classroom dynamics, which optimizes class time. Students can prepare independently before the classe session thus maximizing classroom communication and collaboration.

→ **PROYECTOS 2** is the product of authentic student-centered design. Students make decisions and create projects which are not only personally relevant but also academically, and they take a leading active role in their own learning.

PÁGINA DE ENTRADA

The introductory page presents the content of the chapter organized by the seven areas that are developed throughout the chapter (learning outcomes, vocabulary, language structures, oral and written texts, sounds, culture and projects).

CAPÍTULO 1

EXPERIENCIAS

En este capítulo, vas a aprender a prepararte para una entrevista de trabajo y a hacer un video de presentación.

1

LEARNING OUTCOMES
- Talk about experiences
- Express feelings
- Talk about skills and talents
- Talk about future plans

VOCABULARY
- The world of work
- Adjectives to describe moods
- Abilities and personality
- Professions and experience

LANGUAGE STRUCTURES
- The present perfect
- Time adverbials
- Uses of **por** and **para**

ORAL AND WRITTEN TEXTS
- Connectors of sequence: **en primer lugar**, **en segundo lugar**, **por último**
- Giving an oral presentation

SOUNDS
- Forward positioning of **t** / **d**

CULTURE
- The job m and Latin
- Skills nee
- Educatio
- Karla Ga

PROJECTS
- Group: pr a job inte
- Individual a video r

CAPÍTULO 4

CONSUMO Y MEDIOAMBIENTE

En este capítulo vamos a hacer una lista de reivindicaciones sobre el medioambiente.

4

LEARNING OUTCOMES
- Make suggestions and give advice
- Explain problems and discuss the causes
- Express wishes and desires, needs, requests, and complaints

VOCABULARY
- Consumption and the environment

LANGUAGE STRUCTURES
- Expressing wishes and complaints: **querer/esperar/pedir** + infinitive, and **querer/esperar/pedir que** + subjunctive
- Expressing needs: **es necesario/imprescindible** + infinitive, and **es necesario/imprescindible que** + subjunctive
- The conditional

ORAL & WRITTEN TEXTS
- Connectors of cause and consequence
- Text cohesion devices
- Translating a text

SOUNDS
- **g/j**
- The **ch**- group

CULTURE
- Barro Colorado (Panama)
- Contemporary art in Chile

PROJECTS
- Group: create a list of demands on the environment
- Individual: write an article for your college's blog on environment

PARA EMPEZAR

This section presents images, charts, quotes, graphics and other textual prompts with meaningful information, but minimal written text, that allow students to work on comprehension activities. It is through these textual prompts that students warm up to the different content of the chapter. Here, and throughout **PROYECTOS 2**, active vocabulary is highlighted in yellow, which draws students' attention to how these words are used in context.

Each chapter includes a **video** with socioculturally meaningful content and thought-provoking themes. Students have the support of the script to accompany each video. Activities associated with the videos aim at fostering comprehension as well as promoting oral communication.

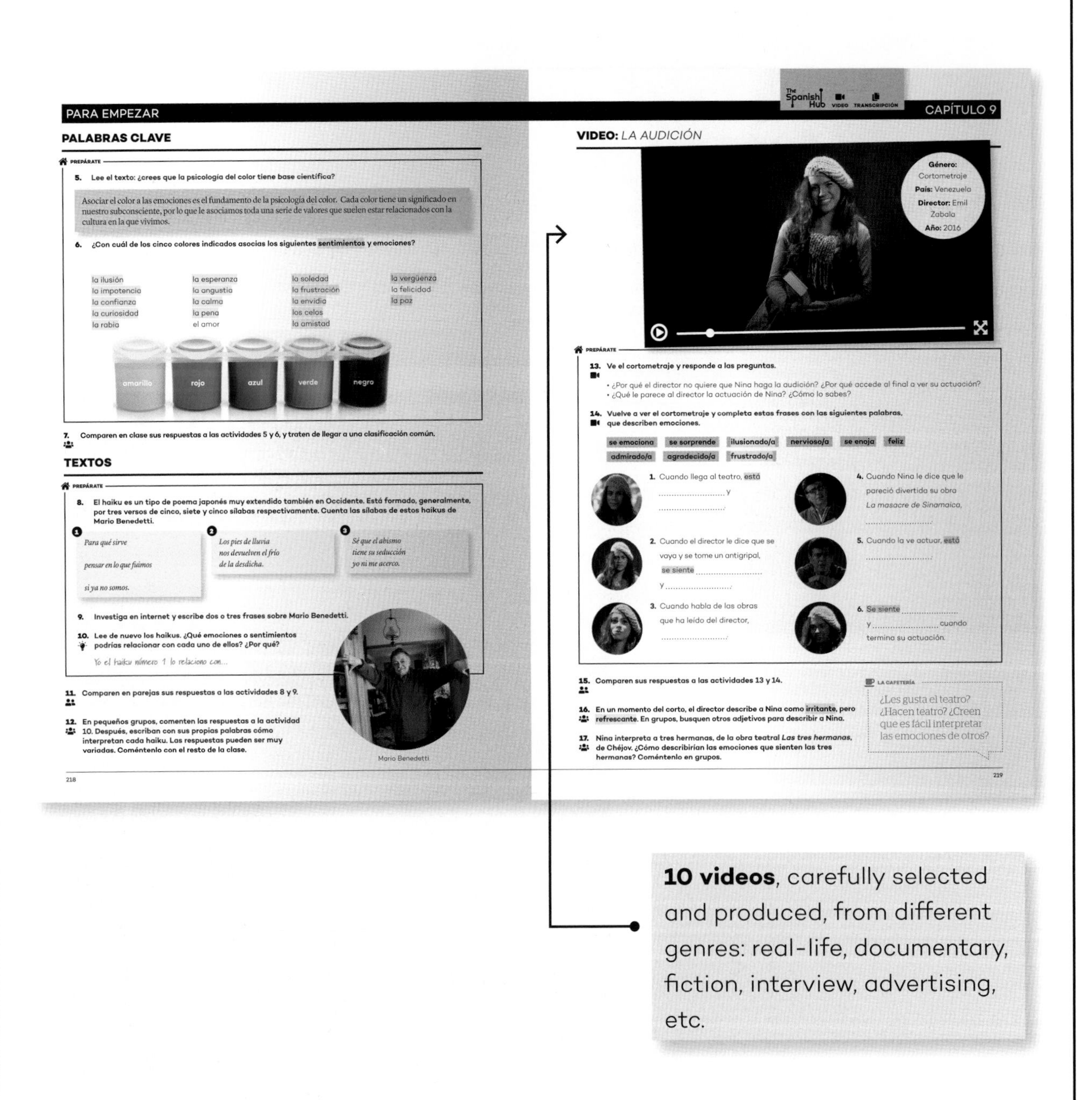

PARA EMPEZAR

PALABRAS CLAVE

PREPÁRATE

5. **Lee el texto: ¿crees que la psicología del color tiene base científica?**

Asociar el color a las emociones es el fundamento de la psicología del color. Cada color tiene un significado en nuestro subconsciente, por lo que le asociamos toda una serie de valores que suelen estar relacionados con la cultura en la que vivimos.

6. **¿Con cuál de los cinco colores indicados asocias los siguientes sentimientos y emociones?**

la ilusión, la impotencia, la confianza, la curiosidad, la rabia, la esperanza, la angustia, la calma, la pena, el amor, la soledad, la frustración, la envidia, los celos, la amistad, la vergüenza, la felicidad, la paz

7. **Comparen en clase sus respuestas a las actividades 5 y 6, y traten de llegar a una clasificación común.**

TEXTOS

PREPÁRATE

8. **El haiku es un tipo de poema japonés muy extendido también en Occidente. Está formado, generalmente, por tres versos de cinco, siete y cinco sílabas respectivamente. Cuenta las sílabas de estos haikus de Mario Benedetti.**

1. *Para qué sirve / pensar en lo que fuimos / si ya no somos.*
2. *Los pies de lluvia / nos devuelven el frío / de la desdicha.*
3. *Sé que el abismo / tiene su seducción / yo ni me acerco.*

9. **Investiga en internet y escribe dos o tres frases sobre Mario Benedetti.**

10. **Lee de nuevo los haikus. ¿Qué emociones o sentimientos podrías relacionar con cada uno de ellos? ¿Por qué?**

Yo el haiku número 1 lo relaciono con...

11. **Comparen en parejas sus respuestas a las actividades 8 y 9.**

12. **En pequeños grupos, comenten las respuestas a la actividad 10. Después, escriban con sus propias palabras cómo interpretan cada haiku. Las respuestas pueden ser muy variadas. Coméntenlo con el resto de la clase.**

Mario Benedetti

218

The Spanish Hub VIDEO TRANSCRIPCIÓN

CAPÍTULO 9

VIDEO: *LA AUDICIÓN*

Género: Cortometraje
País: Venezuela
Director: Emil Zabala
Año: 2016

PREPÁRATE

13. **Ve el cortometraje y responde a las preguntas.**

- ¿Por qué el director no quiere que Nina haga la audición? ¿Por qué accede al final a ver su actuación?
- ¿Qué le parece al director la actuación de Nina? ¿Cómo lo sabes?

14. **Vuelve a ver el cortometraje y completa estas frases con las siguientes palabras, que describen emociones.**

se emociona · se sorprende · ilusionado/a · nervioso/a · se enoja · feliz · admirado/a · agradecido/a · frustrado/a

1. Cuando llega al teatro, está .... y ....
2. Cuando el director le dice que se vaya y se tome un antigripal, se siente .... y ....
3. Cuando habla de las obras que ha leído del director, ...
4. Cuando Nina le dice que le pareció divertida su obra *La masacre de Sinamaica*, ...
5. Cuando la ve actuar, está ....
6. Se siente .... y .... cuando termina su actuación.

15. **Comparen sus respuestas a las actividades 13 y 14.**

16. **En un momento del corto, el director describe a Nina como irritante, pero refrescante. En grupos, busquen otros adjetivos para describir a Nina.**

17. **Nina interpreta a tres hermanas, de la obra teatral *Las tres hermanas*, de Chéjov. ¿Cómo describirían las emociones que sienten las tres hermanas? Coméntenlo en grupos.**

LA CAFETERÍA

¿Les gusta el teatro? ¿Hacen teatro? ¿Creen que es fácil interpretar las emociones de otros?

219

10 videos, carefully selected and produced, from different genres: real-life, documentary, fiction, interview, advertising, etc.

DOCUMENTOS PARA DESCUBRIR

In this section, students will find text-based activities that scaffold the work on language structures, vocabulary and listening and reading comprehension. The diversity and quality of texts included in **Documentos para descubrir** allows students to approach each one from different angles – vocabulary, reading and listening comprehension, communication – all of it in dialogue with sociocultural practices and products. In addition, **PROYECTOS 2** offers students the unique feature of **Textos locutados y mapeados**. The mapping of these texts identifies three different linguistic features: connectors, frequently combined words, and verb combinations. **Textos locutados** are a fantastic source of samples of different varieties of Spanish. Students can use them to focus attention on pronunciation, to compare varieties and to appreciate linguistic variation.

PREPÁRATE

Activities with this heading can be assigned as homework for students, or as a warm-up activity. In the grammar section, however, **Prepárate** has a strong scaffolding function, preparing students to activate critical thinking as they inductively predict forms and syntactic rules to later use them in isolation or in conversation.

DOCUMENTOS PARA DESCUBRIR

The Spanish Hub AUDIO TRANSCRIPCIÓN TEXTO MAPEADO TEXTO LOCUTADO

CAPÍTULO 5

EL *NEUROMARKETING* O NEOMERCADEO

PREPÁRATE

14. Lee el artículo y escribe un pequeño resumen sobre qué es el *neuromarketing*, neuromercotecnia o neuromercadeo. Imagina que se lo tienes que transmitir a alguien que no ha oído hablar nunca de ese tema.

15. Anota tres preguntas que te sugiere el texto (dudas, cosas que no entiendes o que te gustaría saber...).

16. En pequeños grupos hagan una versión común y mejorada del resumen que han hecho en la actividad 14.

17. En los mismos grupos, compartan las preguntas que han escrito en la actividad 15 y busquen respuestas.

18. Piensa en compras que has realizado. ¿Con cuál de los perfiles de comprador mencionados en el texto te identificas? Coméntenlo en parejas.

19. Vas a escuchar a tres personas hablando sobre el *remarketing*. Pero, antes, ¿sabes en qué consiste? Habla con un(a) compañero/a e investiguen en qué consiste.

20. Escucha el audio. ¿Qué ejemplos de *remarketing* mencionan los entrevistados?

21. Escucha de nuevo el audio y marca qué opinión corresponde a cada uno de los entrevistados.

Carlos Daniela Violeta

a. Le parece útil que le anuncien cosas que le interesan.
b. Cree que está mal que en internet se puedan conseguir tantos datos personales.
c. No le parece necesario que le vuelvan a anunciar productos o servicios que ha buscado antes.

22. En grupos, discutan su opinión sobre las siguientes afirmaciones.

- No es verdad que todos compremos por impulso.
- Es evidente que, para llamar la atención del consumidor, hay que apelar a sus emociones.
- No está tan claro que las emociones vendan por sí solas.
- No es ético usar los avances de la neurociencia para manipular al consumidor.
- Es una locura dar tanta información personal a las empresas.

—Yo no estoy de acuerdo con la primera afirmación. Creo que todos compramos por impulso, pero luego nos inventamos otros motivos...
—Pues yo no estoy de acuerdo contigo...

122

EL VERDADERO MOTIVO DE SUS COMPRAS... SEGÚN EL *NEUROMARKETING*

Lea estas dos descripciones de perfiles de comprador y piense con cuál se identifica más.

Comprador racional: compra productos que necesita. Antes de decidirse, compara precios, consulta foros y redes sociales, y sigue las recomendaciones de los expertos. No se fía de la publicidad; confía más en la opinión de otros consumidores.

Comprador impulsivo: compra algo sin saber por qué y luego busca explicaciones racionales para justificar su compra. En realidad, compra productos que asocia con determinadas emociones. La publicidad le influye mucho, pero la mayoría de las veces no es consciente de ello.

Si usted se ha identificado con el primer perfil, tenemos una mala noticia: usted miente o se engaña a sí mismo. Según el *neuromarketing*, el comprador racional no existe. Esta rama del *marketing* usa técnicas de la neurociencia para estudiar el cerebro del consumidor, entender cómo compra y así poder venderle más y mejor. Según los estudios de *neuromarketing*, un 90 % de las decisiones de compra se toman de forma inconsciente y emocional. Así que ya lo sabe, olvídese de las listas de la compra y no se moleste en *(don't bother)* comparar precios, porque al final será su cerebro reptiliano (el más instintivo) el que decidirá qué y cuándo comprar.

Los estudios de *neuromarketing* están de moda. ¿Sabía usted que el olfato *(smell)* es el sentido que se fija más en nuestra memoria (un 35 %), seguido de la vista, el oído y el tacto? ¿Que las emociones de tristeza *(sadness)* y pena activan casi las mismas regiones del cerebro que la felicidad y que nos emocionamos más con los impactos negativos?

Toda esa información es muy valiosa para los productores y los establecimientos, ya que les permite crear productos que respondan a las necesidades de los clientes y diseñar campañas publicitarias y espacios pensados para comprar. Por eso, en las grandes superficies comerciales, todo está hecho para que el consumidor se sienta cómodo y encuentre fácilmente lo que busca. De este modo, comprará más y querrá volver.

Por otro lado, cada vez más empresas se basan en estudios de *neuromarketing* para diseñar campañas de publicidad emocional. Es evidente que vivimos en un mundo inundado de publicidad, en el que resulta difícil llamar la atención del consumidor. Y eso se consigue apelando a sus emociones, haciéndole reír y llorar.

Pero el *neuromarketing* genera polémica. Algunos científicos piensan que no es ético usar los avances de la ciencia para tener bajo control al consumidor y manipularlo cada vez más. Otros afirman que no es una ciencia exacta: el *neuromarketing* puede estudiar nuestras reacciones ante determinados estímulos, pero no explica nuestro comportamiento *(behavior)*. Es decir, nos puede gustar un anuncio, pero no por eso vamos a comprar el producto anunciado. Así que no está tan claro que las emociones vendan por sí solas. Y no parece verdad que todos compremos por impulso... o únicamente por impulso. ¿Qué opina usted? ¿Sigue pensando que es un comprador racional?

TÉCNICAS DEL *NEUROMARKETING*

Eye tracking
Permite registrar el recorrido de la mirada del consumidor en una tienda para ver en qué productos se fija.

Electroencefalograma
Mide la actividad cerebral del cliente ante diferentes estímulos.

Biorretroalimentación
Mide los parámetros físicos como el ritmo cardiaco, la temperatura de la piel o la dilatación de las pupilas ante los estímulos.

123

ENTENDER CÓMO FUNCIONA LA LENGUA

This section offers a place to find scaffolding activities that **focus on form**. Here, students have the opportunity to advance into more complex structures in context. It includes models and examples that target the form and structures under study, and gives students the chance to work inductively when analyzing grammar structures. Meaningful **lexical bundles** of language are highlighted in blue.

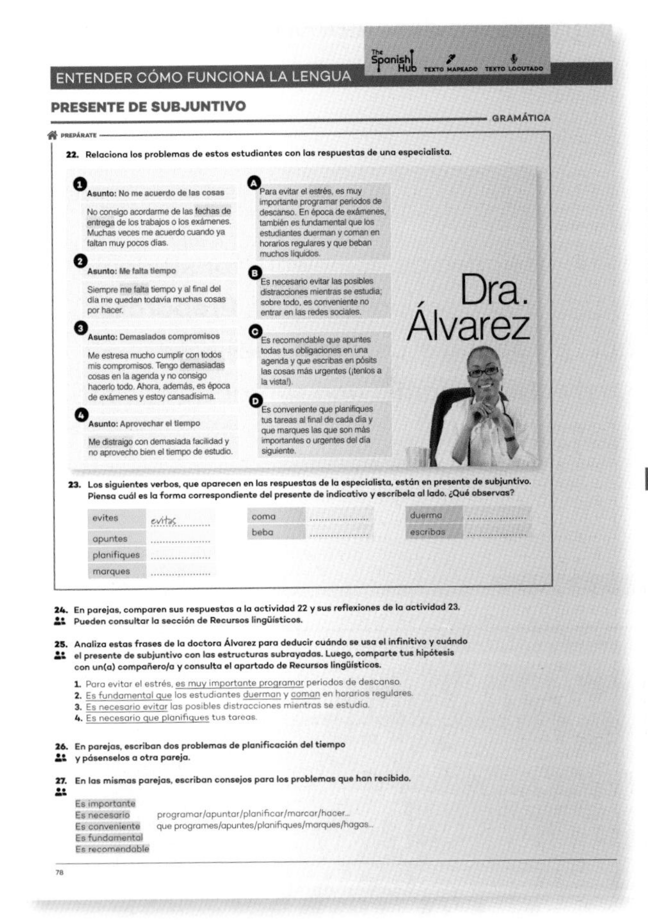

ENTENDER CÓMO FUNCIONA LA LENGUA

The Spanish Hub TEXTO MAPEADO TEXTO LOCUTADO

PRESENTE DE SUBJUNTIVO

GRAMÁTICA

PREPÁRATE

22. Relaciona los problemas de estos estudiantes con las respuestas de una especialista.

1 **Asunto: No me acuerdo de las cosas**
No consigo acordarme de las fechas de entrega de los trabajos o los exámenes. Muchas veces me acuerdo cuando ya faltan muy pocos días.

2 **Asunto: Me falta tiempo**
Siempre me falta tiempo y al final del día me quedan todavía muchas cosas por hacer.

3 **Asunto: Demasiados compromisos**
Me estresa mucho cumplir con todos mis compromisos. Tengo demasiadas cosas en la agenda y no consigo hacerlo todo. Ahora, además, es época de exámenes y estoy cansadísima.

4 **Asunto: Aprovechar el tiempo**
Me distraigo con demasiada facilidad y no aprovecho bien el tiempo de estudio.

A Para evitar el estrés, es muy importante programar periodos de descanso. En época de exámenes, también es fundamental que los estudiantes duerman y coman en horarios regulares y que beban muchos líquidos.

B Es necesario evitar las posibles distracciones mientras se estudia; sobre todo, es conveniente no entrar en las redes sociales.

C Es recomendable que apuntes todas tus obligaciones en una agenda y que escribas en pósits las cosas más urgentes (¡tenlos a la vista!).

D Es conveniente que planifiques tus tareas al final de cada día y que marques las que son más importantes o urgentes del día siguiente.

Dra. Álvarez

23. Los siguientes verbos, que aparecen en las respuestas de la especialista, están en presente de subjuntivo. Piensa cuál es la forma correspondiente del presente de indicativo y escríbela al lado. ¿Qué observas?

evites	evitas	coma	....	duerma	....
apuntes	....	beba	....	escribas	....
planifiques	....				
marques	....				

24. En parejas, comparen sus respuestas a la actividad 22 y sus reflexiones de la actividad 23. Pueden consultar la sección de Recursos lingüísticos.

25. Analiza estas frases de la doctora Álvarez para deducir cuándo se usa el infinitivo y cuándo el presente de subjuntivo con las estructuras subrayadas. Luego, comparte tus hipótesis con un(a) compañero/a y consulta el apartado de Recursos lingüísticos.

1. Para evitar el estrés, es muy importante programar periodos de descanso.
2. Es fundamental que los estudiantes duerman y coman en horarios regulares.
3. Es necesario evitar las posibles distracciones mientras se estudia.
4. Es necesario que planifiques tus tareas.

26. En parejas, escriban dos problemas de planificación del tiempo y pásenselos a otra pareja.

27. En las mismas parejas, escriban consejos para los problemas que han recibido.

Es importante
Es necesario — programar/apuntar/planificar/marcar/hacer...
Es conveniente — que programes/apuntes/planifiques/marques/hagas...
Es fundamental
Es recomendable

78

SONIDOS addresses a wide spectrum of oral input and practice in Spanish. Students will find activities focused on specific phonemes as well as exercises emphasizing the pragmatics of intonation in Spanish.

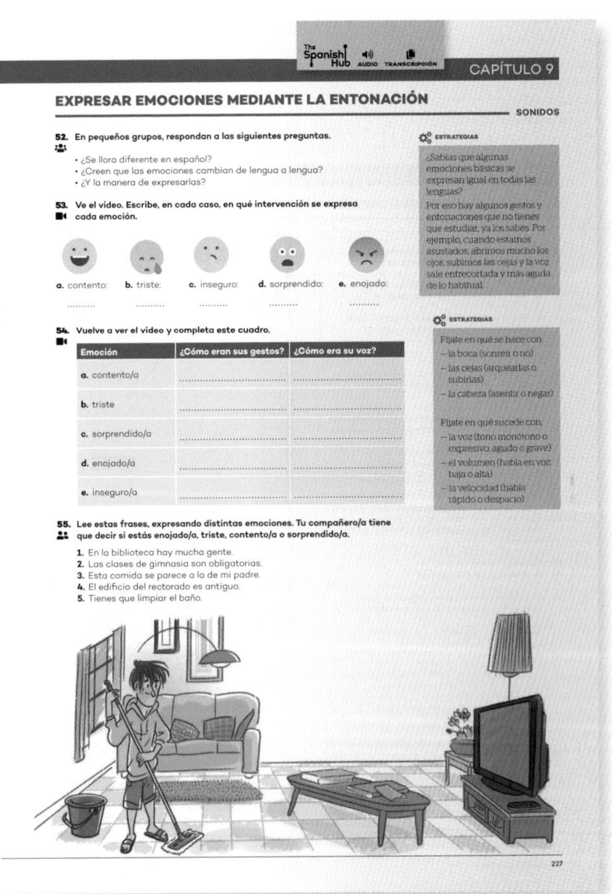

The Spanish Hub AUDIO TRANSCRIPCIÓN

CAPÍTULO 9

EXPRESAR EMOCIONES MEDIANTE LA ENTONACIÓN

SONIDOS

52. En pequeños grupos, respondan a las siguientes preguntas.

- ¿Se llora diferente en español?
- ¿Creen que las emociones cambian de lengua a lengua?
- ¿Y la manera de expresarlas?

53. Ve el video. Escribe, en cada caso, en qué intervención se expresa cada emoción.

a. contento: .... **b.** triste: .... **c.** inseguro: .... **d.** sorprendido: .... **e.** enojado: ....

54. Vuelve a ver el video y completa este cuadro.

Emoción	¿Cómo eran sus gestos?	¿Cómo era su voz?
a. contento/a	....	....
b. triste	....	....
c. sorprendido/a	....	....
d. enojado/a	....	....
e. inseguro/a	....	....

55. Lee estas frases, expresando distintas emociones. Tu compañero/a tiene que decir si estás enojado/a, triste, contento/a o sorprendido/a.

1. En la biblioteca hay mucha gente.
2. Las clases de gimnasia son obligatorias.
3. Esta comida se parece a la de mi padre.
4. El edificio del rectorado es antiguo.
5. Tienes que limpiar el baño.

ESTRATEGIAS

¿Sabías que algunas emociones básicas se expresan igual en todas las lenguas?
Por eso hay algunos gestos y entonaciones que no tienes que estudiar, ya los sabes. Por ejemplo, cuando estamos asustados, abrimos mucho los ojos, subimos las cejas y la voz sale entrecortada y más aguda de lo habitual.

ESTRATEGIAS

Fíjate en qué se hace con:
– la boca (sonreír o no)
– las cejas (arquearlas o subirlas)
– la cabeza (asentir o negar)

Fíjate en qué sucede con:
– la voz (tono monótono o expresivo, agudo o grave)
– el volumen (habla en voz baja o alta)
– la velocidad (habla rápido o despacio)

227

CULTURAS

This section highlights products, practices, and perspectives in an organic way. Poetry, short stories, essays, and texts that feature music, art, history, and cinema are introduced from the early chapters. A **multiliteracies approach** to working with cultural texts emphasizes the need to expose students to these cultural expressions, regardless of their language level.

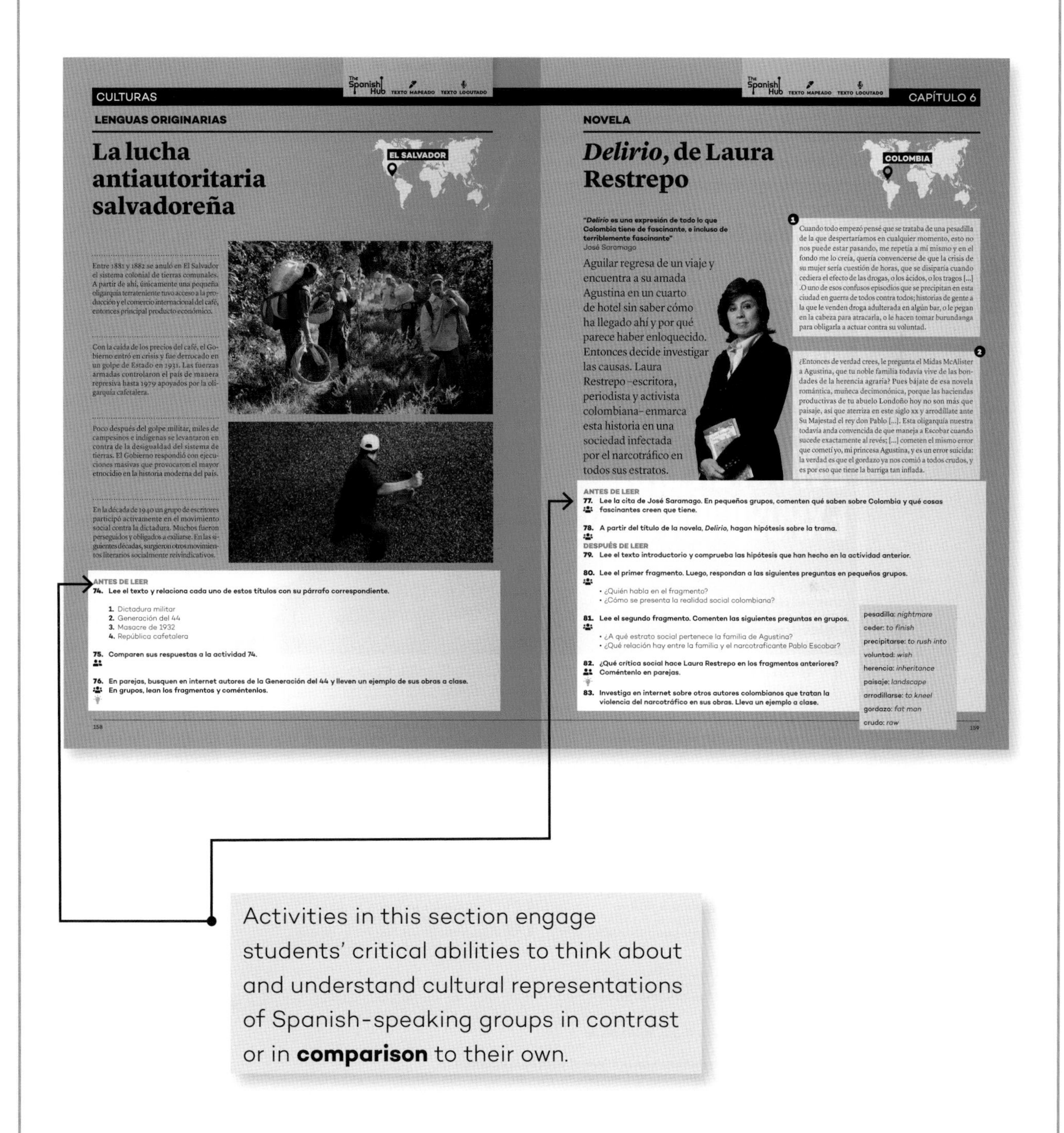

CULTURAS

The Spanish Hub TEXTO MAPEADO TEXTO LOCUTADO

LENGUAS ORIGINARIAS

La lucha antiautoritaria salvadoreña

EL SALVADOR

Entre 1881 y 1882 se anuló en El Salvador el sistema colonial de tierras comunales. A partir de ahí, únicamente una pequeña oligarquía terrateniente tuvo acceso a la producción y el comercio internacional del café, entonces principal producto económico.

Con la caída de los precios del café, el Gobierno entró en crisis y fue derrocado en un golpe de Estado en 1931. Las fuerzas armadas controlaron el país de manera represiva hasta 1979 apoyados por la oligarquía cafetalera.

Poco después del golpe militar, miles de campesinos e indígenas se levantaron en contra de la desigualdad del sistema de tierras. El Gobierno respondió con ejecuciones masivas que provocaron el mayor etnocidio en la historia moderna del país.

En la década de 1940 un grupo de escritores participó activamente en el movimiento social contra la dictadura. Muchos fueron perseguidos y obligados a exiliarse. En las siguientes décadas, surgieron otros movimientos literarios socialmente reivindicativos.

ANTES DE LEER

74. **Lee el texto y relaciona cada uno de estos títulos con su párrafo correspondiente.**

1. Dictadura militar
2. Generación del 44
3. Masacre de 1932
4. República cafetalera

75. **Comparen sus respuestas a la actividad 74.**

76. **En parejas, busquen en internet autores de la Generación del 44 y lleven un ejemplo de sus obras a clase. En grupos, lean los fragmentos y coméntenlos.**

158

The Spanish Hub TEXTO MAPEADO TEXTO LOCUTADO

CAPÍTULO 6

NOVELA

Delirio, de Laura Restrepo

COLOMBIA

"*Delirio* es una expresión de todo lo que Colombia tiene de fascinante, e incluso de terriblemente fascinante"
José Saramago

Aguilar regresa de un viaje y encuentra a su amada Agustina en un cuarto de hotel sin saber cómo ha llegado ahí y por qué parece haber enloquecido. Entonces decide investigar las causas. Laura Restrepo –escritora, periodista y activista colombiana– enmarca esta historia en una sociedad infectada por el narcotráfico en todos sus estratos.

1 Cuando todo empezó pensé que se trataba de una pesadilla de la que despertaríamos en cualquier momento, esto no nos puede estar pasando, me repetía a mí mismo y en el fondo me lo creía, quería convencerse de que la crisis de su mujer sería cuestión de horas, que se disiparía cuando cediera el efecto de las drogas, o los ácidos, o los tragos [...] .O uno de esos confusos episodios que se precipitan en esta ciudad en guerra de todos contra todos; historias de gente a la que le venden droga adulterada en algún bar, o le pegan en la cabeza para atracarla, o le hacen tomar burundanga para obligarla a actuar contra su voluntad.

2 ¿Entonces de verdad crees, le pregunta el Midas McAlister a Agustina, que tu noble familia todavía vive de las bondades de la herencia agraria? Pues bájate de esa novela romántica, muñeca decimonónica, porque las haciendas productivas de tu abuelo Londoño hoy no son más que paisaje, así que aterriza en este siglo xx y arrodíllate ante Su Majestad el rey don Pablo [...]. Esta oligarquía nuestra todavía anda convencida de que maneja a Escobar cuando sucede exactamente al revés; [...] cometen el mismo error que cometí yo, mi princesa Agustina, y es un error suicida: la verdad es que el gordazo ya nos comió a todos crudos, y es por eso que tiene la barriga tan inflada.

ANTES DE LEER

77. **Lee la cita de José Saramago. En pequeños grupos, comenten qué saben sobre Colombia y qué cosas fascinantes creen que tiene.**

78. **A partir del título de la novela, *Delirio*, hagan hipótesis sobre la trama.**

DESPUÉS DE LEER

79. **Lee el texto introductorio y comprueba las hipótesis que han hecho en la actividad anterior.**

80. **Lee el primer fragmento. Luego, respondan a las siguientes preguntas en pequeños grupos.**

- ¿Quién habla en el fragmento?
- ¿Cómo se presenta la realidad social colombiana?

81. **Lee el segundo fragmento. Comenten las siguientes preguntas en grupos.**

- ¿A qué estrato social pertenece la familia de Agustina?
- ¿Qué relación hay entre la familia y el narcotraficante Pablo Escobar?

82. **¿Qué crítica social hace Laura Restrepo en los fragmentos anteriores? Coméntenlo en parejas.**

83. **Investiga en internet sobre otros autores colombianos que tratan la violencia del narcotráfico en sus obras. Lleva un ejemplo a clase.**

pesadilla: *nightmare*
ceder: *to finish*
precipitarse: *to rush into*
voluntad: *wish*
herencia: *inheritance*
paisaje: *landscape*
arrodillarse: *to kneel*
gordazo: *fat man*
crudo: *raw*

159

Activities in this section engage students' critical abilities to think about and understand cultural representations of Spanish-speaking groups in contrast or in **comparison** to their own.

CONOCER LOS TEXTOS

This section focuses on different types of written and oral texts. Students learn about different genres, especially in connection with **academic work**. This section functions in some cases as scaffolding for the final projects **Proyecto en grupo** and **Proyecto individual**.

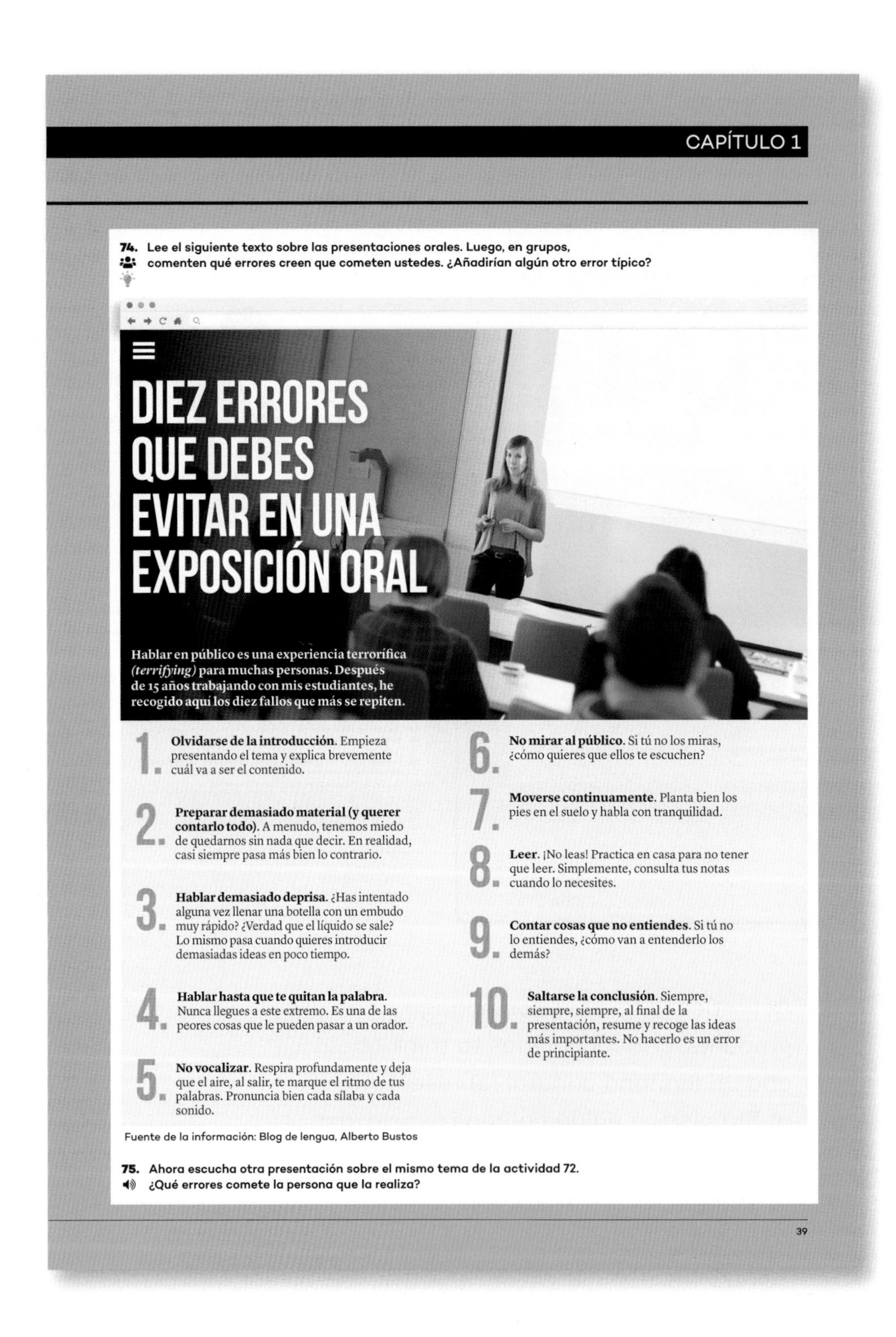

CAPÍTULO 1

74. Lee el siguiente texto sobre las presentaciones orales. Luego, en grupos, comenten qué errores creen que cometen ustedes. ¿Añadirían algún otro error típico?

DIEZ ERRORES QUE DEBES EVITAR EN UNA EXPOSICIÓN ORAL

Hablar en público es una experiencia terrorífica *(terrifying)* para muchas personas. Después de 15 años trabajando con mis estudiantes, he recogido aquí los diez fallos que más se repiten.

1. **Olvidarse de la introducción.** Empieza presentando el tema y explica brevemente cuál va a ser el contenido.
2. **Preparar demasiado material (y querer contarlo todo).** A menudo, tenemos miedo de quedarnos sin nada que decir. En realidad, casi siempre pasa más bien lo contrario.
3. **Hablar demasiado deprisa.** ¿Has intentado alguna vez llenar una botella con un embudo muy rápido? ¿Verdad que el líquido se sale? Lo mismo pasa cuando quieres introducir demasiadas ideas en poco tiempo.
4. **Hablar hasta que te quitan la palabra.** Nunca llegues a este extremo. Es una de las peores cosas que le pueden pasar a un orador.
5. **No vocalizar.** Respira profundamente y deja que el aire, al salir, te marque el ritmo de tus palabras. Pronuncia bien cada sílaba y cada sonido.
6. **No mirar al público.** Si tú no los miras, ¿cómo quieres que ellos te escuchen?
7. **Moverse continuamente.** Planta bien los pies en el suelo y habla con tranquilidad.
8. **Leer.** ¡No leas! Practica en casa para no tener que leer. Simplemente, consulta tus notas cuando lo necesites.
9. **Contar cosas que no entiendes.** Si tú no lo entiendes, ¿cómo van a entenderlo los demás?
10. **Saltarse la conclusión.** Siempre, siempre, siempre, al final de la presentación, resume y recoge las ideas más importantes. No hacerlo es un error de principiante.

Fuente de la información: Blog de lengua, Alberto Bustos

75. Ahora escucha otra presentación sobre el mismo tema de la actividad 72. ¿Qué errores comete la persona que la realiza?

39

PROYECTOS

These are the concluding activities of each chapter, when students first work collaboratively and then individually to create their own pieces of work and texts that reflect the topics under consideration.

Proyecto en grupo The group presentations give students the opportunity to think critically about the themes presented in the chapter. Students brainstorm, negotiate, create and present a final piece of work to the class.

Proyecto individual The individual project builds on the themes presented in the group presentation, and while the group presentations stress oral production, the individual presentations invite students to produce a written text such as a blog post, essay, article, a script for an audiovisual product, etc.

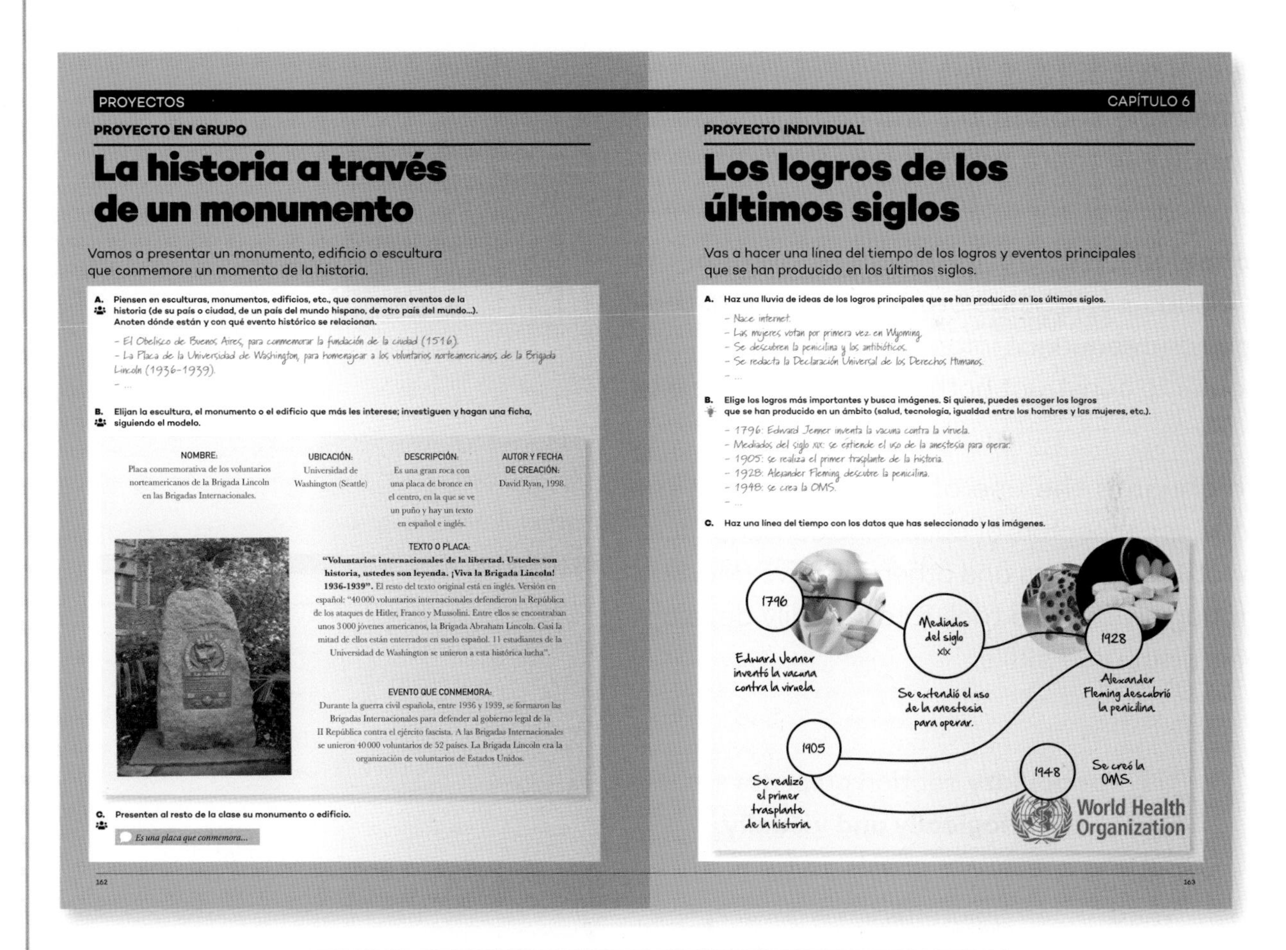

PROYECTOS

PROYECTO EN GRUPO

La historia a través de un monumento

Vamos a presentar un monumento, edificio o escultura que conmemore un momento de la historia.

A. Piensen en esculturas, monumentos, edificios, etc., que conmemoren eventos de la historia (de su país o ciudad, de un país del mundo hispano, de otro país del mundo...). Anoten dónde están y con qué evento histórico se relacionan.

- El Obelisco de Buenos Aires, para conmemorar la fundación de la ciudad (1516).
- La Placa de la Universidad de Washington, para homenajear a los voluntarios norteamericanos de la Brigada Lincoln (1936-1939).
- ...

B. Elijan la escultura, el monumento o el edificio que más les interese; investiguen y hagan una ficha, siguiendo el modelo.

NOMBRE: Placa conmemorativa de los voluntarios norteamericanos de la Brigada Lincoln en las Brigadas Internacionales.

UBICACIÓN: Universidad de Washington (Seattle)

DESCRIPCIÓN: Es una gran roca con una placa de bronce en el centro, en la que se ve un puño y hay un texto en español e inglés.

AUTOR Y FECHA DE CREACIÓN: David Ryan, 1998.

TEXTO O PLACA: **"Voluntarios internacionales de la libertad. Ustedes son historia, ustedes son leyenda. ¡Viva la Brigada Lincoln! 1936-1939".** El resto del texto original está en inglés. Versión en español: "40 000 voluntarios internacionales defendieron la República de los ataques de Hitler, Franco y Mussolini. Entre ellos se encontraban unos 3 000 jóvenes americanos, la Brigada Abraham Lincoln. Casi la mitad de ellos están enterrados en suelo español. 11 estudiantes de la Universidad de Washington se unieron a esta histórica lucha".

EVENTO QUE CONMEMORA: Durante la guerra civil española, entre 1936 y 1939, se formaron las Brigadas Internacionales para defender al gobierno legal de la II República contra el ejército fascista. A las Brigadas Internacionales se unieron 40 000 voluntarios de 52 países. La Brigada Lincoln era la organización de voluntarios de Estados Unidos.

C. Presenten al resto de la clase su monumento o edificio.

Es una placa que conmemora...

162

CAPÍTULO 6

PROYECTO INDIVIDUAL

Los logros de los últimos siglos

Vas a hacer una línea del tiempo de los logros y eventos principales que se han producido en los últimos siglos.

A. Haz una lluvia de ideas de los logros principales que se han producido en los últimos siglos.

- Nace internet.
- Las mujeres votan por primera vez en Wyoming.
- Se descubren la penicilina y los antibióticos.
- Se redacta la Declaración Universal de los Derechos Humanos.
- ...

B. Elige los logros más importantes y busca imágenes. Si quieres, puedes escoger los logros que se han producido en un ámbito (salud, tecnología, igualdad entre los hombres y las mujeres, etc.).

- 1796: Edward Jenner inventa la vacuna contra la viruela.
- Mediados del siglo XIX: se extiende el uso de la anestesia para operar.
- 1905: se realiza el primer trasplante de la historia.
- 1928: Alexander Fleming descubre la penicilina.
- 1948: se crea la OMS.
- ...

C. Haz una línea del tiempo con los datos que has seleccionado y las imágenes.

163

Every project has been designed to develop specific skills and cover a **wide range of formats**. To complete them, students must **research**, **create**, and **prepare presentations** about interdisciplinary subjects and engaging topics that are **culturally relevant** and often **related to their community.**

RECURSOS LINGÜÍSTICOS

This section contains linguistic information and explanations with meaningful examples pertaining to the key themes developed in the chapter. This section is enhanced by images, graphics and pictures to supplement descriptions and definitions that otherwise could be dry and intimidating.

Grammar Explanations and tables that describe morphology, as well as syntactic structures, are presented here. Some concepts are intentionally explained with the use of graphics to facilitate understanding. In addition, the **Atención** box adds supplementary information about grammar usage.

Communication This section addresses the linguistic functions that accompany the grammatical features just presented. The focus is on supporting oral communication. In addition, there is a section that refers to cohesion applicable to oral and written texts.

Cohesion This section focuses on aspects of discourse. It helps students connect their ideas and sequence information in a logical way in order to construct both oral and written texts.

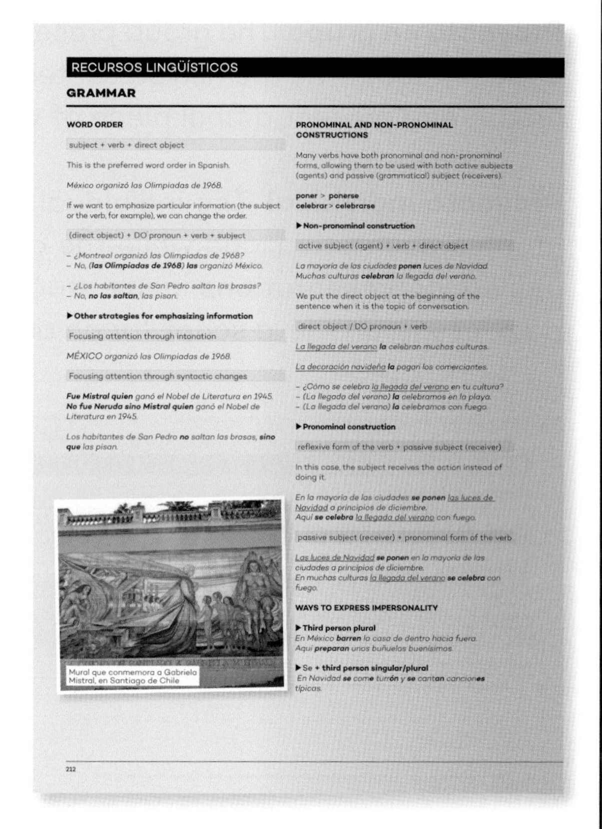

RECURSOS LINGÜÍSTICOS

GRAMMAR

WORD ORDER

subject + verb + direct object

This is the preferred word order in Spanish.

México organizó las Olimpiadas de 1968.

If we want to emphasize particular information (the subject or the verb, for example), we can change the order.

(direct object) + DO pronoun + verb + subject

– *¿Montreal organizó las Olimpiadas de 1968?*
– *No, (**las Olimpiadas de 1968**) **las** organizó México.*

– *¿Los habitantes de San Pedro saltan las brasas?*
– *No, **no las saltan**, las pisan.*

▶ **Other strategies for emphasizing information**

Focusing attention through intonation

MÉXICO organizó las Olimpiadas de 1968.

Focusing attention through syntactic changes

***Fue Mistral quien** ganó el Nobel de Literatura en 1945.*
***No fue Neruda sino Mistral quien** ganó el Nobel de Literatura en 1945.*

*Los habitantes de San Pedro **no** saltan las brasas, **sino que** las pisan.*

Mural que conmemora a Gabriela Mistral, en Santiago de Chile

PRONOMINAL AND NON-PRONOMINAL CONSTRUCTIONS

Many verbs have both pronominal and non-pronominal forms, allowing them to be used with both active subjects (agents) and passive (grammatical) subject (receivers).

poner > **ponerse**
celebrar > **celebrarse**

▶ **Non-pronominal construction**

active subject (agent) + verb + direct object

*La mayoría de las ciudades **ponen** luces de Navidad.*
*Muchas culturas **celebran** la llegada del verano.*

We put the direct object at the beginning of the sentence when it is the topic of conversation.

direct object / DO pronoun + verb

*La llegada del verano **la** celebran muchas culturas.*

*La decoración navideña **la** pagan los comerciantes.*

– *¿Cómo se celebra la llegada del verano en tu cultura?*
– *(La llegada del verano) **la** celebramos en la playa.*
– *(La llegada del verano) **la** celebramos con fuego.*

▶ **Pronominal construction**

reflexive form of the verb + passive subject (receiver)

In this case, the subject receives the action instead of doing it.

*En la mayoría de las ciudades **se ponen** las luces de Navidad a principios de diciembre.*
*Aquí **se celebra** la llegada del verano con fuego.*

passive subject (receiver) + pronominal form of the verb

*Las luces de Navidad **se ponen** en la mayoría de las ciudades a principios de diciembre.*
*En muchas culturas la llegada del verano **se celebra** con fuego.*

WAYS TO EXPRESS IMPERSONALITY

▶ **Third person plural**
*En México **barren** la casa de dentro hacia fuera.*
*Aquí **preparan** unos buñuelos buenísimos.*

▶ Se + **third person singular/plural**
*En Navidad **se** come turrón y **se** cantan canciones típicas.*

212

It highlights the use of discourse and time markers, connectors of cause and consequence, narrative resources and other cohesive devices, offering students a toolkit to steadily develop their discourse skills.

The **Vocabulary** section presents lexical items **logically and visually**, putting special emphasis on frequent **word** 〉combinations. The format of this presentation of words and expressions resembles how vocabulary is learned in an immersion environment and, in addition, facilitates learning via **graphic** organizers, **mental mapping**, **images**, outlines, etc.

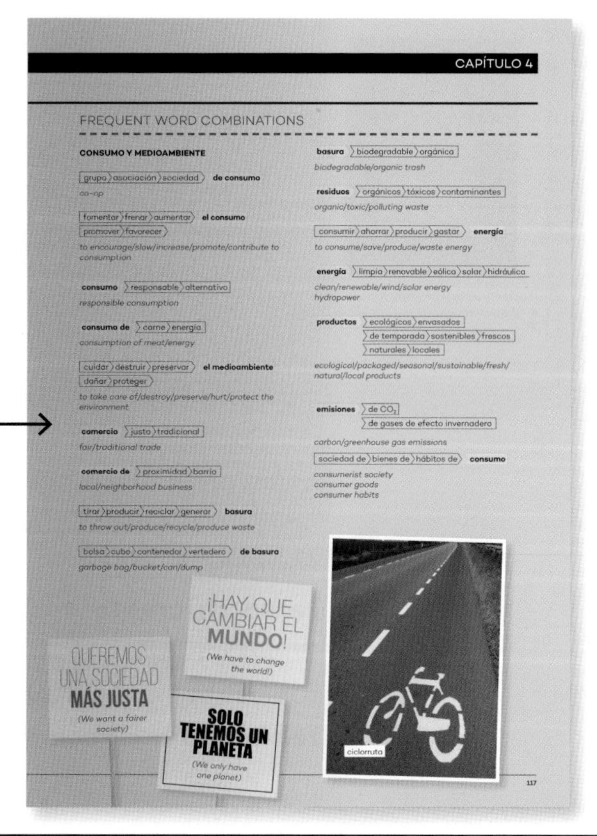

CAPÍTULO 4

FREQUENT WORD COMBINATIONS

CONSUMO Y MEDIOAMBIENTE

grupo 〉asociación 〉sociedad 〉 **de consumo**
co-op

fomentar 〉frenar 〉aumentar 〉 **el consumo**
promover 〉favorecer 〉
to encourage/slow/increase/promote/contribute to consumption

consumo 〉responsable 〉alternativo
responsible consumption

consumo de 〉carne 〉energía
consumption of meat/energy

cuidar 〉destruir 〉preservar 〉 **el medioambiente**
dañar 〉proteger 〉
to take care of/destroy/preserve/hurt/protect the environment

comercio 〉justo 〉tradicional
fair/traditional trade

comercio de 〉proximidad 〉barrio
local/neighborhood business

tirar 〉producir 〉reciclar 〉generar 〉 **basura**
to throw out/produce/recycle/produce waste

bolsa 〉cubo 〉contenedor 〉vertedero 〉 **de basura**
garbage bag/bucket/can/dump

basura 〉biodegradable 〉orgánica
biodegradable/organic trash

residuos 〉orgánicos 〉tóxicos 〉contaminantes
organic/toxic/polluting waste

consumir 〉ahorrar 〉producir 〉gastar 〉 **energía**
to consume/save/produce/waste energy

energía 〉limpia 〉renovable 〉eólica 〉solar 〉hidráulica
clean/renewable/wind/solar energy
hydropower

productos 〉ecológicos 〉envasados
〉de temporada 〉sostenibles 〉frescos
〉naturales 〉locales
ecological/packaged/seasonal/sustainable/fresh/natural/local products

emisiones 〉de CO_2
〉de gases de efecto invernadero
carbon/greenhouse gas emissions

sociedad de 〉bienes de 〉hábitos de 〉 **consumo**
consumerist society
consumer goods
consumer habits

ciclorruta

117

The Spanish Hub

The Spanish Hub is a platform offering digital content and resources for students and instructors who work with **PROYECTOS 2**.

It is designed with a clear purpose in mind: to improve teaching and learning experiences in higher education environments with engaging content and helpful, user-friendly tools.
It offers easy access to a vast array of material in different formats to help students better grasp and practice concepts, build their skills, develop cultural insights, and meet learning objectives. These resources include online homework, grammar tutorials, and assessment material.

You may have received an **online access code** with your textbook. If not, you can purchase one at **klettworldlanguages.com**.

It features the following components:

- **INTERACTIVE TEXTBOOK**
- **INTERACTIVE ACTIVITIES**
- **ENRICHED eTEXT**
- **DIGITAL AIE**
- **GRAMMAR TUTORIALS**
- **GRAMMAR AND VERB TABLES**

• INTERACTIVE TEXTBOOK

The Interactive Textbook is a full html version of the Textbook which can be used to complement the hardcopy version of the book or used instead of the hard copy (both in face-to-face and online classes).
The Interactive Textbook offers in-class and out-of-class content and activities for students. It is browser-friendly with size-adaptable pages and a format adaptable to any desktop or tablet. It also offers a wide rich variety of resources making it more manageable than a classic printed textbook.
In individual activities, students may write directly in the writing fields or, when more space is needed, they can attach files. These notes are just for their personal use and may be used and corrected in class.

• INTERACTIVE ACTIVITIES

A modern and interactive version of a classic SAM (Student's Activities Manual). Students will be able to practice and expand the content and skills introduced in the Textbook. Most exercises are self-correcting, particularly those with the main objective of learning and reviewing grammar, vocabulary, listening comprehension, phonetics and culture. It also includes activities for written production and pronunciation practice which students may send to their instructors to receive feedback from them.

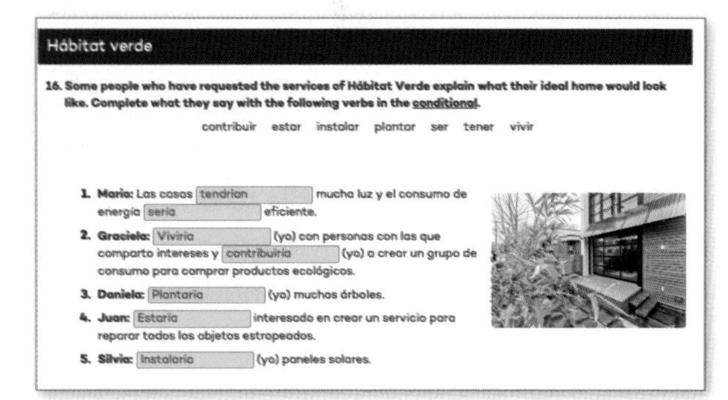
Hábitat verde

16. Some people who have requested the services of Hábitat Verde explain what their ideal home would look like. Complete what they say with the following verbs in the conditional.

contribuir estar instalar plantar ser tener vivir

1. María: Las casas tendrían mucha luz y el consumo de energía sería eficiente.
2. Graciela: Viviría (yo) con personas con las que comparto intereses y contribuiría (yo) a crear un grupo de consumo para comprar productos ecológicos.
3. Daniela: Plantaría (yo) muchos árboles.
4. Juan: Estaría interesado en crear un servicio para reparar todos los objetos estropeados.
5. Silvia: Instalaría (yo) paneles solares.

• ENRICHED eTEXT

An eBook version of the Textbook that allows students to browse through all the pages of the Textbook and grants them access to the most basic resources: videos and audios.

• GRAMMAR TUTORIALS

A series of short films features animated grammar to make grammatical structures easier and more fun to understand and learn.

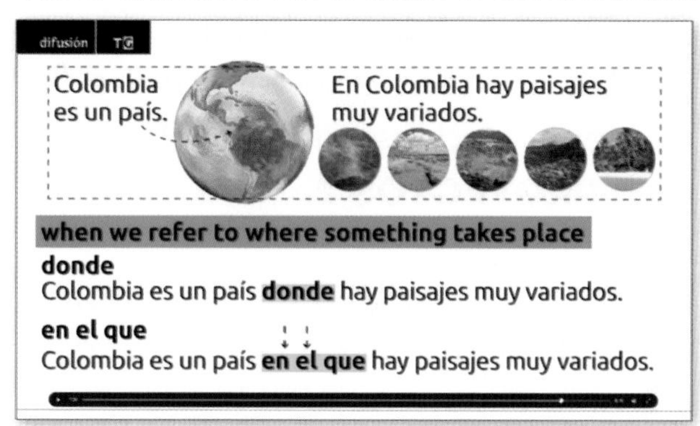

• GRAMMAR AND VERB TABLES

Printable and projectable tables on selected grammar themes and examples of how to conjugate verbs.

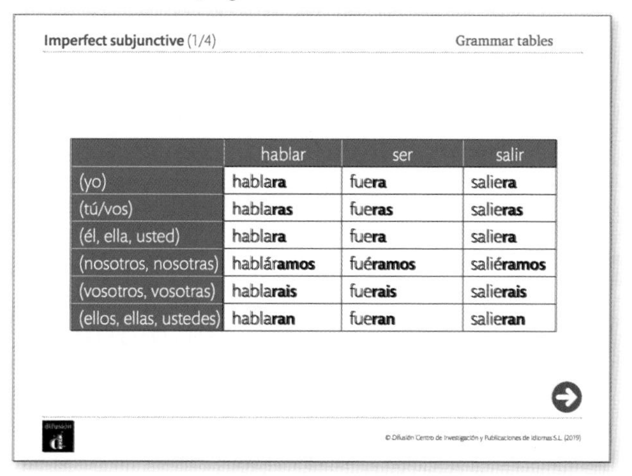
Imperfect subjunctive (1/4) Grammar tables

	hablar	ser	salir
(yo)	hablara	fuera	saliera
(tú/vos)	hablaras	fueras	salieras
(él, ella, usted)	hablara	fuera	saliera
(nosotros, nosotras)	habláramos	fuéramos	saliéramos
(vosotros, vosotras)	hablarais	fuerais	salierais
(ellos, ellas, ustedes)	hablaran	fueran	salieran

OTHER RESOURCES

- Videos and their scripts
- Audios and their scripts
- Textos locutados (audio text narrated in four different Spanish varieties)
- Textos mapeados (mapped versions of texts)
- Interactive quizzes on each chapter
- Spanish-English and English-Spanish Glossaries
- Maps
- Rubrics

PROYECTOS ICONS

 **PREPÁRATE**

This icon indicates activities that students can prepare independently before coming to class (**flipped-classroom**) in order to **maximize group communication and collaboration**.

Examples of language used in oral activities are given in these boxes.

 **ATENCIÓN**

The **Atención** boxes highlight important points regarding grammar and vocabulary.

 **ESTRATEGIAS**

These boxes offer **learning strategies** for comprehension, speaking, writing, memorizing, vocabulary expansion, and more.

 **LA CAFETERÍA**

A resource that presents topics that break down the walls of the classroom and spark **conversations about essential questions**. In many cases, they may take on a linguistic character, but in others the main goal is developing persuasive and critical thinking skills, or showing the **connections between learned content and real life**.

This icon at the top of the pages highlights the digital content and resources available on **The Spanish Hub** platform.

 **TEXTO MAPEADO**

This icon indicates that a "mapped" version of text can be downloaded from **The Spanish Hub**. It's a unique and effective way to make the best of the readings.

 **TEXTO LOCUTADO**

This icon indicates that the text has **four audio versions** on **The Spanish Hub**. Each one is narrated by a different **native speaker from Mexico**, **Colombia**, the Caribbean (**Cuba** and **Puerto Rico**), and **Spain**.

 **TRANSCRIPCIÓN**

Audio and video scripts

 **TUTORIAL**

Grammar Tutorial

 **QUIZ**

Quiz

Activities marked with this icon have been created specifically to develop learners' **critical thinking skills**. In these activities, students reflect critically on what they have read, on their own culture, and on the cultures of others.

 Pair activity

 Group activity

 Audios

 Videos

COURSE PLANNING

PROYECTOS 1 and **2** have been designed keeping in mind the need for flexibility and manageability in a wide variety of academic situations. The following charts illustrate how the program can be used on two-semester and four-semester courses.

TWO-SEMESTER SYLLABUS (3–5 class periods per week)	
FIRST SEMESTER	**SECOND SEMESTER**
PROYECTOS 1 Chapters 1 – 10	**PROYECTOS 2** Preliminary Chapter – Chapter 10

FOUR-SEMESTER SYLLABUS (3 class periods per week)			
FIRST SEMESTER	**SECOND SEMESTER**	**THIRD SEMESTER**	**FOURTH SEMESTER**
PROYECTOS 1 Chapters 1 – 5	**PROYECTOS 1** Chapters 6 – 10	**PROYECTOS 2** Preliminary Chapter – Chapter 5	**PROYECTOS 2** Chapters 6 – 10

REVIEWERS

SERGIO ADRADA RAFAEL
Fairfield University. Connecticut

CLARA BURGO
Loyola University Chicago. Illinois

LORENA CAMACHO GUARDADO
The University of Texas at Dallas. Texas

ESTHER CASTRO-CUENCA
Mount Holyoke College. Massachusetts

ANNA MARTHA CEPEDA
Florida International University. Florida

HEATHER COLBURN
Northwestern University. Illinois

JUAN PABLO COMÍNGUEZ
Columbia University. New York

ERICA FISCHER
Saint Mary's University. Halifax, NS. Canada

SUSANA GARCÍA PRUDENCIO
The Pennsylvania State University. Pensilvania

EVA GÓMEZ GARCÍA
Brown University. Rhode Island

GRACIELA HELGUERO-BALCELLS
Northern Virginia Community College, Nova Southeastern University. Florida

ANTONIO ILLESCAS
Mount Holyoke College. Massachusetts

AGGIE JOHNSON
Flagler College. Florida

ESTHER LOMAS SAMPEDRO
Fordham University. New York

CLAUDIA M. LANGE
Carleton College. Minnesota

MARÍA MERCEDES FREEMAN
The University of North Carolina at Greensboro. North Carolina

REYES MORÁN
Northwestern University. Illinois

KELLEY MELVIN
University of Missouri-Kansas City. Missouri

ADRIANA MERINO
Princeton University. New Jersey

JOAN MUNNÉ
Duke University. North Carolina

LISA MERSCHEL
Duke University. North Carolina

SAMUEL A. NAVARRO ORTEGA
Independent Researcher

LILIANA PAREDES
Duke University. North Carolina

ROBERTO REY AGUDO
Dartmouth College. New Hampshire

EDGAR SERRANO
University of Mississippi. Mississippi

ESTHER TRUZMAN
New York University. New York

SARA VILLA
The New School. New York

MARLENYS VILLAMAR
City University of New York. New York

ANA YÁÑEZ RODRÍGUEZ
Massachusetts Institute of Technology. Massachusetts

The authors would like to thank:
Adolfo Sánchez Cuadrado, Almudena Marín Cobos, Marta Ferrer, Víctor Mora, Mercedes Gaspar, Mabel Cuesta, Óscar Guerra, Ana Pérez, María Dolores Torres, Xavier Llovet, David Rodríguez Solás

SCOPE AND SEQUENCE

LEARNING OUTCOMES | **LANGUAGE STRUCTURES**

CAPÍTULO PRELIMINAR EMPEZAMOS p. 002

In this chapter you will make a video to introduce yourself.

Learning outcomes
- Narrate in the past
- Express likes and dislikes
- Give advice and make suggestions
- Express feelings and opinion
- Express agreement and disagreement

Language structures
- Types of verbs
- Preterite
- Imperfect
- Contrast of preterite / imperfect
- **Ser** and **estar**
- Formulating questions: question words

CAPÍTULO 1 EXPERIENCIAS p. 020

In this chapter, you will learn how to prepare for a job interview and make a video résumé.

Learning outcomes
- Talk about experiences
- Express feelings
- Talk about skills and talents
- Talk about future plans

Language structures
- The present perfect
- Time adverbials
- Uses of **por** and **para**

CAPÍTULO 2 EDUCACIÓN Y FUTURO p. 048

In this chapter, you will learn how to talk about your future career.

Learning outcomes
- Make predictions
- Talk about what is going to happen
- Place an action in the future

Language structures
- The future
- **seguir** + gerund, **dejar de** + infinitive
- Comparisons: **mejor que...**, **peor que...**, **el mismo/la misma/los mismos/las mismas que...**
- Conditional sentences (**si** + present, future)

CAPÍTULO 3 ORGANIZACIÓN Y TIEMPO p. 072

In this chapter, you will learn how to suggest solutions to improve time management.

Learning outcomes
- Compare statistics, data, and schedules
- Offer, ask for, and ask about a service
- Give advice

Language structures
- The present subjunctive
- The neutral definite article **lo**
- Giving advice and evaluating with the infinitive/subjunctive
- Relative clauses with the indicative/ subjunctive
- Relating actions with **cuando** (+indicative/ subjunctive)

CAPÍTULO 4 CONSUMO Y MEDIOAMBIENTE p. 094

In this chapter, you will learn how to write a manifesto and set up an initiative for cooperative consumption.

Learning outcomes
- Make suggestions and give advice
- Explain problems and discuss the causes
- Express wishes and desires, needs, requests, and complaints

Language structures
- Expressing wishes and complaints: **querer/ esperar/pedir** + infinitive, and **querer/ esperar/pedir que** + subjunctive
- Expressing needs: **es necesario/ imprescindible** + infinitive, and **es necesario/ imprescindible que** + subjunctive
- The conditional

CAPÍTULO 5 MERCADOTECNIA Y PUBLICIDAD p. 118

In this chapter, you will learn how to come up with an ad campaign and give your opinion on a question related to advertising.

Learning outcomes
- Express one's personal opinion and make comments
- Express purpose
- Construct an argument

Language structures
- State, negate, and express certainty with **creo que/es verdad/ es evidente/está claro/está demostrado que** + indicative, **no es verdad / no es cierto / no creo que** + subjunctive
- Express a personal opinion with infinitive / subjunctive: **está bien/mal**, es **injusto/ ilógico** + infinitive, **está bien/mal**, es **injusto/ilógico que** + present subjunctive
- Express purpose: **para** + infinitive / **para que** + subjunctive

VOCABULARY	ORAL & WRITTEN TEXTS	SOUNDS	PROJECTS	CULTURE
Personal information Leisure activities Personality Feelings and moods Social relationships	Sequencing information Narrative resources Reacting to what others tell us		Group: write down survey questions to get to know your classmates Individual: make a video to introduce yourself	
The world of work Adjectives to describe mood and feelings Abilities and personality Professions and experience	Connectors of sequence: **en primer lugar**, **en segundo lugar**, **por último** Giving an oral presentation 	Forward positioning of **t/d** 	Group: practice a job interview Individual: produce a video résumé	The job market in Spain and Latin America Skills needed to find a job Education in Costa Rica Karla Gachet (Ecuador)
Education and learning **Ya**, **aún no** / **todavía no**	Organizing information: **por un lado..., por otro lado...; por una parte..., por otra parte...** Online discussion boards	**be/uve**, **de**, **gue** 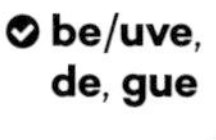 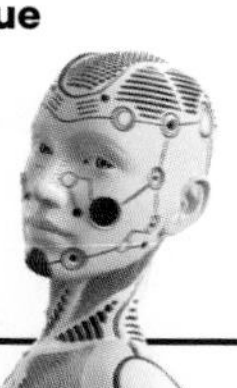	Group: Debate our professional futures Individual: Make a video to present what your career will be like 15 years from now	Hispanic presence in the US Juan Mayorga: *El chico de la última fila* (Spain) 
Offer and ask for services Time management	Use of the comma Interpreting an argumentative text 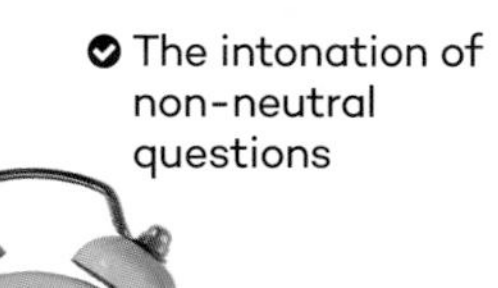	The intonation of non-neutral questions	Group: propose solutions for improving your time management Individual: write a report on college/university students' timetables	Mayan time (Mexico, Belize, El Salvador, Honduras) A poem by Gioconda Belli (Nicaragua)
Consumption and the environment	Connectors of cause and consequence Text cohesion devices Translating a text	**g/j** The **ch-** group 	Group: create a list of demands on the environment Individual: write an article for your college's blog on the environment	Barro Colorado (Panama) Contemporary art in Chile 
Marketing and advertising The goals of advertising	Additive connectors for building an argument Advertising 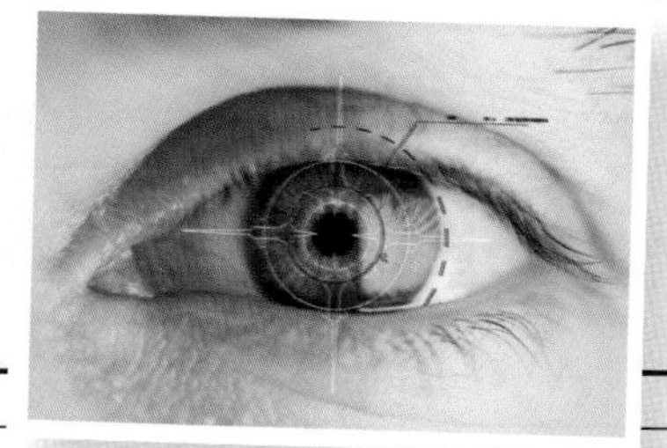	The intonation of exclamations Consonant + **r**, Consonant + **l**	Group: design an advertising campaign Individual: write an opinion piece about a topic related to advertising practices	The **No** zone (Chile) Orlando Arias: art and consumerism (Bolivia) 

SCOPE AND SEQUENCE

	LEARNING OUTCOMES	LANGUAGE STRUCTURES

CAPÍTULO 6 HISTORIAS Y DESAFÍOS p. 140

In this chapter, you will learn how to talk about historical events.

Learning outcomes
- Describe historical events
- Express opinion
- Express agreement and disagreement

Language structures
- The past perfect
- Narrate past events
- The historic (narrative) present
- Relative clauses with **que**, **quien**, and **donde**

CAPÍTULO 7 REDES p. 168

In this chapter, you will learn how to present an influencer on the web and speak about the internet.

Learning outcomes
- Reported speech
- Understanding apologetic texts

Language structures
- Changes in verb tenses in reported speech
- Adverbial clauses with indicative / subjunctive
- Combining infinitives and pronouns
- The future perfect

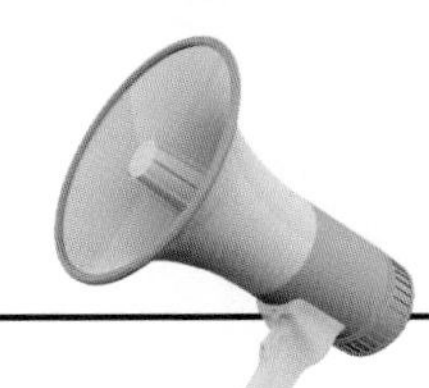
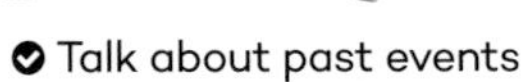

CAPÍTULO8 TRADICIONES p. 192

In this chapter, you will learn how to promote a cultural event from a Spanish-speaking country and discuss controversial traditions.

Learning outcomes
- Talk about past events
- Describe traditions
- Express opinions about events

Language structures
- Pronominal and non-pronominal constructions
- Express impersonality
- Passive constructions
- Intensify with **lo** + adjective / adverb

CAPÍTULO 9 EMOCIONES p. 216

In this chapter, you will learn how to evaluate your college or university and create a feelings collage.

Learning outcomes
- Express emotions
- Thank, congratulate and apologize
- Give advice, persuade and influence others

Language structures
- Intensifiers
- Express opinions using verbs with an indirect object: **(no) me gusta(n)**, **me motiva(n)**

CAPÍTULO 10 MUJERES Y PODER p. 238

In this chapter, you will learn how to talk about important women in the Spanish-speaking world and assess their achievements.

Learning outcomes
- Conditions with different degrees of probability
- Expressing wishes
- Discuss past and future events
- Report what someone said

Language structures
- The past subjunctive in present and future conditionals
- The pluperfect subjunctive and conditional in past conditionals
- Use of the subjunctive (**ojalá**, **me gustaría que**...)
- The past subjuntive in reported speech

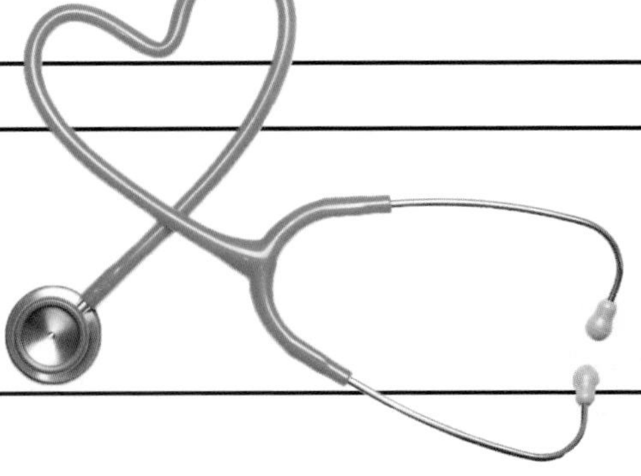

Verbs p. 264
Glossary: Spanish-English p. 278
Glossary: English-Spanish p. 285
Index p. 292
Maps p. 294
Credits p. 297

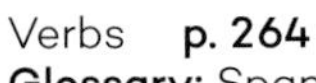

VOCABULARY	ORAL & WRITTEN TEXTS	SOUNDS	PROJECTS	CULTURE
History and politics 	Enriching vocabulary: nominalization Journalistic genre	The letter **ñ** Accents on words The **qu-** group	Group: present a historic moment through a monument, statue, building, etc. Individual: achievements in recent centuries	The history of relations between Spanish-speaking countries The history of El Salvador Committed literature: Laura Restrepo (Colombia)
The internet New ways of working Anglicisms 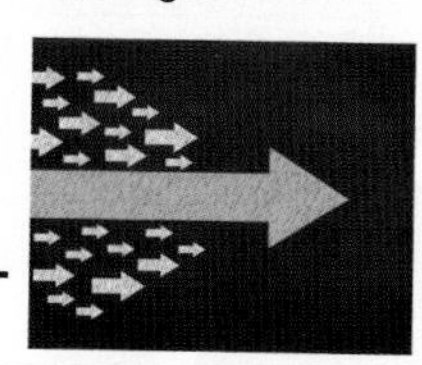	Accuracy and enriching vocabulary: alternatives to the verb **decir** Summarizing	The **ll** group 	Group: do a presentation about an influencing spanish-speaking person on the internet Individual: write a text on a topic related to the internet	Barbarita Lara's emergency alert system (Chile) *Kentukis*, a novel by Samanta Schweblin (Argentina)
Traditions, celebrations, and rites	Expository text 	The letter **l** Intonation to express obviousness and doubt	Group: design an ad to promote a cultural event in a Spanish-speaking country Individual: write a report about a controversial tradition	Traditions, celebrations, and rituals in the Hispanic world Popular festivities in Honduras Susana Baca, Peruvian musician 
Emotions and feelings Word families	Expressive and directive speech acts Combined speech acts Politeness: linguistic ressources	Universal intonation patterns compared with those specific to Spanish	Group: discuss the state of your college or university Individual: create a collage with feelings	Education in the US: Victor Rios Uruguayan poetry: Idea Vilariño
Discrimination and society 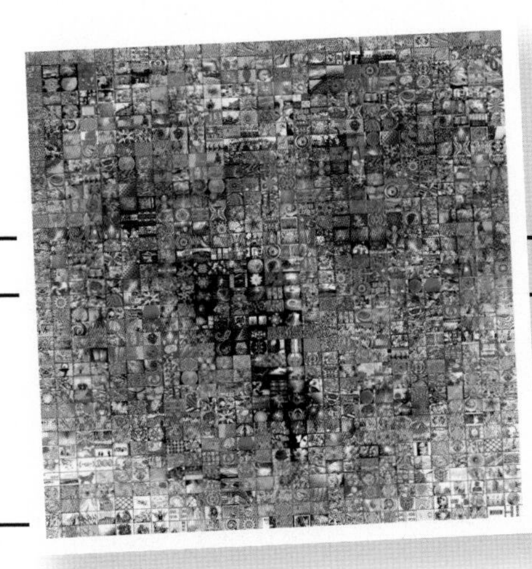	Academic text	Linguistic diversity	Group: do a presentation about a woman who played a key role in the history or politics of Latin America Individual: write an academic essay about the representation of women in art	Past, present and future of women Significant contributions to the Spanish-speaking world made by women Puerto Rico and the bolero Cinema: *Una mujer fantástica* (Chile)

REPASO

EMPEZAMOS

En este capítulo vas a grabar un video para presentarte a la clase.

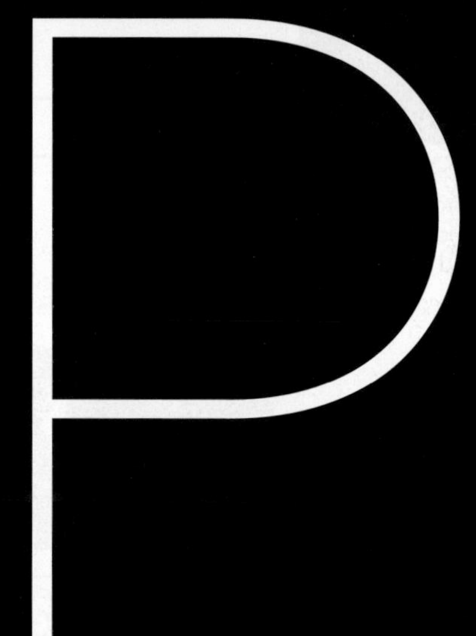

LEARNING OUTCOMES
- Narrate in the past
- Express likes, interests and preferences
- Give advice and make suggestions
- Express agreement and disagreement
- Share personal information

VOCABULARY
- Personal information
- Leisure activities
- Personality
- Social relationships

LANGUAGE STRUCTURES
- Types of verbs
- Preterite
- Imperfect
- Contrast of preterite / imperfect
- **Ser** and **estar**
- Formulating questions: question words

ORAL AND WRITTEN TEXTS
- Sequencing information
- Narrative resources
- Reacting to what others tell us

PROJECTS
- Group: write down survey questions to get to know your classmates
- Individual: make a video to introduce yourself

CITAS

1. **Lee las siguientes citas y comenta con tu compañero/a de qué tratan.**

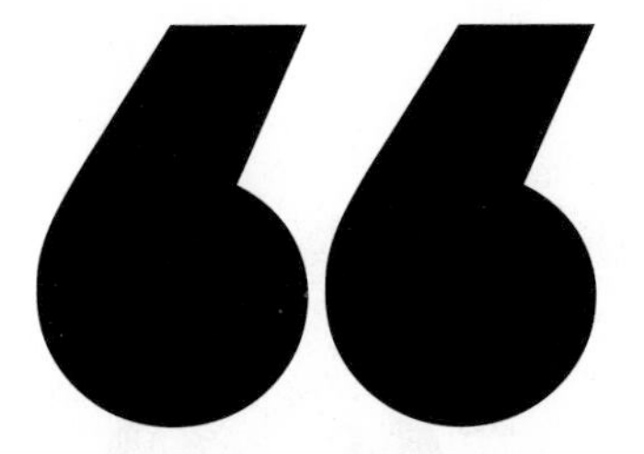

Un objetivo sin un plan es solo un deseo.
ANTOINE DE SAINT-EXUPÉRY (1900–1944), aviador y escritor francés

Qallariyllam sasaqa.
(Empezar es difícil).
REFRÁN QUECHUA

Una generación sucede a la otra, y cada una repite los actos de la anterior.
ELENA GARRO (1916–1998), escritora mexicana

2. **Selecciona una cita que te interese y escribe por qué la elegiste.**

3. **En pequeños grupos, compartan sus respuestas a la actividad 2. ¿Con qué citas están más de acuerdo? ¿Con cuáles menos? ¿Por qué?**

Yo estoy de acuerdo con la cita 1 porque...
Sí, yo también, pero...
Yo creo que no...

4. **¿Es difícil para ti empezar un nuevo semestre? ¿Qué cosas son más complicadas? Escribe una lista. Luego, hablen en pequeños grupos y den consejos o hagan recomendaciones a sus compañeros/as.**

IMÁGENES

5. **Mira estas imágenes y elige cinco con las que te identifiques. Escribe todo lo que asocias con cada una.**

(Creo que) esto/esta/este es...
En la imagen/fotografía hay / se ve...
La imagen/fotografía representa...
está relacionada con...
me recuerda a...
la asocio con...

Ushuaia. Argentina

Ramón Casas (1866-1932), *Au Moulin de la Galette. Madeleine (1892)*

UNAM, Ciudad universitaria. México

6. **¿Algún(a) compañero/a eligió las mismas imágenes que tú? Búscalo/a y comparen lo que escribieron para cada una. Luego, expliquen por qué las eligieron.**

Pues elegí esta imagen porque...
Para mí, esta imagen es interesante porque...
Me gusta/n porque...

Me interesa especialmente...
Para mí, es fundamental...
Me gustaría...

Yo elegí esta imagen porque me interesa mucho la historia. Hace dos años estuve en México y visité la península de Yucatán.

7. **Cuando terminen, repitan la actividad anterior con dos compañeros/as más. Hablen al menos de tres de sus imágenes.**

8. **En grupos, compartan sus imágenes. ¿Cuáles son las elegidas por un mayor número de estudiantes? ¿Por qué? Compartan sus comentarios con la clase.**

15 PREGUNTAS PARA CONOCER A UNA PERSONA

9. **¿Qué preguntas le haces normalmente a una persona para conocerla? Escribe dos.**

¿Qué tipo de música escuchas?

10. **Toda la clase pone en común las preguntas que escribieron.**

11. **Individualmente, lean el texto "15 preguntas para conocer a una persona". En pequeños grupos, elijan cinco preguntas y respóndanlas. Pueden incluir algunas preguntas de la actividad 9.**

12. **En grupos, comenten qué otras formas hay de conocer mejor a una persona. Utilicen los siguientes recursos.**

Lo mejor es hablar con alguien cara a cara.
Yo (te) recomiendo ser muy sincero/a.
Si de verdad quieres saber cómo es una persona, pasa mucho tiempo con ella.

IMAGINA LA SITUACIÓN

Eres nuevo en la ciudad, te invitan a una fiesta y tienes que hablar con mucha gente que no conoces. Después de hablar con cuatro personas diferentes sobre los temas más habituales, te preguntas cómo ir un poco más allá. Pero ¿cómo? Te proponemos 15 preguntas que seguramente te van a sorprender, pero que pueden ser divertidas y darte la posibilidad de conocerlas realmente mejor. Claro, tienes que elegir bien cuáles hacer en cada momento, pero ¡pruébalo!

extraño: *weird*
risa: *laughter*
miedos: *fears*
lejano: *remote*
rasgos: *traits*
enriquecedor: *fulfilling*
novedad: *novelty*

1

¿Cuál es tu película o serie de televisión favorita?

Es una pregunta clásica, pero te puede dar mucha información sobre los gustos y los intereses de esa persona, ¡y puede ser un buen tema de conversación!

2

¿Cuál es tu palabra favorita en español? ¿Y en inglés?

¿Pensaste sobre esto alguna vez? Pues ahora es el momento. Posiblemente vas a descubrir palabras que no conocías o a pensar de otra manera en palabras conocidas.

3

¿Qué personaje de la historia te parece interesante? ¿Por qué?

Con esta pregunta puedes saber qué nivel de conocimientos tiene la otra persona sobre historia, y qué piensa sobre otros temas sociales.

4

¿Cuál es tu tema de conversación favorito?

Si hay suerte y ustedes dos tienen un tema favorito similar, pueden hacerse buenos/as amigos/as. ¡Quién sabe!

5

¿Qué grupo musical o cantante escuchabas mucho en secundaria?

Esta pregunta es muy divertida y seguramente van a pasarla bien. La risa reduce la tensión y ayuda a relajarse. También pueden contar anécdotas del pasado.

6

¿Cuál es la cosa más extraña que llevas en la mochila?

Esta es una pregunta original porque uno lleva muchas veces algo extraño y, a menudo, hay una anécdota curiosa relacionada con ese objeto.

7

¿Cuál es tu objeto material más valioso?

Esta respuesta da mucha información sobre la persona. Seguramente, dos personas que valoran mucho su violín y su auto, respectivamente, son muy diferentes, aunque, atención, ¡siempre puede haber sorpresas!

8

¿Qué superpoder te gustaría tener?

La respuesta a esta pregunta te da información sobre los deseos y los miedos de la persona, porque normalmente deseamos algo que es muy importante para nosotros y que luchamos por conseguir o que consideramos muy lejano.

9

¿Qué tres adjetivos te describen mejor?

Esta pregunta es fundamental porque hay que elegir solo tres palabras para definirse. La persona puede tener una actitud crítica hacia sí misma o una percepción muy positiva. Todo eso puedes saberlo analizando su respuesta.

10

¿Qué cualidad prefieres que tengan tus amigos/as?

Esta pregunta es más personal, pero con ella puedes saber cuáles son los valores más importantes para la otra persona.

11

¿Qué animal te gustaría ser?

Con esta pregunta puedes saber qué rasgos de la personalidad son importantes para el/la otro/a, cómo le gustaría ser y qué valora especialmente.

12

¿Adónde fuiste la última vez que viajaste? ¿Te gustó?

Con esta pregunta puedes saber si le interesan la naturaleza o las ciudades, qué actividades le gusta hacer, etc., y saber así qué cosas tienen ustedes en común.

13

¿Crees que es necesario viajar para vivir experiencias?

Con esta pregunta puedes saber si a la otra persona le interesan los viajes o si prefiere otro tipo de experiencias vitales y, en general, qué le parece más enriquecedor.

14

¿Te gustaría viajar en el tiempo? ¿Al pasado o al futuro?

Si responde "al pasado", seguramente le interesa la historia y saber cómo era la vida en otras épocas; si responde "al futuro", seguramente le interesan más la novedad y las emociones.

15

¿Qué es lo más loco que hiciste el año pasado?

Si quieres saber si tiene un espíritu aventurero o es más bien tranquilo/a; si espontáneo/a o planificador/a, etc., esta es una buena pregunta.

IMPERFECTO-PRETÉRITO

GRAMÁTICA

13. Lee estas preguntas. ¿En qué tiempo verbal están las formas marcadas?

a. ¿Te interesa saber cómo **era** la vida en otras épocas?

....

b. ¿Qué grupo musical o cantante **escuchabas** mucho en secundaria?

....

c. ¿Adónde **fuiste** la última vez que **viajaste**? ¿Te **gustó**?

....

d. ¿Cómo **fueron** tus últimas vacaciones?

....

14. En parejas, marquen con qué tiempo verbal se realizan las siguientes acciones en los ejemplos anteriores y a qué pregunta corresponden. Comenten sus respuestas con el resto de la clase.

	imperfecto	pretérito	ejemplo
1. Referirse a un hábito o a una costumbre del pasado.	■	■	■
2. Describir personas, objetos, lugares y situaciones en el pasado.	■	■	■
3. Valorar una experiencia.	■	■	■
4. Referirse a una acción pasada y terminada	■	■	■

15. Consulta la sección de Recursos lingüísticos y añade otros usos del pretérito y del imperfecto. Escribe ejemplos para cada uno.

16. Compara tus respuestas con un(a) compañero/a.

17. En parejas, pregúntense cómo conocieron a su mejor amigo/a. Deben usar el imperfecto o el pretérito.

> — *¿Cómo conociste a tu mejor amigo/a?*
> — *Pues, mira, a los 11 años cambié de escuela y...*

NARRAR EN PASADO

COHESIÓN

18. **Lee cómo conoció Sergio a una amiga. ¿Alguna vez te sucedió algo parecido? Hablen en pequeños grupos.**

Cuando tenía 21 años, a todo el mundo le gustaba mucho un grupo que se llama Yellow Bird, todos mis amigos lo escuchaban. Me decían: "¡¿Qué?!, ¡¿no te gusta?!" Y yo siempre decía que no, porque realmente me aburrían (bored me) un poco. El caso es que un día vinieron a tocar a mi ciudad. Yo estaba paseando por el centro y, de repente, vi que había muchísima gente en la puerta de un teatro. ¡Impresionante! Así que empecé a preguntar qué pasaba y me dijeron que tocaba Yellow Bird. Por casualidad (By chance), vi a un amigo que tenía un boleto (ticket) extra y me lo dio. Después de entrar empecé a bailar y no paré (I didn't stop) de hacerlo en toda la noche. Luego, cuando terminó el concierto, fui a hablar con los músicos. La guitarrista y yo empezamos a conversar sobre música y nos hicimos superamigos. Al final resultó que mis amigos tenían razón y desde entonces voy a todos sus conciertos.

19. **Fíjate en los recursos subrayados. ¿Para qué sirven? ¿Usas recursos similares en inglés? Habla con un(a) compañero/a.**

20. **Ahora escribe cómo conociste a una persona importante para ti. Puedes consultar en la sección de Recursos lingüísticos los apartados "Preterite vs. Imperfect in Narration", "Sequencing Information" y "Narrative Resources".**

21. **Entrega tu texto a un(a) compañero/a. Él/ella va a corregirlo. ¿Pueden pensar juntos/as en formas de mejorarlo?**

22. **Escucha cómo Sergio le cuenta la historia a una amiga y marca los recursos que ella utiliza para reaccionar.**

¡Qué bueno! ¡Qué gracioso! ¡Qué casualidad! ¡No! ¡No me digas!

¿Ah, sí? ¡No lo sabía! ¿En serio? Cuenta, cuenta... ¿Qué pasó?

23. **Ahora, vuelve a leer el texto de tu compañero/a. Vas a contarle la anécdota como si fueras él/ella. Él/ella debe reaccionar utilizando los recursos de la actividad 22.**

SER Y ESTAR

24. Escucha esta conversación entre Luis y Carmen. Toma nota de lo que dicen sobre los siguientes temas.

- La personalidad de Luis
- La personalidad de los/las compañeros/as de apartamento
- El estado de ánimo de Luis ahora y en las últimas semanas
- Qué consejos le da Carmen a Luis

25. Compara tus respuestas con un(a) compañero/a.

26. Vuelve a escuchar la conversación. Anota qué verbos se utilizan con estos adjetivos que aparecen en la conversación.

.... feliz
.... nervioso
.... tranquilo
.... simpáticos
.... independiente
.... introvertido
.... estudioso
.... tolerantes
.... cansado

27. ¿Qué verbo utilizan los dos amigos para describir la personalidad de Luis? ¿Y su estado de ánimo?

Para hablar de la personalidad se utiliza el verbo: ....

Para referirse al estado de ánimo de una persona se utiliza el verbo: ....

28. En parejas, ¿recuerdan otros usos de los verbos ser **y** estar**? Pueden comprobarlo con la sección de Recursos lingüísticos.**

29. Clasifica estas palabras según si pueden usarse con ser**, con** estar **o con** ser **y** estar**.**

elegante · enojado/a · inteligente · hondureño/a · enamorado/a
alto/a · estudiando · bien · profesor/a · resfriado/a · lindo/a
joven · ecologista · individualista · triste · idealista · insoportable

ser	estar	ser y estar
....	....	....
....	....	....
....	....	....
....	....	....
....	....	....
....	....	....

30. En parejas, comparen sus respuestas a la actividad 29.

31. En parejas, elijan tres palabras de la columna "ser y estar**" y escriban un ejemplo contextualizado con los dos verbos.**

El hermano de Laura es muy joven, tiene 16 años.
Fernando está muy joven, tiene 65 años y todavía corre 20 kilómetros diarios.

32. Escribe una breve descripción de una persona importante para ti y usa tres veces el verbo ser **y tres veces,** estar

33. En parejas, comparen sus descripciones. ¿Les gustaría conocer a la persona importante de su compañero/a? ¿Por qué?

PROYECTO EN GRUPO

Nuestro cuestionario

Vamos a escribir nuestro cuestionario para conocernos un poco más.

A. En grupos, van a hacer un cuestionario como el de la página 7. Para ello, preparen cinco preguntas sin repetir las del texto "15 preguntas para conocer a una persona".

B. Escriban un texto para acompañar cada pregunta.

C. Intercambien su cuestionario con otro grupo y respondan a las preguntas.

D. Elijan las preguntas y las respuesta más originales o divertidas y compártanlas con la clase.

PROYECTO INDIVIDUAL

Así soy

Vas a hacer una presentación en video para la clase en la que hables de ti, de cómo eres, de tus intereses y de lo que deseas hacer cuando termines los estudios.

A. Completa la siguiente información.

Información personal
Nombre, lugar de origen, etc.

Tus intereses
Cómo eres, qué te interesa especialmente, qué te gusta hacer y qué no, etc.

Tus tres preguntas
La respuesta a tres de las preguntas del cuestionario.

Tu trayectoria
Qué cosas interesantes hiciste hasta ahora.

Tus objetivos
Qué deseas hacer al terminar tus estudios.

ATENCIÓN

ir + infinitivo
Después de terminar mis estudios **voy a viajar** por América Latina.

B. A partir de la información anterior, prepara el guion de tu video. Debe durar unos dos minutos. Puedes consultar los Recursos lingüísticos de este capítulo para completar tu proyecto.

C. Graba tu video y compártelo con la clase.

GRAMMAR

DIFFERENT TYPES OF VERBS

▶ **Verbs like** estudiar, comer, **or** vivir
The subject is the agent (the one who performs the action).

*¿**Tú** estudias Medicina?*
__Usted__ no toma café, ¿verdad?

These verbs combine with the pronouns **yo**, **tú**/**vos**, **él**/**ella**/**usted**, **nosotros**/**as**, **vosotros**/**as**, **ellos**/**ellas**/**ustedes** with the usual subject + verb + object sentence structure.

▶ **Verbs like** gustar, interesar, **or** encantar
With these verbs, the subject (one or more people or things, or an action) causes a reaction or an effect in someone (the indirect object, who "receives" the action).

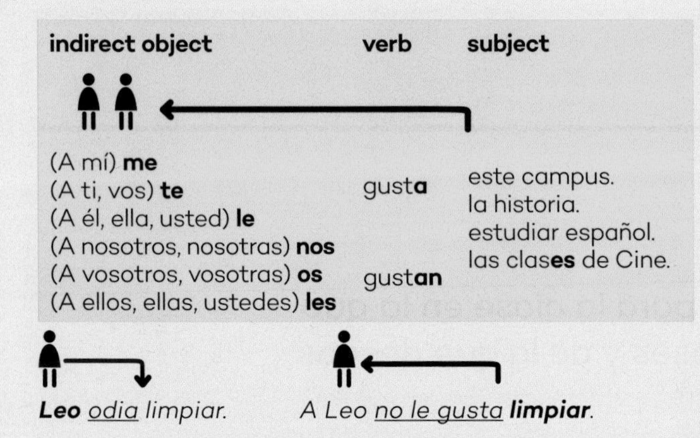

indirect object	verb	subject
(A mí) **me** (A ti, vos) **te** (A él, ella, usted) **le** (A nosotros, nosotras) **nos** (A vosotros, vosotras) **os** (A ellos, ellas, ustedes) **les**	gust**a** gust**an**	este campus. la historia. estudiar español. las clas**es** de Cine.

***Leo** odia limpiar.*   *A Leo no le gusta **limpiar**.*

▶ **The subject of verbs like** gustar
If the subject is a singular noun or an infinitive, the verb is in the singular form.

*¿Te interes**a** la economía?*
*¿A ti te gust**a** viajar?*

If the subject is plural, the verb is in the plural form.

*A mi compañero no le interes**an** las excursiones a la montaña.*

The subject must have an article, possessive, or demonstrative.

*A mí me encanta **el** verano.*
*No me gusta **este** queso.*
*Me gustan **muchos** grupos de música.*

Determiners are not used with proper nouns (names of people and places) and infinitives.

Nos encanta ø Gabriel García Márquez.
Me interesa mucho ø México.
Me gusta ø jugar al tenis.

Don't mix up the third-person pronouns **se** and **le**.
*A Carmen **le** gusta levantarse tarde.* 
~~*A Carmen se gusta levantarse tarde.*~~
*Carmen **se** levanta tarde.*

IMPERFECT

▶ **Regular verbs**
The imperfect is formed by adding the following endings to the stem of the verb.

	ESTAR	TENER	VIVIR
yo	est**aba**	ten**ía**	viv**ía**
tú, vos	est**abas**	ten**ías**	viv**ías**
él, ella, usted	est**aba**	ten**ía**	viv**ía**
nosotros, nosotras	est**ábamos**	ten**íamos**	viv**íamos**
vosotros, vosotras	est**abais**	ten**íais**	viv**íais**
ellos, ellas, ustedes	est**aban**	ten**ían**	viv**ían**

▶ **Irregular verbs**

	IR	SER	VER
yo	iba	era	v**eía**
tú, vos	ibas	eras	v**eías**
él, ella, usted	iba	era	v**eía**
nosotros, nosotras	íbamos	éramos	v**eíamos**
vosotros, vosotras	ibais	erais	v**eíais**
ellos, ellas, ustedes	iban	eran	v**eían**

▶ **Uses of the imperfect**
The imperfect tense is used to present information as an action not finished at the moment in the past.

*Laura **trabajaba** en Guanajuato.*

To describe people, objects, places, and situations in the past.

*Cuando tenía 13 años, **vivía** en Argentina.*

To refer to habits or customs in the past.

*De niña, todos los fines de semana **íbamos** al campo.*

PRETERITE

▶ Regular verbs

	-ar HABLAR	-er APRENDER
yo	habl**é**	aprend**í**
tú, vos	habl**aste**	aprend**iste**
él, ella, usted	habl**ó**	aprend**ió**
nosotros, nosotras	habl**amos**	aprend**imos**
vosotros, vosotras	habl**asteis**	aprend**isteis**
ellos, ellas, ustedes	habl**aron**	aprend**ieron**

	-ir VIVIR
yo	viv**í**
tú, vos	viv**iste**
él, ella, usted	viv**ió**
nosotros, nosotras	viv**imos**
vosotros, vosotras	viv**isteis**
ellos, ellas, ustedes	viv**ieron**

Verb endings in the second and third conjugations (**-er** and **-ir**) are the same.

In regular verbs, the stress is always on the ending.

In regular verbs ending with **-ar** and **-ir**, the **nosotros/as** form is the same in the preterite as in the present.

*Ayer **salimos** de trabajar a las 8, pero normalmente **salimos** a las 6.*

▶ Some irregular verbs

	IR/SER	HACER
yo	**fui**	**hice**
tú, vos	**fuiste**	**hiciste**
él, ella, usted	**fue**	**hizo**
nosotros, nosotras	**fuimos**	**hicimos**
vosotros, vosotras	**fuisteis**	**hicisteis**
ellos, ellas, ustedes	**fueron**	**hicieron**

The verbs **ir** and **ser** have the same form in the preterite, so the meaning must be inferred from the context.

*Luis y yo **fuimos** compañeros de clase.* (verb **ser**)

***Fui** a Cuba el año pasado.* (verb **ir**)

We use the preterite to talk about actions finished in the past, placing ourselves at a specific point in the past, either explicitly or implicitly.

***Conocí** a Carolina hace dos años.*

PRETERITE: IRREGULAR VERBS

▶ Preterite of stem-changing verbs

Third conjugation verbs (**-ir**) with an **e** or an **o** in the last syllable of the stem change these vowels in the third person singular and plural (**e** > **i**; **o** > **u**).

	PEDIR	DORMIR
yo	pedí	dormí
tú, vos	pediste	dormiste
él, ella, usted	pidió	durmió
nosotros, nosotras	pedimos	dormimos
vosotros, vosotras	pedisteis	dormisteis
ellos, ellas, ustedes	pidieron	durmieron

▶ Verbs with an irregular stem

Some verbs have irregular stems. These irregular-stem verbs in the preterite have different endings, and they are the same for all conjugations (**-ar**, **-er**, **-ir**).

	VENIR	ESTAR	TENER
yo	**vine**	**estuve**	**tuve**
tú, vos	**viniste**	**estuviste**	**tuviste**
él, ella, usted	**vino**	**estuvo**	**tuvo**
nosotros, nosotras	**vinimos**	**estuvimos**	**tuvimos**
vosotros, vosotras	**vinisteis**	**estuvisteis**	**tuvisteis**
ellos, ellas, ustedes	**vinieron**	**estuvieron**	**tuvieron**

saber	>	**sup-**	traer	>	**traj-**
decir	>	**dij-**	haber	>	**hub-**
andar	>	**anduv-**	querer	>	**quis-**
poder	>	**pud-**	tener	>	**tuv-**
caber	>	**cup-**	hacer	>	**hic-**
poner	>	**pus-**	venir	>	**vin-**

In the first and third person of irregular-stem verbs, the stress falls on the penultimate syllable.

vine **puse** **condujo** **tuvo**

All verbs ending in **-ducir** change **uc** to **uj**.

traducir > traduj-

conducir > conduj-

Verbs that have an irregular stem ending in **j** (**decir** > **dij-**, **traer** > **traj-**, **producir** > **produj-**, **conducir** > **conduj-**, etc.), form the third person plural with the ending **-eron** and not **-ieron**.

traducir > tradujeron

decir > dijeron

GRAMMAR

▶ **Verbs with special irregularities**
Some verbs have special irregularities.

	DAR
yo	di
tú, vos	diste
él, ella, usted	dio
nosotros, nosotras	dimos
vosotros, vosotras	disteis
ellos, ellas, ustedes	dieron

PRETERITE: VERBS WITH SPELLING CHANGES

Some regular verbs have minor spelling changes with different pronouns.

▶ **Verbs with stems ending in -a, -e, and -o**
In these verbs, **i** becomes **y** in the third person singular and plural.

	LEER	OÍR
yo	leí	oí
tú, vos	leíste	oíste
él, ella, usted	leyó	oyó
nosotros, nosotras	leímos	oímos
vosotros, vosotras	leísteis	oísteis
ellos, ellas, ustedes	leyeron	oyeron

Other verbs with these changes are: **caer**, **construir**, **contribuir**, **creer**, **destruir**, **huir**, **poseer**...

▶ **Verbs with the infinitive ending in -gar, -zar, -car**
These verbs have a change in the first person singular.

pagar	>	pagué
buscar	>	busqué
empezar	>	empecé

Other verbs with these changes are: **llegar**, **investigar**, **almorzar**, **utilizar**, **realizar**, **comunicar**, **tocar**...

PRETERITE VS. IMPERFECT IN NARRATION

▶ **The preterite**
Both tenses are used to narrate events in the past. With the preterite, we situate ourselves after the action has happened and look at it "from outside." We present the action as completed.

Terminó *Derecho por la UNAM hace tres años.*
Ese año ***fue*** *muy duro para mí.*

The preterite is the tense that narrates a timeline.

—*¿Cómo pasaste tus últimas vacaciones?*
—*Pues... primero estuve unos días en casa, con mi familia. Luego viajé a Guatemala a ver a unos amigos y me quedé dos semanas con ellos. Fue estupendo.*

▶ **The imperfect**
With the imperfect, we talk "from inside" an unfinished action, something happening at the time. The timeline is interrupted, "stops" and we give a description of people, things or circumstances. With the imperfect, we also express past habits or states.

Mariana y yo nos ***conocimos*** (event) *en Buenos Aires. Ella* ***trabajaba*** (description of circumstance) *en una compañía de teatro y* ***era*** *una actriz magnífica* (description of person). *Yo* ***iba*** (habitual action) *a ver todas sus obras. Un día,* ***ella me saludó*** (event) *en la calle porque me* ***reconoció*** (event) *y me* ***preguntó*** (event) *por qué* ***iba*** (habitual action) *tan a menudo al teatro.* ***Empezamos a hablar*** (event) *y* ***pasamos*** (event) *toda la noche hablando. Desde ese día somos inseparables.*

The duration of the action is not important. If we want to highlight the development of the action over time, we use **estar** + the gerund.
Estuve viviendo *tres años en Costa Rica.*

Teatro Colón (Buenos Aries)

SER **AND** ESTAR

The verbs **ser** and **estar** are used to show a person's or thing's characteristics.

▶ **Uses of** ser

With the verb **ser**, we present these characteristics as the essence of people or things.

Identifying

*—¿Quién **es** ese hombre tan alto?*
*—**Es** mi profesor de Matemáticas.*

Specifying origin or nationality

***Soy** hondureña, de Tegucigalpa.*
*Rosario **es de** Cuba.*

Talking about professions

*Mi mejor amiga **es** programadora.*

Describing personality

*El profesor de español **es** muy simpático y paciente.*

Describing physical appearance

*El edificio de la facultad **es** muy moderno y llamativo, pero tiene poca luz.*
*Carmen **es** alta y tiene el pelo corto. **Es** muy elegante.*

▶ **Uses of** estar

With the verb **estar**, we present these characteristics as temporary, incidental or the result of our experience.

*Ricardo hoy **está** insoportable, aunque normalmente es muy tranquilo.*

estar + past participle

Past participles are used as adjectives (to express position, state or situation).

***Estoy** muy **cansada**. Ayer trabajamos catorce horas sin parar.*
*¿Quién es ese chico que **está sentado** al lado de Marcos?*

estar + **bien/mal**

*Esta idea **está mal** expresada. Intenta explicarla mejor.*

estar + gerund

***Estoy escribiendo** mi primera novela; **está siendo** una experiencia apasionante.*

> The verb **estar** is also used to indicate location.
> *Carmen **está** en el Cusco hasta el jueves.*
> *¿Dónde **están** mis lentes?*

▶ Ser **and** estar **with the same adjectives**

Some adjectives change their meaning depending on whether they're used with **ser** or **estar**.

*Las manzanas **son verdes**, rojas y amarillas.*
(referring to the natural color of apples)
*Esas manzanas **están verdes**, espera unos días.* (they're not ripe yet)

With other adjectives, the meaning doesn't change.

*Enrique **es** muy **elegante**.* (it's a physical characteristic)
*Enrique **está** muy **elegante** con esa camisa.* (Enrique doesn't usually wear elegant clothes, but today he does)

*Este pullover **es** muy **pequeño**, es la talla M.*
(it's a characteristic of the garment)
*Este pullover **está** muy **pequeño**. ¿Lo lavaste en la lavadora?*
(the pullover isn't small, but it shrunk in the washing machine)

> There are some adjectives that can only collocate with **ser**, due to their meaning:
> *Carla **es** muy inteligente.* 👍
> ~~*Carla está muy inteligente.*~~ 👎
>
> There are some that can only collocate with **estar**:
> *Carla **está** contenta.* 👍
> ~~*Carla es contenta.*~~ 👎

COHESION

SEQUENCING INFORMATION

Primero *(First)*
Después *(Then)*

*Yo **primero** voy a clase de español y **después** hago deporte.*

Antes *(Before)*

*Ahora te explico qué quiero hacer en la fiesta de fin de curso, pero **antes** voy a llamar a un amigo.*

después de + infininitive/noun

***Después de** cenar, miro internet un rato.*
***Después de** las clases, voy a la biblioteca a estudiar*

antes de + infinitive/noun

*Los martes hago yoga **antes de** ir a la universidad.*
***Antes del** desayuno, leo el periódico.*

NARRATIVE RESOURCES

▶ **Announcing a narrative**
***¿A que no sabes** a quién vi el otro día en la calle?*
(Guess...)

▶ **Starting a story**
***(Pues) resulta que** me encontré con Mike. Ya no vive en Puerto Rico.*
((So) it turns out that...)

▶ **Adding an explanation or development**

El otro día iba paseando por la calle, sin pensar en nada. Me gusta salir a pasear así, sin rumbo. El caso es que, justo cuando iba a cruzar la avenida que hay al lado de mi casa, oí el claxon de un auto. ¡Me asusté mucho! Entonces miré y, de repente, un chico salió como loco del coche y empezó a correr hacia mí. De pronto gritó mi nombre, superfeliz, y ¡me abrazó! Yo necesité unos segundos para reaccionar, pero al final lo reconocí: ¡resulta que era Alejandro, mi mejor amigo de la infancia! No nos veíamos desde hace diez años, así que nos abrazamos otra vez y luego nos fuimos a tomar un café. Pasamos toda la tarde juntos. Fue estupendo.

COMMUNICATION

EXPRESSING LIKES AND INTEREST

(No) me gusta/interesa + sustantivo en singular/infinitivo

***Me gusta** hacer deporte.*
***No me gusta** el invierno.*

(No) me gustan + sustantivos en plural

***Me gustan** las clases de español.*
***No me gustan** los lunes.*

(No) te gusta + sustantivo en singular/infinitivo

*¿**Te gusta** hacer deporte?*
*¿**No te gusta** el invierno?*

(No) te gustan + sustantivos en plural

*¿**Te gustan** las clases de español?*

The noun(s) that follow(s) **me gusta(n)** must have an article, possessive, or demonstrative.
~~*Me gusta arte.*~~ 👎
Me gusta el arte. (I like art.) 👍
Me gusta tu casa. (I like your house.) 👍
Me gusta esta canción. (I like this song.) 👍
~~*Me no gusta el jazz.*~~ 👎
~~*Yo gusto el jazz.*~~ 👎

GIVING ADVICE

es importante/fundamental... + infinitive

*Para (ir a) la montaña, **es importante llevar** siempre agua y un mapa.*

Other similar constructions are: **es necesario**, **es conveniente**, **es aconsejable**, **es útil**...

deber / tener que + infinitive

*Si estás pensando en hacer noche, **debes** / **tienes que informarte** sobre los horarios y los alojamientos.*

aconsejar + infinitive

*Si estás pensando viajar al extranjero, **te aconsejo comprarte** una guía.*

Other expressions: **puede ser útil**, **te puede convenir**, **conviene**...

GIVING ADVICE AND SUGGESTIONS

▶ Giving advice and making recommendations
We can give advice and recommendations directly to someone.

te recomiendo + infinitive *(I recommend that you...)*

***Te recomiendo** tener un buen diccionario.*

lo mejor es + infinitive *(it's best...)*

*Para mejorar la comprensión, **lo mejor es** ver películas en español.*

si + present, imperative/present *(if...)*

***Si quieres** saber cómo es alguien de verdad, **haz** un viaje con él/ella.*
***Si quieres** saber cómo es alguien de verdad, **puedes hacer** un viaje con él/ella.*

QUESTION WORDS: QUÉ, CUÁL(ES), QUIÉN(ES)

▶ Uses of qué

To define: **qué es/son** + noun

—*¿**Qué es** el Tajumulco?*
—*Es el volcán más alto de Guatemala.*

—*¿**Qué es** Arequipa?*
—*Una ciudad peruana.*

To ask about one person or thing within a pair or group: **qué** + noun + **es/son**

*¿**Qué** volcán es más alto?*
*¿**Qué** escritora es más interesante?*

To ask informally about someone's profession, we can use **qué** + **ser**.

–*¿**Qué es** Adela?*
–*Es profesora de español.*

▶ Uses of cuál

To ask about one person or thing within a pair or group: **cuál es** / **cuáles son** + noun

*¿**Cuál es** el volcán más alto de Guatemala?*
*¿**Cuál es** tu cantante favorito?*
*¿**Cuáles son** las ciudades más grandes del país?*

*¿**Cuál** es la montaña más alta de Perú?*
*¿**Qué** montaña es la más alta de Perú?*

▶ Uses of quién

To ask about people: **quién/quiénes** + verb

—*¿**Quién** es Mariano Gálvez?*
—*Es uno de los líderes de la independencia de Guatemala.*

—*¿**Quiénes** son estos señores de la fotografía?*
—*Son los dos primeros presidentes de Guatemala.*

—*¿**Quién** vive en esa casa?*
—*Los señores Ruiz.*

EXPRESSING AGREEMENT AND DISAGREEMENT

▶ Expressing agreement
—*Creo que es fundamental aprender varios idiomas para ser un ciudadano del siglo XXI.*
—***Sí, estoy de acuerdo.***
—***Sí, estoy de acuerdo en que** es fundamental.*
—***Sí, yo también creo que** es fundamental.*

▶ Expressing disagreement
—*Creo que es fundamental hablar varios idiomas para ser un ciudadano del siglo XXI.*
—***Yo creo que no.***
—***Yo creo que no** es fundamental. Gracias a la tecnología, dentro de poco no va a ser necesario aprender idiomas.*

REACTING TO WHAT OTHERS TELL US

Evaluating a situation or event

***¡Qué bueno!** (That's great!)*
***¡Qué gracioso!** (That's funny!)*
***¡Qué casualidad!** (What a coincidence!)*

Showing support or expressing agreement

***Claro...** (Of course)*

Asking for more information

***Cuenta, cuenta...** ((Come on,) tell me...)*
***¿Qué pasó?** (What happened?)*

Showing surprise

***¡No!** (No!)*
***¡No me digas!** (No way!/You're kidding!)*
***¿Ah, sí?** (Oh yeah?/Really?)*
***¡No lo sabía!** (I didn't know that!)*
***¿En serio?** (Seriously?)*

REPASO

COMMUNICATION

PERSONAL INFORMATION

¿Cómo te llamas?
¿Cuál es tu apellido? / ¿Cómo te apellidas?
¿De dónde eres?
¿Qué lenguas hablas?
¿Qué estudias?
¿Dónde vives?
¿Cuántos años tienes?
¿Qué haces?
¿Cuál es tu correo electrónico / número de celular?

Soy de...
Hablo...
Trabajo como/de...
Mi correo electrónico / número de celular es ..
Soy...
Me llamo...
Tengo ... años.
Vivo en...
Estudio...

VOCABULARY

AMIGOS Y CONOCIDOS *(FRIENDS AND ACQUAINTANCES)*

FRIENDS AND ACQUAINTANCES

- un(a) vecino/a *(a neighbor)*
- un(a) buen(a) amigo/a *(a good friend)*
- un(a) buen(a) vecino/a *(a good neighbor)*
- compañeros/as de trabajo *(work colleagues/coworkers)*
- los seres queridos *(loved ones)*
- compañeros/as de actividades *(activity partners)*

ADJETIVOS DE PERSONALIDAD
(PERSONALITY ADJECTIVES)

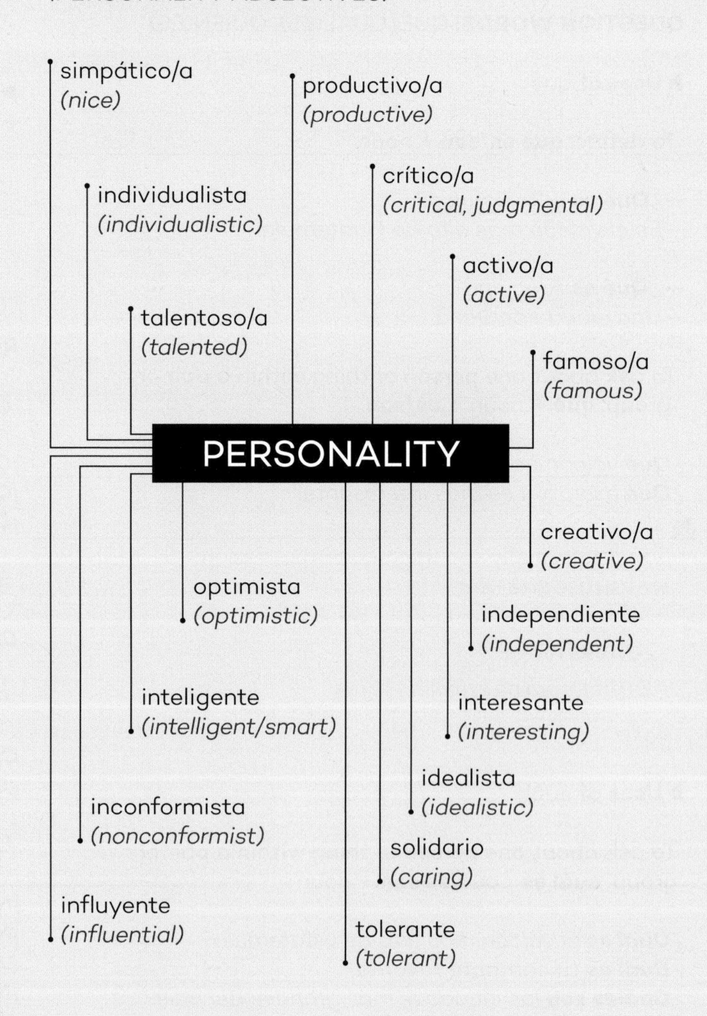

ACTIVIDADES DE OCIO *(LEISURE ACTIVITIES)*

Cultura *(Culture)*

ir al cine
(to go to the movies)

ir a conciertos
(to go to concerts)

ir al teatro
(to go to the theater)

ir a museos
(to go to museums)

Actividad física *(Physical activity)*

salir a caminar
(to go for a walk)

practicar deporte
(to play sports)

jugar al fútbol
(to play soccer)

Vida social *(Social life)*

ir a cafés y restaurantes
(to go to coffee shops and restaurants)

salir
(to go out)

Tecnología *(Technology)*

jugar videojuegos
(to play videogames)

ver películas/series
(to watch movies/ (TV) series)

ver la tele
(to watch TV)

Otros *(Others)*

aprender idiomas
(to learn languages)

ir de compras
(to go shopping)

ir de paseo
(to go for a walk)

bailar salsa
(to dance salsa)

tocar la guitarra
(to play the guitar)

FREQUENT WORD COMBINATIONS

INFORMACIÓN PERSONAL *(PERSONAL INFORMATION)*

estudiar › Ingeniería › idiomas
› en una universidad › en España

to study engineering/languages
at a college / university / in Spain

hablar › español › lenguas extranjeras
› con compañeros › con amigos

to speak Spanish / foreign languages
with classmates / with friends

ser › estudiante
› mexicano/a
› simpático/a
› de Bogotá
› un(a) artista crítico/a › un(a) cantante mexicano/a
› de origen asiático

to be a student
Mexican
nice
from Bogotá
an artist who is a social critic / a Mexican singer
of Asian descent

tener › 23 años
› amigos/as

to be 23 years old
to have friends

trabajar › en una universidad › en México › en una ONG
› con niños/as › con jóvenes inmigrantes

to work at/for a college/university
in Mexico / for an NGO
with kids / with immigrant children

vivir › en España › en el extranjero
› con los padres › solo/a
› en el campus

to live in Spain/abroad
with (your) parents/alone
on campus

CAPÍTULO 1

EXPERIENCIAS

En este capítulo, vas a aprender a prepararte para una entrevista de trabajo y a hacer un video de presentación.

1

LEARNING OUTCOMES
- Talk about experiences
- Express feelings
- Talk about skills and talents
- Talk about future plans

VOCABULARY
- The world of work
- Adjectives to describe moods
- Abilities and personality
- Professions and experience

LANGUAGE STRUCTURES
- The present perfect
- Time adverbials
- Uses of **por** and **para**

ORAL AND WRITTEN TEXTS
- Connectors of sequence: **en primer lugar, en segundo lugar, por último**
- Giving an oral presentation

SOUNDS
- Forward positioning of **t** / **d**

CULTURE
- The job market in Spain and Latin America
- Skills needed to find a job
- Education in Costa Rica
- Karla Gachet (Ecuador)

PROJECTS
- Group: practice a job interview
- Individual: produce a video résumé

IMÁGENES

PREPÁRATE

1. Observa la viñeta y contesta estas preguntas.

1. ¿Qué quiere transmitir el autor?
2. ¿Por qué crees que ha estudiado tanto el candidato?
3. ¿Cómo crees que se siente el candidato?

2. En parejas, comparen sus respuestas a la actividad 1.

3. Además de los estudios, ¿qué otras competencias pueden ser necesarias para ser un buen profesional? Anótenlas en parejas.

- hablar lenguas extranjeras
- ser emprendedor

4. ¿Tienen ya algunas de las competencias de su lista? ¿Qué pueden hacer para conseguir las que no tienen? Coméntenlo.

—Yo hablo algo de español.
—Yo creo que para aprender una lengua extranjera es bueno pasar un tiempo en el país.

5. Entre todos, piensen en profesiones y creen en el pizarrón una tabla como esta, con todas las competencias que consideran necesarias para esas profesiones y cómo adquirirlas.

Profesión	Competencias	¿Cómo se puede adquirir?
Responsable de marketing...	Ser una persona creativa	Visitando exposiciones, viajando...

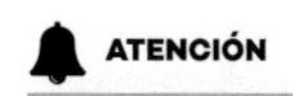

ATENCIÓN

To talk about the way in which we do something, we can use a gerund.

Siempre voy a clase ***caminando****.*

I always walk to class. (I always get to class by walking.)

Infinitive		Gerund
hablar	>	hablando
hacer	>	haciendo
escribir	>	escribiendo

INFOGRAFÍA

6. **Esta infografía presenta cinco aspectos importantes en la contratación de candidatos en España. ¿Crees que es parecido en tu país? Anota lo que crees que es diferente.**

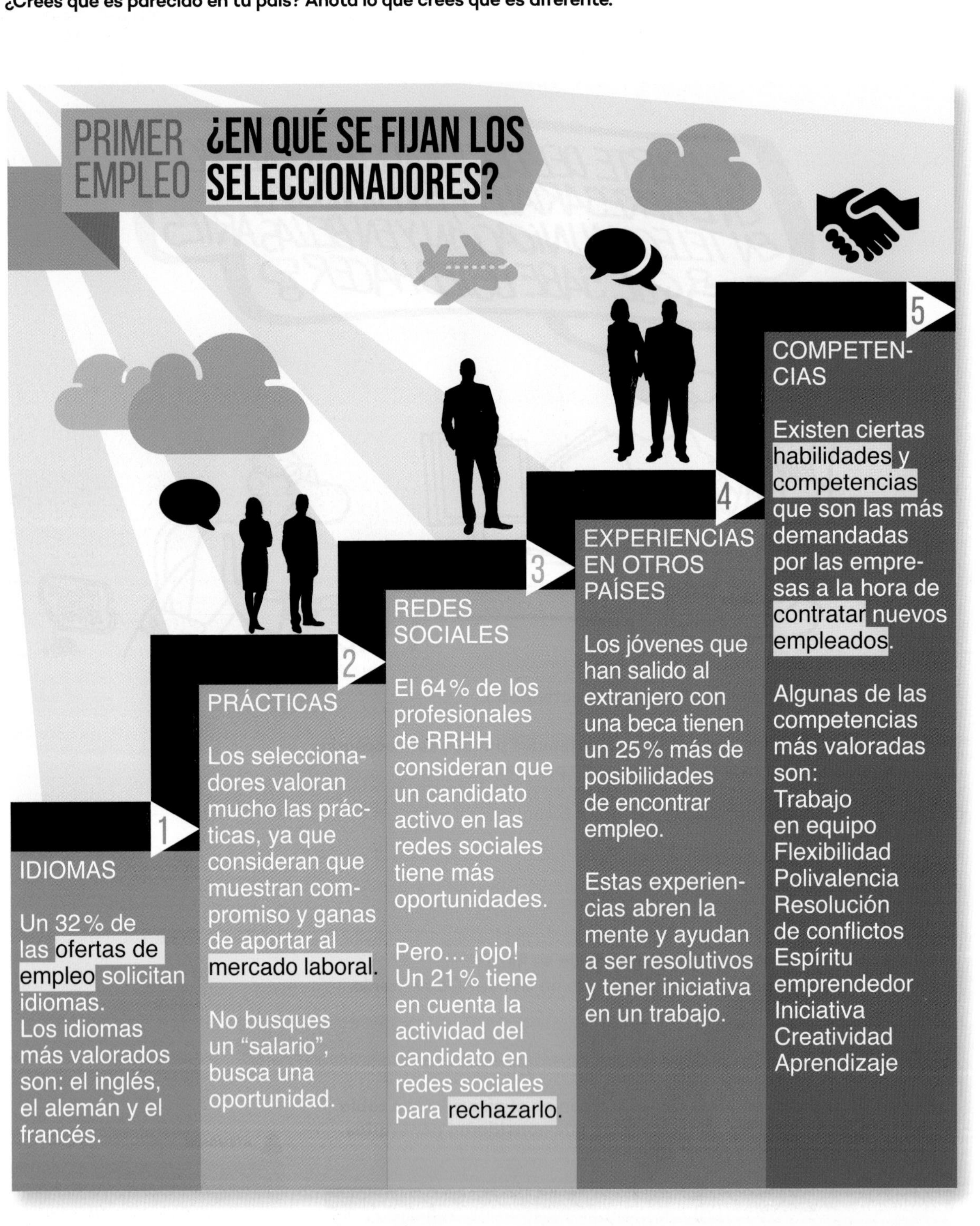

PRIMER EMPLEO
¿EN QUÉ SE FIJAN LOS SELECCIONADORES?
1
IDIOMAS
Un 32 % de las ofertas de empleo solicitan idiomas. Los idiomas más valorados son: el inglés, el alemán y el francés.
2
PRÁCTICAS
Los selecciona-dores valoran mucho las prác-ticas, ya que consideran que muestran com-promiso y ganas de aportar al mercado laboral.
No busques un "salario", busca una oportunidad.
3
REDES SOCIALES
El 64 % de los profesionales de RRHH consideran que un candidato activo en las redes sociales tiene más oportunidades.
Pero… ¡ojo! Un 21 % tiene en cuenta la actividad del candidato en redes sociales para rechazarlo.
4
EXPERIENCIAS EN OTROS PAÍSES
Los jóvenes que han salido al extranjero con una beca tienen un 25 % más de posibilidades de encontrar empleo.
Estas experien-cias abren la mente y ayudan a ser resolutivos y tener iniciativa en un trabajo.
5
COMPETEN-CIAS
Existen ciertas habilidades y competencias que son las más demandadas por las empre-sas a la hora de contratar nuevos empleados.
Algunas de las competencias más valoradas son:
Trabajo en equipo
Flexibilidad
Polivalencia
Resolución de conflictos
Espíritu emprendedor
Iniciativa
Creatividad
Aprendizaje

Adaptado de ticsyformacion.com

7. **Compartan sus respuestas en clase abierta: ¿tienen la misma opinión o las mismas experiencias?**

En Estados Unidos/Canadá tienes que saber / tener / ser capaz de…
es importante saber / tener / ser capaz de…

VIDEO: UN VIDEO DE PRESENTACIÓN

PREPÁRATE

8. **Antes de ver el video, escribe tres características que crees que debe tener un buen profesor de español.**

9. **Ahora ve el video y anota las palabras que utiliza Ana para describir su personalidad. Compáralas con tus notas de la actividad 8.**

1. ....
2. ....
3. ....
4. ....
5. ....

10. **Comparen sus respuestas a las actividades 8 y 9.**

11. **¿Creen que Ana presenta de una manera atractiva su perfil? Tomen nota de los aspectos positivos y negativos de su video. Pueden tener en cuenta los siguientes aspectos.**

- aspectos técnicos: sonido, luz...
- estructura: orden, longitud...
- contenido: claridad, pertinencia...

Aspectos positivos	Aspectos negativos
Es original	....
Tiene una estructura clara	....
...	....

—Yo creo que es original y tiene una estructura muy clara.
—Sí, pero no ves cómo es Ana.

LA CAFETERÍA

¿Un video de presentación es una buena herramienta para buscar trabajo?

¿Qué otras formas de presentarse conoces?

TRABAJAR Y ESTUDIAR

PREPÁRATE

12. Lee estas ofertas de empleo. Luego, anota preguntas para conocer los detalles de cada oferta.

- ¿Dónde son las clases de...?

BOLSA DE TRABAJO
PARA ESTUDIANTES
Regístrate para solicitar estos empleos
y para recibir más información

Profesores de programación y robótica para niños

Se buscan estudiantes de Ingeniería, Física o Matemáticas para actividades extraescolares con niños de entre 6 y 16 años.

- Horario de tardes
- Remuneración: de 200 a 250 pesos/hora
- Horas de trabajo: de 5 a 10 a la semana

1

Profesores particulares de inglés

EasyEnglish busca estudiantes con nivel avanzado de inglés para dar clases particulares a alumnos de bachillerato.

- Salario atractivo
- Posibilidad de dar clases online o en casa
- Horario flexible

2

Beca Excelencia en diseño publicitario

Oportunidad para adquirir experiencia profesional. Ofrecemos prácticas de un año como diseñador web en empresas de todo el país.

- Horario de mañanas (de 9 h a 13 h)
- Es necesario tener un diploma universitario y ser estudiante de maestría

3

Socorristas

Cadena hotelera internacional necesita salvavidas *(lifeguards)* para la temporada de verano en sus hoteles del Caribe. Excelente oportunidad para trabajar en verano y practicar idiomas.

- Es necesario tener un título oficial de socorrista y se valora saber varias lenguas
- El salario varía según los países

4

13. En parejas, compartan sus respuestas a la actividad 12. ¿Preguntan las mismas cosas?

14. ¿Qué compañeros/as de clase son más adecuados/as para cada perfil? En parejas, creen una serie de preguntas, y háganselas a varios/as compañeros/as. Elijan a un candidato o candidata para cada oferta.

—¿Tienes experiencia como profesor con niños o adolescentes?
—¿Cuántas lenguas sabes?
—...

EXPERIENCIAS EN EL EXTRANJERO Y FUTURO PROFESIONAL

PREPÁRATE

15. **Lee este artículo. ¿Qué frase resume la conclusión principal? Subráyala. ¿En tu país sucede lo mismo?**

¿Una ventaja para encontrar trabajo?

Según un estudio de la Comisión Europea, las experiencias adquiridas en otros países durante los estudios son positivas para el currículum y pueden ayudar a entrar en el mercado laboral.

De acuerdo con esta investigación *(study)*, entre candidatos que tienen las mismas cualificaciones, los responsables de recursos humanos prefieren a los que han estado en el extranjero. La razón es que, siempre en opinión de los seleccionadores, los empleados con estas experiencias realizan su trabajo mejor que quienes no han salido de su país.

Para los estudiantes es una buena noticia saber que pueden mejorar sus posibilidades de conseguir un primer empleo si deciden hacer unas prácticas, participar en un programa de voluntariado o estudiar durante unos meses en una universidad en el extranjero.

16. **En parejas, comparen sus respuestas a la actividad 15.**

17. **¿Y tú? ¿Has estado alguna vez en el extranjero? ¿Te has mudado *(have moved)* a otra ciudad u otro estado? ¿Qué has aprendido de esas experiencias? Coméntenlo en grupos.**

He estado una vez / varias veces en
Me he mudado una vez / varias veces
He aprendido a...
He descubierto...
He tenido que...
Me ha ayudado...

Yo me he mudado varias veces y he aprendido a adaptarme y a hacer amigos fácilmente.

UN SEMESTRE, MUCHAS POSIBILIDADES

PREPÁRATE

18. Lee las experiencias de cuatro estudiantes que acaban de pasar unos meses en países del mundo hispano. ¿Qué experiencia te parece más interesante? ¿Cuál menos?

Mark

Recién llegué de Costa Rica, donde he estado cinco meses. He trabajado en una escuela de lenguas y he conocido a gente muy generosa y hospitalaria (*welcoming*). He aprendido que se puede vivir con otros horarios, con menos comodidades (*conveniences*)... Un aspecto muy positivo ha sido tener la oportunidad de ir a cursos gratuitos de español.

Grace

Yo he hecho una pasantía en una empresa de recursos humanos en Buenos Aires, donde he podido aplicar la teoría de las clases de la universidad. Pero también he visto que, para poder trabajar en este campo (*field*), tengo que hacer una maestría. Además, he hecho contactos para mi futura red profesional y he aprendido a hablar en público en español: ¡he tenido que hacer muchas presentaciones!

Lisa

Yo he estado en la Universidad de Guadalajara (México). He tenido mucho tiempo para viajar por el país y he aprendido a organizarme mejor sola. ¡La cultura mexicana me ha parecido muy diferente y me ha encantado! Pero también he visto que los jóvenes somos parecidos en todos los sitios por la influencia de internet.

Ben

Yo he pasado un semestre en Montevideo, en una fundación cultural. He aprendido muchas cosas, porque he hecho tareas muy diferentes; por ejemplo, leer la prensa todas las mañanas para buscar información sobre temas culturales o hacer fotografías para documentar las actividades de la fundación.

PREPÁRATE

19. Lee de nuevo el texto y anota en esta tabla de qué temas habla cada estudiante.

	Conocimientos culturales y socioculturales	Actividades que han realizado	Competencias y desarrollo personal
Mark			Aprender a vivir con menos comodidades.
Grace		Prácticas en una empresa de recursos humanos.	
Lisa	Los jóvenes de diferentes países son parecidos por la influencia de internet.		
Ben			

20. En parejas, comparen sus respuestas a la actividad 18. ¿Coinciden? Luego, comparen sus respuestas a la actividad 19.

21. ¿Cómo creen que se puede sentir una persona que pasa un tiempo en otro país? ¿Por qué? Respondan en parejas.

Yo creo que, cuando estás en otro país, estás nervioso/a / inseguro/a... cuando...
muchas veces tienes ganas de...
te estresas porque...

22. Escucha a Mark, Grace, Lisa y Ben. ¿Cómo se ha sentido cada uno? Márcalo en la tabla.

	1. Mark	2. Grace	3. Lisa	4. Ben
El trabajo lo ha estresado.				
Se ha sentido libre lejos de la rutina.				
Al principio estaba nervioso/a cuando tenía que hablar con gente nueva.				
Se ha sentido muy bien y estaba triste cuando tuvo que marcharse.				

23. Vuelve a escucharlos. ¿Qué es lo que más les ha gustado de la experiencia? Anótalo.

24. En pequeños grupos, comparen sus respuestas a las actividades 22 y 23.

EL PRESENTE PERFECTO Y LOS MARCADORES TEMPORALES

PREPÁRATE

25. Lee el texto. Según tú, ¿cuáles han sido los mayores éxitos profesionales de Luis von Ahn?

Algunos logros *de* Luis von Ahn

Desde su incorporación como profesor a la Universidad Carnegie Mellon (Pensilvania), **ha dirigido** varios proyectos para desarrollar sistemas que combinan la inteligencia humana y la de las computadoras. Es el creador de CAPTCHA y reCAPTCHA, una prueba utilizada en miles de páginas web para determinar si el usuario es humano.

Ha vendido una empresa a Google (reCAPTCHA) y **ha fundado** Duolingo, un proyecto que dirige desde 2011 y que ofrece una aplicación gratuita para aprender idiomas. Desde que está en el mercado, Duolingo **ha conseguido** más de 10 millones de usuarios.

A lo largo de su vida profesional, **ha escrito** numerosos artículos científicos y **ha dado** varias conferencias en español y en inglés en TED Talks.

Ha sido dos veces personaje del año en Guatemala hasta ahora y **ha recibido** numerosos premios *(awards)* internacionales.

26. Busca más información en internet sobre esos éxitos y anota lo que te parezca más interesante.

PREPÁRATE

27. **Fíjate en las formas del presente perfecto marcadas en negrita y escribe los infinitivos correspondientes. ¿Entiendes cómo se forma? ¿Encuentras algún verbo irregular?**

1. ha dirigido: dirigir
2. ....
3. ....
4. ....
5. ....
6. ....
7. ....
8. ....

28. **Marca en el texto palabras o expresiones que sirven para situar en el tiempo.**

29. **Busca información sobre alguna persona que admiras por su trayectoria profesional. ¿Quién es y qué ha hecho hasta ahora? Escríbelo.**

....

....

....

....

....

30. **Compartan sus respuestas a las actividades 25, 26, 27 y 28. Anoten las dudas que tengan. Luego lean el apartado "Present perfect" de Recursos lingüísticos para resolverlas.**

31. **En pequeños grupos, pongan en común la información de la actividad 29 y presenten al personaje más interesante del grupo.**

Pau Gasol es un jugador español de baloncesto. Ha jugado en tres equipos de la NBA en Estados Unidos, ha participado en tres olimpiadas y...

32. **Escribe frases utilizando el presente perfecto sobre los objetivos que has alcanzado hasta ahora. Pueden ser grandes o pequeños logros (cosas que has conseguido hoy).**

Este semestre hasta ahora he tenido tres A.

....

....

....

....

....

33. **Piensa en cosas que no has hecho todavía, pero que te gustaría hacer o lograr.**

Todavía no he...
Nunca he...
Hasta ahora no he...

34. **En parejas, compartan sus respuestas a las actividades 32 y 33. ¿Coinciden en alguna cosa?**

ESTRATEGIAS

Según un estudio de la Universidad de Harvard, los humanos dedican del 30 % al 40 % de sus conversaciones a hablar de sí mismos, y casi el 80 % en las redes sociales. Por eso, saber hablar de uno mismo es también un objetivo muy importante cuando aprendemos una lengua extranjera.

POR **Y** PARA

 **PREPÁRATE**

35. Lee este artículo. ¿Cuál de las nueve experiencias te parece más romántica? ¿Y más increíble?

¿Qué experiencias o eventos han cambiado tu vida?

Nueve personas responden a la pregunta y nos cuentan cómo cambiaron sus vidas.

NOAH, 26 AÑOS; UN VIAJE.
En 2015 hice un viaje **por** Centroamérica y pasé tres meses en Guatemala, El Salvador, Costa Rica y Nicaragua. Esos meses cambiaron mi visión del mundo.

EMMA, 21 AÑOS; UNA CENA.
A los 18 años, el día del cumpleaños de mi madre, preparé una cena **para** 12 personas. Ese día entendí que quería ser cocinera.

LUIS, 28 AÑOS; UNA CIUDAD.
Hace tres años, fui a Tokio **para** ir a la boda de un amigo. La ciudad me impactó muchísimo: desde entonces, mi objetivo es ir a vivir allí.

PAULA, 32 AÑOS; UN EMAIL.
En 2016 un amigo me envió **por** email una oferta de trabajo en Buenos Aires. Conseguí el trabajo y ahora Buenos Aires es mi hogar.

MIA, 20 AÑOS; UNA COMPRA.
Hace 4 años, entré en una *app* de compras y me compré una guitarra **por** 200 pesos. No sé por qué lo hice, fue un impulso, pero hoy la música –y especialmente la guitarra– son esenciales en mi vida.

OLIVIA, 30 AÑOS; UNA ESCALA.
Voy todos los años a Madrid **por** primavera. En 2015 tuve un vuelo con escala y pasé **por** el aeropuerto de Miami. Allí, en un restaurante conocí a Martha Garriga, la directora de una escuela de Miami. Hablamos, me ofreció trabajar con ella y ahora vivo en Miami.

LUCAS, 29 AÑOS; UN ACCIDENTE.
Hace tres años, iba **para** casa en auto y tuve un accidente. Una mujer paró **para** ayudarme y... ¡nos enamoramos inmediatamente! **Para** febrero seremos padres.

CARLOS, 28 AÑOS; UN LIBRO.
En 2015 encontré en casa un libro escrito **por** un maestro de yoga. Me interesó tanto que ahora, años después, yo también soy maestro de yoga.

SOFÍA, 32 AÑOS; UN MUSEO.
Estaba en Ciudad de México **por** trabajo, y una tarde pasé delante del Museo de Antropología. Me impresionó muchísimo y ahora las culturas precolombinas son mi pasión.

36. ¿Tú u otras personas que conozcas han tenido experiencias similares? Escríbelo.

A mí me regalaron un violín cuando tenía ocho años y eso cambió mi vida; la música es mi pasión y no puedo vivir sin música.

GRAMÁTICA

PREPÁRATE

37. Observa en el artículo las oraciones en las que aparecen marcadas las preposiciones por **y** para**. Clasifica cada caso en este cuadro.**

POR	**PARA**
Razón *Aprendí ruso* ***por*** *amor.*	**Destinatario** *Esto es un regalo* ***para*** *Luis.* ....
Recorrido *Juan pasea* ***por*** *el parque.*	**Propósito** *Estoy en California* ***para*** *hacer surf.* ....
A través/por medio de *El gató salió* ***por*** *la ventana.*	**Lugar de destino** *Este es el tren* ***para*** *Sevilla.* ....
Intercambio *Cambió su auto* ***por*** *una moto.*	**Antes de un cierto momento** ***Para*** *el martes, el trabajo tiene que estar acabado.* ....
Momento no determinado *Vi a Carla* ***por*** *marzo o abril.*	
Sujeto de una acción *Vimos una película dirigida* ***por*** *Cuarón.*	

38. **En parejas, compartan sus respuestas a las actividades 35 y 36.**

39. **Comparen sus respuestas a la actividad 37.**

EXPRESAR PLANES Y DESEOS

GRAMÁTICA

PREPÁRATE

40. **"¿Dónde se imagina usted dentro de cinco años?" es una pregunta clásica de las entrevistas de trabajo. Haz una lista con tus deseos y objetivos.**

Dentro de cinco años me gustaría tener una maestría, vivir en el extranjero y trabajar desde casa.

41. **En parejas, comenten sus deseos. ¿Cuáles son más fáciles de conseguir? ¿Cuáles más difíciles? ¿Por qué?**

ESTADOS DE ÁNIMO

VOCABULARIO

PREPÁRATE

42. **Clasifica en una tabla estos adjetivos para describir estados de ánimo.**

motivado/a | triste | pensativo/a | desmotivado/a | indeciso/a | aburrido/a | nervioso/a | asustado/a | alegre | serio/a | contento/a | estresado/a

En una entrevista de trabajo es bueno estar o parecer...	En una entrevista de trabajo no es bueno estar o parecer...
....	....
....	....
....	....
....	....
....	....
....	....

43. **Añade otros adjetivos a la tabla.**

44. **En parejas, comparen sus respuestas a las actividades 42 y 43.**

45. **¿En qué situaciones relacionadas con el trabajo o los estudios es normal experimentar los siguientes estados de ánimo? Completen estas frases.**

Es normal...

1. estar nervioso/a cuando hay exámenes,...
2. estar desmotivado/a cuando ....
3. estar motivado/a cuando ....
4. estar triste cuando ....
5. estar desanimado/a cuando ....
6. estar inseguro/a cuando ....
7. estar contento/a cuando ....
8. estar estresado/a cuando ....
9. estar aburrido/a cuando ....

46. **En grupos, compartan lo que han escrito en la actividad 45.**

> *Nosotras pensamos que es normal estar nerviosa cuando tienes exámenes o cuando tienes que hacer una presentación y hablar en público. También cuando haces una entrevista de trabajo.*

PROFESIONES, CARÁCTER Y COMPETENCIAS

VOCABULARIO

PREPÁRATE

47. Elige tres profesiones de esta lista y escribe qué cualidades y competencias crees que son necesarios para desempeñarlas.

- médico/a
- entrenador(a)
- intérprete
- bailarín(a)
- arquitecto/a
- cocinero/a
- escritor(a)
- músico/a
- traductor(a)
- ingeniero/a
- abogado/a
- actor/actriz
- juez(a)
- responsable de ventas
- periodista
- vendedor(a)
- director(a) de hotel
- mesero/a

ser una persona ordenada
responsable
activa
emprendedora
creativa
extrovertida
disciplinada
flexible
paciente
polivalente
resolutiva
positiva...

tener paciencia
autoridad
iniciativa
buen humor
ganas de aprender...

tener experiencia en relaciones públicas
la gestión de grupos
proyectos internacionales...

poder trabajar por las noches
los fines de semana...

saber trabajar en grupo
resolver conflictos
hablar en público
comunicarse
encontrar soluciones
organizarse...

48. En parejas, comparen sus respuestas a la actividad anterior.

49. Elige una profesión de la lista de la actividad 47, sin decírsela a tus compañeros/as. Los demás tienen que adivinarla haciendo preguntas.

—¿Tiene que ser una persona extrovertida?
—Sí, yo creo que sí.
—¿Tiene que saber hablar en público?

50. En parejas, piensen en una profesión original, muy nueva o imaginaria, y hagan una lista de las competencias y el carácter necesarios para desempeñarla.

51. Presenten al resto de la clase su profesión.

—Nosotros vamos a hablar de las personas que hacen cola de forma profesional.
—Sí, son personas que hacen gestiones para otras personas. Hacen cola para comprar entradas para un concierto, para hacer trámites...
—Tienen que ser pacientes, porque tienen que esperar mucho tiempo en colas. También tienen que ser organizadas, porque...

CONECTORES PARA ESTRUCTURAR SECUENCIAS

CARACTERÍSTICAS DEL TEXTO

PREPÁRATE

52. **Lee el texto y subraya los criterios que utilizan los tres expertos en la selección de personal. ¿Hay coincidencias entre ellos? ¿Aparecen criterios nuevos respecto a la infografía de la actividad 6?**

Selección de personal: ¿en qué se fijan los expertos?

Elena

Cuando seleccionamos personal, primero analizamos la parte técnica: qué estudios tiene el candidato, si tiene experiencia en proyectos internacionales, conocimientos de idiomas, etc. A continuación, hacemos dos o tres entrevistas con la persona seleccionada para obtener una imagen suya en diferentes aspectos; por ejemplo, ver si parece una persona positiva, prever si va a ser fácil trabajar con ella o si, al contrario, puede ser un compañero complicado. Al final de este proceso, tomamos una decisión, pero no siempre es fácil elegir a la persona adecuada.

Fernando

Para mí hay tres factores clave en el momento de elegir a una persona para nuestra compañía: en primer lugar, en las entrevistas yo observo mucho cómo se expresan los candidatos: si saben comunicarse con seguridad y, al mismo tiempo, si mantienen una actitud abierta. En segundo lugar, intento prever si la persona se puede adaptar a nuestro equipo. Por último, nosotros siempre buscamos personas con interés por continuar aprendiendo. En general, nos interesan más las experiencias interculturales de los candidatos que su currículum académico y sus cualificaciones.

Daniela

En nuestra escuela somos muy estrictos con la selección de los profesores. Primero, analizamos muy bien los perfiles y solo invitamos a candidatos con muy buenas cualificaciones. Sin embargo, luego, en las entrevistas somos bastante informales porque queremos conocer a la persona real, así que intentamos no hacer preguntas típicas o muy difíciles; buscamos la espontaneidad. Para nosotros, lo primero es saber si es alguien apasionado por la educación. Después nos interesa ver si sabe trabajar en equipo, pero también si está realmente enfocado en los alumnos. Finalmente, para nosotros es fundamental el conocimiento de lenguas extranjeras y el manejo de nuevas tecnologías.

53. **En parejas, comparen sus respuestas a la actividad 52.**

54. **Busquen en el texto palabras que sirven para indicar el orden de las acciones y organícenlas en una tabla como esta.**

Marcadores para indicar el orden de una secuencia		
Inicio	**Desarrollo**	**Final**
Primero	....	....
....	....	....

55. **En parejas, reflexionen sobre cómo se debe preparar un buen currículum: qué pasos hay que seguir, cómo se tiene que secuenciar la información, cómo se tiene que presentar. Escriban un pequeño texto y, luego, pongan en común sus propuestas.**

Lo primero es pensar si necesitas un currículum o varios diferentes...

LOS SONIDOS DE LAS LETRAS T Y D

56. Escucha cómo pronuncian los hispanohablantes la palabra STOP. ¿En qué se diferencia de la pronunciación de esa palabra en inglés?

57. Escucha las siguientes palabras. Después, repítelas intentando que la letra t toque los dientes.

1. **t**u**t**oría
2. **t**iza
3. po**t**enciar
4. an**t**elación
5. compe**t**ir
6. dis**t**ancia

58. Escucha las siguientes palabras y fíjate en la pronunciación de la letra d en posición final de sílaba.

- actitu**d**
- activida**d**
- actualida**d**
- ansieda**d**
- autorida**d**
- céspe**d**
- a**d**quirir

59. Repite ahora las palabras de la actividad anterior.

60. Escucha las siguientes palabras y fíjate en la pronunciación de la letra t en posición final de palabra.

- ceni**t**
- debu**t**
- entreco**t**
- chale**t**
- robo**t**
- sovie**t**
- tes**t**
- bufe**t**

61. Repite ahora las palabras de la actividad anterior.

62. Repite las siguientes palabras intentando pronunciar tl.

- a**tl**as
- chipo**tl**e
- **Atl**ántico
- maza**tl**eco
- náhua**tl**
- neu**tl**e

ESTRATEGIAS

La **t** y la **d** del español se pronuncian con la lengua más adelantada que las **t** y **d** del inglés. Es decir, cuando en español digas **te**, la lengua tiene que tocarte los dientes. En inglés, pronuncias ese sonido cuando dices **eighth** o **width** (el sonido de **th** detrás obliga a adelantar la lengua).

ATENCIÓN

Many of the words in Spanish that contain the combination **tl** come from Nahuatl, an indigenous language spoken in Mexico (the rest come from Greek). This sound was very difficult for the Spanish people of the 15th century to pronounce and, for this reason, **xictomatl** became **tomate** and **xocoatl** became **chocolate**.

chipotle

ESTUDIOS

Educación en Costa Rica

Costa Rica se ha convertido en el destino preferido de muchos estudiantes internacionales. Según datos del Institute of International Education, Costa Rica es el país más popular del continente entre los jóvenes estadounidenses que quieren realizar estudios en el extranjero. Y el número de alumnos que lo eligen aumenta cada año: ¿cuál puede ser la razón?

No existe una única explicación. Uno de los motivos puede ser que Costa Rica es un país seguro con una democracia estable desde 1949. Un país que se considera a sí mismo "un oasis de paz", también por ser uno de los pocos estados del mundo que no tienen ejército. Además, en el *ranking* del Foro Económico Mundial de 2015, su sistema educativo ocupa el segundo puesto de Latinoamérica, después de Chile. Existen también razones económicas, como los precios de los estudios, mucho más bajos que en Estados Unidos.

Por otra parte, Costa Rica es un destino ideal para los estudiosos y los amantes de la naturaleza: según informaciones de la Agencia de Viajes Green Creation, Costa Rica posee el 6 % de la biodiversidad del planeta (con solo un 0,03 % de la superficie mundial). Es, por esa razón, la nación con mayor biodiversidad por kilómetro cuadrado del mundo.

Las acciones de promoción que realizan las instituciones públicas y privadas se apoyan en todas esas razones para posicionar Costa Rica como destino educativo internacional y turístico. Algunas de esas instituciones son Procomer, el organismo oficial de apoyo a las exportaciones, y Asucrei, una organización formada por 10 importantes universidades privadas. En Costa Rica son muy conscientes de que la presencia de estudiantes extranjeros es un factor muy positivo para la economía del país.

ANTES DE LEER

63. **Anota las razones que, en tu opinión, hacen atractivo un país para pasar unos meses estudiando en una universidad.**

El país tiene que tener un buen sistema educativo.

DESPUÉS DE LEER

64. **Lee el texto y subraya los motivos por los que Costa Rica resulta atractiva para estudiantes internacionales. Escríbelos aquí, ordenándolos de más a menos importante, según tu opinión.**

65. **En parejas, comparen sus respuestas a las actividades 63 y 64. En la 64, ¿han ordenado de forma similar los motivos?**

66. **Busquen información sobre lo que cuesta un semestre en una universidad costarricense y compárenlo con lo que cuesta en su universidad.**

67. **¿Te gustaría estudiar una temporada en otro país? ¿En cuál? Coméntenlo en pequeños grupos.**

FOTOGRAFÍA

La mirada de Karla Gachet

ECUADOR

Karla Gachet es una fotógrafa ecuatoriana (Quito, 1977) que hace fotografía documental. Estudió fotoperiodismo en la Universidad Estatal de San José. En sus fotografías explora, entre muchos otros temas, la diversidad cultural de los países de América del Sur.

Has ganado premios de mucho prestigio como el World Press Photo [...] y has publicado fotos en medios internacionales como el *National Geographic Magazine* [...]. ¿Qué significa todo eso para ti?

... He vivido muchas cosas, muchas experiencias que me han hecho a mí crecer y también ha sido como una responsabilidad supergrande, porque al final, cuando estás publicando en un medio que tiene tanta circulación, tienes que ser supercuidadoso [...]. También ganar premios te pone en el *spotlight* de un pedestal cuando tú lo que haces es contar la historia de otros, o sea, no eres vos, sino, cómo decir, lo que estás contando de otras situaciones.

Fuente: decontrabandoshow.com

ANTES DE LEER

68. En parejas, observen las fotos y hablen sobre ellas.

- ¿Qué ven en cada una?
- ¿Qué les transmiten?
- Pongan un título a cada foto.

69. Relaciona estos pies de foto con cada una de las fotografías.

a. Ceci y Meme, bailarines de tango de El Caminito. Bailar es su vida, bailan de día y de noche. Aquí bailan después de un largo día de trabajo.

b. La familia Aguayo vive en la hacienda "La Mariana" en la provincia de Los Ríos, Ecuador. Esta familia extendida es dueña de su tierra y vive en comunidad.

DESPUÉS DE LEER

70. Lee los fragmentos de una entrevista con Karla Gachet. ¿Qué actitud tiene Karla frente a sus logros y experiencias? ¿Cómo crees que es?

71. En grupos, investiguen sobre Karla Gachet y escojan una fotografía. Hablen sobre ella y preséntenla a los otros estudiantes. Expliquen por qué la han escogido.

crecer: *grow*

supercuidadoso: *very careful*

pedestal: *pedestal*

HACER UNA EXPOSICIÓN ORAL

PREPÁRATE

72. Vas a escuchar una presentación sobre una empresa realizada por unos/as estudiantes. Toma notas.

- Nombre de la empresa: ....
- Año de creación: ....
- Qué hace: ....
- Descripción del problema que quiere solucionar: ....
- Presencia en América Latina: ....
- Sus logros hasta el momento: ....
- Sus mayores clientes: ....
- Datos interesantes: ....
- Qué se ha dicho de la empresa: ....

73. Compara tus notas con las de otro/a compañero/a y, entre los dos, completen el cuadro de la actividad 72.

74. Lee el siguiente texto sobre las presentaciones orales. Luego, en grupos,

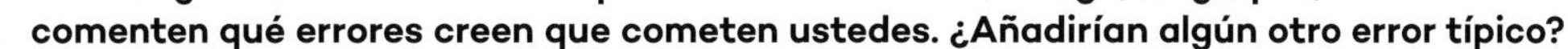
comenten qué errores creen que cometen ustedes. ¿Añadirían algún otro error típico?

DIEZ ERRORES QUE DEBES EVITAR EN UNA EXPOSICIÓN ORAL

Hablar en público es una experiencia terrorífica *(terrifying)* para muchas personas. Después de 15 años trabajando con mis estudiantes, he recogido aquí los diez fallos que más se repiten.

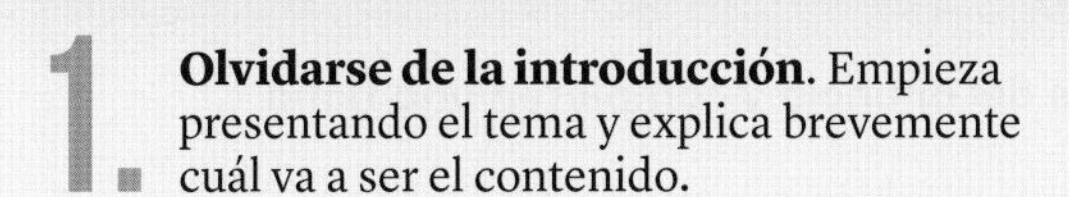

1. **Olvidarse de la introducción**. Empieza presentando el tema y explica brevemente cuál va a ser el contenido.

2. **Preparar demasiado material (y querer contarlo todo)**. A menudo, tenemos miedo de quedarnos sin nada que decir. En realidad, casi siempre pasa más bien lo contrario.

3. **Hablar demasiado deprisa**. ¿Has intentado alguna vez llenar una botella con un embudo muy rápido? ¿Verdad que el líquido se sale? Lo mismo pasa cuando quieres introducir demasiadas ideas en poco tiempo.

4. **Hablar hasta que te quitan la palabra**. Nunca llegues a este extremo. Es una de las peores cosas que le pueden pasar a un orador.

5. **No vocalizar**. Respira profundamente y deja que el aire, al salir, te marque el ritmo de tus palabras. Pronuncia bien cada sílaba y cada sonido.

6. **No mirar al público**. Si tú no los miras, ¿cómo quieres que ellos te escuchen?

7. **Moverse continuamente**. Planta bien los pies en el suelo y habla con tranquilidad.

8. **Leer**. ¡No leas! Practica en casa para no tener que leer. Simplemente, consulta tus notas cuando lo necesites.

9. **Contar cosas que no entiendes**. Si tú no lo entiendes, ¿cómo van a entenderlo los demás?

10. **Saltarse la conclusión**. Siempre, siempre, siempre, al final de la presentación, resume y recoge las ideas más importantes. No hacerlo es un error de principiante.

Fuente de la información: Blog de lengua, Alberto Bustos

75. Ahora escucha otra presentación sobre el mismo tema de la actividad 72.
¿Qué errores comete la persona que la realiza?

PROYECTO EN GRUPO

Una selección de personal

Vamos a preparar una entrevista de trabajo y a elegir al personal ideal para un puesto de trabajo.

A.  **Lee este anuncio. Luego, en pequeños grupos, comenten qué trabajo les interesa más y en qué proyecto les gustaría participar.**

*Labor*innova

La empresa de contratación Laborinnova busca personas para trabajar en los siguientes proyectos. Interesados, envíen su CV a **laborinnova@selec.com**.

GPS global
Se necesitan expertos de varias disciplinas para realizar el primer mapa 3D global del planeta. Deben localizar lugares de especial interés donde los coches oficiales de Google no pueden acceder y grabar imágenes.

Biorrobot
Se buscan científicos/as de todos los campos de las ciencias y la psicología para diseñar y pilotar el primer robot híbrido de computadora y componentes humanos.

Top turismo
Se solicitan profesionales de diferentes sectores para probar y evaluar las instalaciones de hoteles y restaurantes alrededor del mundo.

Videojuegos
Se precisan expertos en diferentes áreas para probar y evaluar nuevos juegos de realidad virtual y también para diseñar los guiones de sus versiones cinematográficas.

B.  **En grupos de tres o cuatro personas, escojan uno de los trabajos del anuncio y completen una ficha con estos datos.**

a. **Conocimientos.** ¿Qué estudios, formación o conocimientos son necesarios?
b. **Competencias.** ¿Qué hay que saber hacer? ¿Qué habilidades básicas debe tener el/la candidato/a?
c. **Perfil.** ¿Qué características (físicas, intelectuales, psicológicas, etc.) debe tene el/la candidato/a?
d. **Experiencia.** ¿Qué experiencia es necesaria?
e. **(Des)ventajas.** ¿Cuáles son los aspectos positivos y negativos del trabajo?

C. **Preparen preguntas para los/as candidatos/as a ese puesto de trabajo.**

¿Qué, dónde, cuánto tiempo ha/s estudiado...?
¿Qué tipo de formación tiene/s sobre...?
¿Sabe/s....?
¿Es/eres bueno/a con....? ¿Se te/le de da bien/mal...?
¿Tiene/s experiencia con/como...?
¿Ha/s trabajado antes de/como...?
¿Dónde, cuándo, cuánto tiempo ha/s estudiado/vivido/trabajado/hecho...?
¿Te/Le interesa/n...? ¿Te/Le gustaría...?
...

D.  **Realicen la entrevista. Para ello, sigan estos pasos:**

1. Decidan quiénes serán los entrevistadores y quiénes los entrevistados.
2. Los candidatos preparan durante unos minutos la entrevista.
3. Los entrevistadores realizan la entrevista para el puesto de trabajo.
4. Los entrevistadores deciden si los/las candidatos/as son adecuados para el puesto.

PROYECTO INDIVIDUAL

Un video de presentación

Vas a hacer un video de presentación.

A. **Busca online y compara ejemplos de videos parecidos al de la actividad 9 y toma nota de los aspectos positivos y negativos de cada uno. Puedes utilizar esta tabla para tu análisis.**

	Positivos	**Negativos**
Aspectos técnicos	El sonido es bueno.	Hay poca luz.
Formato	La estructura es clara.	Es demasiado largo.
Contenido	Explica bien la experiencia.	No habla de sus competencias.
Persona	Presenta un gesto muy amable.	Habla muy rápido.

B. **Prepara el guion de tu video. Decide el formato y los contenidos. Debes hablar sobre:**

- Tus estudios y formación
- Tus cualificaciones
- Tus conocimientos
- Tu experiencia

C. **Revisa el guion antes de grabar el video. Luego grábalo y compártelo con la clase.**

GRAMMAR

THE GERUND

The gerund is an impersonal form of a verb (like the infinitive or the participle) that expresses an action in progress. When it appears on its own, without another accompanying verb form, it responds to the question **¿cómo?**

—*¿Cómo ha conseguido Luis von Ahn tanto éxito?*
—*Pues* ***siendo*** *muy innovador y* ***teniendo*** *ideas originales.*

▶ The gerund of regular verbs

The gerund is invariable (it has only one form) and is formed by adding -**ando** to the stem of verbs of the first conjugation (-**ar**) and -**iendo** to the stem of verbs of the second and third conjugations (-**er**/-**ir**).

terminados en -ar
escuchar > escuch**ando**
terminados en -er
aprender > aprend**iendo**
terminados en -ir
vivir > viv**iendo**

▶ The gerund of irregular verbs

In verbs of the third conjugation (-**ir**) whose stems have **e** as the final vowel, the **e** changes to **i**.

decir	>	d**iciendo**
mentir	>	m**intiendo**
preferir	>	pref**iriendo**
reír	>	**riendo**

There is a small group of verbs for which the **o** in the stem changes to a **u**.

dormir	>	d**urmiendo**
morir	>	m**uriendo**
poder	>	p**udiendo**

For the verb **ir**, and for -**er** and -**ir** verbs whose stems end in a vowel, the ending is -**yendo**.

traer	>	tra**yendo**
leer	>	le**yendo**
oír	>	o**yendo**
ir	>	**yendo**

THE PRESENT PERFECT AND ADVERBIALS OF TIME

The present perfect is a compound tense. It is constructed with the present indicative of the verb **haber** plus the participle of the main verb.

	presente del verbo haber	**+ participio**
yo	**he**	
tú, vos	**has**	
él, ella, usted	**ha**	**hablado** **tenido** **venido**
nosotros, nosotras	**hemos**	
vosotros, vosotras	**habéis**	
ellos, ellas, ustedes	**han**	

The participle is invariable (it has only one form) and is formed by adding -**ado** to the stem of verbs ending in -**ar**, and -**ido** to the stem of verbs ending in -**er** and -**ir**.

▶ -ar participles

encontrar	>	encontr**ado**
hablar	>	habl**ado**
mostrar	>	mostr**ado**

▶ -er participles

vender	>	vend**ido**
ser	>	s**ido**
aprender	>	aprend**ido**

▶ -ir participles

dormir	>	dorm**ido**
ir	>	**ido**
vivir	>	viv**ido**

▶ Irregular participles

Some participles are irregular. These are some of the most common:

abrir	>	**abierto**
decir	>	**dicho**
escribir	>	**escrito**
hacer	>	**hecho**
poner	>	**puesto**
romper	>	**roto**
ver	>	**visto**
volver	>	**vuelto**

▶ Use of the present perfect

We use the present perfect to talk about events finished in the past related to the present moment. For this reason, we often use markers like:

una/alguna vez
varias/algunas/dos/tres/muchas veces
nunca
siempre
ya
todavía no

—*He vivido **tres veces** en un país extranjero y **siempre** he encontrado trabajo en empresas interesantes.*
—*¡Qué suerte! Yo **nunca** he trabajado en otro país.*

> Sometimes the timing is not indicated at all.
> *¿Tú has estado en Sudamérica, Carmen?*

The present perfect in sentences with **desde** (**que**)

*Jorge me ha llamado tres veces **desde ayer**.*
***Desde que trabajo en esta empresa**, he aprendido mucho.*

In many regions in Spain, speakers use the present perfect to refer to past events that happened within a time frame that includes the moment of speaking; that is to say that the action has been completed, but the specified time period they are referring to has not.

The action often takes place within a time period with time markers such as:

hoy
esta mañana/tarde/semana...
este fin de semana/mes/año...
últimamente
hasta el momento
hasta ahora

*He hablado con el rector **esta mañana**.*
***Esta semana** hemos tenido muchas visitas.*
(the actions of speaking (**hablar**) and having visitors (**tener visitas**) are finished, but the time periods in which they occurred—the morning (**mañana**), the day (**el día de hoy**), or the week (**la semana**)—continue.)

In the rest of the Spanish-speaking world, sometimes the preterite is used in cases like this:

*Hablé con el rector **esta mañana**.*

TALKING ABOUT SKILLS AND TALENTS

We use the verb **saber** to talk about our knowledge of a fact or subject and abilities.

*Nuria **sabe** francés/informática.*
*Nuria **sabe** mucho **de** ordenadores.*
*Miguel **sabe** jugar muy bien al tenis.*

> The use of verbs **poder** and **can** referring to the skills are different.
> *Puedo esquiar.* (It is possible for me to do it because, for example, I have time.)
> *Sé esquiar.* (I have learned how to do it.)

We also use structures such as:

ser (**muy**) **bueno/a** + gerund

*Mi hermana **es muy buena** tocando la guitarra.*

ser (**muy**) **bueno/a con** + noun

*Carlota **es muy buena con** los números.*

ME GUSTARÍA + INFINITIVE

Me gustaría + infinitive is used to express wishes or desires that do not seem easy to fullfill, or plans that we have yet to implement. We can intensify the desire by adding **mucho** or **muchísimo**.

(A mí) **me**	**gustaría**	mucho/ muchísimo	tocar hacer salir
(A ti/vos) **te**			
(A él, ella, usted) **le**			
(A nosotros/as) **nos**			
(A vosotros/as) **os**			
(A ellos, ellas, ustedes) **les**			

***Me gustaría** vivir en el extranjero durante un tiempo.*
***Me gustaría mucho** hacer una maestría en Derecho.*
***Me gustaría muchísimo** trabajar en la universidad.*

RECURSOS LINGÜÍSTICOS

GRAMMAR

POR **AND** PARA

▶ **Uses of** por 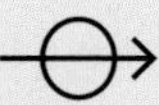

Reason/Cause	*Fui a vivir a Canadá **por** mis estudios.* *Aprendo español **por** mi novia.*
Indeterminate space	*En 2016 hice un viaje **por** México.* *Ayer vino mi primo de Puerto Rico y dimos una vuelta **por** la universidad.*
Through/ By way of	*Puedes entrar **por** la puerta de atrás.* *Mañana te llamo **por** teléfono.*
Exchange	*Compré el billete **por** 100 dólares.* *Te cambio mi camiseta **por** tu gorra.*
Indeterminate time period	*Trabajo **por** la tarde.* *Suelo ir a casa de mis padres **por** Januc (Hanukkah).*
Agent of an action	*Una pirámide construida **por** los mayas.*

▶ **Uses of** para 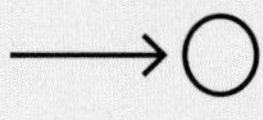

Recipient	*Un poco de aceite **para** la ensalada.* *Este libro es **para** Guillermo.*
Purpose	*Voy a Costa Rica **para** aprender español.* *Una medicina **para** la alergia.*
Destination	*Compré un billete **para** Buenos Aires.* *Vamos **para** el parque.*
Before a particular time (deadline)	*La tarea es **para** el próximo martes.*

COHESION

CONNECTORS OF SEQUENCE

primero, en primer lugar, para empezar

Used to indicate a first step or element.

***Primero** analizamos muy bien los perfiles.*
***En primer lugar**, en las entrevistas observamos cómo se expresan los candidatos.*
***Para empezar**, publicamos un anuncio en una bolsa de trabajo y recibimos solicitudes.*

luego, en segundo lugar, después, a continuación, seguidamente

Used to present intermediate elements of a sequence.

***Después** tenemos una primera entrevista telefónica.*
***En segundo lugar**, vemos si la persona se puede adaptar a nuestro equipo.*
***A continuación**, analizamos los perfiles de los candidatos y hacemos entrevistas con las personas seleccionadas.*

por último, al final, finalmente

Used to present final elements of a sequence.

***Por último**, realizamos una entrevista personal en nuestra oficina.*
***Finalmente**, para nosotros es fundamental el conocimiento de lenguas extranjeras y el manejo de nuevas tecnologías.*
***Al final** de este proceso, tomamos una decisión, pero no siempre es fácil elegir a la persona adecuada.*

VOCABULARY

PROFESIONES *(PROFESSIONS)*

un(a) bailarín/bailarina
(a dancer)

un(a) cocinero(a)
(a cook)

un(a) vendedor(a)
(a salesperson)

un(a) responsable de *marketing (a marketing manager)*

un(a) entrenador(a)
(a coach)

un(a) fotógrafo/a
(a photographer)

un(a) juez(a)
(a judge)

un(a) jugador(a) de baloncesto
(a basketball player)

un(a) responsable de ventas *(a sales manager)*

un(a) salvavidas
(a lifeguard)

un(a) traductor(a)
(a translator)

In general, professions have a masculine and feminine form in Spanish:
agricultor *(farmer)* / **agricultora** *(farmer)*
cocinero *(cook)* / **cocinera** *(cook)*
escritor *(writer)* / **escritora** *(writer)*
peluquero *(hairstylist)* / **peluquera** *(hairstylist)*

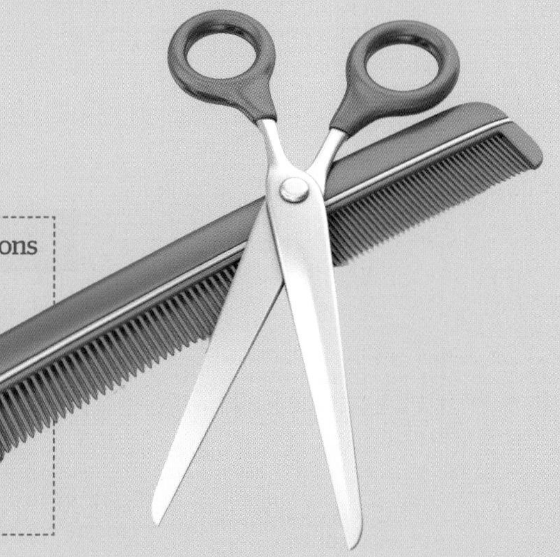

There is some variation in the actual usage of the feminine form of some professions with a traditionally male profile. Though a feminine form exists, the neutral or masculine form is sometimes used instead.

médico/médica
arquitecto/arquitecta
juez/jueza
presidente/presidenta
dependiente/dependienta

VOCABULARY

EL MERCADO LABORAL Y LOS ESTUDIOS *(THE JOB MARKET AND EDUCATION)*

Selección de personal *(Recruitment)*

bolsa de trabajo *(a job offer)*
contratar *(to hire)*
entrevista de trabajo *(job interview)*
oferta de trabajo *(job offer)*
perfil *(profile)*
recursos humanos *(human resources)*

Características del trabajo *(Job description)*

horario de trabajo *(working hours)*
horario de mañanas/tardes *(morning/afternoon shift)*
horario flexible *(flexible schedule)*
sueldo/salario *(salary/wages)*

Competencias *(Skills)*

hablar idiomas *(to speak (foreign) languages)*
tener iniciativa *(to have initiative)*
trabajar en equipo *(to work in a team)*
ser emprendedor(a) *(to be entrepreneurial)*
ser flexible *(to be flexible)*

Personas *(People)*

candidato/a *(candidate)*
empleado/a *(employee)*
empresa *(company)*
entrevistador(a) *(interviewer)*
jefe/a *(boss)*
personal de una empresa *(staff)*
seleccionador(a) *(search committee)*

Prepararse para el mercado laboral *(Preparing for the job market)*

doctorado *(PhD)*
hacer una maestría/posgrado / hacer una pasantía *(to get a master's degree/graduate degree/to do an internship)*
obtener una beca *(to win a scholarship)*

ADJETIVOS PARA DESCRIBIR CUALIDADES
(ADJECTIVES TO DESCRIBE PERSONAL QUALITIES)

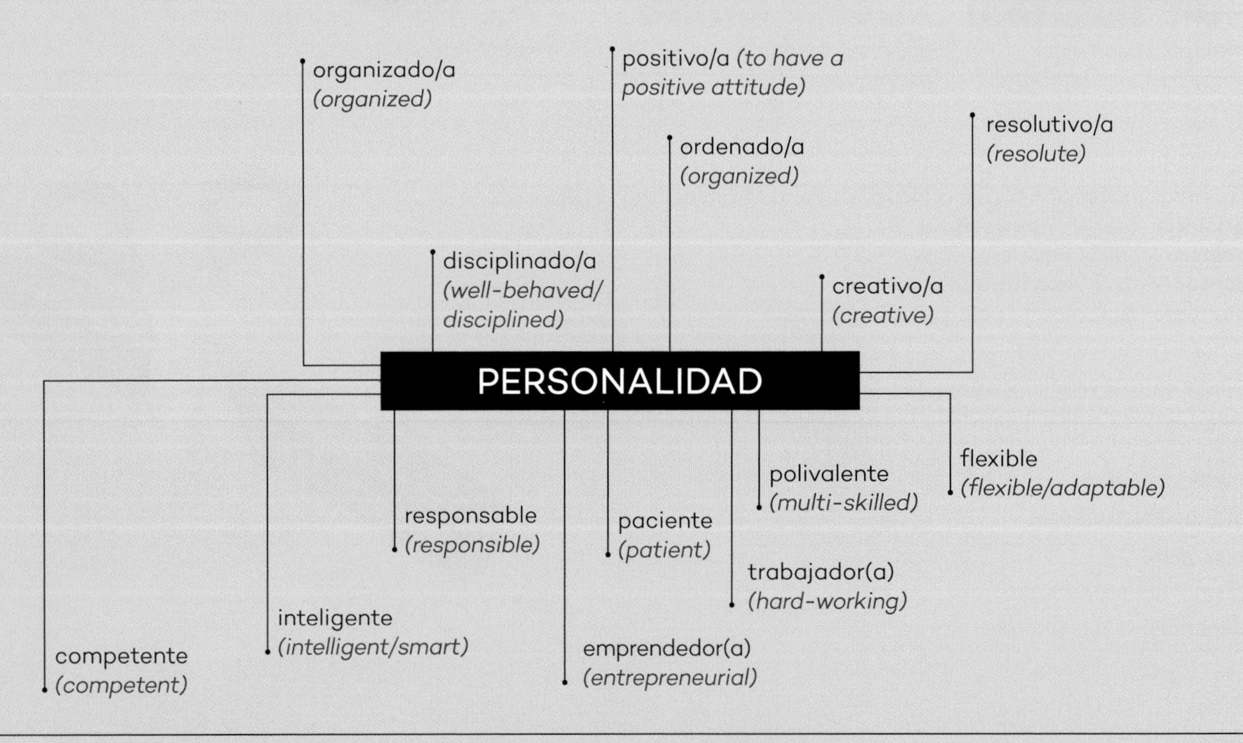

HABLAR DE ESTADOS DE ÁNIMO
(TALKING ABOUT MOODS)

We use the verb **estar** + adjective to refer to moods.

Estar aburrido/a *(bored)*
alegre *(happy)*
asustado/a *(scared)*
contento/a *(content/happy)*
desmotivado/a *(unmotivated)*
estresado/a *(stressed (out))*
indeciso/a *(indecisive)*
motivado/a *(motivated)*
nervioso/a *(nervous)*
pensativo/a *(pensive)*
serio/a *(serious)*
triste *(sad)*

VARIEDAD LÉXICA
En Colombia, **estar aburrido/a** también puede significar **estar triste**.

Some adjectives can go with **ser** or with **estar**, but the meaning changes.

Juan ***es*** *muy* ***inseguro****, no sabe nunca si ha tomado la decisión correcta. (Juan is very insecure and never knows if he has made the right decision.)*
Olivia ***está insegura*** *porque es la primera vez que hace una entrevista de trabajo en español. (Olivia is lacking confidence because it's her first time doing a job interview in Spanish.)*

Estás *muy* ***serio*** *hoy, ¿te pasa algo? (You seem very serious today. Is something going on?)*
Marta ***es*** *una persona my* ***seria****, hace su trabajo muy bien. (Marta is a very responsible person. She does her job very well.)*

Mi jefe ***es*** *muy* ***aburrido*** *y ¡cuando habla me duermo! (My boss is very boring and I nod off when he's talking!)*
Estoy *muy* ***aburrido*** *porque no tengo mucho trabajo.*
(I'm very bored because I don't have any work at all.)

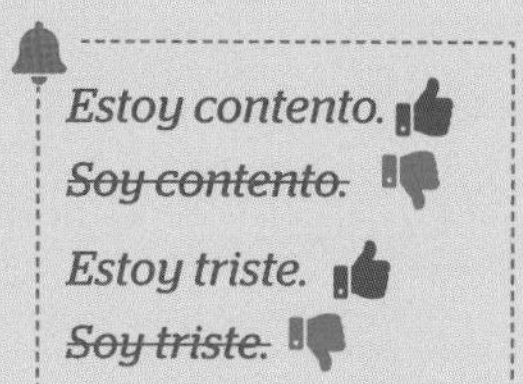

Estoy contento.
~~Soy contento.~~
Estoy triste.
~~Soy triste.~~

FREQUENT WORD COMBINATIONS

COMPETENCIAS Y PERSONALIDAD
(SKILLS AND PERSONALITY)

ser (una persona) › muy organizado/a › responsable › competente › motivado/a

to be (a) very organized/responsible/competent/ motivated (person)

tener › paciencia › buen humor › autoridad › iniciativa

to have patience/to be good-natured/to have authority/ to take the initiative

PROFESIONES Y EXPERIENCIA *(PROFESSIONS AND EXPERIENCE)*

trabajar de › mesero/a

to work as a server

ser › agente de bolsa › cocinero/a › médico/a › director(a) de cine › redactor(a) › arquitecto/a

to be a stockbroker/a cook/a doctor/a film director/an editor/an architect

tener › (mucha/poca) experiencia › un perfil (poco/muy) interesante › un título universitario › un diploma › ventajas › una oportunidad

to have a lot of/little experience
to have a (not) very interesting profile
to have a college degree/a diploma/benefits/an opportunity

tener experiencia como › jefe/a de cocina › ayudante de laboratorio › responsable de ventas › director(a) de hotel

to have experience as
... a chef
... a laboratory assistant
... a sales manager
... a hotel manager

tener experiencia en › relaciones públicas › gestión de proyectos › relaciones internacionales › *marketing* › análisis clínicos

to have experience in
... public relations
... project management
... international relations
... marketing/clinical analysis

CAPÍTULO 2

EDUCACIÓN Y FUTURO

En este capítulo vas a aprender a hablar sobre tu futuro profesional.

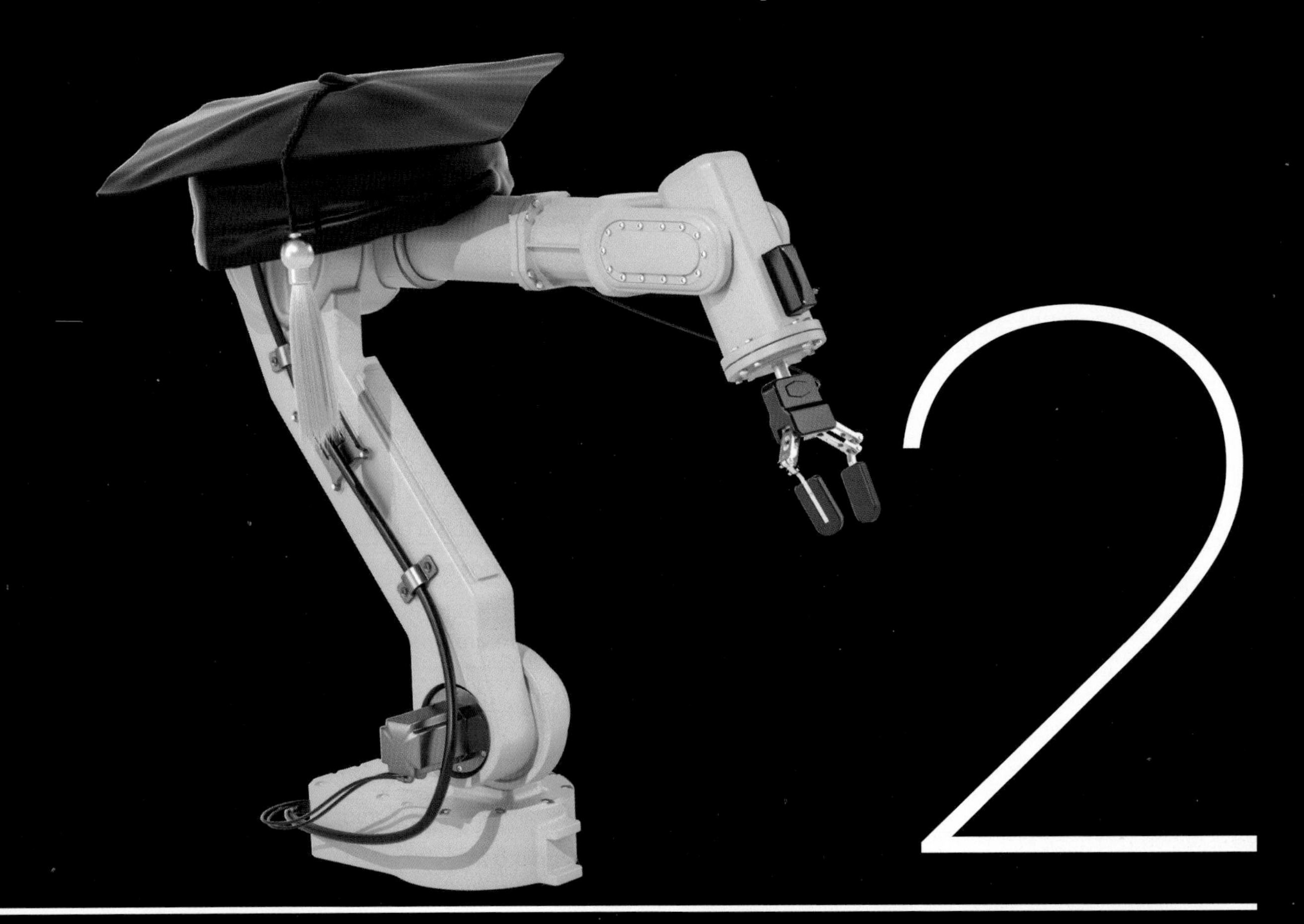

2

LEARNING OUTCOMES
- Make predictions
- Talk about what is going to happen
- Place an action in the future

VOCABULARY
- Education and learning
- **Ya, aún no / todavía no**

LANGUAGE STRUCTURES
- The future
- **seguir** + gerund, **dejar de** + infinitive
- Comparisons: **mejor que...**, **peor que...**; **el mismo/la misma/los mismos/las mismas... que...**
- Conditional senteces (**si** + present, future)

ORAL AND WRITTEN TEXTS
- Organizing information: **por un lado, ... por otro lado**; **por una parte, ... por otra parte**
- Online discussion boards

SOUNDS
- **be/uve, de, gue**

CULTURE
- Hispanic presence in the US
- Juan Mayorga: *El chico de la última fila* (Spain)

PROJECTS
- Group: debate our professional futures
- Individual: make a video to present what your career will be like 15 years from now

CITAS

1. Lee estas citas sobre el paso por la universidad. ¿Coinciden con la visión que tenías antes de ser universitario? ¿Y ahora, te identificas con alguna?

Antes de entrar en la universidad, pensaba que aquí se aprendía a...

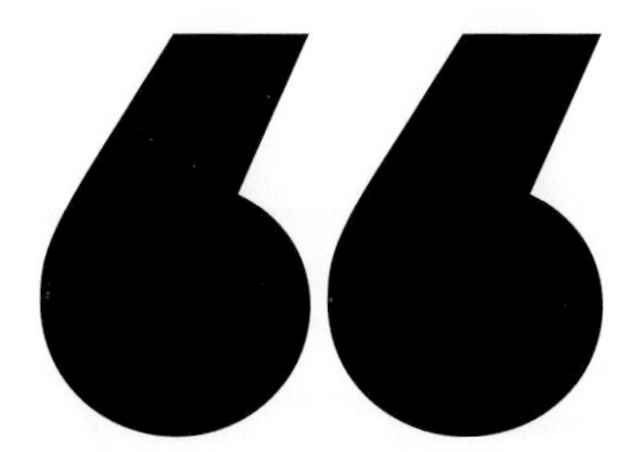

Saber, investigar, aprender: la carrera me ha ayudado a sentirme más fuerte. No sé cómo explicarlo, me ha abierto los ojos y me ha dado independencia y fortaleza. Y también conocer gente nueva que se han convertido en amigos y amigas.

AMINA HUSSEIN
(1986), periodista

En la universidad aprendí poco, pero aprendí lo fundamental: el autodidactismo.

LUIS LANDERO
(1948), escritor

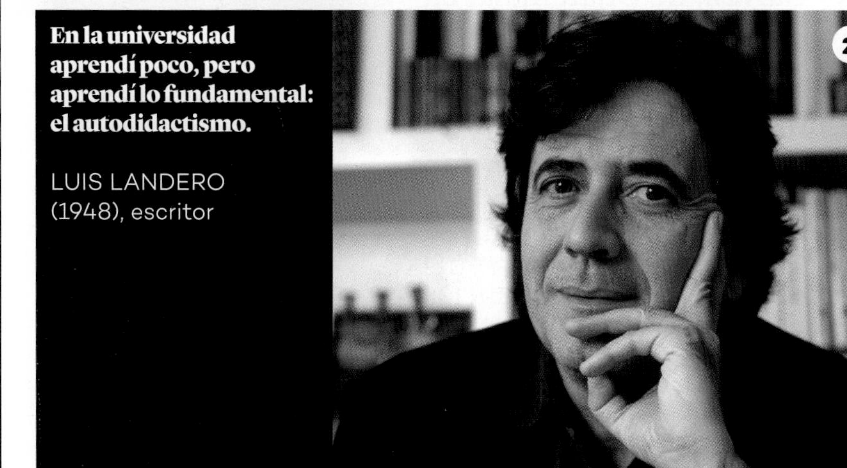

2. En parejas, comparen sus respuestas.

Yo pensaba que en la universidad se aprendía a...
Hasta el momento, a mí la universidad me ha dado...
Yo lo que valoro de la universidad es...

PARA EMPEZAR

IMÁGENES

PREPÁRATE

3. **Observa esta imagen de un aula de la Universidad Mariano Gálvez (Guatemala). ¿Se parece a los salones de clase donde estudias tú? Escribe cuáles son las similitudes y las diferencias.**

4. **Lee el texto y reflexiona sobre estas cuestiones. Anota tus conclusiones.**

- ¿Qué caracteriza, según el documento, un "espacio inteligente de aprendizaje"?
- ¿En qué medida crees que favorecen el aprendizaje los elementos que se citan?

La Universidad Mariano Gálvez, de Guatemala, en función de sus ideales progresistas, está convirtiendo sus aulas en espacios inteligentes de aprendizaje, los cuales incluyen, entre otros: un proyector de ultra corta distancia que convierte el pizarrón tradicional en uno interactivo, una cámara para visualizar documentos, una computadora, conectividad para computadoras personales, sonido, así como capacidad para realizar videoconferencias y para grabar las sesiones de clases.

5. **En parejas, compartan sus respuestas a las actividades 3 y 4.**

6. **¿Qué tres espacios les parecen los más importantes en un campus universitario? Justifiquen sus respuestas.**

A mí la cafetería me parece muy importante porque es un espacio para socializar.

7. **En pequeños grupos, busquen un plano de su campus y localicen los diez lugares más importantes para ustedes.**

VIDEO: EL FUTURO DE LA EDUCACIÓN

8. **Vas a ver un video de dos profesores que opinan sobre el futuro de la educación superior. Marca quién hace las siguientes afirmaciones.**

	R. Barcelli	J. Eslava
1. Le da miedo el futuro de la educación.	▢	▢
2. Los programas universitarios van a flexibilizarse mucho.	▢	▢
3. Cada estudiante podrá escoger sus asignaturas.	▢	▢
4. Los jóvenes son adictos a las pantallas.	▢	▢
5. Se da más importancia a la información que a la cultura.	▢	▢
6. Las clases virtuales minimizan el trabajo del profesor.	▢	▢
7. El profesor siempre va a ser un guía para el alumno.	▢	▢
8. La enseñanza está masificada.	▢	▢
9. El profesor debe ayudar al alumno a manejar la gran cantidad de información de la nube.	▢	▢
10. El maestro tiene cada vez más tareas burocráticas.	▢	▢
11. Se respeta cada vez menos al maestro.	▢	▢
12. Los padres no apoyan a los maestros.	▢	▢
13. La universidad ya no es un espacio físico, sino virtual.	▢	▢
14. La partida/inversión en educación es muy baja.	▢	▢
15. Los estudiantes de la Generación Millenial están dominados por la tecnología.	▢	▢
16. Las futuras generaciones tienen que aprender a dominar la tecnología.	▢	▢

9. **Ve el video una vez más y corrige tus respuestas si es necesario.**

10. **En grupos, compartan sus respuestas a las actividades anteriores.**

11. **¿Quién tiene una visión más optimista del futuro? Hablen en pequeños grupos.**

12. **Elige cinco afirmaciones con las que estás de acuerdo y explica a dos compañeros por qué. Ellos harán lo mismo. ¿En qué coinciden y en qué no están de acuerdo?**

Yo creo que soy adicto a las pantallas, es verdad, pero...

EL FUTURO DE LA EDUCACIÓN

PREPÁRATE

13. Lee este artículo de Eduardo Backhoff Escudero que se publicó en *El Universal* y haz una lista de los temas que trata.

El uso de la tecnología en el aprendizaje.

¿LA EDUCACIÓN DEL FUTURO... O EL FUTURO DE LA EDUCACIÓN?

[...] Es importante imaginarnos y responder a las preguntas: "¿Cuál es la educación del futuro?" o "¿Cuál es el futuro de la educación?". Para responderlas, el Centro Nacional de Planeamiento Estratégico del Perú, realizó un foro internacional que analizó las tendencias futuras de la educación de los países industrializados.

Las encuestas mundiales realizadas sobre el mercado laboral señalan que los trabajos se podrán clasificar en tres tipos:

1. No rutinarios y altamente calificados. Estos profesionistas deberán tener pensamiento creativo, razonamiento lógico, habilidades de análisis abstracto, imaginación, juicio, creatividad y competencias básicas en matemáticas.

2. Rutinarios y medianamente calificados. Personal que realiza trabajos estandarizados, algunos altamente calificados, pero que pueden manejarse como rutina.

3. No rutinarios y de baja calificación. Trabajos que se realizan en oficinas, hospitales, centros comerciales, restaurantes o fábricas.

Se prevé que el segundo grupo de trabajadores [...] será reemplazado por dispositivos electrónicos y máquinas automatizadas e "inteligentes" en un mediano plazo.

Los analistas calculan que, en una o dos décadas, más de la mitad de la oferta laboral será de trabajos que aún no han sido creados, por lo que los futuros profesionistas se deben preparar para contar con las capacidades, habilidades y destrezas para trabajar en un mundo que es incierto y que les exigirá enfrentarse a nuevas situaciones, desarrollar nuevos roles y adquirir nuevas competencias "blandas" (o no cognitivas), entre las que se encuentran: responsabilidad, capacidad de colaboración, comunicación, iniciativa, persistencia, habilidad, solución de problemas, autodisciplina y trabajo en equipo.

Ante este panorama laboral, la educación del futuro deberá hacer énfasis en el modelo de las tres C (por sus siglas en inglés): pensamiento crítico, comunicación y colaboración. [...]

El uso de las nuevas tecnologías en el proceso de aprendizaje es una tendencia cada vez más fuerte en los países desarrollados, por lo que en un futuro próximo veremos cada vez más aplicaciones derivadas de la inteligencia artificial. Junto con las nuevas tecnologías, los avances de las ciencias cognitivas (incluyendo las neurociencias) alimentarán los nuevos modelos pedagógicos.

En síntesis, los países desarrollados buscan nuevos modelos educativos, que no son los tradicionales, para dar respuesta a las necesidades laborales futuras. El énfasis en habilidades blandas, el uso de nuevas tecnologías de comunicación y el avance de las ciencias cognitivas cambiarán el panorama educativo internacional. México enfrenta un doble reto en materia de educación: resolver sus problemas actuales de calidad y equidad, y prepararse para atender las necesidades de los futuros profesionistas. En esta tarea, los docentes altamente calificados son indispensables.

Eduardo Backhoff Escudero
Presidente del Consejo Directivo de Métrica Educativa, A.C. y exconsejero para la Evaluación de la Educación.

Adaptado de eluniversal.com.mx

14. Sintetiza las ideas de cada párrafo referentes al mundo de la educación y del trabajo.

ATENCIÓN

You can refer to the future with the following forms:

hay > **habrá**

tenemos > **tendremos**

*En el futuro **habrá** nuevos trabajos.*
tendremos nuevos trabajos.

15. **Pongan en común sus respuestas con el resto de la clase.**

16. **En parejas, preparen ideas para debatir sobre la siguiente cuestión.**

- ¿Cómo nos podemos preparar para realizar en el futuro trabajos que no existen en este momento?

> *— Yo creo que para estar preparado hay que tener una formación muy completa.*

LA CAFETERÍA

¿Qué cosas habrá en 2050? ¿Qué cosas que ahora existen no habrá? Jugamos a hacer predicciones sobre diferentes temas.

17. **Debatan entre todos. ¿En qué aspectos están de acuerdo? ¿En cuáles no? Anótenlo.**

RIESGOS EDUCATIVOS

PREPÁRATE

18. **Escucha a dos jóvenes que hablan sobre algunos riesgos de la educación actual. Marca si expresan las siguientes ideas.**

1. Gladys	**sí**	**no**
• Las "habilidades blandas" no tienen lugar en la educación actual.		
• La educación tiene que consistir en transmitir conocimientos.		
• No todas las personas que estudian tienen que leer a los clásicos.		

2. Ubaldo	**sí**	**no**
• Con los cursos online no aprendes nada.		
• En los cursos presenciales tienes más contacto con otras personas.		
• Es más fácil abandonar los cursos online.		

19. **Escribe un comentario para cada una de las seis afirmaciones expresando tu opinión.**

20. **En parejas, comparen sus respuestas a la actividad 18.**

21. **En grupos, compartan las respuestas que han escrito para Gladys y Ubaldo y comenten sus puntos de vista.**

Yo creo que la educación presencial y la online tienen el mismo valor.
la misma validez.

Yo creo que con la educación online aprendes lo mismo.
Aprender en tu casa no es lo mismo que aprender en...

Para mí, es mejor/peor tener libertad de horarios.

EL FUTURO

GRAMÁTICA

PREPÁRATE

22. Lee este artículo sobre las tendencias tecnológicas que pueden cambiar la educación en el futuro. ¿Cuáles de esas tendencias ayudarán a conseguir estos cuatro objetivos?

1. Hacer el aprendizaje más divertido.
2. Hacer más seguros los entornos de aprendizaje.
3. Fortalecer la relación entre profesores y estudiantes.
4. Hacer más fácil el aprendizaje.

Tendencias: El uso de la tecnología en la educación del futuro

Los avances tecnológicos pueden contribuir a mejorar las experiencias de aprendizaje de muchas personas, pero ¿depende el futuro de la educación del futuro de la tecnología?

Aquí presentamos algunas tendencias del momento y algunas predicciones sobre la educación del futuro. ¿Cómo crees tú que será esta evolución tecnológica?

LA REALIDAD VIRTUAL

1. **Permitirá** aprender gracias a simulaciones interactivas (desde pilotear un avión hasta operar en un quirófano).
2. Los estudiantes **podrán** interactuar entre ellos y los profesores los podrán monitorear en salas virtuales las 24 horas del día.
3. No **serán** necesarios los profesores, pues se **aprenderá** con robots programados para enseñar todas las materias.

LOS VIDEOJUEGOS

4. Las versiones educativas de los videojuegos **combinarán** aprendizaje y entretenimiento. **Ofrecerán** infinitos entornos de juegos personalizados para cada estudiante.
5. **Tendrán** mecanismos para evaluar los progresos de los estudiantes y **se adaptarán** a todas sus necesidades individuales.

LAS PLATAFORMAS EDUCATIVAS

6. ¿Cuánto **durarán** los libros en papel? Aunque todavía es un dato incierto, las editoriales y empresas tecnológicas **crearán** plataformas educativas cada vez más fáciles de usar y con contenidos más interactivos y relevantes.
7. **Habrá** *sofware* específico que **ayudará** a memorizar una gran cantidad de vocabulario al día.
8. Nuevas aplicaciones **mejorarán** la comunicación entre los centros, los estudiantes y los profesores.

LAS IMPRESORAS 3D

9. Los estudiantes **tendrán** la posibilidad de convertir sus ideas en objetos.

23. Consulta en Recursos lingüísticos cómo se forma el futuro y escribe tres frases más relacionadas con la tecnología y la educación en el futuro.

Yo creo que habrá aplicaciones para...
Los robots serán...

24. En parejas, comparen sus respuestas a la actividad 22.

Yo creo que, gracias a la realidad virtual, el aprendizaje será más divertido, ¿no?

25. En grupos, pongan en común sus ideas de la actividad 23.

MARCADORES TEMPORALES DE FUTURO

GRAMÁTICA

PREPÁRATE

26. **Lee estos titulares de prensa. ¿Cuál te interesa más? Busca información relacionada con el tema en internet y prepara ejemplos en futuro para compartir con otras personas de la clase.**

Los aviones eléctricos serán capaces de transportar a unas 50 personas.

1

En 2030 **podremos** conectar el cerebro a otro exterior que lo hará más potente

elmundo.es

2

Yuval Harari: "En el siglo XXI, los principales productos de la economía no **serán** los textiles, vehículos y armas, sino más bien cuerpos, cerebros y mentes"

latercera.com

3

Automatización: "Un informe de la OCDE asegura que más de la mitad de los trabajos en Chile **desaparecerán** dentro de pocas décadas"

tvu.cl

4

La igualdad entre hombres y mujeres **no será posible** hasta dentro de 170 años

elmundo.es

5

Ellen Stofan, jefa científica de la NASA: "**Llegaremos** a Marte en 20 años"

one.elpais.com

27. **Fíjate en los marcadores temporales subrayados. ¿En tu lengua existen recursos parecidos para situar acciones en el futuro?**

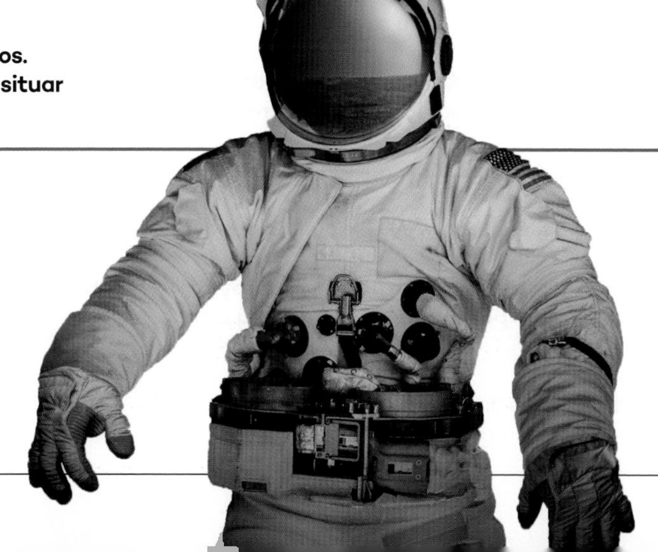

28. **Busca a otros/as estudiantes a los que les interese la misma noticia que a ti y comparte la información que encontraste.**

29. **Comenten en parejas sus reflexiones de la actividad 27.**

30. **Busquen noticias que les interesen sobre el futuro y compártanlas con el resto de la clase.**

PERÍFRASIS VERBALES EN FUTURO

GRAMÁTICA

PREPÁRATE

31. **Lee este texto publicado en 2010. ¿Se han cumplido las previsiones? ¿Totalmente o solo parcialmente? Escríbelo.**

Tendencias Mayo 2010

Adiós... ¿para siempre adiós?

Estas son algunas de las cosas que, gracias a los avances tecnológicos, pueden desaparecer. ¿Llegará realmente el fin de todas ellas?

1. Las contraseñas
Gracias al reconocimiento facial o de voz y a las huellas digitales, dejaremos de usar contraseñas.

2. Las oficinas físicas y otros espacios
Muchas empresas e instituciones educativas empezarán a abandonar sus grandes sedes e instalaciones: las aplicaciones que permiten hacer videollamadas grupales las harán innecesarias.

3. Las llaves
¿Para qué seguir cargando con las llaves de casa, del portal, del coche, del trabajo... si con nuestros teléfonos o nuestro reloj podemos abrir todas nuestras puertas?

La 1 se ha cumplido en parte, pero todavía no completamente: yo, por ejemplo, ya uso la huella digital para desbloquear mi teléfono, pero...

32. **¿Crees que algún día se cumplirán totalmente?**

33. **Fíjate en las estructuras subrayadas. ¿Puedes expresar lo mismo de otra manera?**

ATENCIÓN

We use **ya** to confirm that something we hope for or that we present as possible has already happened.
*En mi universidad **ya** tenemos internet de calidad en todas las aulas.*

We use **aún/todavía** to say that something we hope for or believe possible has not happened.
*En mi universidad **aún no** tenemos internet de calidad en todas las aulas.*

34. **En grupos, comparen sus respuestas a las actividades 31, 32 y 33.**

35. **En parejas, usen las estructuras subrayadas en el texto para predecir qué pasará en estos casos (u otros).**

- los taxis
- las cámaras analógicas
- la escritura manual

CADA VEZ MÁS, CADA VEZ MENOS

GRAMÁTICA

 PREPÁRATE

36. Lee estas dos noticias publicadas en Argentina. ¿Cuáles crees que son las razones de estos hechos? Investiga.

1 Cada vez más estudiantes sufren ataques de pánico.

lavoz.com.ar

2 Ser docente: una carrera que se elige cada vez menos.

lanacion.com.ar

37. ¿Crees que la situación es diferente en tu país? Escríbelo.

38. ¿Qué tendencias observas en tu país? Usa estas expresiones.

Cada vez más/menos estudiantes
Cada vez más/menos universidades
Cada vez más/menos dinero

39. En grupos, compartan sus respuestas a las actividades 36, 37 y 38.

— Yo creo que cada vez más universidades...

MARCADORES ORGANIZATIVOS

CARACTERÍSTICAS DEL TEXTO

PREPÁRATE

40. ¿Cuáles son las ventajas y las desventajas de la Inteligencia Artificial que menciona el texto? Completa la tabla.

Ventajas y desventajas de la inteligencia artificial

La inteligencia artificial está revolucionando nuestra realidad y mejorando ámbitos fundamentales de la vida. Pero tiene ventajas y desventajas:
Por un lado, en el trabajo, la inteligencia artificial consigue una mayor precisión, y la probabilidad de error es mucho menos. Además, como los pensadores artificiales no tienen emociones, son mucho más eficientes. Por otro lado, sin embargo, las emociones son un componente fundamental del ser humano; los robots no serán capaces de sentir empatía, compasión o ilusión.
Asimismo, la inteligencia artificial modificará radicalmente el mercado laboral. Por una parte, los robots serán capaces de hacer muchos trabajos repetitivos, de manera que liberarán a los seres humanos para trabajos más creativos. Por otra parte, las personas con menos cualificación tendrán que competir contra los robots a la hora de buscar trabajo.

Ventajas	Desventajas
....	....
....	....

41. Fíjate en los recursos subrayados. ¿Qué función tienen?

- presentar una consecuencia
- distribuir la información

42. Busca otras ventajas y desventajas de la inteligencia artificial, y escribe un pequeño texto usando los recursos subrayados.

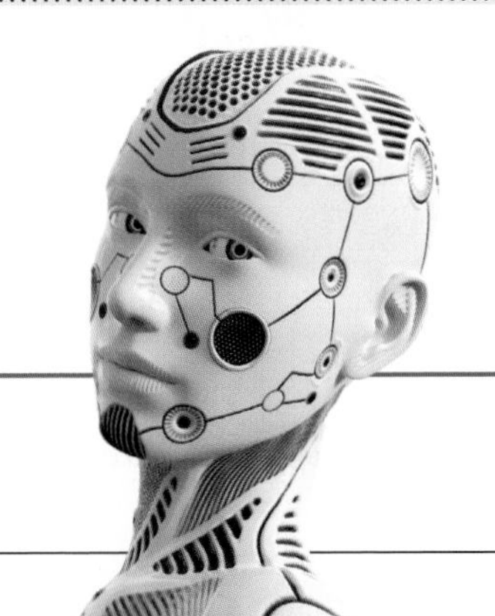

43. Compartan sus respuestas a las actividades 40 y 41 y sus textos de la actividad 42.

FRASES CONDICIONALES

GRAMÁTICA

44. Lee este texto de un foro chileno de estudiantes y responde a las siguientes preguntas.

- ¿Qué piensas de las ideas que da el texto a las personas a las que les gustan los idiomas?
- ¿Te atraen esos estudios?
- En tu país, ¿crees que las opciones son las mismas?

Si te gustan los idiomas, estas son tus carreras ideales

¿Las lenguas son lo tuyo? Si tienes facilidad para aprender lenguas y te gusta comunicarte con gente de todo el mundo, hay algunos estudios que pueden ser especialmente convenientes para ti.

Traducción e Interpretación

Es una opción lógica y muy interesante. Además, si te especializas en interpretación simultánea, serás un/a profesional muy bien pagado/a.

Pedagogía de lenguas extranjeras

Si tienes vocación de profesor/a, esta carrera te preparará mejor que ninguna otra. Al finalizar estos estudios, podrás trabajar en escuelas de educación secundaria, escuelas de idiomas extranjeros, etc.

Turismo y Hotelería

Formarse en turismo y hotelería puede ser también una buena idea. Si disfrutas conociendo mundo y comunicándote en distintos idiomas, esta carrera puede ser la llave de tu futuro.

45. Observa en el texto las frases con la forma condicional si **y completa la tabla.**

Si + **verbo en presente,**	**Frase en presente/futuro**
....	....
....	....
....	....
....	....
....	....

46. En parejas, continúen estas frases de manera lógica.

1. Si odias las matemáticas, ...
2. Si te interesan el cine y la literatura, ...
3. Si te gustan los niños, ...
4. Si eres bueno/a creando historias, ...
5. Si tienes facilidad para hablar en público y comunicarte, ...
6. Si estudias Derecho, ...

HACER, BUSCAR, FOMENTAR, SABER

VOCABULARIO

47. Indica con qué verbos puedes combinar estas palabras. En algún caso puede haber más de una posibilidad.

hacer **buscar** **fomentar** **saber**

1. .... el pensamiento crítico
2. .... recursos
3. .... las habilidades blandas
4. .... colaborar
5. .... interactuar con otras personas
6. .... una videollamada
7. .... una videoconferencia
8. .... un trabajo
9. .... un examen
10. .... información

48. En parejas, piensen en otras combinaciones posibles con estos verbos.

HABILIDADES Y APTITUDES

VOCABULARIO

49. ¿Cuáles de estas competencias y cualidades profesionales crees que tienes más desarrolladas? Márcalas.

- pensamiento creativo
- razonamiento lógico
- imaginación
- creatividad
- responsabilidad
- capacidad de colaboración
- capacidad de comunicación
- iniciativa
- persistencia
- habilidad para solucionar problemas
- autodisciplina
- trabajo en equipo

50. ¿Cuáles crees que son más necesarias para el tipo de trabajo que quieres realizar? Subráyalas. ¿Coinciden con las que has marcado en la actividad anterior? Escribe un breve texto con tus conclusiones.

LOS SONIDOS DE LAS LETRAS B/V, D Y GA, GO, GU

51. Escucha las siguientes palabras en inglés y en español. En parejas, comenten qué diferencias perciben en las consonantes iniciales b **(o** v **en español).**

Inglés	basis	ball	band	beat	cabin	cobra	rebel
Español	bases	baile	banda	vencer	cabina	cobra	rebelde

52. Marca la palabra que oigas en cada caso.

1. de / té
2. di / ti
3. deje / teje
4. boda / bota
5. moda / mota
6. gasa / casa
7. gorro / corro
8. goloso / coloso
9. saga / saca
10. pago / Paco

Las consonantes del español son más suaves que las del inglés: se pronuncian con menos presión.

Eso se nota mucho en las consonantes no iniciales. Cuando **b** (o **v**), **d**, o **ga**, **go**, **gu** no están al inicio de la frase (por ejemplo, cuando dices **cabina** o **la base**), el sonido es tan suave que los labios no llegan a tocarse. Será más fácil pronunciarlo bien si lo dices muy deprisa.

La **d** española, cuando no es inicial, se parece mucho al sonido que pronuncias cuando dices **that** en inglés.

53. Repite las siguientes palabras:

- entregar
- olvidar
- débil
- crucigrama

54. Completa las palabras con b **o** v**. Puedes buscarlas en el diccionario.**

1. descarga........le
2. fa........orecer
3. gra........ar
4. conecti........idad
5. ....úsqueda
6. ....ideoconferencia
7. a........stracto
8. a........ance
9. de........atir
10. contri........uir
11. e........aluar
12. cu........rir

55. Ahora escucha las palabras anteriores. ¿La b **y la** v **se pronuncian igual o de manera diferente?**

The Spanish Hub TEXTO MAPEADO TEXTO LOCUTADO

LENGUA

Hispanos e hispanohablantes

¿Cuál es hoy día la situación de la población hispana en Estados Unidos? Según el Pew Research Center está compuesta por unos 55,4 millones, un 17 % de la población estadounidense. De ellos, un 35 % son nacidos en Hispanoamérica y el 65 % en Estados Unidos. Y las proyecciones dicen que en 2060 más de 119 millones de personas serán de origen hispano: un 28 % de la población total.

En cuanto al conocimiento y el uso del español, las investigaciones estiman que 41 millones de los hispanos hablan español en casa, por lo que estamos hablando de una población hispanohablante enorme, la cuarta del mundo (solo detrás de México, Colombia y España).

¿Cuál es el futuro de la lengua española en EE. UU.? La respuesta no es sencilla. Por un lado, existe la tendencia de ir abandonándolo: un 82 % de hispanos de segunda generación mantienen el español, mientras que, en la tercera generación, solo el 47 % lo habla (un fenómeno equivalente a lo que sucedió con la emigración italiana o alemana). Pero, por otro lado, en la comunidad hispana existe una voluntad de conservar la lengua: en una encuesta reciente, el 95 % de hispanos consideraban importante o muy importante mantener el español. Otro factor a favor del mantenimiento de la lengua española es que, hoy en día, conocerla es un factor positivo para conseguir empleo y obtener un mejor salario.

Pero, además, el español está presente en muchos ámbitos (sociales, culturales, políticos, etc.) de la vida estadounidense y un ejemplo de eso es que cada vez hay más periódicos, emisoras de radio y cadenas de televisión en español.

Prueba de esta visibilidad del español en Estados Unidos es la literatura hispana, que tanto en español como en inglés es cada vez más conocida. Como explica la escritora peruana Dora Przybylek (Carmela Escobar), quien ganó con su primera novela *Luna llena* el International Latino Book Awards en el 2009: "Los escritores latinos que escribimos en español somos voceros ante la audiencia norteamericana de todo lo que representa nuestra cultura, con su versatilidad y multiplicidad, al representar a tantos países a los que pertenecemos. Yo creo que es un fenómeno de mucho peso y que deberíamos de alguna manera utilizar el arte, en este caso la literatura latina en español, como una plataforma para hacernos escuchar en esta sociedad americana, que también es la nuestra, precisamente porque somos activos miembros de ella y porque influimos de una manera u otra en lo que son los Estados Unidos de América. La literatura latina en español enriquece sobremanera a la literatura latina (en inglés) haciéndola más completa, más auténtica".

Fuente de la cita de Dora Przybylek: entrevista realizada por la escritora peruana Ani Palacios Mc Bride, publicada en *Letralia*

ANTES DE LEER

56. **¿Qué diferencia crees que hay entre ser latino y ser hispanohablante?**

57. **¿Qué sabes del español en EE. UU.? De las siguientes frases, señala las que crees que son correctas.**

- En EE. UU. hay más hispanohablantes que en Cuba, República Dominicana, Venezuela o Argentina.
- Actualmente hay 55 millones de hispanohablantes en EE. UU.
- Todos los hispanos que viven en EE. UU. son bilingües.
- Se considera literatura latina en EE. UU. la escrita solo en español.

DESPUÉS DE LEER

58. **Después de leer el texto principal, confirma tus respuestas a las actividades 56 y 57.**

59. **Investiga sobre escritores y escritoras que escriban en español e inglés en Estados Unidos. ¿Qué tienen en común?**

TEATRO

El chico de la última fila, de Juan Mayorga

El chico de la última fila (2006) es una obra de teatro del dramaturgo Juan Mayorga (España, 1965). Trata de la relación entre Germán, un profesor de bachillerato de Lengua y Literatura, y un alumno suyo. Comienza cuando Germán está corrigiendo las redacciones de sus estudiantes, que llevan por título "Mi pasado fin de semana". Cada redacción le parece peor que las otras y se siente frustrado. De pronto, lee la redacción de Claudio, el chico que en su clase se sienta en la última fila, y nota que el chico tiene un talento excepcional y entre ellos se establece una relación cada vez más intensa y peligrosa. La obra habla sobre las relaciones de poder entre el profesor y el estudiante, sobre la educación y la literatura, sobre la creación artística y sus límites éticos.

de Juan Mayorga
el CHICO de la ÚLTIMA fila
mario velásquez | elsa olivero | paul martin | celine aguirre | tommy párraga | sergio gjurinovic
dirección Sergio LLusera

GERMÁN- (*Lee.*) "El pasado fin de semana, por Claudio García. El sábado fui a estudiar a casa de Rafael Artola. La idea partió de mí, porque hace tiempo que deseaba entrar en esa casa. Este verano, todas las tardes me iba a mirar la casa desde el parque, [...]. El viernes, aprovechando que Rafa acababa de fracasar en la clase de Matemáticas, le propuse un intercambio: "Tú me ayudas a mí con la Filosofía y yo a ti con las Matemáticas". No era más que un pretexto, claro. Yo sabía que, si aceptaba, sería en su casa, porque la mía está en una calle que Rafa no pisará jamás. A las once toqué el timbre y la puerta se abrió ante mí. Seguí a Rafa hasta su cuarto, que es como yo me imaginaba. Me las arreglé para dejarlo ocupado con un problema de trigonometría mientras yo, con la excusa de buscar una Coca-Cola, echaba un vistazo a la casa. Esa casa en la que por fin me encontraba, después de haberme imaginado tantas veces allí dentro. Es más grande de lo que suponía; mi casa cabe cuatro veces en ella. Todo está muy limpito y ordenado.

ANTES DE LEER

60. **¿Qué tipo de estudiante eras cuando estabas en la escuela primaria y secundaria? ¿Qué recuerdas de tus profesores/as? ¿Qué tipo de textos escribías en tus clases de Lengua y Literatura?**

DESPUÉS DE LEER

61. **Lee el texto introductorio e imagina cómo termina la historia entre el profesor Germán y el misterioso Claudio.**

62. **En pequeños grupos, lean la composición que Claudio le entregó a su profesor Germán e imaginen cómo continúa esa misteriosa historia de ficción en la casa de Rafael Artola. Piensen en un nuevo título.**

63. **En pequeños grupos, elijan y justifiquen una de estas u otras versiones de la historia. Después, pueden consultar en internet el argumento original.**

- Germán usa los textos de su estudiante Claudio para publicar una novela.
- Germán se obsesiona con la historia de la casa de los Artola y empieza a espiar a esa familia usando a Claudio.
- Claudio empieza a escribir con la ayuda de su profesor y se convierte en un famoso escritor de novelas de suspense.
- ...

partir de: *to come from*
fracasar: *fail*
pretexto: *excuse*
pisar: *to step foot on*
arreglárselas: *to arrange it, to manage*
echar un vistazo: *to take a look*

FOROS DE CONVERSACIÓN ONLINE

64. **¿Usan en sus cursos de la universidad espacios de conversación online como foros (*discussion boards*), chats, etc.? ¿Para qué los usan? Hablen en grupos.**

65. **Lean el texto introductorio y el apartado sobre los tipos de foros. ¿Se corresponden con los usos que hacen de ellos?**

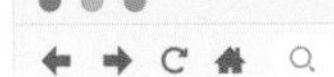

FOROS ONLINE PARA LA CLASE DE ESPAÑOL

Los foros de conversación (*discussion boards*) son cada vez más utilizados en la enseñanza. Se trata de una herramienta muy eficaz, ya que permite continuar aprendiendo fuera de clase. En un curso de español son especialmente útiles porque dan la posibilidad de usar la lengua con más frecuencia escribiendo y leyendo o, incluso, hablando y escuchando. **Aquí describimos algunas características de los foros de discusión y damos varios ejemplos de cómo se pueden usar en los cursos de español.**

¿QUÉ TIPOS DE FOROS SE PUEDEN CREAR?

DE INVESTIGACIÓN Se trata de explorar objetivamente un tema en general, incluyendo casos concretos. Por ejemplo:

La presencia hispana en EE. UU.
Cada persona investiga y presenta un lugar, un monumento, una obra, un testimonio relevante que esté relacionado con la presencia hispana en su ciudad, su estado o su país. No se deben repetir los ejemplos.

La presencia de Picasso en EE. UU.
Cada persona del foro presenta y explica una obra diferente de Pablo Picasso que se puede ver en un museo de Estados Unidos. Se describen, comparan y clasifican sus obras.

PROYECTOS Se colabora con el objetivo de realizar una tarea final. Por ejemplo:

Preparar una guía de ocio de la ciudad
Los alumnos elaboran una guía con los mejores lugares para divertirse en su ciudad. Cada persona debe incluir y justificar una actividad o lugar de ocio diferente para, finalmente, crear la guía.

El álbum de fotos del curso
Toda la clase va a crear el álbum de imágenes del curso para recordarlo en el futuro. Los alumnos seleccionan los eventos y los documentos más relevantes y los comentan en las intervenciones del foro.

DE NEGOCIACIÓN Su finalidad es resolver un problema o dar soluciones a una situación.

Elegir un lugar de nuestra ciudad o área para visitarlo
Toda la clase debe decidir entre varias opciones de lugares que se pueden visitar. Los estudiantes tienen que ponerse de acuerdo porque solo hay presupuesto para una visita.

DE OPINIÓN Se puede también crear un foro de discusión para debatir sobre un tema desde un punto de vista personal.

Animales en el circo y en otros espectáculos
¿Es ético utilizar animales para este tipo de entretenimiento? En el foro, los estudiantes expresan su opinión personal sobre el tema.

Crítica de cine
Cada persona comparte en el foro su valoración personal sobre una película con la que trabajaron en el curso de español.

DE LENGUA Su función es reflexionar sobre la lengua y el aprendizaje.

Nuestras dificultades con el español
Cada persona escribe en el foro tres ejemplos contextualizados de errores que ha cometido o comete a menudo, y los demás le ofrecen posibles soluciones para mejorarlos.

Preguntas sobre el español
Cada persona escribe una duda que tiene sobre el español. Entre todos, intentan responder con ejemplos.

¿QUÉ FUNCIONES DEBEN CUMPLIR ESTUDIANTES Y PROFESORES/AS?

Administrador(a)
Diseña, organiza y abre el foro. Decide la apertura y el cierre, y también la dinámica de participación. En un foro de lengua, puede ser necesario que el profesor o la profesora corrija los textos.

Moderador(a)
Dirige y modera la conversación.

Participantes
Todos los estudiantes que toman parte en la conversación. Cuando hay muchos estudiantes en la clase, los foros se pueden dividir en grupos.

¿QUÉ SE DEBE TENER EN CUENTA A LA HORA DE ESCRIBIR (Y DESPUÉS)?

Extensión
Es aconsejable escribir textos breves y muy claros. La calidad es más importante que la cantidad.

Entradas
Lo ideal es participar al menos dos veces. Una primera entrada con una contribución inicial y otra que comenta las intervenciones de otros estudiantes.

Borrador
Es útil siempre preparar un borrador antes de enviar una entrada, para organizar las ideas, comprobar la corrección del vocabulario y la gramática y la construcción del texto.

Feedback
Los foros son un buen lugar para arriesgarse y no tener miedo a los errores. Es siempre útil observar las correcciones que hace el profesor o la profesora y tenerlas en cuenta en futuras ocasiones.

¿CÓMO SE ANIMA UN FORO?

Preguntas
Para animar la conversación, es buena idea incluir, al final de las intervenciones, una pregunta interesante para el grupo o para otra persona.

Temas
Para activar la conversación, también se pueden sugerir nuevos temas conectados con la conversación principal, abrir hilos *(threads)*.

Contenido audiovisual
Incluir imágenes y videos en los textos ayuda a ilustrar el tema y a captar el interés. También existen foros que permiten participar enviando mensajes de voz o, incluso, de video. En este caso, también es necesario preparar el material antes tu intervención.

¿CUÁLES SON LAS REGLAS BÁSICAS DE CORTESÍA?

Consideración
Se deben leer las intervenciones de todos los estudiantes. Todas son interesantes.

Respeto
No se deben hacer comentarios ofensivos o despectivos que puedan crear conflicto.

Simpatía
Las intervenciones con humor, simpatía o elogios crean una ambiente de conversación positivo.

66. ¿Qué ventajas y desventajas tienen estos espacios virtuales? Coméntenlo en grupos, luego lean el resto del texto y refuercen o modifiquen sus puntos de vista.

67. En el proyecto de este capítulo van a crear un nuevo foro para su curso de español. Usen el texto para decidir los temas, los objetivos, el formato, las funciones de cada estudiante, la lengua de uso, los estímulos, la gestión, etc.

PROYECTO EN GRUPO

Un debate sobre nuestro futuro

Vamos a preparar un debate en clase o un foro virtual sobre los retos *(challenges)* del futuro profesional de los universitarios.

A. Contesta individualmente este cuestionario sobre tu presente y tu futuro profesional.

1. ¿Cuándo terminarás tus estudios?
- O Este curso.
- O El curso que viene.
- O Dentro de varios cursos.
- O Otros. ....

2. ¿Estás trabajando en estos momentos?
- O Sí, combino mis estudios con el trabajo.
- O En ocasiones puntuales.
- O No, solo estudio.
- O Otros. ....

3. ¿Empezarás a trabajar después de graduarte?
- O Sí, seguro que sí.
- O Posiblemente sí.
- O No lo sé, depende.
- O No, seguramente haré un posgrado.
- O Otros. ....

4. ¿Cuándo piensas que encontrarás tu trabajo ideal?
- O Al terminar mis estudios.
- O Dentro de unos años.
- O No lo sé, depende.
- O Otros. ....

5. ¿Crees que trabajarás en un sector relacionado con tus estudios?
- O Sí, seguro.
- O Probablemente.
- O No lo sé, depende.
- O Imposible.
- O Otros. ....

6. ¿Tus estudios universitarios te están preparando para tu futuro profesional?
- O Sí, creo que estaré preparado.
- O No lo sé, la verdad.
- O En absoluto, no estaré nada preparado.
- O Otros. ....

7. ¿Seguirás estudiando español u otras lenguas?
- O Sí, seguro que seguiré.
- O Me gustaría seguir estudiando.
- O No lo sé.
- O No, dejaré de estudiar lenguas.
- O Otros. ....

8. ¿En el futuro harás una estancia en un país hispano o en otro país?
- O Sí, seguro.
- O Sí, me gustaría vivir o trabajar en el extranjero (*abroad*).
- O No lo sé.
- O Seguro que no.
- O Otros. ....

9. ¿Cómo ves en general tu futuro profesional?
- O Con mucho optimismo.
- O Con optimismo.
- O Con realismo.
- O Con pesimismo.
- O Otros.

B. Escribe una conclusión sobre cómo te sientes respecto a tu futuro profesional.

Yo quiero ser arquitecto, pero tendré que estudiar, como mínimo, cinco años más. Nuestra universidad tiene un buen programa de Arquitectura; si consigo entrar, estaré bien preparada. Además, me gustaría seguir estudiando español y pasar un tiempo en España.

C. En grupos de cuatro, compartan sus conclusiones y busquen qué cosas tienen en común. A continuación, una persona de cada grupo presenta al resto de la clase las conclusiones de la conversación.

D. Entre toda la clase, debatan sobre los retos de su futuro profesional. Si lo prefieren, pueden crear un foro virtual en el que escriban sus conclusiones, así como sus expectativas de futuro.

Yesterday at 8:54 AM **#1**

En nuestro grupo pensamos que los estudiantes de nuestra universidad estamos igual de preparados que los estudiantes de otras universidades, pero estamos de acuerdo en que es muy difícil encontrar un trabajo de nuestra especialidad porque el mercado es cada vez más competitivo.

PROYECTO INDIVIDUAL

Así me veo en el futuro

Vas a crear un documento (audio)visual explicando cómo te ves profesionalmente dentro de 15 años.

A. La pregunta "¿Cómo te ves dentro de 15 años?" es habitual en entrevistas de trabajo. Piensa qué responderías. Puedes utilizar esta guía para ordenar tus ideas.

Tu imagen profesional ideal dentro de 10, 15 o 20 años

¿Qué tipo de trabajo tendrás: sector, horarios, responsabilidades, tareas?

....

¿Qué tendrás que hacer para conseguir este trabajo?

....

¿Cómo será tu vida? (¿Dónde te gustaría vivir y cómo organizar tu tiempo...?)

....

¿Cuánto dinero crees que ganarás? ¿Cuánto te gustaría ganar?

....

¿Qué ventajas e inconvenientes tendrá ese trabajo?

....

¿Cómo cambiará tu vida?

....

Otros.

....

B. Con toda la información de A, redacta un documento que servirá como guion para tu presentación (un video, una grabación de audio, una presentación digital, etc.). Organiza la información y revísalo. Puedes incluir imágenes y documentos para ilustrar tu perfil futuro.

Periodista
Un piso céntrico en una gran ciudad
Mis horarios serán flexibles porque dependerán de los proyectos que esté realizando.
Viajaré mucho por todo el mundo.

RECURSOS LINGÜÍSTICOS

GRAMMAR

THE FUTURE

▶ **Regular verbs**

The future is formed by adding the endings **-é**, **-ás**, **-á**, **-emos**, **-éis**, **-án** to the infinitive.

	ESTAR	DEBER	VIVIR
yo	estar**é**	deber**é**	vivir**é**
tú, vos	estar**ás**	deber**ás**	vivir**ás**
él, ella, usted	estar**á**	deber**á**	vivir**á**
nosotros, nosotras	estar**emos**	deber**emos**	vivir**emos**
vosotros, vosotras	estar**éis**	deber**éis**	vivir**éis**
ellos, ellas, ustedes	estar**án**	deber**án**	vivir**án**

▶ **Irregular verbs**

A small number of verbs have irregular stems in the future, but their endings are the same as those of regular verbs.

	TENER
yo	tendr**é**
tú, vos	tendr**ás**
él, ella, usted	tendr**á**
nosotros, nosotras	tendr**emos**
vosotros, vosotras	tendr**éis**
ellos, ellas, ustedes	tendr**án**

decir	dir-
haber	habr-
hacer	har-
poder	podr-
poner	pondr-
querer	querr-
saber	sabr-
salir	saldr-
valer	valdr-

In all six forms, the stress is on the ending

We use the future to make predictions about the future and promises.

*Algún día **podremos** vivir en Marte.*

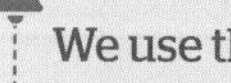

We use the future to suggest a hypotheis in the present.

- ¿Tienes hora?
- No llevo reloj... Serán las ocho, o algo así.
[Supongo que son las ocho.]

Patricia no ha venido a clase... ¿Estará enferma?

REFERRING TO A FUTURE ACTION

In addition to the future, we can use **ir a** + infinitive, or the present.

ir a + infinitive

We use this construction to talk about decisions or plans, and we present future actions that we consider logical or obvious.

*El año que viene **voy a ir** a Nicaragua. ¿Te apuntas?*

*En un entorno tan tecnológico como el que tenemos, yo creo que pronto **vamos a dejar de usar** bolígrafos para escribir.*

Verb in the present tense + time marker

We also use the present tense with future time markers to talk about future actions we are completely sure of.

*En dos años **acabo** la carrera y me voy a otro país.*
***Te llamo** mañana, ¿ok?*

EXPRESSING GRADUAL INCREASE OR DECREASE

cada vez más *(more and more)*

*__Cada vez__ usamos **más** el celular para aprender.*
***Cada vez más** gente usará el transporte público.*
*Los robots serán **cada vez más** inteligentes y autónomos.*

cada vez menos *(less and less)*

*Con los celulares **cada vez** usamos **menos** la memoria.*
***Cada vez menos** gente irá a trabajar en auto.*
*Los autos de gasolina serán **cada vez menos** comunes.*

CONDITIONAL SENTENCES REFERRING TO THE PRESENT AND THE FUTURE

If we want to express a condition, we will use the particle **si** + a sentence in the present. The consequences or result of such a condition may refer to the present or the future and can be expressed with verbs in the present or in the future.

Si + present, clause in the present

***Si** tienes amigos que hablan español, puedes practicar con ellos.*

Si + present, clause in the future

***Si** estudias Hotelería y hablas idiomas, podrás buscar trabajo en todo el mundo.*

VERBAL PERIPHRASIS

empezar a + infinitive

Marks the beginning of an action.

*El mes que viene **empezamos a construir** la maqueta del nuevo proyecto.*

The verb **empezar** has a stem change in the present tense.

	EMPEZAR
yo	emp**iezo**
tú, vos	emp**iezas**, emp**ezás**
él, ella, usted	emp**ieza**
nosotros, nosotras	emp**ezamos**
vosotros, vosotras	emp**ezáis**
ellos, ellas, ustedes	emp**iezan**

seguir + gerund

Marks the continuation of an action.

*Yo creo que dentro de cien años **seguiremos usando** bolígrafos.*

Depending on the ending, the verb **seguir** is written with **g** or **gu**.

	SEGUIR
yo	si**go**
tú, vos	sigu**es**, seg**uís**
él, ella, usted	sigue
nosotros, nosotras	segu**imos**
vosotros, vosotras	seguís
ellos, ellas, ustedes	sigu**en**

We can also use the verb continuar.

*Yo creo que dentro de cien años **continuaremos usando** bolígrafos.*

dejar de + infinitive

Marks the interruption of an action.

*Yo creo que dentro de poco tiempo **dejaremos de escribir** a mano.*

YA, AÚN NO, TODAVÍA NO

ya

We use **ya** to confirm that something we hope for or present as possible has happened.

*En mi universidad **ya** tenemos internet de calidad en todas las aulas.*

aún/todavía no

We use **aún/todavía** to say that something we hope for or believe possible has not happened.

*En mi universidad **aún** no tenemos internet de calidad en todas las aulas.*

RECURSOS LINGÜÍSTICOS

COMMUNICATION

PLACING AN ACTION IN THE FUTURE

esta mañana/tarde/noche
mañana
pasado mañana
el domingo/jueves...
este domingo/jueves...
el fin de semana/este fin de semana
este fin de semana/mes/año...

Esta semana *no voy a tener mucho tiempo libre.*
Supongo que ***este año*** *harán mejoras en el campus.*

en + month/season/year

En diciembre *tendremos lista la aplicación.*
En primavera *ya habrá wifi en todas las aulas.*
En 2050 *habrá robots en todas las casas.*

en/dentro de + amount of time

En pocos años *desaparecerán muchas profesiones.*
Dentro de veinte años *nadie usará llaves.*

hasta + a specific time

La exposición estará abierta ***hasta el lunes****.*
No tendré vacaciones ***hasta el verano****.*
Hasta 2050 *no dispondremos de la tecnología necesaria para vivir en otros planetas.*

hasta dentro de + amount of time

La exposición estará abierta ***hasta dentro de una semana****.*
Hasta dentro de muchos años *no dispondremos de la tecnología necesaria para colonizar otros planetas.*

la semana/el mes/el año + que viene/próximo

La semana que viene *haremos una videoconferencia.*
El próximo mes *viajaremos a Madrid. Quiero visitar el Museo del Prado.*

Museo del Prado, Madrid

COMPARISONS

▶ **Indicating equality**

el mismo/la misma/los mismos/las mismas + que

¿En España duermen ***el mismo*** *número de horas* ***que*** *en México?*
Tenemos ***las mismas*** *costumbres* ***que*** *ellos.*

▶ **Indicating superiority**

más + que, mejor + que

Los cursos a distancia tienen ***más*** *ventajas* ***que*** *inconvenientes.*
Se aprende ***mejor*** *con un profesor* ***que*** *con un ordenador.*

▶ **Indicating inferiority**

menos + que, peor + que

En unos años usaremos ***menos*** *libros* ***que*** *tabletas.*
Se aprende ***peor*** *con un ordenador* ***que*** *con un profesor.*

COHESION

ORGANIZING INFORMATION: DISCOURSE MARKERS

por un lado, ... por otro (lado)

Son muchas las ventajas de los cursos a distancia: ***por un lado****, está la flexibilidad de los horarios;* ***por otro****, resultan más baratos que otro tipo de ofertas.*

por una parte, ... por otra (parte)

Son muchas las ventajas de los cursos a distancia: ***por una parte****, está la flexibilidad de los horarios;* ***por otra****, resultan más baratos que muchas de las ofertas presenciales.*

We may use **por otro lado/por otra parte** without having used **por un lado/por una parte** before.

Tenemos que potenciar más el uso en clase de los celulares y las tabletas. La gran mayoría de las personas ya va a clase con uno o varios de estos dispositivos y están acostumbradas a manejarlos con soltura. ***Por otra parte,*** *son muchos los estudios que demuestran...*

VOCABULARY

LA UNIVERSIDAD DEL FUTURO *(THE UNIVERSITY OF THE FUTURE)*

Formación
(Education)

el aprendizaje *(learning)*
la carrera *(degree, major)*
el curso presencial *(face-to-face course)*
el docente *(instructor)*
la educación presencial/online *(face-to-face / online education)*
el modelo educativo *(educational model)*
el reto *(challenge)*

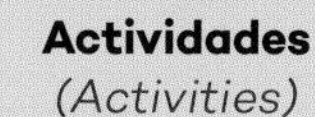

Actividades
(Activities)

adquirir habilidades/competencias blandas *(to acquire soft skills)*
desarrollar nuevos roles *(to take on new roles)*
elegir asignaturas *(to choose classes)*
enfrentarse a nuevas situaciones *(to face new situations)*
graduarse *(to graduate)*
investigar *(to do research)*
memorizar contenidos *(to memorize content)*
registrarse/matricularse en una clase *(to register/enroll in a course)*
poner notas *(to grade)*

TENDENCIAS Y AVANCES TECNOLÓGICOS
(TECHNOLOGICAL TRENDS AND ADVANCEMENTS)

Herramientas *(Tools)*

los dispositivos electrónicos *(electronic devices)*
el pizarrón interactivo *(interactive whiteboard)*
el proyector *(projector)*

el disco duro *(hard drive)*
la impresora 3D *(3D printer)*
la máquina inteligente *(intelligent machine)*
la memoria USB *(USB drive)*

la plataforma educativa *(learning platform)*
la tableta *(tablet)*

AVANCES TECNOLÓGICOS
(TECHNOLOGICAL ADVANCEMENTS)

Actividades y tendencias *(Activities and trends)*

el entretenimiento *(entertainment)*
realizar videoconferencias *(to conduct video conferences)*
nuevas tecnologías *(new technologies)*
inteligencia artificial *(AI, artificial intelligence)*
nube *(cloud)*
realidad virtual *(VR, virtual reality)*

Otros *(Other)*

la contraseña *(password)*
la huella digital *(digital fingerprint)*
la conexión a internet *(internet connection)*
la fuente de información *(source of information)*

VOCABULARY

DESTREZAS Y HABILIDADES PERSONALES *(PERSONAL SKILLS)*

resolución de problemas
(problem-solving)
capacidad de comunicación
(ability to communicate)
persistencia
(persistence)
habilidades de análisis abstracto
(abstract reasoning skills)
capacidad de colaboración
(ability to collaborate)
autodisciplina
(self-discipline)
pensamiento crítico
(critical thinking)
creatividad/ pensamiento creativo
(creativity/creative thinking)
competencias básicas en...
(basic skills in...)
imaginación
(imagination)
juicio
((good) judgment)
trabajo en equipo
(teamwork)
competencias blandas
(soft skills)
responsabilidad
(responsibility)
razonamiento lógico
(logical reasoning)

MERCADO LABORAL *(LABOR MARKET)*

competir *(to compete)*
competitivo *(competitive)*
máquina automatizada *(automated machine)*
panorama laboral *(occupational outlook)*
profesionista/profesional *(professional)*
robot *(robot)*
trabajo rutinario *(routine work/job)*
trabajo altamente cualificado/calificado / medianamente cualificado/de baja cualificación *(highly-skilled/semi-skilled/low-skilled job)*
trabajo estandarizado *(standardized work)*

LUGARES DE TRABAJO *(PLACES OF WORK)*

la oficina *(office)*

el hospital *(hospital)*

el centro comercial *(shopping mall)*

la fábrica *(factory)*

FREQUENT WORD COMBINATIONS

EDUCACIÓN Y TECNOLOGÍA
(EDUCATION AND TECHNOLOGY)

haber › proyector › pizarrón › pizarra
there is a projector/a blackboard

disponer de › plataformas educativas › aplicaciones
to have learning platforms/applications

avances › en tecnología › en educación
advancements in technology/education

recursos › digitales › en internet › en papel
digital/online/hard-copy resources

hacer › una videoconferencia › una videollamada
› un trabajo › un examen
to conduct a video conference/a video call
to do a job/to take a test

preparar › las clases › un examen
to prepare for classes/an exam

desarrollar › las competencias
to develop skills

fomentar › las habilidades blandas
› el pensamiento crítico
to develop soft skills/critical thinking

buscar › información › recursos
to search for information/resources

saber › colaborar
› interactuar con otras personas
to be able to collaborate
to be able to interact with other people

aprendizaje › en inmersión › presencial › a distancia
immersive/face-to-face/distance learning

memorizar › contenidos
buscar
aprender
memorize/search for/learn content

estudiar › primaria › secundaria › bachillerato
to be in elementary school/high school

CAPÍTULO 3

ORGANIZACIÓN Y TIEMPO

En este capítulo vas a proponer soluciones para mejorar la gestión del tiempo.

LEARNING OUTCOMES
- Compare statistics, data, and schedules
- Offer, ask for, and ask about a service
- Give advice

VOCABULARY
- Offer and ask for services
- Time management

LANGUAGE STRUCTURES
- The present subjunctive
- The neuter definite article **lo**
- Giving advice and making comments with the infinitive/subjunctive
- Relative clauses with the indicative/subjunctive
- Relating actions with **cuando** +indicative/ subjunctive

ORAL AND WRITTEN TEXTS
- Use of the comma
- Interpreting an argumentative text

SOUNDS
- The intonation of non-neutral questions

CULTURE
- Mayan time (Mexico, Belize, El Salvador, Honduras)
- A poem by Gioconda Belli (Nicaragua)

PROJECTS
- Group: propose solutions for improving your time management
- Individual: write a report on college/university students' timetables

INFOGRAFÍA

PREPÁRATE

1. **Mira esta infografía. ¿Refleja bien el uso del tiempo en tu país? ¿Y tu uso del tiempo?**

2. **¿Qué diferencias entre países observas en el gráfico? ¿Tiene Estados Unidos diferencias significativas con respecto a los otros países?**

En... y en... se desayuna a la misma hora.
En... y en... se trabaja más que en...
En... se duerme menos que en...
En Estados Unidos la gente tiene más tiempo libre que en...

Horas: 6:00, 7:00, 8:00, 9:00, 10:00, 11:00, 12:00, 13:00, 14:00, 15:00, 16:00, 17:00, 18:00, 19:00, 20:00, 21:00, 22:00, 23:00, 00:00

España	Argentina	México	EE. UU.	Cuba
Sueño	Sueño	Sueño	Sueño	Sueño
Desayuno*	Desayuno	Desayuno	Desayuno	Desayuno
Trabajo	Trabajo	Trabajo	Trabajo	Trabajo
Comida	Comida	Comida	Comida	Comida
Trabajo	Trabajo	Trabajo	Trabajo	Trabajo
Cena	Cena	Cena	Cena	Cena
TV e internet	TV e internet	TV e internet	TV e internet	TV e internet
Sueño	Sueño	Sueño	Sueño	Sueño

Fuente: Eurostat y Difusión

* Variable: de 7:30–8:30 a 10:00–10:30

3. **En parejas, compartan sus respuestas a las actividades 1 y 2.**

4. **¿Qué horario te parece mejor? ¿Y peor? ¿Por qué? Hablen en grupos.**

> *— Yo creo que en Estados Unidos se empieza a trabajar demasiado temprano.*
> *— Pues yo no. A mí me gusta levantarme muy temprano.*

CITAS, REFRANES Y FRASES HECHAS

PREPÁRATE

5. Lee estas citas y escribe con otras palabras los mensajes que transmiten.

El paso del tiempo dignifica los chismes de una época y los convierte en historia.

JOSÉ EMILIO PACHECO
(1939-2014), escritor mexicano

El tiempo es un árbol que no cesa de crecer.

BLANCA VARELA
(1926-2009), escritora peruana

Tu materia es el tiempo, el incesante tiempo. Eres cada solitario instante.

JORGE LUIS BORGES
(1899-1986), escritor argentino

6. ¿Conoces proverbios o dichos equivalentes (o parecidos) a los siguientes? Escríbelos.

- **Más vale tarde que nunca.**
- **No por mucho madrugar amanece más temprano.**
- **Vísteme despacio que tengo prisa.**
- **El tiempo todo lo cura.**
- **El tiempo es oro.**
- **Al mal tiempo, buena cara.**
- **El tiempo que pasa uno riendo es tiempo que pasa con los dioses.** (proverbio japonés)
- **El tiempo vuela.**

7. En parejas, compartan su reformulación de las citas de la actividad 5. ¿Las han entendido del mismo modo?

8. En grupos, comenten con qué dichos o proverbios de la actividad 6 están de acuerdo y con cuáles no (o necesitan matizar).

— Yo estoy de acuerdo con que el tiempo vuela, porque...
— Yo creo que el tiempo no siempre lo cura todo; por ejemplo, si vives una experiencia traumática...
— Me parece que el tiempo es más valioso que el oro porque...

9. Compartan los refranes y dichos sobre el tiempo que conozcan en otras lenguas. En grupos, tradúzcanlos al español y luego compártanlos con la clase.

cesar: *to stop*
chismes: *gossip, rumors*

VIDEO: JUNTOS EN FAMILIA

Género: Cortometraje
País: Chile
Director: Felipe Astaburuaga
Año: 2018

PREPÁRATE

10. Antes de ver el video, haz una lista de las actividades que se suelen realizar en grupo a diferentes edades: cuando eres niño/a, de adolescente, de adulto/a.

11. Ve el video hasta el minuto 2.43. ¿Qué proponen los padres? ¿Cómo reaccionan los hijos?

12. ¿Qué razones da cada uno de ellos para justificar su respuesta?

13. Compartan sus respuestas a las actividades 10, 11 y 12.

14. En parejas, vean el final del video. ¿Cómo lo interpretan?

15. ¿Creen que les dedican el tiempo suficiente a las personas que son importantes en sus vidas? Hablen en pequeños grupos.

¿TE ORGANIZAS?

PREPÁRATE

16. Responde al siguiente cuestionario, anota tus resultados y lee tu perfil.

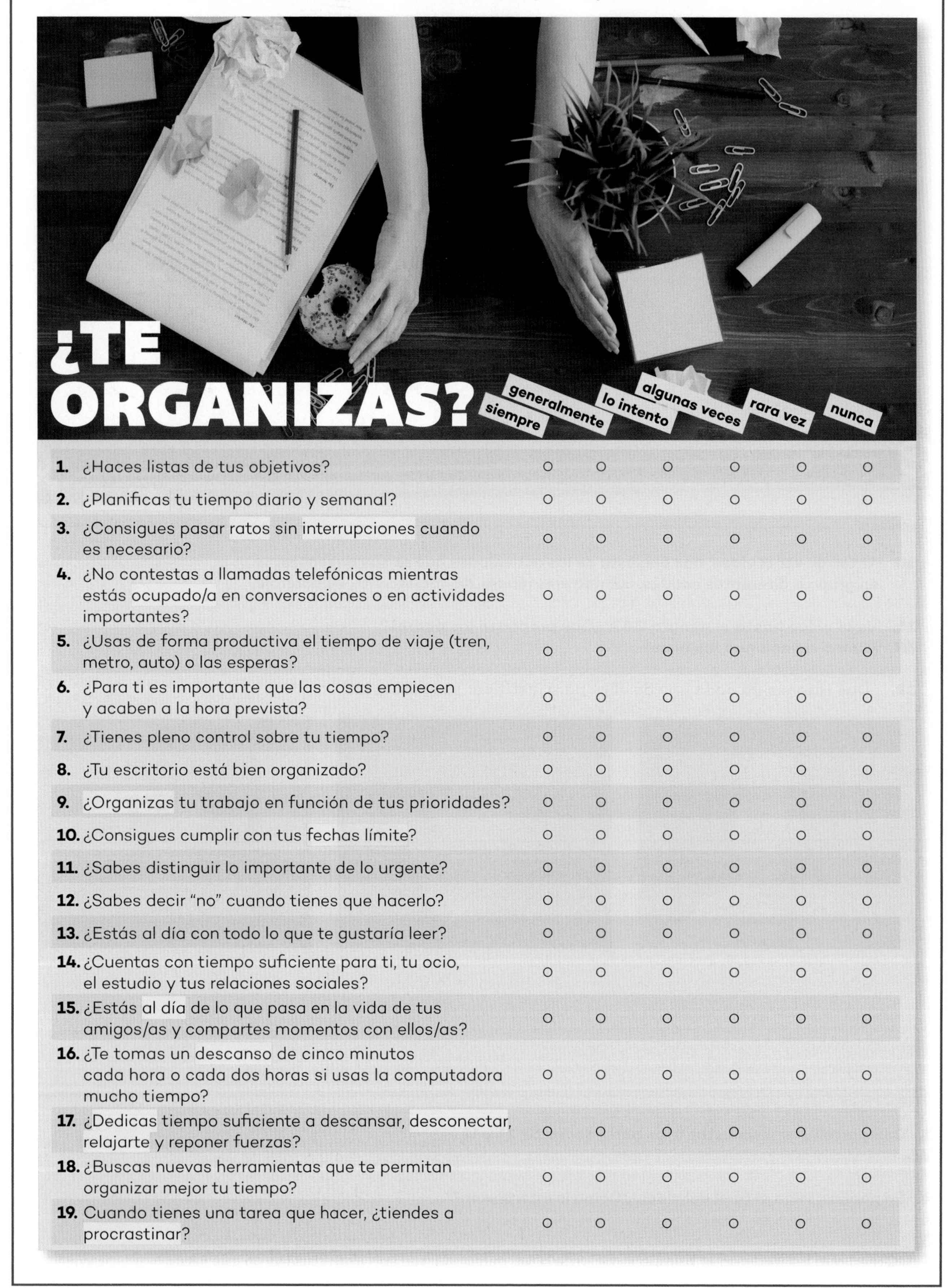

	siempre	generalmente	lo intento	algunas veces	rara vez	nunca
1. ¿Haces listas de tus objetivos?	○	○	○	○	○	○
2. ¿Planificas tu tiempo diario y semanal?	○	○	○	○	○	○
3. ¿Consigues pasar ratos sin interrupciones cuando es necesario?	○	○	○	○	○	○
4. ¿No contestas a llamadas telefónicas mientras estás ocupado/a en conversaciones o en actividades importantes?	○	○	○	○	○	○
5. ¿Usas de forma productiva el tiempo de viaje (tren, metro, auto) o las esperas?	○	○	○	○	○	○
6. ¿Para ti es importante que las cosas empiecen y acaben a la hora prevista?	○	○	○	○	○	○
7. ¿Tienes pleno control sobre tu tiempo?	○	○	○	○	○	○
8. ¿Tu escritorio está bien organizado?	○	○	○	○	○	○
9. ¿Organizas tu trabajo en función de tus prioridades?	○	○	○	○	○	○
10. ¿Consigues cumplir con tus fechas límite?	○	○	○	○	○	○
11. ¿Sabes distinguir lo importante de lo urgente?	○	○	○	○	○	○
12. ¿Sabes decir "no" cuando tienes que hacerlo?	○	○	○	○	○	○
13. ¿Estás al día con todo lo que te gustaría leer?	○	○	○	○	○	○
14. ¿Cuentas con tiempo suficiente para ti, tu ocio, el estudio y tus relaciones sociales?	○	○	○	○	○	○
15. ¿Estás al día de lo que pasa en la vida de tus amigos/as y compartes momentos con ellos/as?	○	○	○	○	○	○
16. ¿Te tomas un descanso de cinco minutos cada hora o cada dos horas si usas la computadora mucho tiempo?	○	○	○	○	○	○
17. ¿Dedicas tiempo suficiente a descansar, desconectar, relajarte y reponer fuerzas?	○	○	○	○	○	○
18. ¿Buscas nuevas herramientas que te permitan organizar mejor tu tiempo?	○	○	○	○	○	○
19. Cuando tienes una tarea que hacer, ¿tiendes a procrastinar?	○	○	○	○	○	○

Puntos por respuesta
SIEMPRE = 10 puntos; **GENERALMENTE** = 8 puntos; **LO INTENTO** = 6 puntos; **ALGUNAS VECES** = 4 puntos; **RARA VEZ** = 2 puntos; **NUNCA** = 0 puntos.

DESCUBRE CUÁL ES TU PERFIL

Menos de 46 puntos
Tienes un grave problema con la gestión de tu tiempo. Necesitas con urgencia consejos y técnicas para mejorar este aspecto. Cuando los pongas en práctica, haz de nuevo el test para saber si tu puntuación ha mejorado.

Entre 46 y 90 puntos
Intentas administrar tu tiempo, haces esfuerzos, pero no alcanzas buenos resultados. Déjate aconsejar, aplica las técnicas con regularidad y vuelve a hacer el test para comprobar si obtienes una mayor puntuación.

Entre 91 y 135 puntos
Estás en el buen camino. En general, sabes establecer tus prioridades y tus objetivos, pero todavía puedes mejorar aplicando algunas técnicas.

Más de 135 puntos
Felicidades. Tienes una gran competencia para gestionar tu tiempo.

17. **En grupos, comenten si están de acuerdo con lo que dicen sus perfiles.**

Yo estoy de acuerdo porque creo que no consigo organizarme muy bien.

LA CAFETERÍA

¿Crees que haces demasiadas cosas? ¿Sabes priorizar?

¿TÚ TIENES AGENDA?

PREPÁRATE

18. **¿Usas algún tipo de agenda: en papel, en el celular...?**

19. **Cuatro estudiantes hablan de su relación con el tiempo y las agendas. Escucha sus testimonios y marca a cuál de ellos corresponde cada afirmación.**

	Julia	Yannick	Aina	Pol
1. Mucha gente le recomienda que use una agenda.				
2. Para él/ella es imprescindible que su agenda sea electrónica y le mande avisos *(notifications)*.				
3. Piensa que es horrible que todo esté planificado.				
4. La agenda no lo/la ayuda a organizarse.				

JULIA

YANNICK

AINA

POL

20. **¿Tienen cosas en común contigo o con personas que conoces?**

21. **En parejas, compartan sus respuestas a las actividades 18, 19 y 20.**

— Yo también escribo siempre las cosas importantes en papel.
— A mí tampoco me gusta improvisar, por eso...

PRESENTE DE SUBJUNTIVO

GRAMÁTICA

PREPÁRATE

22. Relaciona los problemas de estos estudiantes con las respuestas de una especialista.

1 **Asunto:** No me acuerdo de las cosas

No consigo acordarme de las fechas de entrega de los trabajos o los exámenes. Muchas veces me acuerdo cuando ya faltan muy pocos días.

2 **Asunto:** Me falta tiempo

Siempre me falta tiempo y al final del día me quedan todavía muchas cosas por hacer.

3 **Asunto:** Demasiados compromisos

Me estresa mucho cumplir con todos mis compromisos. Tengo demasiadas cosas en la agenda y no consigo hacerlo todo. Ahora, además, es época de exámenes y estoy cansadísima.

4 **Asunto:** Aprovechar el tiempo

Me distraigo con demasiada facilidad y no aprovecho bien el tiempo de estudio.

A Para evitar el estrés, es muy importante programar periodos de descanso. En época de exámenes, también es fundamental que los estudiantes duerman y coman en horarios regulares y que beban muchos líquidos.

B Es necesario evitar las posibles distracciones mientras se estudia; sobre todo, es conveniente no entrar en las redes sociales.

C Es recomendable que apuntes todas tus obligaciones en una agenda y que escribas en pósits las cosas más urgentes (¡tenlos a la vista!).

D Es conveniente que planifiques tus tareas al final de cada día y que marques las que son más importantes o urgentes del día siguiente.

Dra. Álvarez

23. Los siguientes verbos, que aparecen en las respuestas de la especialista, están en presente de subjuntivo. Piensa cuál es la forma correspondiente del presente de indicativo y escríbela al lado. ¿Qué observas?

evites	evitas	coma	....	duerma	....
apuntes	....	beba	....	escribas	....
planifiques	....				
marques	....				

24. En parejas, comparen sus respuestas a la actividad 22 y sus reflexiones de la actividad 23. Pueden consultar la sección de Recursos lingüísticos.

25. Analiza estas frases de la doctora Álvarez para deducir cuándo se usa el infinitivo y cuándo el presente de subjuntivo con las estructuras subrayadas. Luego, comparte tus hipótesis con un(a) compañero/a y consulta el apartado de Recursos lingüísticos.

1. Para evitar el estrés, es muy importante programar periodos de descanso.
2. Es fundamental que los estudiantes duerman y coman en horarios regulares.
3. Es necesario evitar las posibles distracciones mientras se estudia.
4. Es necesario que planifiques tus tareas.

26. En parejas, escriban dos problemas de planificación del tiempo y pásenselos a otra pareja.

27. En las mismas parejas, escriban consejos para los problemas que han recibido.

Es importante
Es necesario — programar/apuntar/planificar/marcar/hacer...
Es conveniente — que programes/apuntes/planifiques/marques/hagas...
Es fundamental
Es recomendable

RELATIVAS CON INDICATIVO Y SUBJUNTIVO

GRAMÁTICA

PREPÁRATE

28. ¿Conoces aplicaciones para mejorar tu tiempo de estudio? ¿Cuáles?

29. Lee los problemas o necesidades de estos estudiantes. ¿Qué aplicación de la derecha le conviene a cada uno?

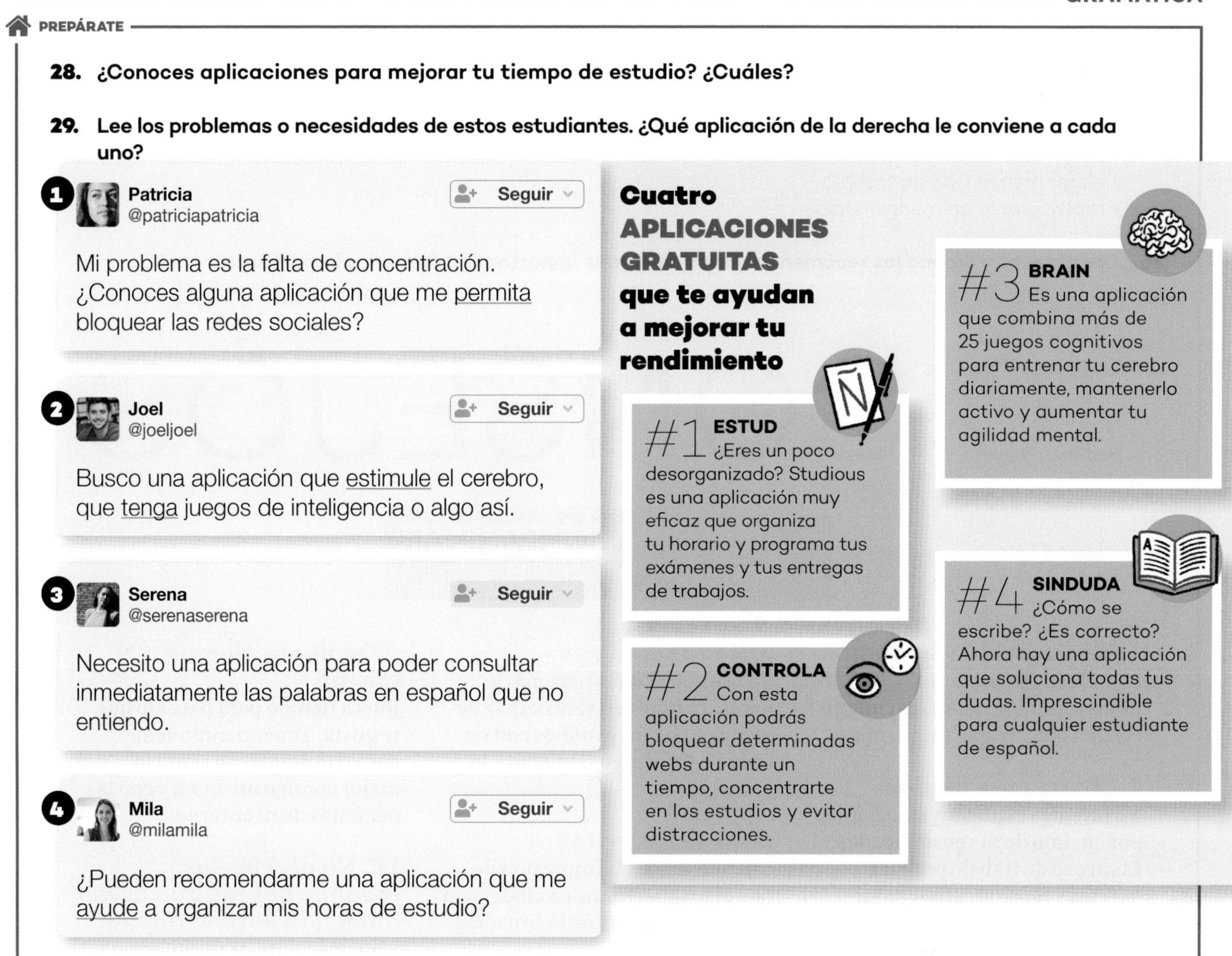

1 Patricia @patriciapatricia Seguir
Mi problema es la falta de concentración. ¿Conoces alguna aplicación que me permita bloquear las redes sociales?
2 Joel @joeljoel Seguir
Busco una aplicación que estimule el cerebro, que tenga juegos de inteligencia o algo así.
3 Serena @serenaserena Seguir
Necesito una aplicación para poder consultar inmediatamente las palabras en español que no entiendo.
4 Mila @milamila Seguir
¿Pueden recomendarme una aplicación que me ayude a organizar mis horas de estudio?
Cuatro APLICACIONES GRATUITAS que te ayudan a mejorar tu rendimiento
#1 ESTUD ¿Eres un poco desorganizado? Studious es una aplicación muy eficaz que organiza tu horario y programa tus exámenes y tus entregas de trabajos.
#2 CONTROLA Con esta aplicación podrás bloquear determinadas webs durante un tiempo, concentrarte en los estudios y evitar distracciones.
#3 BRAIN Es una aplicación que combina más de 25 juegos cognitivos para entrenar tu cerebro diariamente, mantenerlo activo y aumentar tu agilidad mental.
#4 SINDUDA ¿Cómo se escribe? ¿Es correcto? Ahora hay una aplicación que soluciona todas tus dudas. Imprescindible para cualquier estudiante de español.

30. En parejas, comparen sus respuestas a las actividades 28 y 29.

31. En parejas, observen los siguientes ejemplos. ¿Qué diferencia encuentran entre las frases relativas con indicativo y las que tienen subjuntivo?

que + indicative	**que** + subjuntive
• Estud es una aplicación muy eficaz que organiza tu horario y programa tus entregas.	• ¿Conoces alguna aplicación que permita bloquear redes sociales?
• Brain es una aplicación que combina más de 25 juegos cognitivos para entrenar tu cerebro.	• Busco una aplicación que estimule el cerebro.
• Sinduda es una aplicación que soluciona todas tus dudas.	• ¿Pueden recomendarme una aplicación que me ayude a organizar mis horas de estudio?

32. En parejas, marquen la forma verbal más adecuada en cada frase.

1. He encontrado una aplicación fantástica que **diseña/diseñe** circuitos eléctricos.
2. Queremos crear aplicaciones que nos **ayudan/ayuden** a mejorar el rendimiento *(performance)* de los estudiantes.
3. Descargué una aplicación que me **propone/proponga** ejercicios para hacer mientras estudio.

33. Comparen sus respuestas con las de otras parejas y comenten por qué han elegido indicativo o subjuntivo.

34. En parejas, escriban qué aplicaciones que no están en el mercado les gustaría tener para mejorar como estudiantes (o en otros ámbitos).

Necesitamos una aplicación que controle...

HACER RECOMENDACIONES

PREPÁRATE

35. **¿Qué crees que es más importante para poder compaginar estudios y trabajo?**

- organizar bien el tiempo
- tener buenos/as compañeros/as que te ayuden
- elegir bien el tipo de trabajo
- matricularse en menos cursos

36. **Lee el texto y ordena las recomendaciones de la más importante a la menos importante.**

10 CONSEJOS

PARA PODER COMPAGINAR ESTUDIOS Y TRABAJO

1. Gestiona bien tu tiempo
Planificar y priorizar es imprescindible si quieres cumplir con tus obligaciones académicas.

2. Conoce tus límites
No intentes estudiar y trabajar por encima de tus posibilidades. El exceso de trabajo provoca nervios y tensión, y descansar poco afecta a tu rendimiento. Tienes que saber dónde están tus límites y dejar un tiempo para ti y tu ocio.

3. No elijas trabajos con horarios imposibles
Por lo general, los horarios de media jornada o de fines de semana permiten tener más horas para asistir a clase, estudiar y hacer los trabajos. Este tipo de empleos permite compatibilizar estudios y trabajo con menos dificultades.

4. Encuentra un trabajo que te motive
Aunque es difícil encontrar un trabajo que encaje con nuestros gustos, si trabajamos en algo que nos motive, no notaremos tanto el esfuerzo que tenemos que hacer.

5. No te bloquees
Piensa que, si otras personas lo hacen, tú también serás capaz de compaginar tus estudios con un trabajo. Confía en ti mismo y lo conseguirás.

6. No te lamentes
Cuando tengas la impresión de que algo falla, examina cuáles son los puntos débiles de la situación y corrígelos.

7. Respeta tus horas de descanso
Solo si descansas y duermes las horas suficientes, podrás tener energías para afrontar todas tus actividades.

8. Busca apoyos
Cuando lo necesites, pídeles ayuda a tu familia o a tus amigos. Ellos saben el esfuerzo que estás haciendo y seguramente están dispuestos a ayudarte.

9. Dedícate tiempo a ti mismo
Busca tiempo para hacer lo que te gusta. Tener tiempo solo para ti te ayudará a sentirte mejor contigo mismo/a y con las personas de tu entorno.

10. No olvides las razones por las que estás haciendo este esfuerzo
Ser consciente de tu situación y de tus decisiones es fundamental para seguir haciendo ese esfuerzo hasta conseguir tus objetivos.

37. **Encuentra en el texto cinco mandatos en forma negativa. ¿Con qué otras formas verbales coinciden?**

GRAMÁTICA

38. **En grupos, compartan sus respuestas a las actividades 35, 36 y 37.**

39. **En parejas, completen estos ejemplos con oraciones que incluyan mandatos negativos.**

1. No .... y conseguirás alcanzar tus objetivos en la vida.
2. No .... y podrás ser más independiente económicamente.
3. No .... y aprobarás todas las asignaturas sin problema.
4. No .... y todo será más fácil cuando acabes los estudios.

CUANDO + **SUBJUNTIVO**

GRAMÁTICA

PREPÁRATE

40. **Raquel estudia Química y acaba de conseguir un trabajo. En una conversación con una amiga, comenta cómo piensa compaginar trabajo y estudios. ¿Crees que sus propósitos son fáciles o difíciles de cumplir? ¿Por qué?**

Cuando trabaje y tenga clase el mismo día, no **quedaré** con amigos por la noche. Así podré descansar.

Los días que no trabaje, **avanzaré** con los trabajos de clase.

Cuando tenga momentos libres en la facultad, **iré** a la biblioteca a estudiar.

Cuando se acerquen los exámenes finales, **dejaré** el trabajo para poder dedicarme solo a estudiar.

41. **Ahora escucha a Raquel contar cómo ha compaginado los estudios y el trabajo. ¿Qué propósitos no ha cumplido?** 73

42. **En parejas, comenten sus respuestas a las actividades 40 y 41.**

43. **Fíjate en las estructuras subrayadas y marca la opción correcta.**

En las frases temporales con **cuando** referidas al futuro, usamos:
cuando + futuro
cuando + presente de subjuntivo

44. **Individualmente, piensa en cosas que quieres hacer en diferentes momentos del futuro y escríbelas. Luego, compártelas con la clase. ¿Hay coincidencias?**

Cuando llegue a casa hoy, voy a / quiero...
Cuando termine el curso, voy a intentar...
Cuando acabe los estudios, me gustaría...
Cuando consiga un trabajo, lo primero que haré será...

Cuando llegue a casa, quiero ver un capítulo de mi serie favorita, y luego...

LO, LO QUE

GRAMÁTICA

45. **Lee estas frases y di si coinciden con tu opinión o tu experiencia.**

1. **Lo bueno** de trabajar y estudiar al mismo tiempo es que eres más independiente.
2. A veces es muy difícil distinguir **lo importante** de **lo urgente** y, sobre todo, es muy difícil dedicar todos los días algo de tiempo a **lo importante**.
3. **Lo que más me gusta** hacer en mi tiempo libre es descansar.
4. Soy bastante organizado, pero **lo que me cuesta** un poco es entregar los trabajos sin estresarme en el último momento.

46. **Reformula las frases de la actividad anterior sin usar** lo**. ¿Qué expresiones utilizas para sustituir** lo**? Luego, consulta la explicación de Recursos lingüísticos.**

RECURSOS PARA HACER COMENTARIOS

VOCABULARIO Y GRAMÁTICA

PREPÁRATE

47. **¿Trabajas y estudias durante el semestre o solo estudias? ¿Qué es lo bueno/mejor y qué es lo malo/peor de trabajar y estudiar al mismo tiempo? Haz dos listas.**

48. **Escucha a tres personas hablando del tema y marca en tus listas si coinciden contigo. Anota las ideas distintas a las tuyas.**

49. **Debatan en torno a estas preguntas.**

- ¿Qué razones llevan a los estudiantes a trabajar mientras estudian?
- ¿Se pueden compaginar fácilmente las dos actividades? ¿Depende de algún factor?
- ¿Cuáles son los principales problemas? ¿Y las principales ventajas?

La mayoría de los estudiantes suele trabajar y estudiar.
Trabajar y estudiar es lo normal/habitual.

Es normal/habitual compaginar las dos actividades, pero es difícil.
Depende del número de cursos, del tiempo de trabajo...
Lo bueno/mejor de trabajar y estudiar es...

Para mí, lo más difícil es...
lo que cuesta más es...
lo que resulta más complicado es...

ALGUNOS USOS DE LA COMA

CARACTERÍSTICAS DEL TEXTO

PREPÁRATE

50. **Lee esta ficha sobre los usos de la coma en español. ¿En inglés (o en otras que escribas) se usa la coma u otro recurso para lo mismo?**

La coma se usa obligatoriamente para:
a. marcar vocativos (palabras que sirven para llamar o nombrar al interlocutor).
b. marcar incisos o explicaciones.
c. marcar una oración subordinada (de tiempo, de modo, de lugar, etc.) que precede a la oración principal.
d. separar los elementos de una lista.

51. **Asocia estos ejemplos con la regla correspondiente de la actividad anterior.**

1. Luisa, come despacio.
2. La aplicación, que es más cara que otras, ha tenido un gran éxito.
3. Carlos, María, ¡a comer!
4. Tengo una agenda en el celular, otra en la computadora, una de papel en mi mesa de trabajo y otra que siempre llevo en la mochila.
5. Cuando trabaje, me voy a comprar una agenda.
6. Si te acostumbras a usar una agenda, tu vida será más fácil.

52. **En parejas, compartan sus respuestas y comenten qué diferencias hay entre estas dos frases.**

1. Luisa, come despacio.
2. Luisa come despacio.

ENTONACIÓN DE LAS PREGUNTAS NO NEUTRAS

SONIDOS

53. Escucha estas frases y fíjate en su entonación. Fíjate también en los recursos señalados, que se usan para confirmar una información. Repítelas.

1. Virginia, tú antes vivías en Buenos Aires, **¿no?**
2. Me han dicho que trabajas en el Teatro Colón, **¿no?**
3. Debe de ser un trabajo muy interesante, **¿no?**

ESTRATEGIAS

Generalmente, la entonación de las preguntas es ascendente.

Pero, cuando además de preguntar, queremos expresar algo más, esa entonación es diferente. Eso sucede, por ejemplo, en estos tres casos:

- cuando queremos confirmar una información (como en las actividades 53, 54 y 55),
- cuando preguntamos expresando sorpresa (como en la actividad 56),
- cuando repetimos una pregunta previa.

54. Escucha estos ejemplos y subraya los otros recursos que utilizan los hablantes para confirmar una información.

1. Juan, tus padres vivieron en Venezuela en los años 70, ¿cierto?
2. Mike, tú eres de Estados Unidos, ¿verdad?
3. Alicia, tú todavía estás en el grupo de teatro de la facultad, ¿me equivoco?

55. Habla con otra persona de la clase: imagina cosas sobre su vida y pídele confirmación usando los recursos que acabas de ver.

56. Vas a escuchar cada una de las siguientes preguntas dos veces: una primera vez, formulada de manera neutra, y una segunda, expresando sorpresa.

- ¿Te da tiempo a estudiar y trabajar?
- ¿Madrugas siempre los domingos?
- ¿Trabajas el fin de semana?
- ¿Estudias Matemáticas y Árabe clásico?

57. Ahora marca cuál de las dos versiones escuchas.

	Neutra	Sorpresa
1. ¿Te da tiempo a estudiar y trabajar?		
2. ¿Madrugas siempre los domingos?		
3. ¿Trabajas el fin de semana?		
4. ¿Estudias Matemáticas y Árabe clásico?		

58. Escucha el diálogo. ¿Qué expresan las preguntas en negrita? Márcalo en la tabla.

1. - Hola. **¿Qué tal?**
2. - Hola. Disculpa, **¿cómo te llamabas?**
3. - No te he oído bien, ¿qué dices? **¿Que cómo me llamo?**
4. - Sí, sí.
5. - Me llamo Guadalupe.
6. - Ah, **¿estudias aquí?**
7. - No. Soy profesora.
8. - ¿En serio? **¿Eres profesora?**
9. - Sí, sí. Doy un curso de cine. Tú eres estudiante de posgrado, **¿no?**

	Pregunta neutra	Confirmación	Sorpresa	Repetición
1.				
2.				
3.				
6.				
8.				
9.				

The Spanish Hub TEXTO MAPEADO TEXTO LOCUTADO

HISTORIA

MÉXICO, GUATEMALA, BELICE, EL SALVADOR Y HONDURAS

El tiempo maya

Los mayas son una población aproximada de siete millones de personas que viven en una amplia zona de Mesoamérica que comprende varios países (el sur de México, Guatemala, Belice y partes de El Salvador y Honduras). Los mayas no solo hablan actualmente la lengua de sus antepasados *(ancestors)*, sino que además cuentan con una gran herencia cultural proveniente, entre otros aspectos, de los conocimientos en agricultura y astronomía que poseía esta antigua civilización.

Los mayas tenían una concepción cíclica del tiempo. En el mundo maya se repiten las referencias a ciclos perfectos en la naturaleza, como el de la siembra *(planting)*, el cultivo *(cultivation)* y la cosecha *(harvest)* del maíz.

Para contar el tiempo, desarrollaron un complejo sistema de varios calendarios que se relacionaban entre sí y que encajaban de forma matemática: el calendario Tzolkin tenía 260 días, divididos en 13 meses de 20 días, y el calendario Haab calculaba periodos de 365 días para completar un ciclo.

A su vez, estos dos calendarios se combinaban en la Rueda Calendárica, que contaba ciclos de 18 980 días o 52 años Haab. Cada 5125 años se formaba la llamada *cuenta larga*, que, cuando finalizaba, sencillamente volvía a comenzar de nuevo.

ANTES DE LEER

59. ¿Qué sabes de los mayas? Intenta contestar estas preguntas.

1. ¿En qué territorios y países viven actualmente las comunidades mayas?

....

2. ¿En qué ámbitos tenían conocimientos científicos los antiguos mayas?

....

DESPUÉS DE LEER

60. Después de leer el texto, comprueba tus hipótesis. ¿Qué es similar o diferente en tu cultura en relación con la concepción del tiempo maya?

61. En las sociedades urbanas, ¿qué actividades y momentos del año parecen más relevantes para estructurar el tiempo? Hablen en pequeños grupos y comenten ejemplos concretos de su contexto cultural u otros que conozcan.

El día oficial de comienzo de las estaciones | Las celebraciones religiosas | El primer día del año | El comienzo del curso | Fechas de eventos históricos | Otros

POESÍA

Gioconda Belli, *Desafío a la vejez*

Gioconda Belli nació en Nicaragua en 1948. Desde muy joven participó en el movimiento que derrocó a Anastasio Somoza. Ocupó cargos importantes en el Gobierno y en el partido Sandinista, pero se separó de este en 1993. Ha escrito narrativa, ensayos, poesía y literatura infantil. Ha recibido numerosos premios, como el Premio Hermann Kesten del PEN Alemán, en 2018, por su trabajo a favor de la libertad de prensa, los derechos humanos y los de la mujer.

Desafío a la vejez

Cuando yo llegue a vieja
—Si es que llego—
Y me mire al espejo
Y me cuente las arrugas
Como una delicada orografía
De distendida piel.
Cuando pueda contar las marcas
Que han dejado las lágrimas
Y las preocupaciones,
Y ya mi cuerpo responda despacio
A mis deseos,
Cuando vea mi vida envuelta
En venas azules,
En profundas ojeras,
Y suelte blanca mi cabellera
Para dormirme temprano
—Como corresponde—
Cuando vengan mis nietos
A sentarse sobre mis rodillas
Enmohecidas por el paso de muchos inviernos,
Sé que todavía mi corazón
Estará -rebelde- tictaqueando
Y las dudas y los anchos horizontes
También saludarán
Mis mañanas.

Gioconda Belli

ANTES DE LEER

62. **Vas a leer un poema de Gioconda Belli sobre la vejez, pero antes piensa y escribe cómo relacionas tú las siguientes palabras con la vejez.**

arrugas | piel | lágrimas | preocupaciones | cuerpo | venas azules | ojeras profundas | cabellera blanca | dormirse temprano | nietos | rodillas | corazón | rebelde | dudas

DESPUÉS DE LEER

63. **¿Qué ideas expresadas en el poema coinciden con los temas de la actividad 62?**

64. **Lee estas posibles interpretaciones del poema. Subraya dónde se expresan esas ideas.**

- La autora ironiza con el hecho de envejecer.
- Cree que tendrá muchas de las marcas físicas de la vejez.
- Cree que vivirá momentos duros en su vida.
- Afirma que tendrá descendencia.

65. **En parejas, comparen sus respuestas a las actividades 62, 63 y 64.**

66. **En pequeños grupos, respondan a las siguientes preguntas.**

1. ¿Qué quiere decir el título original del poema? Busquen otro diferente y justifíquenlo.
2. Comenten cómo se ven ustedes cuando "lleguen a viejos".

arrugas: *wrinkles*
desafío: *challenge*
distendido: *loose*
envuelto: *covered*
enmohecido: *rusty*
si es que llego: *should I arrive*
lágrimas: *tears*
ojeras: *eye rings, circles*
orografía: *mountain topography*
venas: *veins*
tictaquear: *to beat (heart), to tick (clock)*

CONOCER LOS TEXTOS

INTERPRETAR UN TEXTO ARGUMENTATIVO

67. **Antes de leer el texto, toma nota de palabras que asocias con el tema: *Tiempo libre y trabajo*.**

68. **Compartan en pequeños grupos sus respuestas a la actividad 67.**

69. **Lee el siguiente texto. ¿En qué tipo de publicación crees que podría aparecer?**

TIEMPO LIBRE Y TRABAJO

Afirman los profesores Christianne Gomes y Rodrigo Elizalde que la palabra *trabajo* tiene su origen en el término latino *tripalium*, que se refería a un antiguo instrumento de tortura *(torture)*. Esta idea es recurrente, **sobre todo**, en las tradiciones griega y judeocristiana, que entendían el trabajo como una actividad desagradable y obligatoria, como un castigo para el ser humano. El trabajo se concibe como una obligación, **en oposición a** la libertad, y no como una auténtica posibilidad de realización humana. **De esta manera**, el *tiempo libre* es solo un tiempo de libertad imaginaria, una falsa liberación de las obligaciones y las contradicciones que existen en el mundo del trabajo.

Las sociedades humanas siempre se han organizado en "tiempos sociales", **es decir**, en función de las actividades sociales de sus miembros: el tiempo para el trabajo, para la educación, para la religiosidad, para la familia, para el descanso, etc. Las sociedades urbanizadas se diferencian de otras sociedades menos tecnológicas porque, en estas, los tiempos sociales están relacionados con los ciclos de la naturaleza, y no con la división artificial del tiempo del reloj.

En nuestros días, *tiempo libre* significa "tiempo en el que no se trabaja". Esto indica que la lógica del capital controla **no solo** el tiempo de producción, **sino** también el tiempo de ocio. **Pero** ¿es el ser humano quien decide cómo emplea ese tiempo libre?

Algunos autores afirman que está aumentando el tiempo libre. De Masi, **por ejemplo**, ha estudiado la progresiva reducción *(shortening)* de las jornadas de trabajo a lo largo de la historia. **Así**, en el siglo XIX, la jornada laboral podía ser de 16 o 18 horas al día. **Mientras** entonces se trabajaba casi la mitad de la vida, en la sociedad postindustrial actual se trabaja solo una décima parte de la vida. Este mismo autor afirma que, **gracias a** las nuevas tecnologías, el tiempo libre ocupa actualmente un 90 % de la vida humana. **Sin embargo**, esta explicación no tiene en cuenta algunos hechos fundamentales, **como** que en varias regiones del mundo continúan predominando las jornadas de trabajo extremadamente largas o intensas, típicas de los primeros tiempos del capitalismo.

Actualmente, en muchos países, el trabajador, **además de** trabajar mucho, ve cómo empeoran sus condiciones de trabajo. Cada vez hay más trabajadores contratados a tiempo parcial; desciende el empleo formal y crece el informal, y esto provoca un cambio profundo en el mundo laboral. **Como consecuencia**, la mayoría de los trabajadores en esos países necesita buscar alternativas para sobrevivir. Muchos se ven obligados a prolongar su jornada, y otros no tienen acceso a los recursos básicos de vivienda, alimentación, transporte, salud o educación. Como dijimos al principio, en este contexto el *tiempo libre* no significa necesariamente más *libertad*.

Nos preguntamos, entonces, en este contexto contemporáneo de clara injusticia social y exclusión: ¿qué papel ocupan realmente *el tiempo libre y el ocio* en nuestra sociedad?

Texto reconstruido y adaptado a partir del artículo "Work, free time and leisure in contemporary society. Contradictions and challenges", de Christianne Gomes y Rodrigo Elizalde. (journals.openedition.org).

70. El texto anterior es un texto argumentativo. Analízalo siguiendo estas pautas.

1. TESIS
a. ¿Cuál es, en tu opinión, la idea más importante? Escríbela.
b. Escribe la idea principal y las palabras clave de cada párrafo.
c. Piensa en un título alternativo y justifica tu elección.

2. ESTRUCTURA
a. Señala en el texto las siguientes partes:
- introducción
- argumentos centrales
- conclusión

b. ¿Cómo se desarrollan las ideas del texto en cada párrafo?
El primer/segundo... párrafo analiza... el tema de... desde la perspectiva (de)...
trata de...
se centra en...

3. LENGUA
a. Observa los conectores destacados en el texto. ¿Qué función tienen? ¿Puedes organizarlos de alguna manera? Habla con un(a) compañero/a.
b. Señala en el texto palabras que tengan la misma raíz, por ejemplo, **trabajar**, **trabajo**, **trabajador**.

71. ¿Crees que es un texto objetivo o subjetivo? ¿Por qué? Habla con un(a) compañero/a.

72. ¿Con qué partes del texto están de acuerdo y con cuáles no? ¿Qué actividades y experiencias de su vida se relacionan con el tiempo libre y cuáles con el trabajo? Hablen en pequeños grupos.

PROYECTOS

PROYECTO EN GRUPO

Cómo es nuestra gestión del tiempo

Vamos a analizar y valorar cómo es la gestión del tiempo y cuáles son las prioridades de los estudiantes de nuestra clase.

A. Individualmente, toma nota de cuántas horas por semana dedicas aproximadamente a estas actividades.

clases · estudio · actividades académicas · trabajo · transporte · ejercicio físico · internet, redes sociales · ocio, pareja, familia, amigos · comidas · dormir · otras actividades

Lunes	Martes	Miércoles	Jueves	Viernes	Sábado	Domingo
Clases: 5						
Yoga: 2						
Ver series: 1						
Dormir: 8						

B. En grupos, comenten las coincidencias y diferencias en su uso del tiempo y hablen sobre sus prioridades y necesidades. Al final, escriban sus conclusiones.

¿Cuántas horas dedicas a...?
¿Cuántas veces por semana...?
¿Cuáles son tus prioridades?

Dedico poco/mucho/demasiado... tiempo a...
Quiero/Me gustaría/Tengo que dedicar más/menos tiempo a...
Para mí, lo más importante es...
Creemos que todos dedicamos demasiado tiempo a...
Sería importante...
Creemos que es fundamental...

— ¿Cuánto tiempo dedicas a la semana a hacer ejercicio?
— Depende de la semana, pero suelo ir al gimnasio tres veces por semana, unas tres o cuatro horas en total de lunes a viernes.
—No es mi prioridad, pero intento hacer ejercicio al menos dos o tres veces.
—Yo también. A veces, los fines de semana, también voy a correr por el parque.

C. Cada grupo presenta al resto de la clase sus conclusiones. Den consejos o hagan valoraciones para mejorar su gestión del tiempo.

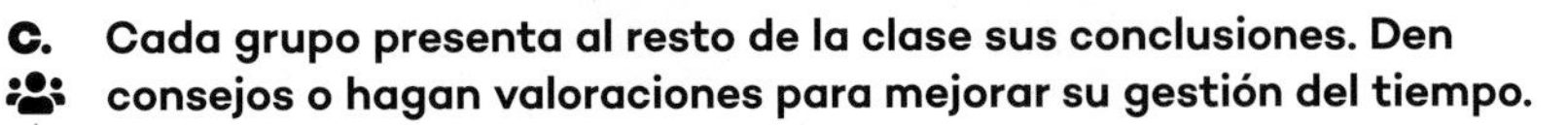

Nosotros pensamos que, en general, dedicamos poco tiempo a la pareja y a los amigos. Es una pena que no podamos verlos con más frecuencia.

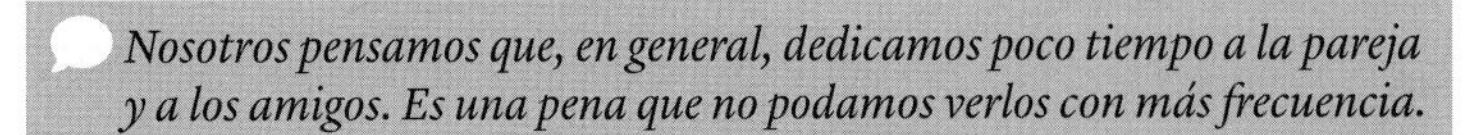

— Yo creo que es una buena idea dedicar un día por semana a la pareja y los amigos, y olvidarse de los exámenes y del trabajo.
— Para mí, es absurdo que dediquemos tantas horas a las redes sociales y tan poco tiempo a ver a nuestros amigos en la realidad...

PROYECTO INDIVIDUAL

Un reportaje sobre los horarios

Vas a redactar un reportaje para un blog sobre los horarios de los estudiantes de tu entorno.

A. Usa toda la información y las conclusiones del anterior proyecto en grupo, y organiza las ideas en un primer borrador. Puedes estructurarlo en estos tres bloques.

1. Prioridades y necesidades de los estudiantes de mi entorno

....

2. Ejemplos de mi experiencia y la de otros estudiantes

....

3. Reflexiones sobre la situación y cambios que se pueden proponer

....

Universidad de Guanajuato

UNAM, Ciudad de México

Universidad Mayor de San Andrés, La Paz

B. Revisa el borrador y divide tu texto en secciones. Busca un título para tu reportaje y un subtítulo para cada sección.

C. Antes de entregar tu escrito, revisa cuestiones de corrección y de adecuación al tipo de texto y enriquece el vocabulario usado. Escribe un texto de entre 300 y 350 palabras.

GRAMMAR

PRESENT SUBJUNCTIVE

Verbs ending in -**ar** form the present subjunctive with **e**, while those ending in -**er**/-**ir** use **a**. (The **a** and **e** that appear in present indicative endings are swapped in the present subjunctive).

	APUNTAR	COMER
yo	apunt**e**	com**a**
tú, vos	apunt**es**	com**as**
él, ella, usted	apunt**e**	com**a**
nosotros, nosotras	apunt**emos**	com**amos**
vosotros, vosotras	apunt**éis**	com**áis**
ellos, ellas, ustedes	apunt**en**	com**an**

	ESCRIBIR
yo	escrib**a**
tú, vos	escrib**as**
él, ella, usted	escrib**a**
nosotros, nosotras	escrib**amos**
vosotros, vosotras	escrib**áis**
ellos, ellas, ustedes	escrib**an**

Spelling changes are sometimes necessary.
planificar > **planifique** **pagar** > **pague**
sincronizar > **sincronice** **recoger** > **recoja**

The forms of negative commands and the present subjunctive are the same.
no olvides **no olvidéis**
no olvide **no olviden**

▶ Verbs with e > ie and o > ue changes

	ENTENDER
yo	entiend**a**
tú, vos	entiend**as**
él, ella, usted	entiend**a**
nosotros, nosotras	entend**amos**
vosotros, vosotras	entend**áis**
ellos, ellas, ustedes	entiend**an**

	SOÑAR	PODER
yo	sueñ**e**	pued**a**
tú, vos	sueñ**es**	pued**as**
él, ella, usted	sueñ**e**	pued**a**
nosotros, nosotras	soñ**emos**	pod**amos**
vosotros, vosotras	soñ**éis**	pod**áis**
ellos, ellas, ustedes	sueñ**en**	pued**an**

▶ Verbs with e > i changes

Verbs with this type of change have an **i** in all forms.

	PEDIR
yo	pid**a**
tú, vos	pid**as**
él, ella, usted	pid**a**
nosotros, nosotras	pid**amos**
vosotros, vosotras	pid**áis**
ellos, ellas, ustedes	pid**an**

▶ Verbs that combine irregularities

Verbs ending in -**ir** like **sentir** (with the present indicative vowel change **e** > **ie**) and **dormir** or **morir** (with the present indicative vowel change **o** > **ue**) have two irregularities in the present subjunctive.

	SENTIR	DORMIR
yo	sient**a**	duerm**a**
tú, vos	sient**as**	duerm**as**
él, ella, usted	sient**a**	duerm**a**
nosotros, nosotras	sint**amos**	durm**amos**
vosotros, vosotras	sint**áis**	durm**áis**
ellos, ellas, ustedes	sient**an**	duerm**an**

▶ Irregular verbs with g and zc

First person singular irregularities with **g** and **zc** in the present indicative are present in all forms in the present subjunctive.

	PONER	CONOCER
yo	pong**a**	conozc**a**
tú, vos	pong**as**	conozc**as**
él, ella, usted	pong**a**	conozc**a**
nosotros, nosotras	pong**amos**	conozc**amos**
vosotros, vosotras	pong**áis**	conozc**áis**
ellos, ellas, ustedes	pong**an**	conozc**an**

▶ Other irregular verbs

	SER	HABER	IR	DAR
yo	se**a**	hay**a**	vay**a**	d**é**
tú, vos	se**as**	hay**as**	vay**as**	d**es**
él, ella, usted	se**a**	hay**a**	vay**a**	d**é**
nosotros, nosotras	se**amos**	hay**amos**	vay**amos**	d**emos**
vosotros, vosotras	se**áis**	hay**áis**	vay**áis**	d**eis**
ellos, ellas, ustedes	se**an**	hay**an**	vay**an**	d**en**

In most cases, the subjunctive appears in subordinate clauses, which depend on main clauses.

GIVING ADVICE AND MAKING A COMMENT WITH THE INFINITIVE/SUBJUNCTIVE

When a main clause assesses or comments on a fact in its subordinate clause, the verb in the subordinate clause may appear in the infinitive or the subjunctive.

es + adjective + infinitive

We use the infinitive when the verb in the subordinate clause does not have a specific subject.
Es importante ***organizarse****.*
Es necesario ***descansar*** *bien.*
Es imprescindible ***alimentarse*** *bien.*

es + adjetive + **que** + subjunctive

We use **que** + subjunctive when the verb in the subordinate clause has a specific subject.
Es importante ***que te organices****, Luis.*
Es necesario ***que*** *los estudiantes* ***descansen*** *bien en época de exámenes.*
Es imprescindible ***que te alimentes*** *bien.*

TIME CLAUSES WITH CUANDO

We use **cuando** + indicative to temporally relate two actions in the present or the past.
Cuando llego *a casa de trabajar, ceno y me acuesto.*
Cuando llegué *a casa de trabajar, cené y me acosté.*
Cuando llegaba *a casa de trabajar, cenaba y me acostaba.*

Other time connectors are used similarly: **siempre que**, **hasta que**, etc.
Siempre que *quieras, puedes venir a mi casa.*
Me quedaré en el campus ***hasta que*** *cierren la biblioteca.*

We use **cuando** + subjunctive to temporally relate two actions in the future.
Cuando llegue *a casa de trabajar, cenaré y me acostaré.*
Cuando tengas *tiempo, ven a verme, por favor.*

Cuándo + future is only used in questions.
- ¿Cuándo llegaré a casa?
- Cuando termine.
~~*¿Cuándo llegue a casa?*~~ 
~~*- Cuando terminaré.*~~

RELATIVE CLAUSES WITH THE INDICATIVE/SUBJUNCTIVE

We use the indicative when we know the identity of, or are sure of the existence of, the person or thing we are referring to.
Tengo una aplicación que ***organiza*** *los horarios.*
En mi clase hay una chica que ***da*** *clases de chino.*

We use the subjunctive when we don't know the identity of, or are not sure of the existence of, the person or thing we are referring to.
¿Existe alguna aplicación que ***organice*** *los horarios?*
¿Conoces a alguien que ***dé*** *clases de Estadística?*

THE NEUTER DEFINITE ARTICLE LO

lo + adjective

Es ***lo*** *mejor que me ha pasado en la vida.* (= the best thing)
Hay que recoger ***lo*** *viejo y dejar* ***lo*** *nuevo.* (= the old, the new)
Lo *extraño es que nadie ha venido.* (= the strange thing)

lo que + verb

¿Sabes ***lo que*** *me ha dicho Ana?* (= the thing, the things)

COHESION

USE OF THE COMMA

The comma (,) is used to note brief pauses in speech.
*Duermo ocho horas**,** pero no descanso bien.*

Not all brief pauses are marked with commas. For example, you should never place a comma between the subject and the predicate, even if we would pause there when speaking.
Eso que has dicho no es verdad.
~~*Eso que has dicho, no es verdad.*~~ 

▶ Compulsory uses of the comma
We use a comma after words that serve to address another speaker.
Marta, ¿puedes venir un momento, por favor?
Chicos, ¿conocéis a alguien que sepa latín?

To set off a digression or an explanation.
Los martes y los jueves, que son los días en que trabajo, nunca tengo tiempo para nada.

To separate the items in a list, except for the last two elements.
Hoy en día existen aplicaciones, programas o aparatos que nos pueden ayudar a organizarnos.

When a subordinate clause precedes the main clause in a sentence.
Cuando llegues, avísame. (time clause)
Cuando salgas de clase, pasa por el supermercado, por favor. (time clause)

Estudiando un poco todos los días, no es tan difícil aprobar. (manner clause)

Si llegas antes que yo, avísame. (conditional clause)

RECURSOS LINGÜÍSTICOS

VOCABULARY

GESTIÓN DEL TIEMPO *(TIME MANAGEMENT)*

BUENOS HÁBITOS *(GOOD HABITS)*

PROBLEMAS Y MALOS HÁBITOS *(PROBLEMS AND BAD HABITS)*

Concentrarse *(To concentrate)*

acordarse de *(to remember)*

acostumbrarse a estudiar *(to get used to studying)*

bloquear distracciones *(to block out distractions)*

entrenar/estimular el cerebro *(to train/stimulate the brain)*

hacer un esfuerzo *(to make an effort)*

negarse a (contestar llamadas) *(to refuse to answer calls)*

pasar un rato sin interrupciones *(to spend some time without interruption)*

priorizar *(to prioritize)*

recordar *(to remember)*

Planificar y priorizar *(To plan and prioritize)*

conseguir un objetivo *(to achieve a goal)*

cumplir con la fecha límite *(to meet the deadline)*

establecer prioridades/objetivos *(to establish/set priorities/goals)*

estar ocupado/a *(to be busy)*

estar al día con tus obligaciones académicas *(to be up to date with academic obligations)*

hacer un esfuerzo para *(to make an effort to)*

hacer una lista *(to write a list)*

marcar lo más importante *(to note the most important)*

preparar *(to prepare)*

ser organizado/a *(to be organized)*

saber decir no *(to know how to say no)*

Organizarse *(To organize oneself)*

apuntar(se) algo (en la agenda/el calendario...) *(to make a note of something (in your planner/calendar))*

compaginar/compatibilizar estudios y trabajo *(to combine school and work)*

organizar(se) bien/mal/mejor... *(to organize (oneself) well/poorly/better)*

organizar el estudio/los trabajos escritos/las tareas *(to organize my study/papers/homework)*

sincronizar las agendas/los calendarios *(to synchronize calendars)*

Descansar *(To rest)*

desconectar *(to escape)*

dejarse llevar *(to go with the flow)*

evitar el trabajo excesivo *(to avoid being overworked)*

quedar con amigos/as *(to go out with/meet friends)*

relajarse *(to relax)*

reponer fuerzas *(to recharge)*

tener tiempo libre *(to have free time)*

tomarse un descanso *(to take a break)*

dejarlo todo para el final *(to leave everything until the last minute)*

descansar poco *(to not relax enough)*

distraerse (con facilidad) *(to become distracted easily)*

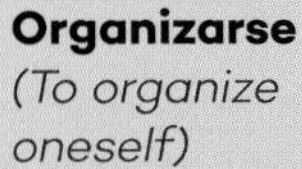

faltarle tiempo para... *(to not have time to/for)*

improvisar *(to improvise)*

no conseguir un objetivo *(to not meet a goal)*

no dormir suficientes horas *(to not sleep enough hours)*

olvidar *(to forget)*

perder/desperdiciar el tiempo *(to waste time)*

procrastinar *(to procrastinate)*

ser desorganizado/a *(to be disorganized)*

sufrir falta de concentración *(to suffer from lack of concentration)*

tener estrés *(to be stressed)*

tener exceso de trabajo *(to be overworked)*

trabajar demasiadas horas/demasiado *(to work too much/too many hours)*

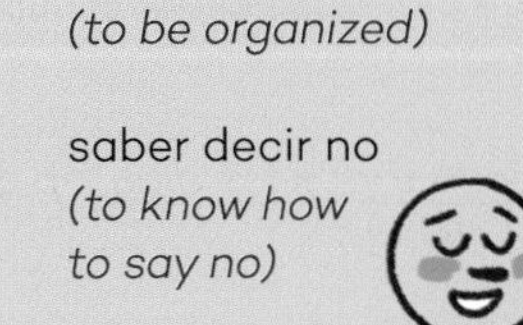

FREQUENT WORD COMBINATIONS

GESTIÓN DEL TIEMPO *(TIME MANAGEMENT)*

fecha › límite › de entrega
› de cumpleaños › del examen

deadline/due date
date of birth / of the exam

llegar › tarde › con retraso
› puntual › a la hora
› pronto › temprano

to arrive late/with a delay
to arrive on time/on time
to arrive soon/early

ir › tarde › con retraso

to go late/with a delay

cumplir › con las fechas › con los compromisos

to meet deadlines/commitments

estar al día con › los trabajos › las tareas

to be up to date with work/homework

dedicar › tiempo a

to dedicate time to

tener › tiempo para

to have time for

tomarse › un tiempo › un descanso › unas vacaciones

to take some time/a break/a vacation

organizar › el tiempo › el trabajo

to organize time/work

organizarse › bien/mal

to organize oneself well/poorly

programar
planificar
priorizar › tareas

to schedule/plan/prioritize tasks

faltar › mucho/poco tiempo para

to have much time left / to be short of time for

sincronizar › agendas › dispositivos

to synchronize calendars/devices

hacer algo › deprisa › corriendo
› tranquilamente › con calma

to do something quickly
to take your time doing something/to do something calmly

FORMAS DE HACER LAS COSAS *(WAYS OF DOING THINGS)*

hacer las cosas › corriendo › con prisas › deprisa
› con poco tiempo
› con tranquilidad › despacio

to do things quickly/hurriedly
to do things with little time
to do things calmly/slowly

— ¿Mañana te levantas temprano?
(— Are you getting up early tomorrow?)
— Sí, mañana madrugo.
(— Yes, I'm getting up early tomorrow.)

CAPÍTULO 4

CONSUMO Y MEDIOAMBIENTE

En este capítulo vamos a hacer una lista de reivindicaciones sobre el medioambiente.

LEARNING OUTCOMES
- Make suggestions and give advice
- Explain problems and discuss the causes
- Express wishes and desires, needs, requests, and complaints

VOCABULARY
- Consumption and the environment

LANGUAGE STRUCTURES
- Expressing wishes and complaints: **querer/esperar/pedir** + infinitive, and **querer/esperar/pedir que** + subjunctive
- Expressing needs: **es necesario/imprescindible** + infinitive, and **es necesario/imprescindible que** + subjunctive
- The conditional

ORAL & WRITTEN TEXTS
- Connectors of cause and consequence
- Text cohesion devices
- Translating a text

SOUNDS
- **g/j**
- The **ch**- group

CULTURE
- Barro Colorado (Panama)
- Contemporary art in Chile

PROJECTS
- Group: create a list of demands on the environment
- Individual: write an article for your college's blog on environment

CITAS

PREPÁRATE

1. **Lee estas citas y escribe con qué temas relacionas cada una de ellas.**

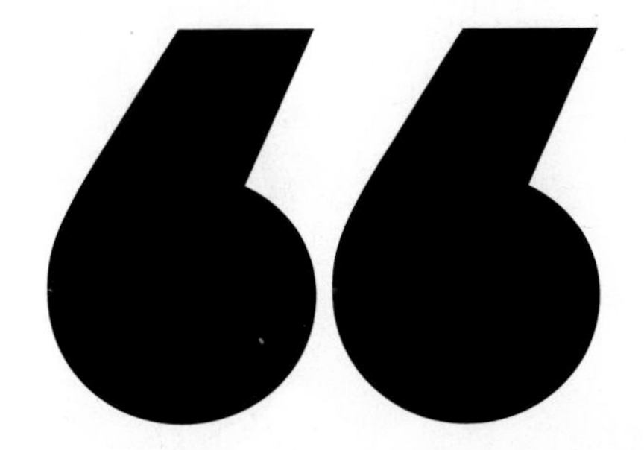

1

Mucha gente pequeña, en lugares pequeños, haciendo cosas pequeñas puede cambiar el mundo.

EDUARDO GALEANO (1940-2015), escritor uruguayo

2

¿Se llama medioambiente porque la otra mitad está destruida?

MARÍA (6 años)

3

En nuestras cosmovisiones somos seres surgidos de la tierra, el agua y el maíz.

BERTA CÁCERES (1973-2016), activista por el medioambiente

Inventamos una montaña de consumo superfluo, y hay que tirar y vivir comprando y tirando. Y lo que estamos gastando es tiempo de vida, porque cuando yo compro algo, o tú, no lo compras con plata, lo compras con el tiempo de vida que tuviste que gastar para tener esa plata.

JOSÉ MUJICA (1935), expresidente de Uruguay

4

2. **En grupos, comparen lo que han escrito.**

Yo creo que la cita de Galeano trata de la solidaridad y de la cooperación.

3. **En parejas, comenten qué cita les gusta más y por qué.**

4. **En esta unidad van a hablar sobre consumo y medioambiente. Anoten en este asociograma todo el vocabulario que pueden relacionar con estos temas.**

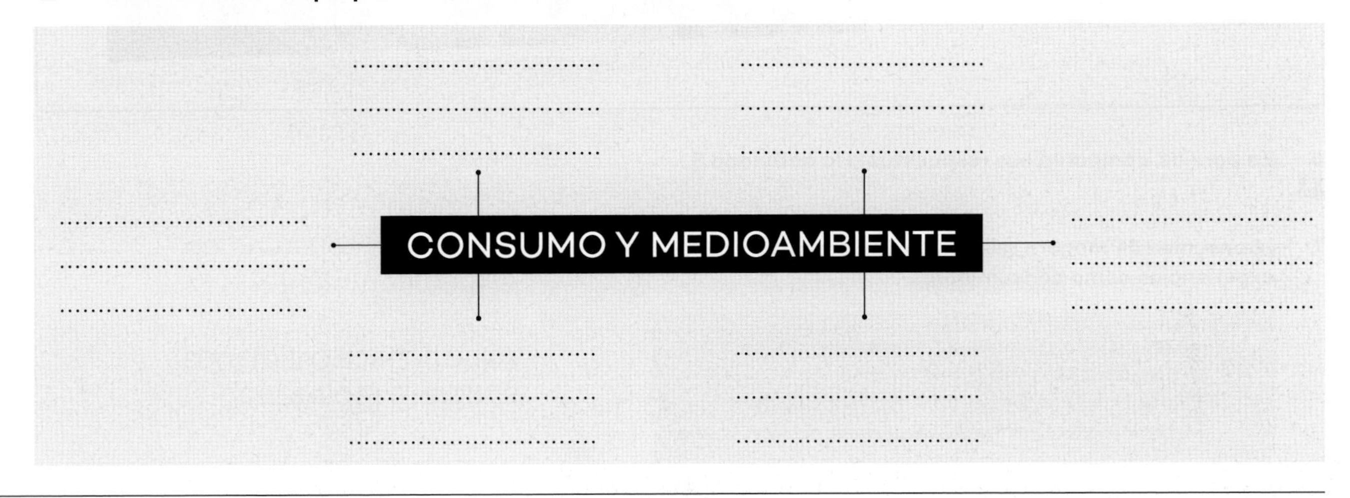

PARA EMPEZAR

IMÁGENES

PREPÁRATE

5. **Mira las imágenes. ¿Cuáles relacionas con cada uno de estos conceptos? ¿Por qué?**

1. consumismo
2. consumo responsable

6. **En parejas, comparen sus respuestas a la actividad 5.**

7. **¿Consumen de manera responsable? Compartan sus experiencias como consumidores.**

— *Yo no sé si soy un consumidor responsable... Creo que compro bastantes cosas que no necesito.*
— *Pues yo creo que sí soy bastante responsable: intento comprar productos ecológicos y, además, soy vegetariana.*

LA CAFETERÍA

¿Cómo influye nuestra manera de consumir en el medioambiente?

¿Qué hábitos cotidianos ayudan a protegerlo?

VIDEO: POR SU CUENTA

Género:
Cortometraje
País: Colombia
Director: Ómarjavier Umaña
Año: 2019

PREPÁRATE

8. **Antes de ver el cortometraje, averigua el significado de las siguientes palabras. ¿Qué relación causa-efecto puede haber entre estos conceptos? Escríbelo.**

sequía | aljibe | petróleo | petrolera | exploración petrolífera | queja | actividad agrícola | actividad ganadera | pozo petrolero | recursos naturales

9. **Pon el video, pero cierra los ojos hasta que oigas el primer diálogo. Concéntrate en los sonidos que escuchas. ¿Qué sonidos se oyen? ¿Cómo te imaginas el lugar? ¿De qué país crees que se trata?**

10. **Ve el video hasta el minuto 4.15. ¿Qué problema fundamental se representa?**

11. **A partir del minuto 4.16, se da una noticia en la radio. Señala si las siguientes afirmaciones son verdaderas o falsas.**

	V	F
1. El programa de exploración petrolífera va con retraso.		
2. Falta dinero público para concretar las obras.		
3. El Gobierno ha decidido limitar la exploración petrolífera.		
4. Las quejas de los gremios, la alcaldía y el consejo avisan del deterioro del medioambiente.		
5. El Gobierno defiende a los dueños de los terrenos.		
6. Se ha descubierto un pozo petrolero muy grande.		

12. **Ve desde el minuto 6.00 hasta el 14.30. ¿Qué significa recibir un aviso de la compañía petrolífera? ¿Qué noticia le da a Santiago su empleado? ¿Cómo reacciona Santiago? ¿Cómo se siente y qué medidas toma?**

13. **Ve desde el minuto 14.31. ¿Qué le pide la pareja? ¿Qué información contiene ese video? ¿Qué hace Santiago con él?**

14. **Vean hasta el final. ¿Qué noticia da la radio sobre el video? ¿Qué significa eso para Santiago?**

15. **En grupos, comparen sus respuestas a las actividades 8 a la 14.**

16. **¿En quién está basado el personaje de Santiago?**

17. **En pequeños grupos, comenten lo que saben sobre otras grandes compañías petroleras, dónde trabajan, cómo afectan al medioambiente, etc. ¿Qué otras grandes empresas afectan al medioambiente? ¿Conocen a personas que luchan contra ellas?**

CONSUMO RESPONSABLE

PREPÁRATE

18. ¿Sabes qué es el consumo responsable? ¿Con qué lo asocias? Escríbelo.

19. Antes de leer el texto, di si los siguientes hábitos son propios del consumo responsable o no.

1. Evitar comprar productos con envoltorio de plástico.
2. Usar objetos de un solo uso (platos, vasos, cubiertos).
3. Consumir frutas y verduras de productores locales.
4. Cambiar de celular una vez al año.
5. Reparar los electrodomésticos y aparatos averiados.
6. No comprar aparatos si no los vas a usar más de cuatro veces por año.
7. Tirar la ropa usada a la basura.
8. Comer mucha carne.

20. Lee el texto. Antes de comprar algo, ¿te haces alguna de las preguntas que aparecen en el texto? ¿Cuáles?

21. Lee los textos sobre las iniciativas de consumo responsable y responde.

- ¿Es fácil vivir como Laura, Patri y Fer?
- ¿Podrías vivir así?
- ¿Qué aspectos de la vida diaria serían más difíciles?
- ¿Reparas tus objetos o los tiras y compras otros nuevos?
- ¿Te gustaría aprender a reparar objetos? ¿Qué objetos querrías poder reparar?

22. En parejas, compartan sus respuestas a las actividades 18, 19 y 20.

23. En grupos, discutan sobre las cuestiones planteadas en la actividad 21.

— Para mí, sería difícil encontrar productos de limpieza en envases que no sean de plástico...
— Pues para mí lo difícil es reparar objetos...

24. En pequeños grupos, busquen iniciativas similares que conozcan y expónganlas a los demás.

El *cohousing* es/son...
consiste/n en...
es/son una forma de...

Yo he buscado información sobre las cooperativas...

¿QUÉ ES EL CONSUMO RESPONSABLE?

El consumo responsable es el consumo crítico, consciente y sostenible que permite tener una mejor calidad de vida y es respetuoso con el medioambiente y con los derechos (*rights*) de los trabajadores.

Comprar productos locales, ecológicos, de comercio justo y elaborados con materias primas renovables es un hábito que reduce considerablemente el impacto medioambiental de nuestras compras. Para consumir de forma responsable, antes de comprar un producto deberíamos hacernos las siguientes preguntas:

¿Lo necesitamos realmente? ¿Cuánto va a durar? ¿Podría pedirlo prestado a un vecino o a un amigo? ¿De qué material es el envase? ¿De qué materia prima está hecho? ¿Es fácil de reparar? ¿Dónde se ha fabricado? ¿Lleva algún tipo de certificado de producción ecológica o social?

DOS INICIATIVAS DE CONSUMO RESPONSABLE

BASURA CERO

¿PODRÍAS REDUCIR EL VOLUMEN DE TUS RESIDUOS ANUALES Y METERLOS EN UN BOTE DE 200 ML?

Laura Singer, impulsora del movimiento *ZeroWaste*, lo ha conseguido. En su blog, *Trash is for Tossers (La basura es para tontos)*, relata que un día, cuando estaba estudiando Ciencias Ambientales, se dio cuenta de que realmente su modo de vida no coincidía con sus ideales, de manera que decidió vivir sin generar residuos. Ahora compra la comida a granel y en mercados de producción local, va siempre andando o en transporte público, hace sus propios cosméticos y productos de limpieza, y dice que es más feliz que antes.

Inspirados en este movimiento, Patri y Fer decidieron eliminar el plástico de sus vidas. Lo cuentan en su blog *Vivir sin plástico* (vivirsinplastico.com). Pequeños gestos diarios como no comprar alimentos con envoltorios de plástico, llevar nuestras propias bolsas de tela al supermercado o reparar nuestros aparatos electrónicos, pueden reducir significativamente la cantidad de basura que generamos. Afirman que su vida ha mejorado: ahorran dinero y comen mejor.

CLUB DE REPARADORES

¿REPARARÍAS TU COMPUTADORA ANTES QUE COMPRARTE UNA NUEVA?

El *Club de reparadores* es una iniciativa argentina inspirada en los Repair Cafés nacidos en Holanda.

Es un evento que tiene lugar en diferentes barrios y ciudades de Argentina y Uruguay y que pusieron en marcha Marina y Melina, enemigas de la cultura de usar y tirar.

Preocupadas por el problema de los residuos en la ciudad de Buenos Aires y conscientes de que muchas veces es más caro reparar un objeto que comprar uno nuevo, idearon este club itinerante, al que la gente puede acercarse para reparar sus objetos viejos o estropeados *(damaged)*. Allí cuentan con la ayuda de un especialista (profesional o aficionado) que, además de arreglar los objetos, les puede enseñar a hacerlo en futuras ocasiones. Es un espacio para recuperar y aprender a reparar todo tipo de objetos y una ocasión perfecta para fortalecer la comunidad.

Sus creadoras entienden la reparación de objetos como un acto de lucha contra el consumismo y defienden que reparar es más eficiente que reciclar. Además, es una manera de ahorrar dinero y de apoyar a los trabajadores y artesanos locales y a las tiendas de barrio.

Cualquier persona que se proponga reducir sus residuos, debería tener en cuenta las cinco erres:

REDUCIR EL CONSUMO DE COSAS INNECESARIAS

RECHAZAR TIQUES, PUBLICIDAD, BOLSAS DE PLÁSTICO, ETC.

RECICLAR TODO LO QUE ES FÁCIL DE RECICLAR (PAPEL, VIDRIO, BASURA ORGÁNICA...)

REUTILIZAR LOS PRODUCTOS

REPARAR ANTES QUE COMPRAR

CONSUMO ALTERNATIVO

PREPÁRATE

25. Escucha estas entrevistas y responde a las preguntas.

ENTREVISTA CON FERNANDO, REPRESENTANTE DE UNA ASOCIACIÓN DE CONSUMIDORES

1. ¿Qué es la obsolescencia programada? ¿Qué técnicas de obsolescencia programada se mencionan?
2. ¿Cómo influye la publicidad en la caducidad de los productos?

ENTREVISTA CON GLORIA, ACTIVISTA DE UNA CAMPAÑA DE ROPA RESPONSABLE

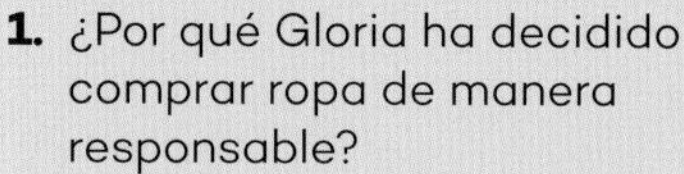

1. ¿Por qué Gloria ha decidido comprar ropa de manera responsable?
2. ¿Qué críticas hace a la ropa de las grandes cadenas de moda?

26. Vuelve a escuchar y toma nota de las alternativas y las soluciones que propone cada uno.

27. En pequeños grupos, comparen las respuestas a las actividades 25 y 26.

28. En grupos, respondan a las siguientes preguntas.

- ¿Conoces marcas o tiendas de productos sostenibles? ¿Cuáles?
- ¿Compras ropa de manera responsable? ¿Piensas, por ejemplo, dónde se ha fabricado?
- ¿Conoces a personas que estén en alguna asociación de consumo, de medioambiente o similares?

— Yo intento no comprar ropa de algunas marcas.

LA CAFETERÍA

¿Compras cosas de segunda mano? ¿Cuáles?

¿En qué tiendas o páginas web?

29. ¿Crees que tu modo de vida es sostenible? Haz este test para saberlo.

Mide tu huella ecológica

1. ¿Qué tipo de productos consumes?
- **a.** Frescos y de procedencia local, sobre todo.
- **b.** Algunos productos frescos y otros envasados.
- **c.** Sobre todo productos envasados, y, muchos días, carne.

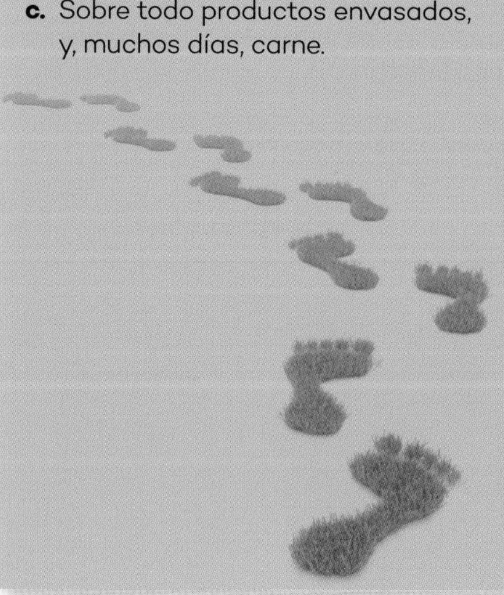

2. ¿Qué haces con la basura?
- **a.** Siempre la separo para reciclar.
- **b.** Normalmente la separo, pero no tengo mucho cuidado.
- **c.** Pongo toda la basura en una misma bolsa.

3. ¿Cómo vas a la universidad o al trabajo?
- **a.** En bici o caminando.
- **b.** En transporte público.
- **c.** En auto.

4. El lavaplatos o la lavadora los usas...
- **a.** solo cuando están llenos.
- **b.** normalmente cuando están llenos.
- **c.** siempre que necesito lavar algo.

5. ¿Qué haces mientras te duchas o te lavas los dientes?
- **a.** Siempre cierro la llave cuando no necesito el agua.
- **b.** Casi siempre cierro la llave, pero a veces se me olvida.
- **c.** Dejo la llave abierto todo el tiempo; es más cómodo.

6. ¿A qué temperatura pones la calefacción en invierno?
- **a.** Entre 18 y 20 °C.
- **b.** Más de 21 °C.
- **c.** El edificio tiene calefacción central. A veces hace mucho calor y tengo que abrir las ventanas.

7. Cambias de celular, tableta u ordenador o computadora...
- **a.** cuando se me estropean y no es posible repararlos.
- **b.** cuando empiezan a funcionar mal.
- **c.** cuando sale un modelo nuevo.

30. Estos son los resultados del test. ¿Estás de acuerdo con ellos? ¿Qué podrías hacer para reducir tu huella ecológica?

Mayoría de respuestas a: Estás muy concienciado con el medioambiente. Tu modo de vida es sostenible. ¡Felicitaciones!
Mayoría de respuestas b: Te importa el cuidado del medioambiente, pero a veces tus hábitos no son sostenibles. ¡Con un poquito de esfuerzo podrás mejorar!
Mayoría de respuestas c: Tu comodidad está por delante de tu conciencia ecológica. ¡Solo tenemos un planeta! ¡Piensa en él!

31. Compara tus resultados con un(a) compañero/a. ¿Qué podrían hacer para reducir su huella ecológica?

32. Mira este poema visual. ¿Cómo lo interpretas? Habla con un(a) compañero/a.

Poema visual de Sebastián Fiorilli

33. En pequeños grupos, hagan su propio poema visual sobre uno de estos conceptos (u otro) relacionados con el tema de la unidad.

- basura
- reciclaje
- consumo colaborativo
- consumo responsable
- consumo y medioambiente

SUBJUNTIVO: EXPRESAR DESEOS Y RECOMENDACIONES

GRAMÁTICA

PREPÁRATE

34. **Leonardo y Verónica son dos ejemplos de consumidores responsables. Lee sus testimonios. ¿Compartes alguno de sus deseos? Escríbelo.**

¿Por qué estás en un grupo de consumo?

Leonardo
35 años

Estoy en un grupo de consumo porque quiero comer de una manera más saludable y respetuosa con los animales y las plantas, y porque deseo que mis hijos se concienticen de la importancia de la alimentación y del cuidado del medioambiente. Por eso, compramos a agricultores cercanos, y a veces, incluso, vamos a ayudarlos en las tareas de la huerta. Aún somos pocos, pero espero que en un futuro seamos cada vez más las personas preocupadas por nuestra salud y por la salud de nuestro planeta. Ojalá podamos acabar con las grandes industrias alimentarias que están destruyendo el planeta.

¿Por qué tienes tu dinero en la banca ética?

Verónica
58 años

Porque no quiero que mi dinero se invierta en la industria armamentística, que es lo que hace la mayoría de los bancos; porque con mi dinero deseo apoyar proyectos sociales y medioambientales. Como cliente de un banco ético, espero que mis ahorros puedan contribuir a una sociedad más justa y a un planeta más sostenible. Ojalá sea así.

Yo también quiero comer de una manera más sana.

35. **Fíjate en las estructuras subrayadas. ¿En qué casos se construyen con infinitivo y en cuáles con presente de subjuntivo?**

36. **En parejas, comparen sus respuestas a las actividades 34 y 35. Luego lean la explicación que se da en Recursos lingüísticos.**

37. **Piensa en cosas que quieres hacer o que quieres que otros (personas o instituciones) hagan para que el consumo sea más responsable y respetuoso con el medioambiente. Luego coméntenlo en grupos.**

Quiero que...
Espero que... + subjuntivo
Ojalá (que)...

38. **Escriban tres de esos deseos en tres hojas de papel. El/La profesor(a) va a recoger los papeles y va a volver a distribuirlos por la clase. Cada uno debe recibir tres deseos. Para cada uno tiene que escribir una recomendación utilizando los siguientes recursos.**

Te recomiendo que...
Te aconsejo que... + subjuntivo
Lo mejor es que...

DESEO
Ojalá las grandes cadenas de moda empiecen a producir de manera sostenible.

RECOMENDACIÓN
Te aconsejo que publiques en tus redes sociales fotos de empresas y marcas que trabajan por una moda sostenible. Eso va generando conciencia poco a poco y al final llega a las grandes marcas.

SUBJUNTIVO: HACER REIVINDICACIONES

GRAMÁTICA

PREPÁRATE

39. **Mira las siguientes imágenes. ¿A qué problemas medioambientales hacen referencia? ¿Qué sabes de ellos? Si lo necesitas, busca información en internet.**

40. **Escucha a una persona hablar de los problemas que denuncian las imágenes anteriores. ¿Son los que tú previste? Luego, responde a las preguntas.**

- ¿De qué países habla?
- ¿Cuáles son las razones del problema?

41. **Escucha de nuevo y anota los datos que te parecen más impactantes o sorprendentes.**

42. **En parejas, comparen las respuestas a las actividades 39, 40 y 41.**

— Un dato que me ha sorprendido es que se necesite tanta agua para fracturar un pozo...
— Pues a mí me sorprende que...

43. **Estas frases reflejan el audio que has escuchado. ¿Qué tienen en común los verbos en negrita? ¿En qué tiempo están los verbos que les siguen?**

Los movimientos ecologistas...

1. **piden** a los consumidores **que** tomen conciencia del problema.
2. **piden** a los Gobiernos **que** haya leyes más estrictas contra la deforestación.
3. **exigen que** las multas sean elevadas (y que las grandes empresas también las paguen).
4. **solicitan** a los consumidores **que** no compren aceite de palma y que reduzcan el consumo de carne.

44. **En grupos, piensen en problemas que existen en su universidad, su ciudad o su barrio y escriban algunas frases reivindicando una solución.**

El precio de algunos libros de la universidad es abusivo. Exigimos a los profesores que escojan materiales asequibles que podamos pagar todos los estudiantes.

ENTENDER CÓMO FUNCIONA LA LENGUA

CONDICIONAL

GRAMÁTICA

PREPÁRATE

45. Lee este anuncio de Hábitat verde y responde a las preguntas formuladas en él. ¿Qué cosas te gustarían y cuáles no? ¿Por qué?

Me gustaría vivir en una casa diseñada por mí, pero...

¿Te gustaría compartir los gastos de gas, luz, agua e internet con otras personas y pagar mucho menos? ¿Te gustaría vivir en una casa ecológica diseñada por ti? ¿No te encantaría tener un huerto comunitario o una piscina natural al lado de casa? ¿No sería genial vivir en un entorno respetuoso con el medioambiente? Hábitat verde te ayuda a hacer todo eso posible. Te ponemos en contacto con otras personas interesadas en vivir de forma sostenible y te ayudamos a construir un hogar bueno para ti y respetuoso con el planeta. Más de 500 familias están viviendo ya la experiencia Hábitat verde. ¡Infórmate en nuestra web!

46. Comparte las respuestas a la actividad 45 con otra persona.

A mí me gustaría diseñar mi propia casa, pero a Jen no...

47. Algunas personas preocupadas por el medioambiente cuentan cómo sería su barrio ideal. En parejas, comenten cuáles les parecen buenas ideas y cuáles no.

- **Habría** paneles solares para producir energía de manera limpia para todo el barrio.
- **Habría** escuelas infantiles. Los niños **podrían** ir andando a la escuela.
- Yo **plantaría** árboles frutales en las calles y en invierno **podríamos** comer naranjas, y en primavera, cerezas.
- Mi barrio ideal **estaría** cerca de la ciudad, pero no demasiado.
- Los autos **estarían** prohibidos dentro del barrio, la gente se **tendría que** mover a pie, en bicicleta o en vehículos eléctricos.
- Yo **construiría** casas de precios y de tamaños diferentes en el mismo barrio; así **habría** personas de distintas clases sociales y más diversidad.

48. Los verbos en negrita de la actividad anterior están en condicional. ¿Entiendes qué se expresa con este tiempo verbal?

49. Las formas del condicional son muy parecidas a las del futuro. Completa la tabla con las formas del condicional de estar **que aparecen en la actividad 47.**

	futuro	condicional
yo	estaré	....
tú, vos	estarás	....
él, ella, usted	estará	....
nosotros, nosotras	estaremos	....
vosotros, vosotras	estaréis	....
ellos, ellas, ustedes	estarán	....

ATENCIÓN

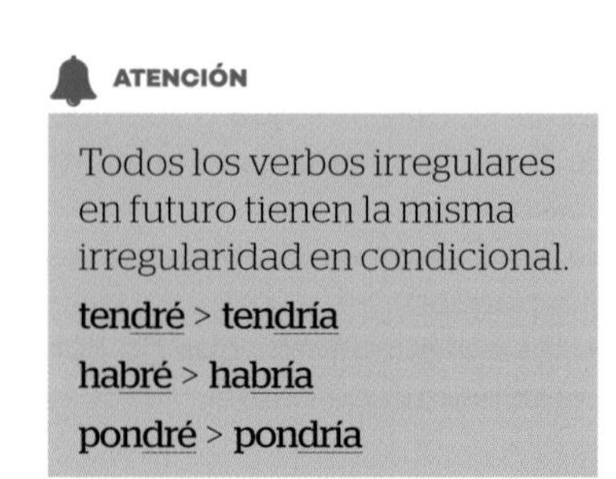
Todos los verbos irregulares en futuro tienen la misma irregularidad en condicional.
tendré > tendría
habré > habría
pondré > pondría

50. Deduce cómo son las otras formas y luego comprueba tus respuestas en la página de Recursos lingüísticos.

51. ¿Cómo sería tu barrio ideal? Hablen en pequeños grupos.

CONDICIONAL PARA HACER SUGERENCIAS

GRAMÁTICA

52. Estas son ideas de algunos estudiantes para comer sano y barato. ¿Estás de acuerdo con las propuestas? Discutan en grupos y aporten otras nuevas.

- **Se deberían** plantar árboles frutales en el campus.
- **Habría que** crear una web con consejos sobre lugares baratos para comprar y menús a bajo precio.
- **Deberíamos/Tendríamos que** tener huertos comunitarios en el campus.
- **Se podría** crear un grupo de consumo en la universidad para compartir alimentos de los lugares de origen de los estudiantes.

ATENCIÓN

El condicional también se puede utilizar para hacer sugerencias o propuestas.

— *A mí me gusta lo del huerto comunitario. Además, yo creo que en el restaurante de la universidad tendría que haber solo platos ecológicos.*
— *Sí, pero eso es caro...*

53. Observa las estructuras marcadas en negrita en las frases de la actividad 52. Escribe el infinitivo de cada uno de los verbos.

Se deberían: deber

EXPRESAR CONSECUENCIA

CARACTERÍSTICAS DEL TEXTO

PREPÁRATE

54. ¿Sabes cómo influye el consumo de carne en el cambio climático? Anota algunas ideas.

55. Escucha un fragmento de una conferencia sobre el cambio climático y el consumo de carne. ¿Menciona ideas que no conocías? Anótalas.

56. En grupos, comparamos nuestras respuestas a las actividades 54 y 55.

57. Lee ahora la transcripción y fíjate en los recursos subrayados. ¿Cuáles introducen causas? ¿Cuáles introducen consecuencias?

Entre las principales causas del cambio climático se encuentra el consumo de carne, ya que aproximadamente un 18 % de las emisiones de gases de efecto invernadero procede de la ganadería *(cattle farming)*. Esta actividad emite más gas metano que las explotaciones mineras, el petróleo y el gas natural, por lo que tiene un impacto enorme en el medioambiente.

Debido a ese impacto, consumir carne equivale a calentar el planeta y, por lo tanto, promover dietas vegetarianas es una manera de luchar contra el cambio climático. Según un informe presentado por el Instituto Nacional de Carnes (INAC) de Uruguay, en este país se consume cada vez más carne, por ejemplo.
Es especialmente urgente reducir ese consumo, puesto que los uruguayos comen 100 kilogramos de carne por habitante al año. Estos datos son alarmantes, ya que, de esos 100 kilos, el 58,7 % es carne de res, mientras que el 20,2 % es de pollo y el 18,1 %, de chancho *(pork)* (animales que producen un 80% menos de metano), de manera que la producción de metano vinculado al consumo de carne es relativamente alta.
En España también es urgente reducir ese consumo: los españoles comen 50 kilos de carne por habitante al año. El dato positivo es que, de esos 50 kilos de carne, 14 son de pollo y 10, de chancho.

58. En parejas, escriban un principio o un final lógico para cada una de estas frases.

1. .... **Por lo tanto**, hay que reducir el consumo de envases plásticos.
2. ...., **por lo que** se deforesta más y más superficie para poder criar ganado.
3. Ser vegetariano es una manera de preservar el medioambiente, **ya que** ....
4. He decidido ser responsable en el consumo de ropa, **de manera que** ....

COHESIONAR UN TEXTO

CARACTERÍSTICAS DEL TEXTO

PREPÁRATE

59. **¿Utilizas la bicicleta en tu día a día?**

60. **Lee este fragmento del artículo "Bicicletas en América Latina". ¿Qué te parece esta iniciativa? ¿Conoces políticas o asociaciones que promuevan el uso de la bicicleta?**

BICICLETAS EN AMÉRICA LATINA

Perú recién aprobó una ley que promueve y regula el uso de la bicicleta como medio de transporte sostenible. Por cada 45 veces que los trabajadores del sector público vayan al trabajo en bicicleta, recibirán un día de descanso remunerado. En el sector privado habrá incentivos como un horario de trabajo más flexible o días libres.
La idea no es nueva. Ya desde 2016, en São Paulo (Brasil) los empleados que utilizan este medio de transporte obtienen recompensas. Además de los beneficios económicos, el uso de la bicicleta ayuda a proteger el medioambiente, ya que se reduce la emisión de gases de efecto invernadero y la calidad del aire mejora.
Esta tendencia, consolidada en gran parte de Europa, deberá afrontar diversos retos para conseguir su implementación en América Latina.

Fuente: www.dw.com

61. **Lee la historia de BeCiclos para saber qué es.**

Cada año se abandonan miles de bicicletas en los depósitos municipales y en los canales de la ciudad holandesa de Ámsterdam. Este hecho no pasó desapercibido para Gonzalo Fernández García, un gallego residente en esa ciudad que, junto con otros tres jóvenes, empezó a rescatar estos vehículos y llevarlos al jardín de su casa. Allí los reparaban usando piezas que reciclaban de otras bicicletas. Así nació BeCiclos.

Ahora la empresa cuenta con un local donde mecánicos procedentes de programas de reinserción social arreglan las bicicletas utilizando, en su mayoría, material procedente del reciclaje. "La mayoría de estos vehículos no están en muy mal estado, pero la sociedad consumista en la que vivimos hace que se tiren cosas que todavía se pueden arreglar", afirma Ana, una de las integrantes de BeCiclos.

"Después de repararlas, les damos un nombre, inventamos una historia sobre su vida y las ponemos en adopción. En BeCiclos, no se compran bicis, se adoptan".

62. **Vuelve a leer el texto y busca:**

- un sinónimo de **arrojar**
- un sinónimo de **reparar**
- una palabra de la misma familia que **reciclar**
- otra palabra para referirse a **bicicleta**

63. **¿A qué palabras o partes del texto hacen referencia lo que aparece subrayado? ¿Para qué se usan?**

- este hecho: ....
- estos vehículos: ....
- los: ....
- allí: ....
- donde: ....
- las: ....
- les: ....

64. **En parejas, inventen una historia de un objeto abandonado.**

LOS SONIDOS DE G, J Y CH

65. **Escucha y completa las palabras con las letras correspondientes.**

1. a...í
2. al...ien
3. al...una
4. e...emplo
5. fi...arse
6. ...eneral
7. ...ente
8. ...ion
9. lue...o
10. me...or
11. mensa...e
12. ori...inal
13. pá...ina
14. pare...a
15. propa...anda
16. si...e
17. sub...untivo
18. ...ugar

ESTRATEGIAS

Muchos hispanohablantes (mexicanos y españoles entre ellos) pronuncian el sonido de **g** de **Ginebra** y **j** de **Jalisco** más fuerte que la **h** aspirada en inglés. Para hacerlo, empieza colocando la lengua como lo harías para pronunciar la **g** de **gap**. Cuando la tengas colocada así, expulsa el aire de los pulmones, como harías para pronunciar **ham**, ¡pero sin mover la lengua de sitio!

66. **¿Cómo se pronuncian las siguientes combinaciones de letras? Completa las reglas.**

	a. Como en **G**inebra	**a.** Como en **G**uatemala
g + e, i =		
g + a, o, u =		
j + a, e, i, o, u =		

67. **Escucha y repite las siguientes palabras. Presta atención al sonido marcado en negrita. Luego, busca más palabras que contengan este sonido y díselas a tu compañero/a para que las escriba.**

¡**J**a! exi**g**ir ho**j**a exa**g**erar

ESTRATEGIAS

La **ch** del español se pronuncia siempre como en inglés **chocolate** y nunca como **machine**. Por lo tanto, **machete** en español se pronuncia como si estuviera escrito **matchete**.

68. **Escucha y repite las siguientes palabras. Después, busca otras que contengan la** ch **y díselas a tu compañero/a, quien va a escribirlas.**

chocolate **brecha** **capricho** **ceviche** **chileno** **cuchara**

PATRIMONIO NATURAL

Barro Colorado

Una pequeña isla en medio del canal de Panamá se ha convertido en el centro de atención de la comunidad científica internacional, que ve en este pequeño paraíso un laboratorio al aire libre para analizar los efectos del cambio climático. Se trata de Barro Colorado, una isla de 1564 hectáreas en el lago artificial de Gatún, creado a principios del siglo XX como parte del sistema del canal de Panamá.

La isla, que está administrada por el Instituto Smithsonian de Investigaciones Tropicales (STRI, por sus siglas en inglés), alberga una de las principales reservas de bosques húmedos tropicales de todo el mundo. En la actualidad, se llevan a cabo unos 350 proyectos científicos en el lugar.

"Frente al cambio climático, estamos intentando entender cómo el bosque está reaccionando ante las temperaturas", explicó a la AFP la bióloga e ingeniera ambiental Vanesa Rubio.

Según los científicos, debido a la deforestación y a la contaminación ambiental, los bosques liberan una mayor cantidad de dióxido de carbono, un gas causante del calentamiento global.

"El ciclo de carbono ya cambió. Ahora se enloqueció", se lamenta Rubio. Además, para conocer la evolución del bosque, en el centro de la isla hay 50 hectáreas con más de 200 000 árboles marcados y censados cada cinco años.

"Con el cambio climático, la sequía es más fuerte y la temperatura ha aumentado y parece que muchos de estos árboles no lo soportan", dijo a la AFP Rolando Pérez, un botánico panameño que lleva un cuarto de siglo identificando árboles en la isla.

Pérez manifiesta que no ha disminuido "enormemente" el número de árboles, sino que ha variado la composición de las comunidades de plantas, ya que algunas especies han sido susceptibles al cambio climático.

ANTES DE LEER

69. Toma nota de otras palabras relacionadas con el tema del medioambiente.

cambio climático ....

....

DESPUÉS DE LEER

70. Lee el texto y toma nota de otras palabras relacionadas con los términos de la actividad 69.

71. En grupos, expliquen si estas afirmaciones sobre el texto son verdaderas o falsas y por qué.

- La isla de Barro Colorado fue creada para hacer experimentos con nuevas plantas tropicales en extinción.
- La mayoría de las plantas de esta isla panameña ha desaparecido drásticamente.
- La falta de lluvia es la causante de la deforestación.

72. Vuelve a leer el texto y piensa en un subtítulo. Escríbelo aquí.

....

73. Estos tres archipiélagos son importantes desde el punto de vista medioambiental. Busca información sobre uno de ellos y escribe un texto sobre sus peculiaridades y su importancia.

- Islas Marietas
- Islas Galápagos
- Archipiélago de San Blas

albergar: *to be home to*
liberar: *to give off*
sequía: *drought*
enloquecer: *to drive crazy*
aumentar: *to increase*
disminuir: *to decrease*

ARTE

Los quipus de Cecilia Vicuña

CHILE

Desde 1966, Cecilia Vicuña crea instalaciones que denomina *precarios*; objetos compuestos por desperdicios y residuos que llama *basuritas*, así como quipus y otras metáforas textiles. Para denominar su arte, creó el nombre “Arte Precario”. Los precarios integran además el conocimiento espiritual ancestral y son una muestra del poder de la voluntad individual y colectiva para curar a la humanidad y a la Tierra. Su primer quipu fue *El quipu que no recuerda nada*. Los quipus eran herramientas que utilizaban los incas y otras culturas andinas de la Antigüedad para llevar el registro tributario, el censo de población, como calendario o para fines artísticos, y estaban hechos de material textil con nudos que se combinaban en diferentes formas. *El quipu quemado* es una pieza que conmemora los incendios de North Bay, y está formado por largas hebras de lana del color del fuego, la ceniza y la madera carbonizada. Con él, la artista quiere mostrar la destrucción que causan la actividad humana y el cambio climático.

↑ Cecilia Vicuña, *Quipu quemado*, 2018, BAMPFA Berkeley Art Museum and Pacific Film Archive. Foto de Jonathan Bloom

← Cecilia Vicuña, *Quipu de Lamentos*, dimensiones variables, Museo de la Memoria y los Derechos Humanos, Santiago, Chile, 2014. Foto de Carolina Zuñiga

ANTES DE LEER

74. En parejas, observen las fotos y contesten a las siguientes preguntas.

- ¿Qué ven en cada una?
- ¿Qué les transmiten?
- ¿Qué tienen en común?

DESPUÉS DE LEER

75. Después de leer el texto, revisen las respuestas que dieron a la actividad 74. ¿Desean modificarlas? ¿Cómo? Hablen en pequeños grupos.

76. En parejas, piensen en un título para estas dos obras de Cecilia Vicuña. Justifiquen su elección.

77. En pequeños grupos, comenten las siguientes preguntas.

- ¿Qué función piensan que tiene este tipo de obras de arte contemporáneo?
- ¿Los/Las artistas que hablan de política en sus obras son menos artistas?
- ¿Este tipo de arte es solo para élites, para espectadores muy cultos?

78. En pequeños grupos, busquen en internet otras obras de Cecilia Vicuña y coméntenlas.

desperdicios: *scraps*
quipus: *talking knots*

TRADUCIR UN TEXTO: CONSUMO Y MEDIOAMBIENTE

79. ¿Usas la traducción en tus estudios de español? ¿Qué tipo de textos traduces? ¿Qué problemas encuentras cuando traduces?

80. Lee el texto sobre técnicas y procedimientos de traducción, y escribe estos ejemplos en el lugar correspondiente. ¿Puedes pensar más ejemplos para cada una?

Actually → Realmente
Best before → Consumir preferentemente antes de
I'm speechless → No tengo palabras
To get up early → Madrugar
Test → Test
Skyscraper → Rascacielos

TÉCNICAS O PROCEDIMIENTOS DE TRADUCCIÓN

1. **Transposición.** Es un cambio de categoría gramatical. Sucede, por ejemplo, cuando un concepto en una lengua se expresa mediante un adjetivo: **she is talented**, y en la otra lengua, mediante un sustantivo: **tiene talento**.

Ejemplos:

2. **Préstamo.** Es el uso de una palabra sin traducirla. Así, en español se dice **wifi** o **software**; o en inglés se dice **armadillo** o **guerrilla**.

Ejemplos:

3. **Expansión.** Se usan más palabras en el texto final que en el original. Así, lo que en inglés se llama **customer service** en español se denomina **servicio de atención al cliente**.

Ejemplos:

4. **Reducción.** Es cuando se usan menos palabras en el texto final que en el original. Así, lo que en inglés se expresa con **18 years of age or older** en español se expresa con **mayor de 18 años**.

Ejemplos:

5. **Falsos cognados.** Es una palabra que tiene la misma forma o una forma muy similar en dos lenguas, pero que tiene un significado diferente en cada una. Por ejemplo, **character** en inglés se debe traducir por **personaje** en español, y no por **carácter**, que significa **personality**.

Ejemplos:

6. **Calco.** Es la traducción literal de los componentes de una frase o expresión. Lo que en inglés se expresa mediante **call back to Ann** no se puede traducir por **llamar atrás a Ann**, sino por **devolver la llamada a Ann**.

Ejemplos:

81. **En parejas, lean este cartel. Relacionen el título (T) y cada una de las recomendaciones (1-5) con su traducción al español.**

PROTECTING OUR PLANET STARTS WITH YOU

1 **BIKE MORE, DRIVE LESS.** Use bike lanes and respect green corridors.

2 **VOLUNTEER** for cleanups in your community.

3 **CONSERVE WATER.** The less water you use, the less wastewater that eventually ends up in the ocean.

4 **CHOOSE SUSTAINABLE SEAFOOD.** Visit our site to learn how to make smart seafood choices: www.FishWatch.gov.

5 **REDUCE, REUSE, RECYCLE.** Cut down on what you throw away. Follow the three "Rs" to conserve natural resources and landfill space.

Fuente: : https://oceanservice.noaa.gov/ocean/earthday.html

- ◯ Reduce, reutiliza, recicla. Disminuye tus desechos. Sigue las tres erres para preservar los recursos naturales y reducir el espacio dedicado a vertederos.
- ◯ La protección de nuestro planeta empieza contigo
- ◯ Ahorra agua. Cuanta menos agua consumas, menos aguas residuales acabarán finalmente en el mar.
- ◯ Usa la bicicleta más, maneja menos. Utiliza las ciclorrutas y respeta los corredores verdes.
- ◯ Ofrécete como voluntario para limpiar en tu comunidad.
- ◯ Elige pescados y mariscos sostenibles. Visita nuestra web para saber cómo consumir pescados y mariscos de forma inteligente: www.FishWatch.gov.

82. **Ahora, en parejas, comparen los errores de traducción de este cuadro con la traducción que leyeron en la actividad 81. ¿Qué diferencias observan? ¿Qué técnica sería la correcta en cada caso?**

Texto original	Error de traducción	Traducción adecuada	Técnicas y procedimientos
protecting	protegiendo	la protección	transposición
bike more	bicicleta más	....	....
bike lane	vía de bicis	....	....
conserve	conservar	....	....
eventually	eventualmente	....	....
green corridor	pasillo verde	....	....
seafood	comida del mar	....	....
make smart (seafood) choices	hacer elecciones inteligentes	....	....
volunteer	voluntario	....	....
site	sitio	....	....

PROYECTO EN GRUPO

Nuestras reivindicaciones sobre el medioambiente

Vamos a preparar una lista de reivindicaciones sobre el medioambiente.

A. Lean la introducción del texto y, en grupos, decidan solo una de las ocho actividades de las que habla el texto para trabajar sobre ella: minería, pesca, industria, uso del transporte, etc. Sigan estos pasos.

1. **Describan la actividad y expliquen su impacto en el medioambiente.**
   La agricultura a gran escala es muy perjudicial para el medioambiente. Consiste en explotar grandes superficies mediante el uso de maquinaria pesada y...

2. **Investiguen un ejemplo concreto.**
   Según Greenpeace, el cultivo de soya es uno de los principales factores de deforestación en la Amazonía. En los últimos tres años se han destruido 70 000 km² de selva amazónica...

3. **Propongan soluciones y alternativas.**
   Es necesario proteger más los espacios naturales. Debemos pedir a los Gobiernos que respeten las leyes internacionales. Necesitamos iniciativas que...

ACTIVIDADES HUMANAS
QUE DESTRUYEN EL PLANETA
PRODUCTIVAS
Minería
La construcción de rutas a gran escala ocasiona la deforestación; por otro lado, la utilización de sustancias tóxicas destruye los ecosistemas acuáticos.
Pesca
Los métodos destructivos como el arrastre de fondo, las detonaciones y los envenenamientos contribuyen a la destrucción del 65 % de las hierbas marinas del mundo.
Agricultura
La utilización de pesticidas y fertilizantes conduce a la erosión del suelo y limita la biodiversidad.
Industria
Es responsable de la producción de gases tóxicos que contribuyen al calentamiento global; y sus desechos también afectan a los ecosistemas acuáticos.
COTIDIANAS
Uso del agua para la higiene personal
Al bañarnos, lavarnos los dientes y asearnos, desperdiciamos mucha agua. Tan solo en México, el gasto al día es de 360 litros por persona.
Dejar encendidos dispositivos electrónicos
Se desperdicia energía eléctrica y generan dióxido de carbono.
Sustitución de celulares y aparatos electrónicos
Se generan residuos electrónicos que despiden sustancias tóxicas, como mercurio, cloro o cadmio.

Fuente: NOTIMEX, Agencia de Noticias del Estado Mexicano

B. Presenten a la clase el resultado de sus investigaciones. Pueden usar también imágenes o videos.

C. Entre todos, pónganse de acuerdo para elaborar una lista conjunta de deseos y reivindicaciones con respecto a la intervención del ser humano en el medioambiente.

- Pedimos que las industrias sustituyan el aceite de palma por otros ingredientes más sostenibles.
- Exigimos que todos los Gobiernos respeten los tratados internacionales sobre medioambiente.

PROYECTO INDIVIDUAL

Un artículo para un blog de medioambiente

Vas a redactar un artículo para un blog de medioambiente de tu universidad.

A. **Usa la información del texto sobre las actividades humanas para escribir un primer borrador. ¿Qué actividades humanas tienen mayor impacto en el medioambiente? ¿Cuáles son las palabras clave para describir estas actividades?**

B. **¿Cuáles de esas actividades anteriores afectan más a tu universidad o a tu entorno más cercano? Describe las causas y las consecuencias de ese impacto. Pon ejemplos concretos.**

C. **¿Qué medidas de sostenibilidad se toman en tu universidad, en tu ciudad o estado para reducir o evitar el impacto de estas actividades?**

D. **¿Qué propones tú para minimizar o solucionar esos problemas? ¿Qué acciones son más urgentes? Incluye tus reivindicaciones y propuestas con ejemplos concretos.**

E. **Organiza toda la información y no olvides:**

- Dividir el artículo en secciones o párrafos.
- Incluir un título general y subtítulos para las secciones.
- Buscar imágenes, videos, gráficos u otros documentos para ilustrar los contenidos.

F. **Revisa tu primer borrador antes de redactar la versión final. Puedes usar esta pauta de evaluación.**

Contenido:
- ¿Es relevante la documentación?
- ¿Citas las fuentes?
- ¿La información es clara, suficiente y relevante?
- ¿Será un texto interesante para los lectores? ¿Despertará su interés?
- ¿El estilo y el punto de vista son adecuados para un artículo en un blog de medioambiente?

Coherencia y cohesión:
- ¿Hay conectores y marcadores discursivos para crear relaciones entre la información?
- ¿Se usan mecanismos para hacer referencia a información anterior como pronombres, demostrativos, etc.?

Vocabulario:
- ¿Se repiten palabras relevantes? ¿Hay variedad de vocabulario?
- ¿El registro es suficientemente formal? Recuerda que es un artículo para un blog.
- ¿Has usado los Recursos lingüísticos de este capítulo para comprobar la corrección y adecuación del vocabulario?

Gramática:
- ¿Has revisado los Recursos lingüísticos del capítulo 4 para expresar deseos, reivindicaciones o necesidad?
- ¿Has prestado atención a pequeñas cuestiones formales? Por ejemplo, ¿son correctas las concordancias de género y número de sustantivos, adjetivos y artículos?

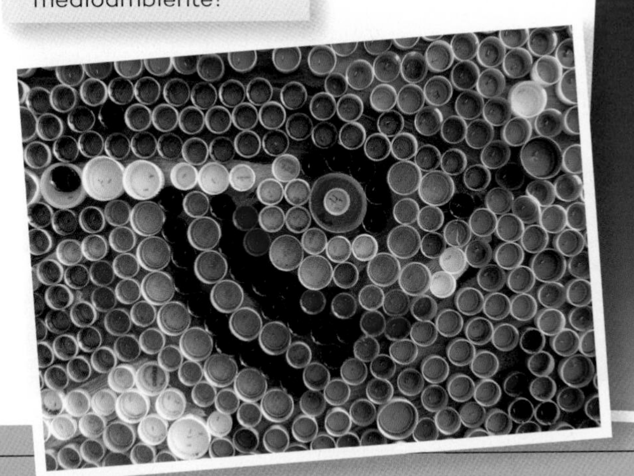

GRAMMAR

EXPRESSING WISHES AND DESIRES: QUERER, ESPERAR, DESEAR + INFINITIVE/SUBJUNCTIVE

With many verbs that express desire, hope, etc., the infinitive is used in the subordinate clause when the subject of the two clauses is the same, while the subjunctive is used when the subjects are different.

querer/esperar/desear + infinitive (same subject)

Quiero *(yo)* ***comer*** *(yo) de una manera más saludable y respetuosa con el medioambiente.*

querer/esperar/desear + **que** + present subjunctive (different subjects)

Espero *(yo)* ***que*** *mis acciones* ***contribuyan*** *a una sociedad más justa.*

ojalá + (**que**) + present subjuntive

Ojalá *nuestros hijos y nietos* ***tengan*** *un medioambiente limpio y saludable.*

> Other expressions conveying desire, such as **tener ganas de**, **apetecer**, etc. work the same way.
>
> ***Tengo muchas ganas de*** *tener un huerto en el campus.*
>
> ***Me apetece*** *mucho empezar las clases.*

EXPRESSING CLAIMS/REQUESTS: PEDIR, EXIGIR, SOLICITAR + INFINITIVE /SUBJUNCTIVE

With verbs that express influence, requests, hope, etc., the infinitive is used in the subordinate clause when the subject of the two clauses is the same, while the subjunctive is used when the subjects are different.

pedir/exigir/reivindicar + infinitive (same subject)
Los consumidores (nosotros) ***exigimos*** *(nosotros)* ***tener*** *información sobre el origen de los productos*

pedir/exigir/reivindicar + **que** + present subjunctive (different subjects)

Pedimos *(nosotros)* ***que*** *las industrias* ***sustituyan*** *el aceite de palma por otra opción más sostenible.*

> Verbs used to make suggestions, like **recomendar**, **sugerir**, and **proponer** work similarly but allow the use of the infinitive in more cases.
>
> ***Recomendamos*** *a los consumidores* ***comprar*** *productos locales. =* ***Recomendamos*** *a los consumidores* ***que compren*** *productos locales.*
>
> *Esta asociación* ***propone*** *a sus miembros* ***crear*** *huertos urbanos. = Esta asociación* ***propone*** *a sus miembros* ***que creen*** *huertos urbanos.*

MAKING RECOMMENDATIONS

With verbs like **recomendar**, **aconsejar**, **sugerir**, etc., the subjunctive or the infinitive may be used in the subordinate clause.

recomendar/aconsejar/sugerir... + **que** + subjuntive

Yo te aconsejo ***que uses*** *una agenda. A mí me funciona.*

recomendar/aconsejar/sugerir... + infinitive

Yo te aconsejo ***usar*** *una agenda. A mí me funciona.*

EXPRESSING CAUSE

ya que, **puesto que** + sentence
debido a + noun/pronoun

El consumo de carne es perjudicial para el medioambiente, ***ya que*** *la ganadería consume gran cantidad de agua.*
La concientización de los consumidores es muy importante, ***puesto que*** *son ellos, finalmente, quienes deciden si un producto tiene éxito o no.*
Debido al *efecto invernadero, cada vez hay sequías más frecuentes.*

EXPRESSING CONSEQUENCE

por lo tanto, **por lo que**, **de manera que**, **así que**

He decidido vivir de una manera más responsable. ***Por lo tanto****, voy a dejar de consumir carne y no voy a usar el auto.*

A partir de ahora vamos a usar menos papel, ***por lo que*** *todos los trabajos se van a entregar en formato digital, sin imprimir.*

Los plásticos llegan al mar, ***de manera que*** *acaban formando enormes superficies de plástico, como el llamado "séptimo continente".*

COHESION

THE CONDITIONAL

▶ Regular verbs

	ESTAR	COMER	VIVIR
yo	estar**ía**	comer**ía**	vivir**ía**
tú, vos	estar**ías**	comer**ías**	vivir**ías**
él, ella, usted	estar**ía**	comer**ía**	vivir**ía**
nosotros/nosotras	estar**íamos**	comer**íamos**	vivir**íamos**
vosotros/vosotras	estar**íais**	comer**íais**	vivir**íais**
ellos, ellas, ustedes	estar**ían**	comer**ían**	vivir**ían**

▶ Irregular verbs

Verbs that are irregular in the future are also irregular in the conditional.

tener	tendr**ía**	saber	sabr**ía**	poner	pondr**ía**
haber	habr**ía**	decir	dir**ía**	venir	vendr**ía**
poder	podr**ía**	querer	querr**ía**		
salir	saldr**ía**	hacer	har**ía**		

▶ Uses

Expressing wishes and desires
(especially with verbs like **gustar** and **encantar**)

Me gustaría *tener un huerto para cultivar verduras.*
Me encantaría *diseñar mi propia casa.*

Giving opinions on actions and conduct

Por el momento, yo no me ***compraría*** *un auto eléctrico.*

Referring to imaginary or hypothetical situations

Crearía *un grupo de consumo para comer de forma más saludable y ecológica.*

To advise, suggest, or propose solutions
(with verbs **poder**, **deber** and **tener que**)

—El Gobierno ***debería*** *promover el uso de energías renovables.*
—Sí, ***tendrían*** *que dar ayudas a la gente para instalar paneles solares en sus casas.*

TOOLS FOR COHESIVE WRITING

▶ Using synonyms (tirar/arrojar) and related words/ categories (bicicleta/vehículo)

Some synonyms are interchangeable in all contexts, but usually two synonymous words have some similar and some different meanings, and therefore cannot always be interchangeable.

Gonzalo repara ***bicicletas*** *viejas. Cuando las* ***tiran****, él las recoge junto con otros* ***vehículos arrojados*** *por sus dueños.*

▶ Using word families

Muchos de los objetos que usamos en casa (como el papel de aluminio o las servilletas de papel) están hechos de materiales que ***contaminan****. Pero existen alternativas a esos materiales* ***contaminantes****.*

Ahorrar *energía supone también* ***un ahorro*** *de dinero.*

▶ Using words that refer to previously mentioned elements (deictics)

Pronouns (direct object, indirect objet, relative, personal...)

Reparamos las bicicletas, ***les*** *ponemos un nombre y* ***las*** *enviamos al propietario.*

Adverbs

Al principio llevábamos las bicis al jardín de mi casa. ***Allí*** *las reparábamos.*

Demonstratives

Gonzalo y Ana son los fundadores de la empresa. ***Estos dos chicos*** *estudiaban en Holanda y descubrieron que cada año se tiraban miles de bicis a los canales.*

VOCABULARY

CONSUMO Y MEDIOAMBIENTE *(CONSUMPTION AND THE ENVIRONMENT)*

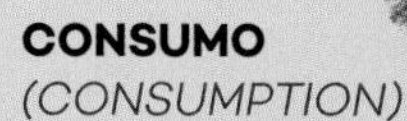

MEDIOAMBIENTE
(ENVIRONMENT)

cambio climático
(climate change)
energías renovables
(renewable energy)
entorno saludable
(healthy environment)
explotación minera
(mining)
instalar paneles solares
(to install solar panels)
maltratar/cuidar/proteger el medioambiente
(to abuse/take care of/protect the environment)
petróleo *(oil)*
pozo petrolero/petrolífero
(oil well)
recursos naturales
(natural resources)

CONSUMO
(CONSUMPTION)

banca ética *(ethical bank)*
cadenas de moda
(fashion chains)
caducidad
(expiration date)
consumidor *(consumer)*
consumir de forma responsable
(to consume responsibly)
comercio justo *(fair trade)*
comprar a granel
(to buy in bulk)
consumismo
(consumerism)
consumista
(consumerist)
durar *(to last)*
gastar tiempo/dinero/recursos *(spend time/spend money/ use resources)*
generar residuos/basura
(to create waste/trash)
grupo de consumo *(co-op)*
industria alimentaria/armamentística *(food/arms industry)*
mercado de producción local *(local product market)*
obsolescencia programada
(planned obsolescence)
publicidad *(advertising)*
usar y tirar
(to use and throw away)
vertedero *(garbage dump)*

OBJETOS Y PRODUCTOS
(OBJECTS AND PRODUCTS)

bolsa de plástico/tela
(plastic/cloth bag)
fabricar *(to make/manufacture)*
funcionar bien/mal
(to work well/badly)
huerta *(vegetable garden)*
materias primas
(raw materials)
objetos viejos/estropeados/rotos/nuevos
(old/damaged/broken/new products)
procedencia local
(local origin)
producto sostenible/fresco
(sustainable/fresh product)

ACCIONES *(ACTIONS)*

ahorrar dinero
(to save money)
apoyar productos sociales/medioambientales
(to support social/environmental products)
arreglar/reparar objetos usados/estropeados
(to fix/repair used/damaged items)
cerrar la llave
(to turn off the tap)
comprar productos ecológicos/locales
(to buy organic/local products)
estar concienciado/concientizado
(to be aware)
el modo de vida *(lifestyle)*
plantar árboles
(to plant trees)
poner la calefacción (a x grados) *(to turn on the heat to x degrees)*
prestar/pedir prestado
(to lend/borrow)
reducir el impacto medioambiental
(to reduce your/the environmental impact)
reparar los objetos
(to repair objects)
reutilizar envases
(to reuse containers)

VERBOS CON PREPOSICIÓN
(VERBS WITH PREPOSITIONS)

estar interesado en
(to be interested in)
estar preocupado por
(to be worried about)
ser consciente de
(to be aware/conscious of)
luchar contra *(to fight against)*
contribuir a *(to contribute to)*
concienciar/concientizar a
(to raise awareness of/about)
disponer de
(to have (something) available)

VERBOS Y SUSTANTIVOS
(VERBS AND NOUNS)

consumir-consumo (de)
(to consume-consumption)
reducir-reducción (de)
(to reduce-reduction (of))
rechazar-rechazo (a/de)
(to reject-rejection (of))
reciclar-reciclaje (de)
(to recycle-recyling (of))
reutilizar-reutilización (de)
(to reuse-reuse (of))
reparar-reparación (de)
(to repair-repair (of))

EL VERBO DEJAR *(THE VERB **DEJAR**)*

dejar (permitir) *(to allow)*
dejar de (=interrumpir una acción)
(to stop/to quit)
aplazar *(to postpone)*
prestar *(to lend)*
no llevar *(to leave (behind))*

FREQUENT WORD COMBINATIONS

CONSUMO Y MEDIOAMBIENTE

grupo / asociación / sociedad **de consumo**
co-op

fomentar / frenar / aumentar / promover / favorecer **el consumo**
to encourage/slow/increase/promote/contribute to consumption

consumo responsable / alternativo
responsible consumption

consumo de carne / energía
consumption of meat/energy

cuidar / destruir / preservar / dañar / proteger **el medioambiente**
to take care of/destroy/preserve/hurt/protect the environment

comercio justo / tradicional
fair/traditional trade

comercio de proximidad / barrio
local/neighborhood business

tirar / producir / reciclar / generar **basura**
to throw out/produce/recycle/produce waste

bolsa / cubo / contenedor / vertedero **de basura**
garbage bag/bucket/can/dump

basura biodegradable / orgánica
biodegradable/organic trash

residuos orgánicos / tóxicos / contaminantes
organic/toxic/polluting waste

consumir / ahorrar / producir / gastar **energía**
to consume/save/produce/waste energy

energía limpia / renovable / eólica / solar / hidráulica
clean/renewable/wind/solar energy
hydropower

productos ecológicos / envasados / de temporada / sostenibles / frescos / naturales / locales
ecological/packaged/seasonal/sustainable/fresh/natural/local products

emisiones de CO_2 / de gases de efecto invernadero
carbon/greenhouse gas emissions

sociedad de / bienes de / hábitos de **consumo**
consumerist society
consumer goods
consumer habits

¡HAY QUE CAMBIAR EL **MUNDO**!
(We have to change the world!)

QUEREMOS UNA SOCIEDAD **MÁS JUSTA**
(We want a fairer society)

SOLO TENEMOS UN PLANETA
(We only have one planet)

ciclorruta

CAPÍTULO 5

MERCADOTECNIA Y PUBLICIDAD

En este capítulo vas a aprender a diseñar una campaña publicitaria y a opinar sobre un tema relacionado con la publicidad.

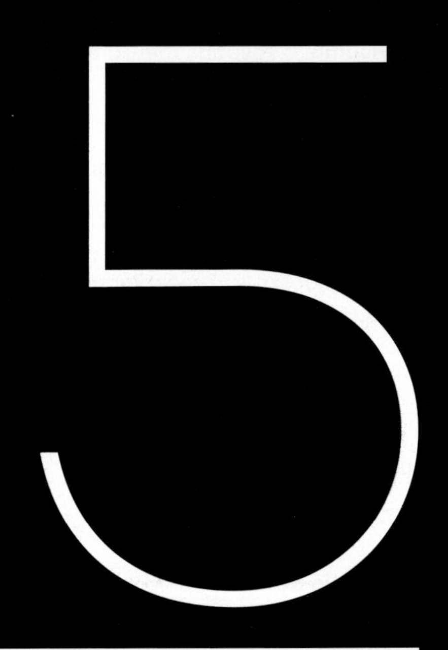

LEARNING OUTCOMES
- Express personal opinions and make comments
- Express purpose
- Construct an argument

VOCABULARY
- Marketing and advertising
- The goals of advertising

LANGUAGE STRUCTURES
- State, negate, and express certainty with **creo/ es verdad/es evidente/ está claro/está demostrado que** + indicative, **no es verdad/no es cierto/no creo que** + subjunctive
- Express a personal opinion with **está bien/mal, es injusto/ilógico** + infinitive, **está bien/mal, es injusto/ ilógico que** + present subjunctive
- Express purpose: **para** + infinitive / **para que** + subjunctive

ORAL & WRITTEN TEXTS
- Additive connectors for building an argument
- Advertising

SOUNDS
- The intonation of exclamations
- Consonant + **r**, consonant + **l**

CULTURE
- The **No** zone (Chile)
- Orlando Arias: art and consumerism (Bolivia)

PROJECTS
- Group: design an advertising campaign
- Individual: write an opinion piece about a topic related to advertising practices

CITAS

PREPÁRATE

1. **Lee estas citas sobre la publicidad e intenta explicar con tus propias palabras qué significan. ¿Estás de acuerdo con lo que dicen o no? Anota por qué.**

1. En realidad, no necesitamos muchas cosas, pero las compramos porque...

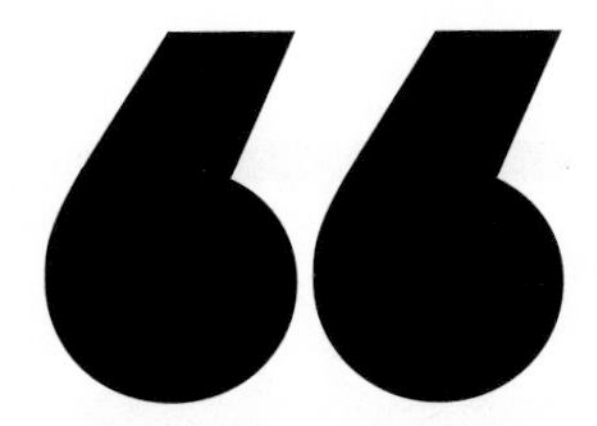

La publicidad es el arte de convencer a gente para que gaste el dinero que no tiene en cosas que no necesita.
WILL ROGERS
(1879-1935), humorista y actor estadounidense

Me dedico a encontrar la belleza, la utilidad y el porqué de un producto o un servicio, todo para comunicarme con la gente y contarle las bondades de ese producto.
ANA MARÍA OLABUENAGA
(1960), publicista mexicana

2. **En grupos, compartan sus respuestas. ¿Con qué cita está más de acuerdo la mayoría de la clase? ¿Y con cuál menos? ¿Por qué?**

Yo creo...
A mí me parece que...

ATENCIÓN

The verb **parecer** is used as a synonym of the verb **creer** to express an opinion..

Yo ***creo*** *que no tienes razón.*

A mí ***me parece*** *que no tienes razón.*

3. **Formen grupos. Unos proponen "definiciones positivas" de la publicidad y otros, "negativas". Luego, léanselas a las otras personas y elijan las dos más interesantes.**

Es una forma de / Es el arte de — seducir/mostrar/presentar...

Es lo/algo que / Es una cosa que — seduce/muestra/presenta...

Los publicistas se dedican a... seducir/mostrar/presentar...

PARA EMPEZAR

IMÁGENES

PREPÁRATE

4. Mira con atención las imágenes de estos anuncios y eslóganes. ¿Cuál es su mensaje?

1

2

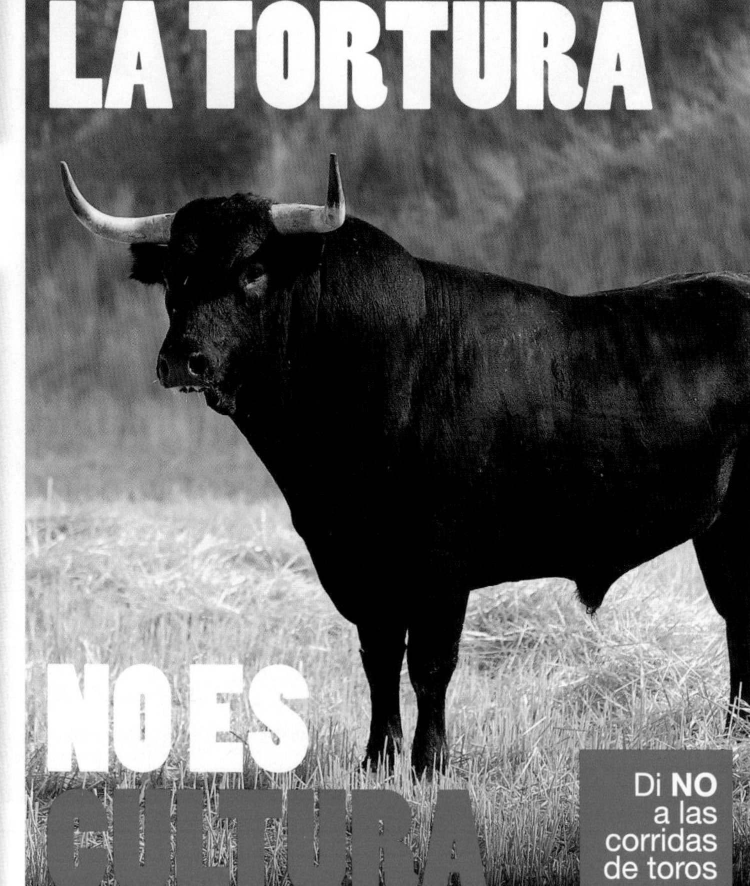

3

7. ¿Cómo describirías estas campañas? Puedes usar estos adjetivos u otros.

original | bonito/a | aburrido/a | sexista | impactante | provocador/a | polémico/a

Es un anuncio emotivo/impactante...
Hace llorar/reír/reflexionar sobre...
Transmite un mensaje/una imagen...

5. Comparen sus respuestas a las actividades 4 y 5.

6. En grupos, comenten si en su país estos anuncios serían posibles y comprensibles.

LA CAFETERÍA

¿Conoces anuncios parecidos?

VIDEO: HÉROES QUE NOS INSPIRAN

PREPÁRATE

8. Vas a ver un anuncio en el que se habla de héroes *(heroes)*. Mira la captura de pantalla del video e intenta responder a estas preguntas.

- ¿De qué país es la bandera que ves?
- ¿Qué personas famosas conoces de ese país?
- ¿De qué crees que puede ser el anuncio?

9. Ve el video y anota.

- ¿A qué "héroes" menciona y qué dice de ellos?
- ¿Cuál es el eslogan del anuncio (la última frase)?

10. Vuelve a ver el video y contesta:

- ¿Por qué nos gustan los héroes? ¿Qué nos apasiona de ellos?
- ¿Qué valores se destacan?

11. En grupos, comenten sus respuestas a las actividades 8, 9 y 10.

12. ¿Estás de acuerdo con el mensaje del anuncio? ¿Qué te apasiona a ti de la gente? Escribe cinco ejemplos como los del anuncio. Luego compártelos con dos compañeros/as y hablen sobre ello.

Me apasiona que...

13. En pequeños grupos, contesten las siguientes preguntas.

- Basándote en este anuncio, ¿qué crees que es la publicidad emocional?
- ¿Te gusta este tipo de anuncios?
- ¿Qué elementos te parecen importantes para transmitir el mensaje? (la música, el texto, el tono de voz, las imágenes, etc.) ¿Cómo se utilizan en este anuncio?

EL *NEUROMARKETING* O NEOMERCADEO

 **PREPÁRATE**

14. **Lee el artículo y escribe un pequeño resumen sobre qué es el *neuromarketing*, neuromercadotecnia o neuromercadeo. Imagina que se lo tienes que transmitir a alguien que no ha oído hablar nunca de ese tema.**

15. **Anota tres preguntas que te sugiere el texto (dudas, cosas que no entiendes o que te gustaría saber...).**

16. **En pequeños grupos hagan una versión común y mejorada del resumen que han hecho en la actividad 14.**

17. **En los mismos grupos, compartan las preguntas que han escrito en la actividad 15 y busquen respuestas.**

18. **Piensa en compras que has realizado. ¿Con cuál de los perfiles de comprador mencionados en el texto te identificas? Coméntenlo en parejas.**

19. **Vas a escuchar a tres personas hablando sobre el *remarketing*. Pero, antes, ¿sabes en qué consiste? Habla con un(a) compañero/a e investiguen en qué consiste.**

20. **Escucha el audio. ¿Qué ejemplos de *remarketing* mencionan los entrevistados?**

21. **Escucha de nuevo el audio y marca qué opinión corresponde a cada uno de los entrevistados.**

Carlos   Daniela   Violeta

a. Le parece útil que le anuncien cosas que le interesan.
b. Cree que está mal que en internet se puedan conseguir tantos datos personales.
c. No le parece necesario que le vuelvan a anunciar productos o servicios que ha buscado antes.

22. **En grupos, discutan su opinión sobre las siguientes afirmaciones.**

- No es verdad que todos compremos por impulso.
- Es evidente que, para llamar la atención del consumidor, hay que apelar a sus emociones.
- No está tan claro que las emociones vendan por sí solas.
- No es ético usar los avances de la neurociencia para manipular al consumidor.
- Es una locura dar tanta información personal a las empresas.

— Yo no estoy de acuerdo con la primera afirmación. Creo que todos compramos por impulso, pero luego nos inventamos otros motivos...
— Pues yo no estoy de acuerdo contigo...

EL VERDADERO
MOTIVO DE
SUS COMPRAS...
SEGÚN EL
NEUROMARKETING

Lea estas dos descripciones de perfiles de comprador y piense con cuál se identifica más.

Comprador racional: compra productos que necesita. Antes de decidirse, compara precios, consulta foros y redes sociales, y sigue las recomendaciones de los expertos. No se fía de la publicidad; confía más en la opinión de otros consumidores.

Comprador impulsivo: compra algo sin saber por qué y luego busca explicaciones racionales para justificar su compra. En realidad, compra productos que asocia con determinadas emociones. La publicidad le influye mucho, pero la mayoría de las veces no es consciente de ello.

Si usted se ha identificado con el primer perfil, tenemos una mala noticia: usted miente o se engaña a sí mismo. Según el *neuromarketing*, el comprador racional no existe. Esta rama del *marketing* usa técnicas de la neurociencia para estudiar el cerebro del consumidor, entender cómo compra y así poder venderle más y mejor. Según los estudios de *neuromarketing*, un 90 % de las decisiones de compra se toman de forma inconsciente y emocional. Así que ya lo sabe, olvídese de las listas de la compra y no se moleste en *(don't bother)* comparar precios, porque al final será su cerebro reptiliano (el más instintivo) el que decidirá qué y cuándo comprar.

Los estudios de *neuromarketing* están de moda. ¿Sabía usted que el olfato *(smell)* es el sentido que se fija más en nuestra memoria (un 35 %), seguido de la vista, el oído y el tacto? ¿Que las emociones de tristeza *(sadness)* y pena activan casi las mismas

regiones del cerebro que la felicidad y que nos emocionamos más con los impactos negativos?

Toda esa información es muy valiosa para los productores y los establecimientos, ya que les permite crear productos que respondan a las necesidades de los clientes y diseñar campañas publicitarias y espacios pensados para comprar. Por eso, en las grandes superficies comerciales, todo está hecho para que el consumidor se sienta cómodo y encuentre fácilmente lo que busca. De este modo, comprará más y querrá volver.

Por otro lado, cada vez más empresas se basan en estudios de *neuromarketing* para diseñar campañas de publicidad emocional. Es evidente que vivimos en un mundo inundado de publicidad, en el que resulta difícil llamar la atención del consumidor. Y eso se consigue apelando a sus emociones, haciéndole reír y llorar.

Pero el *neuromarketing* genera polémica. Algunos científicos piensan que no es ético usar los avances de la ciencia para tener bajo control al consumidor y manipularlo cada vez más. Otros afirman que no es una ciencia exacta: el *neuromarketing* puede estudiar nuestras reacciones ante determinados estímulos, pero no explica nuestro comportamiento *(behavior)*. Es decir, nos puede gustar un anuncio, pero no por eso vamos a comprar el producto anunciado. Así que no está tan claro que las emociones vendan por sí solas. Y no parece verdad que todos compremos por impulso... o únicamente por impulso. ¿Qué opina usted? ¿Sigue pensando que es un comprador racional?

TÉCNICAS DEL *NEUROMARKETING*

Eye tracking
Permite registrar el recorrido de la mirada del consumidor en una tienda para ver en qué productos se fija.

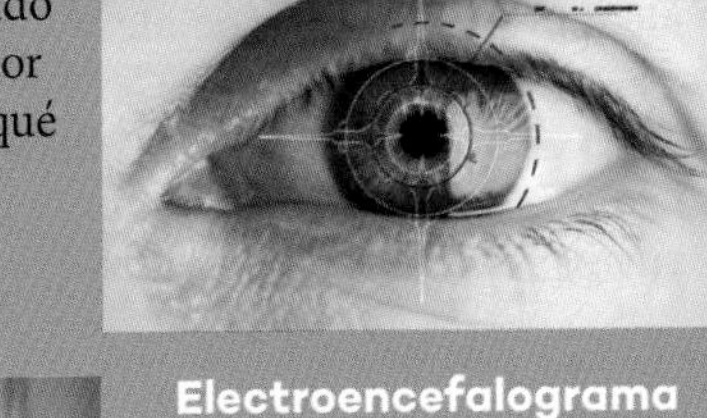

Electroencefalograma
Mide la actividad cerebral del cliente ante diferentes estímulos.

Biorretroalimentación
Mide los parámetros físicos como el ritmo cardiaco, la temperatura de la piel o la dilatación de las pupilas ante los estímulos.

AFIRMAR, NEGAR, EXPRESAR CERTEZA: SUBJUNTIVO O INDICATIVO

GRAMÁTICA

PREPÁRATE

23. Lee estas afirmaciones. ¿Con cuál estás más de acuerdo en cada caso? Márcalo.

1.

- Es verdad que **compramos** sobre todo las marcas que hemos visto anunciadas.
- No es verdad que **compremos** sobre todo las marcas que hemos visto anunciadas.

2.

- Es cierto que la gente inteligente **compara** precios antes de comprar.
- Es falso que la gente inteligente **compare** precios antes de comprar.

3.

- Está claro que para vender un producto **es** casi imprescindible hacer publicidad.
- No está claro que para vender un producto **sea** casi imprescindible hacer publicidad.

4.

- Creo que / Me parece que la mayoría de las personas **compran** por impulso.
- No creo que / No me parece que la mayoría de las personas **compren** por impulso.

24. Fíjate de nuevo en las frases anteriores. ¿Entiendes en qué casos el verbo aparece en indicativo y en qué casos en subjuntivo?

ESTRATEGIAS

Para entender el funcionamiento de la lengua, no te debes fijar únicamente en las estructuras de las frases que estás analizando: debes tener en cuenta también el significado.

25. En grupos, comenten sus respuestas a la actividad 24 y comprueben si han entendido la regla. Para ello, lean la explicación gramatical de Recursos lingüísticos.

VALORAR CON SUBJUNTIVO O INFINITIVO

GRAMÁTICA

26. Lee los siguientes titulares y entradillas de artículos reales y coméntalos con otras personas.

- **Una clienta demanda a una famosa cadena de café por no servir la cantidad de café anunciada. La clienta afirma que el café helado está cargado de hielo y pide una compensación económica de más de cuatro millones de dólares.**
- **Algunos países se plantean bloquear la publicidad de alcohol en las redes sociales.**
- **Cada vez más usuarios utilizan bloqueadores para no ver los anuncios que les molestan, lo que se está convirtiendo en un problema para las webs que viven de la publicidad.**
- **Reino Unido planea prohibir la publicidad de comida basura *(junk food)* en internet para disminuir la obesidad infantil.**
- **Solo cuatro casos de publicidad sexista han llegado a los tribunales en toda la historia de España.**
- **El 85 % de las mujeres que protagonizan anuncios son jóvenes, mientras que los hombres maduros con una imagen profesional son más habituales.**

(No) me parece bien
Es/me parece injusto

(No) es/me parece exagerado
(No) es/me parece normal
(No) es/me parece lógico
Es/me parece una vergüenza
Es/me parece una tontería

(No) está/me parece bien

demandar/plantearse
que alguien demande/se planteen...

— A mí no me parece bien que bloqueen la publicidad en las redes sociales porque...

EXPRESAR FINALIDAD: PARA + INFINITIVO, PARA QUE + SUBJUNTIVO

GRAMÁTICA

27. **Lees estas estrategias usadas en muchos supermercados. ¿Las conocías? Coméntalo con el resto de la clase.**

Pequeños trucos para que compres más
¿Conoces los trucos que emplean las grandes superficies para aumentar sus ventas?
Estos son algunos de ellos.

- Algunos carros de la compra tienen un pequeño freno en las ruedas para que nos cueste avanzar y compremos productos que no necesitamos.

- Muchos carros siempre se desvían hacia la izquierda para que tengamos que agarrarlos con esa mano y la derecha esté libre para ir agarrando cosas.

- Habitualmente ponen dulces y caramelos en las cajas para que en el último momento caigamos en la tentación y los pongamos en nuestro carro.

- Los productos imprescindibles están al final para obligarnos a recorrer todo el supermercado antes de encontrarlos.

28. **En parejas, describan otras técnicas de ventas que conozcan (pueden buscar en internet).**

En muchas tiendas de ropa ponen música alta y animada para que te sientas eufórico y compres más.

29. **Fíjate en las palabras subrayadas en el texto. ¿Qué forma verbal aparece tras** para**? ¿Y tras** para que**? Puedes consultar Recursos lingüísticos.**

30. **Responde a las siguientes preguntas. Usa las estructuras subrayadas en el texto.**

1. ¿Cuándo y para qué vas a hipermercados, grandes almacenes o centros comerciales?
2. ¿Para qué piensas que sirve la publicidad?
3. ¿Y para qué crees que sirven realmente las ofertas y las ventas especiales?

31. **En parejas, pongan en común sus respuestas a la actividad 30.**

COMBINACIONES LÉXICAS: UNA CAMPAÑA ORIGINAL

VOCABULARIO

32. En grupos, formen combinaciones con estas palabras. ¿Se les ocurren otras para completar las series?

publicidad > ....

una campaña > ....

.... > una campaña

engañosa | lanzar | de concientización | retirar | publicitaria | de *marketing* | de sensibilización | subliminal | sexista | agresiva

© Sebastián Fiorilli

33. ¿Con cuáles de estas afirmaciones te identificas? Coméntenlo en parejas.

- **Compro** muchas veces **por impulso**.
- **Compro** mucho **por internet**.
- Siempre **comparo precios** antes de comprar.
- Me gusta mucho **ver** los **anuncios** de la tele.
- **Recibo** mucha **publicidad**: en el buzón, en mi *mail*...
- Yo no **me dejo influenciar por** la publicidad.
- **Me fío de** las recomendaciones que leo en foros.

PALABRAS DERIVADAS

VOCABULARIO

34. En parejas, busquen palabras de la misma familia y completen la tabla. Pueden buscar en internet.

sustantivo	verbo	adjetivo
manipulación	....	....
engaño	....	....
influencia	....	influenciable
consumo	....	....
....	publicitar	....
emoción	....	....
convicción	....	convincente
persuasión	persuadir	....

ESTRATEGIAS

Fijarte en los sufijos de algunos adjetivos que se forman a partir de verbos y de sustantivos puede ayudarte a reconocer otros adjetivos y entender mejor su significado.

ADJETIVOS PARA DESCRIBIR LA PUBLICIDAD

VOCABULARIO

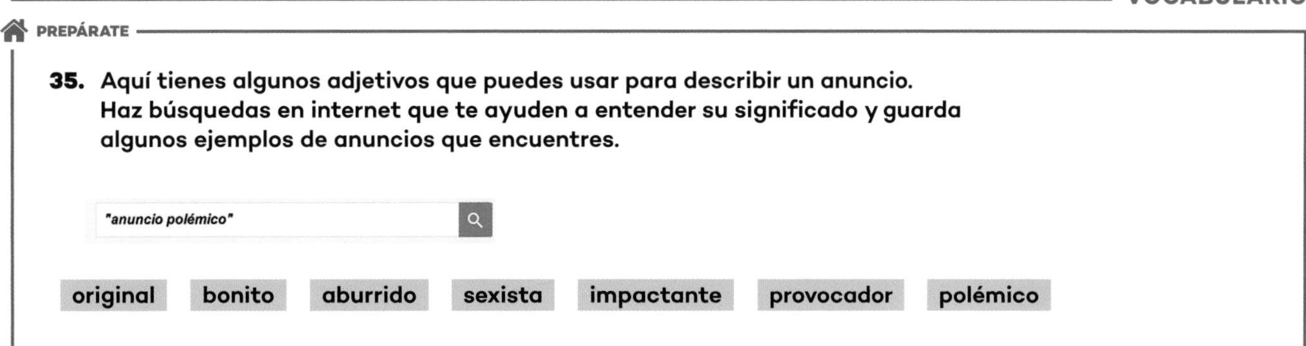

PREPÁRATE

35. **Aquí tienes algunos adjetivos que puedes usar para describir un anuncio. Haz búsquedas en internet que te ayuden a entender su significado y guarda algunos ejemplos de anuncios que encuentres.**

"anuncio polémico"

original · bonito · aburrido · sexista · impactante · provocador · polémico

36. **En grupos, compartan los anuncios que han encontrado y coméntenlos.**

Yo encontré este anuncio. Dicen que es original, y estoy de acuerdo porque...

MÁS DE 100
TIGRES
ASESINADOS
CADA AÑO
Únete a la lucha contra el tráfico de especies
stoptraficoespecies.es
WWF
STOP TRÁFICO

LAS CONNOTACIONES DE ALGUNOS VERBOS

VOCABULARIO

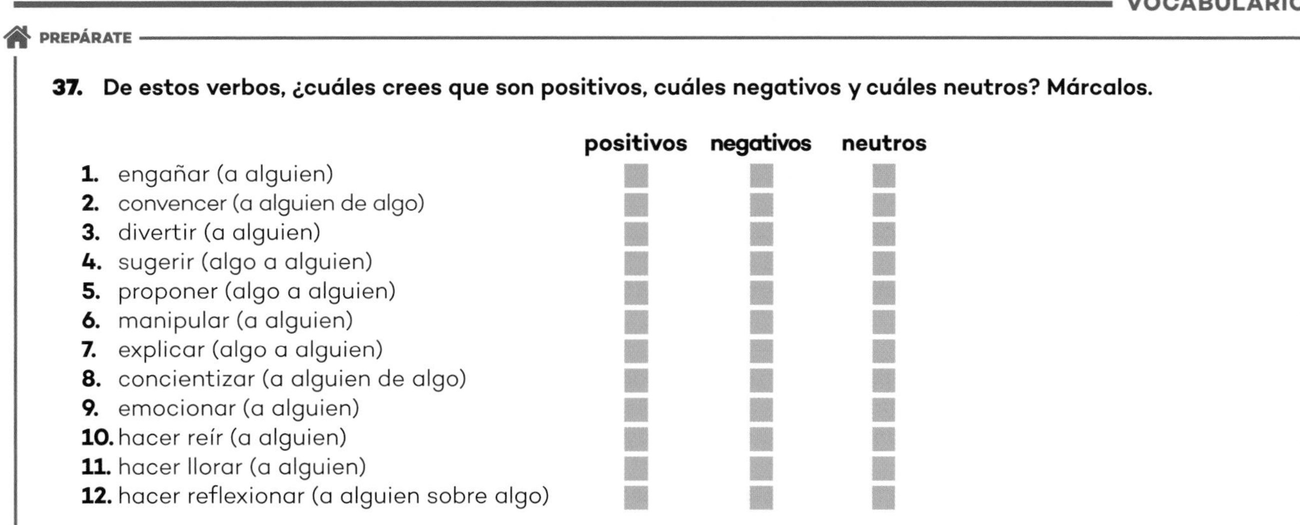

PREPÁRATE

37. **De estos verbos, ¿cuáles crees que son positivos, cuáles negativos y cuáles neutros? Márcalos.**

	positivos	negativos	neutros
1. engañar (a alguien)			
2. convencer (a alguien de algo)			
3. divertir (a alguien)			
4. sugerir (algo a alguien)			
5. proponer (algo a alguien)			
6. manipular (a alguien)			
7. explicar (algo a alguien)			
8. concientizar (a alguien de algo)			
9. emocionar (a alguien)			
10. hacer reír (a alguien)			
11. hacer llorar (a alguien)			
12. hacer reflexionar (a alguien sobre algo)			

38. **En grupos, comparen sus respuestas a la actividad 37. ¿Están de acuerdo?**

39. **Piensa en un anuncio que te gusta y en otro que no. ¿Qué hacen: convencen, sugieren, manipulan, concientizan sobre algo...? Coméntenlo en grupos.**

Normalmente no me gustan los anuncios de cremas porque engañan a la gente: ¡nadie consigue una piel (skin) *así! Pero hay uno que me gusta mucho...*

CONECTORES PARA ARGUMENTAR

CARACTERÍSTICAS DEL TEXTO

PREPÁRATE

40. **Lee esta cita del publicista estadounidense Wiliam Bernach. ¿Estás de acuerdo? ¿Cómo debería ser una publicidad que ayude a formar a la sociedad? Escribe al menos tres ideas.**

> Todos los que utilizamos profesionalmente los medios de comunicación somos los artífices de la sociedad. Podemos vulgarizar esa sociedad. Podemos brutalizarla. O podemos ayudar a subir a un nivel superior.

41. **Ahora vas a leer algunos de los principios que Juanjo Mestre, un publicista español, considera muy importantes en la publicidad. ¿Encuentras algunas de las ideas que has escrito en la actividad 40?**

1. **Asumir la conciencia consciente:** entender que podemos hacer que ciertos valores tengan una presencia mayor en la sociedad, y así hacerlos más visibles. Feminismo, atención a las personas sin hogar *(home)*, deshacernos de cuerpos estereotipados, impedir el racismo, el machismo... Todo eso está en nuestras manos. (...) Además, es fácil de llevar a cabo.
2. **Decir la verdad:** porque es lo más cómodo, pero es que, encima, vende más, porque nos hace más fiables (...).
3. **Ser creativos:** este adjetivo aparece hasta en nuestro cargo y firma (...), pero a la hora de la verdad, pocas veces presumimos con el ejemplo. Es más, os invito a abrir cualquier revista o a encender la radio un rato. ¿No da un poco de vergüenza *(embarrassment)*?
4. **Ser coherentes:** entre los dichos y los hechos, porque es lo más importante en términos de reputación y credibilidad. Por mucha presión que hagamos, nunca nos creerán si no acompañamos los mensajes con acciones. Una cúpula directiva de una empresa de publicidad que esté solo compuesta por hombres no debería hacer una campaña sobre el feminismo. (...)
5. En definitiva, **amar nuestra profesión:** para poder dignificarla hacia los anunciantes y, sobre todo, hacia los ciudadanos/personas (...).

Esta es la única manera en la que creo, sinceramente, que podremos crear un sistema sostenible, efectivo y además eficiente tanto para agencias y anunciantes como para los receptores. ¿Conseguiremos así acabar con el estereotipo de que los publicitarios somos gente que miente y vende humo?

Fuente: www.elpublicista.es

42. **En parejas, comparen sus respuestas a las actividades 40 y 41.**

43. **Los conectores subrayados sirven para añadir una información. ¿Cuáles serían las equivalencias en inglés?**

44. **¿Qué conector es el más adecuado en cada caso? Subráyalo.**

1. A mí me gusta ver anuncios en internet, **sobre todo/es más** porque normalmente son cosas que me interesan. ¡A veces **es más/incluso** descubro marcas muy interesantes!
2. Yo creo que hay mucha publicidad sexista. **Es más/además**, para mí casi toda la publicidad es sexista. ¡Y **sobre todo/encima**, cuando lo dices, la gente cree que eres una exagerada!
3. Cada vez hay publicidad más creativa. Para mí, la mejor es la llamada “publicidad útil”: son carteles publicitarios que **es más/además** sirven de algo, por ejemplo, para sentarse (como algunos bancos que son también carteles).
4. Me encanta la publicidad de todo tipo, **sobre todo/además** la de perfumes. ¡Son siempre anuncios tan delicados y sensuales!
5. Los relojes de los anuncios siempre marcan las 10:10 h porque las agujas dibujan una sonrisa y producen una sensación de felicidad. **Además/Sobre todo**, el cliente puede ver bien la marca, que suele estar en la parte inferior del reloj.

ENTONACIÓN DE LAS EXCLAMATIVAS

SONIDOS

45. Escucha estas dos frases. ¿Qué diferencias ves en la entonación? ¿Qué se busca con la entonación de la segunda frase?

1. Otra vez el mundial, otra vez el himno, las expectativas, la pasión...

....

....

....

2. Nos apasiona soñar con ellos y demostrarnos que nada es imposible.

....

....

....

ESTRATEGIAS

A veces la entonación tiene una función expresiva: sirve para enfatizar un mensaje o reforzar un sentimiento. Para ello, cambia el volumen de la voz, aumenta la velocidad y se destacan ciertas palabras.

CONSONANTE + L / CONSONANTE + R

SONIDOS

46. Escucha y repite las siguientes palabras.

1. blanco
2. clave
3. padre
4. crítica
5. teatro
6. tren
7. compra
8. precio
9. cobra
10. celebrar

ESTRATEGIAS

A veces pronunciar dos consonantes juntas puede ser difícil, como en los grupos de consonante + **l** o consonante + **r**. Si te cuesta pronunciar **blanco** o **precio**, para entrenarte, puedes empezar diciendo una vocal en medio: **balanco** > **blanco**, **perecio**>**precio**.

47. Escucha y repite las siguientes series.

1.	balanco	blanco
2.	calave	clave
3.	pádere	padre
4.	quirítica	crítica
5.	teátoro	teatro
6.	terén	tren
7.	cómpara	compra
8.	perecio	precio
9.	cóbara	cobra
10.	celebarar	celebrar

48. En grupos, digan este trabalenguas.

La liebre, el loro
y la libélula lloran
libres sobre
un libro.

MEDIOS DE COMUNICACIÓN

Franja del "no"

CHILE

Palacio de la Moneda. Santiago de Chile

En 1988, el dictador chileno Pinochet debía someterse a un referéndum ciudadano que decidiría si gobernaba otros ocho años más.

El 5 de septiembre de 1988 aparecieron los primeros espacios de propaganda electoral en la televisión. Tanto la opción del "sí" como la del "no" disponían de 15 minutos diarios para convencer a la ciudadanía sobre las ventajas o desventajas de mantener a Pinochet en el Gobierno hasta 1997.

Desde el principio, las dos franjas se diferenciaron como el día y la noche. La propaganda del "sí" prefirió recurrir a una "campaña del terror"(como la calificaron sus opositores), que anunciaba un futuro de desorden y caos si el Gobierno militar no ganaba el referéndum.

La propaganda del "no", en la que participaron los artistas y actores más destacados del país, fue inteligente, sutil y efectiva desde el principio. Los publicistas y comunicadores enviaron un emotivo mensaje de esperanza, con toques de humor.

Al pasar los días, la franja del "no" comenzó a conquistar el corazón y la intención de voto de los espectadores. El propio ministro del Interior del régimen militar, Sergio Fernández, admitió años después que los resultados de la campaña del "sí" fueron lamentables.

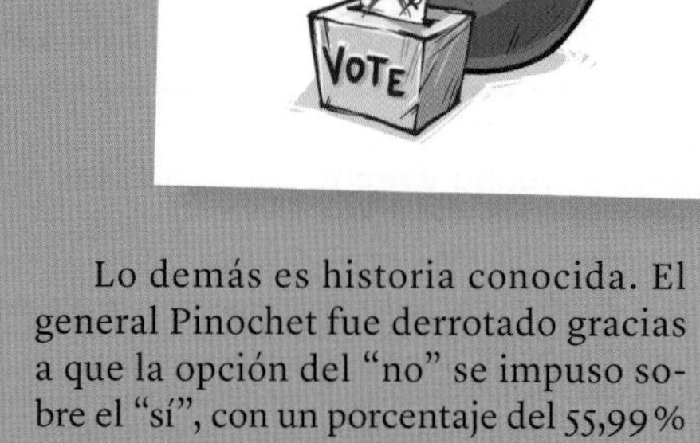

Lo demás es historia conocida. El general Pinochet fue derrotado gracias a que la opción del "no" se impuso sobre el "sí", con un porcentaje del 55,99 % contra un 44,01 %. Miles de chilenos salieron el día 6 de octubre a las calles a celebrar.

ANTES DE LEER

49. Antes de leer el texto, busca en internet el video de la campaña del "no", una iniciativa muy importante en la historia de Chile. Escribe en un buscador el lema de esa campaña: "Chile, la alegría ya viene". Ve el video y contesta las preguntas.

- ¿Qué tipo de campaña publicitaria crees que era?
- ¿A qué o a quién crees que va dirigido el "no" ("Vamos a decir que no", "Voy a decir que no")?

DESPUÉS DE LEER

50. Lee el texto y comprueba tus hipótesis.

51. Indica cuáles son las características de cada campaña, según el texto.

	Campaña del "sí"	Campaña del "no"
Utilizaba el miedo.		
Advertía del desorden.		
Tenía un mensaje positivo.		
Transmitía esperanza.		
Utilizaba el humor.		

52. Sin mirar en el diccionario, ¿qué crees que significa la palabra franja **en el texto?**

53. Busca el video de la campaña del "sí". ¿Identificas las características que se mencionan en el texto? Añade otras y luego coméntalo en clase.

54. ¿Quieres saber más sobre la historia reciente de Chile? Busca información en internet sobre estos temas y anota lo más relevante.

Gobierno de Unidad Popular | Salvador Allende | Augusto Pinochet | dictadura | transición a la democracia

ENSAYO

Los ciberandinos de Orlando Arias

La obra del artista boliviano Orlando Arias Morales se caracteriza por su contenido filosófico y humanista. En series como *Ciberandinos* y *Homo Evolutis*, Arias crea androides con toques *(details)* andinos y llenos de simbolismo a través de los cuales hace una crítica de la sociedad actual. Para Arias, la adicción al consumo convierte a los seres humanos en robots que dependen de la tecnología. Por eso sus figuras son seres robotizados, que, por culpa de su dependencia de la tecnología, han dejado de lado los valores humanistas y la búsqueda de la felicidad verdadera.

Joan Lluís Montané, de la Asociación Internacional de Críticos de Arte, afirma sobre la serie *Ciberandinos*: "Hay futuro, pero también un sentimiento intenso de soledad, de estar aislados en un planeta enfermo, (...) reflejando la angustia en los robots que son personas, pero también máquinas, porque la fiebre del consumismo nos ha convertido en almas en pena, sin ideales, (...) estamos iluminados pero no lo sabemos, aspiramos a la iluminación pero nos venden marcas y productos (...). Nos preparan para vivir más en un contexto banal, en el que lo que importa es el exterior luminoso y no el interior iluminado".

Fuente: ariasarte.wordpress.com/biografia

De la serie *Homo Evolutis*

ANTES DE LEER

55. **En parejas, observen la obra. ¿Qué ven en ellas? Hagan una descripción objetiva. ¿Qué les sugiere? Ahora descríbanlas de forma subjetiva.**

DESPUÉS DE LEER

56. **Lee el texto introductorio y el comentario del crítico de arte. ¿Aparecen ideas que han mencionado ustedes? ¿Qué ideas interesantes encuentras?**

57. **En parejas, vuelvan a observar el cuadro. Elijan y justifiquen un título diferente.**

58. **Escoge una de estas dos opciones.**

- Busca en internet ejemplos de campañas publicitarias futuristas. ¿Qué anuncian? ¿Cómo se presenta a la sociedad o a las personas? ¿Qué papel tiene la marca en esa visión futurista?
- Busca ejemplos de publicidad que use obras artísticas para transmitir su mensaje. Escoge uno que te parezca interesante y preséntaselo a la clase. ¿Qué se anuncia? ¿Qué elementos artísticos se incluyen? ¿Qué efecto tiene? ¿Por qué te parece interesante?

toque: *detail*

ser: *being*

por culpa de: *because of*

alma en pena: *lost soul*

EL TEXTO PUBLICITARIO

59. En pequeños grupos, comparen estos dos anuncios gráficos. ¿Qué tienen en común las imágenes y los textos? ¿Qué anuncian? ¿Cuál es su objetivo principal?

60. **Lean el blog sobre publicidad y analicen los anuncios contestando con atención a los ocho aspectos que se mencionan en él. Luego interpreten los datos. ¿Qué conclusiones extraen?**

OCHO PREGUNTAS PARA INTERPRETAR LA PUBLICIDAD

En la sociedad de consumo los productos necesitan visibilidad para llegar a sus receptores. La publicidad busca persuadir y también mantener vivos nuestros deseos y conciencias. Por esa razón, en realidad no solo consumimos objetos, sino también ideas, ideologías, estados anímicos, modos de vida, etc. Aquí enumeramos ocho aspectos, presentados a modo de preguntas, que es necesario tener en cuenta a la hora de analizar, interpretar y crear un anuncio o una campaña publicitaria.

1. EMISOR
¿Quién habla?

Emisor primario ¿Qué empresa, institución o entidad anuncia? ¿Qué intereses tiene?

Emisor mediador ¿Qué voz o voces habla(n) en el texto del anuncio? ¿Se usa la primera, segunda o tercera persona?

2. PRODUCTO
¿Qué se anuncia?

Nombre y marca ¿Tiene un nombre distintivo? ¿Y este tiene alguna connotación?

Tipo ¿A qué sector del mercado pertenece?

Descripción ¿Cuáles son sus características y funciones principales?

3. RECEPTOR
¿A qué público se dirige?

Perfil general ¿Quién es el destinatario principal? (sexo, edad, estudios, poder adquisitivo, etc.)

Expectativas ¿Se pretende encontrar, fidelizar o recuperar clientes?

4. ESTRATEGIAS
¿Qué recursos emplea?

Aspectos que se destacan
- la cantidad
- la calidad
- el precio
- la relación calidad-precio
- la seguridad
- la garantía
- la facilidad de uso
- la originalidad
- la necesidad
- la libertad
- la satisfacción
- la rivalidad
- la solidaridad
- la competencia
- la moda
- el éxito

Argumentación ¿Utiliza un razonamiento lógico para convencer? ¿Es un argumento objetivo o subjetivo?

Emociones ¿A qué emociones apela?
- miedo
- enfado
- tristeza
- asco
- sorpresa
- alegría
- otras

5. LENGUA
¿Qué tipo de lenguaje se usa?

Partes del texto ¿Cuál es el eslogan, el texto principal, el secundario, etc.?

Género ¿Se usa la narración, la descripción, la exposición, la argumentación, las instrucciones?

Registro ¿Es más o menos formal? ¿Es lenguaje oral o escrito?

Léxico ¿Usa palabras clave, repeticiones, tecnicismos, expresiones idiomáticas, préstamos de otras lenguas, etc.?

Recursos literarios ¿Se emplean metáforas, metonimias, juegos de palabras, etc.? ¿Qué función cumplen?

6. LO ICÓNICO
¿Cómo son las imágenes?

Tipo ¿Cómo es la imagen: real, manipulada, artificial, etc.?

Foco ¿Qué elementos destacan en las imágenes?

Colores ¿Qué función cumplen los colores?

Dependencia ¿Qué correspondencia hay entre la imagen y el texto?

7. LO AUDITIVO
¿Qué sonidos aparecen?

Voces ¿Incluye algún texto oral? ¿Quién habla y en qué tono?

Música ¿Qué tipo de música se emplea? ¿Cómo ilustra el mensaje del anuncio?

Dependencia ¿Qué correspondencia existe entre la imagen, el texto oral y escrito y otros sonidos?

8. CONTEXTO
¿Dónde y cuándo se anuncia?

Conocimiento sociocultural ¿Qué conocimiento del mundo (*background*) necesita el receptor para interpretar el mensaje?

Formato ¿Es un anuncio gráfico, un póster, un video, un cortometraje, un reportaje, un blog, etc.?

Medio ¿Internet, prensa, televisión, radio, etc.?

61. **Busquen en la red otros anuncios sobre productos o iniciativas similares y compárenlos con la página anterior.**

PROYECTO EN GRUPO

Una campaña de concientización

Vamos a crear una campaña de concientización sobre un problema urgente de nuestro entorno.

A. **En pequeños grupos, hagan una lista de los problemas más urgentes de su contexto cultural.**

- derechos civiles
- ecología y medioambiente
- ciberacoso
- educación
- economía
- salud
- otros

— A mí me parece que el cambio climático es uno de los principales problemas en todo en mundo.
— Sí, también en Estados Unidos.
— Necesitamos más consciencia sobre este tema.

— Yo creo que el acoso escolar es un problema muy actual, sobre todo el ciberacoso.
— Sí, es increíble que haya tantos casos en las escuelas, incluso entre estudiantes muy jóvenes.

B. **Escojan uno de los problemas y diseñen una campaña en las redes sociales. Pueden guiarse por los puntos de esta ficha y por la información del texto de la actividad 60.**

- ¿En qué consiste el problema?
- ¿Cuáles son sus causas y sus consecuencias y qué alternativas y soluciones proponen?
- ¿Qué mensaje quieren transmitir?
- ¿A qué público quieren llegar?
- ¿Cuál puede ser el título o eslogan de su campaña?
- ¿Qué imágenes pueden usar?
- ¿Qué red social es la más adecuada para su campaña?
- ¿Qué etiquetas o *hashtags* (#) van a utilizar?
- ¿Qué estrategias y medios usarán para hacer popular su etiqueta?

C. **Presenten y defiendan su campaña ante toda la clase.**

D. **Los demás evalúan la campaña. Para ello, pónganse de acuerdo en los criterios de evaluación.**

PROYECTO INDIVIDUAL

Un texto sobre buenas prácticas

Vas a publicar en un blog o en una red social un texto a favor o en contra de una práctica publicitaria o de una técnica de mercadotecnia.

A. Primero, piensa sobre qué quieres hablar.

- las tarjetas de fidelización, la publicidad en los buzones
- marcas que crean perfiles falsos para dar la opinión en foros
- las ventas puerta a puerta
- ...

B. Haz un guion con tus argumentos principales. Luego, escribe el texto.

C. Intercambia tu texto con el de otra persona. Cada uno revisa el texto de la otra.

D. Publica tu texto en el entorno virtual de la clase. Luego, lee los textos de otras personas y reacciona escribiendo comentarios.

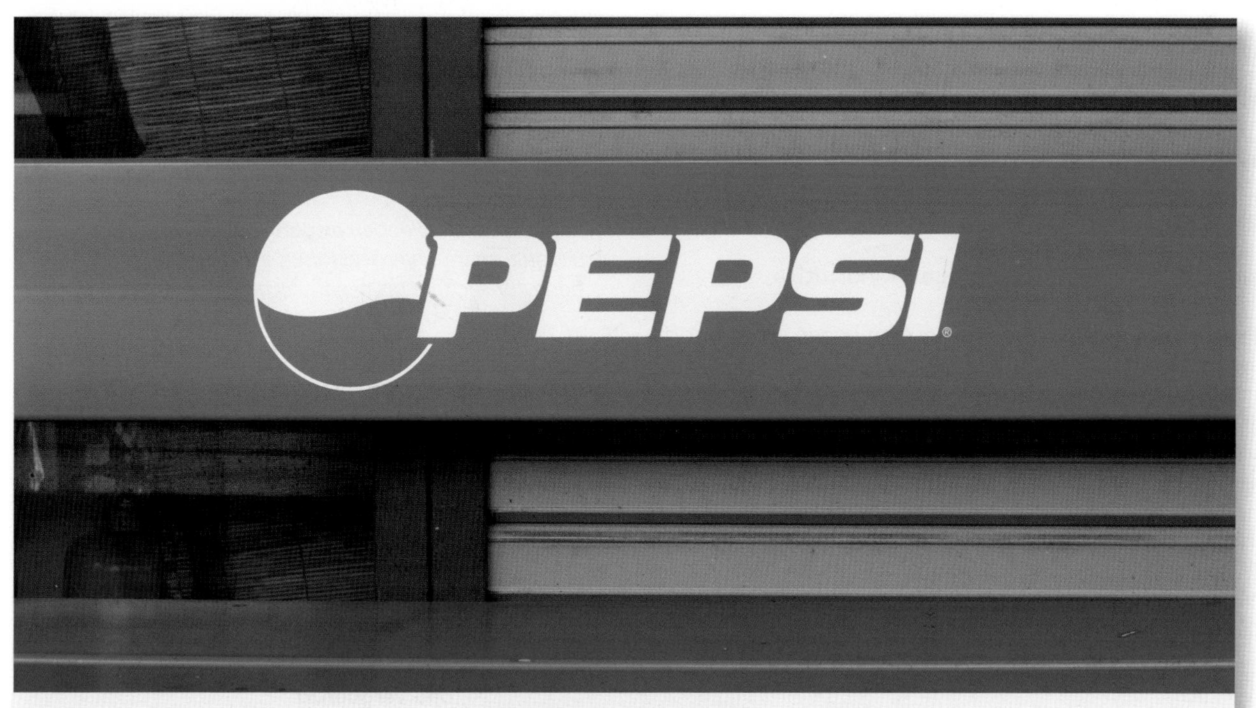

¡PUBLICIDAD ÚTIL!

Me parece genial la idea que han tenido algunas empresas. Hacen anuncios en espacios públicos, como plazas, con formas que tienen una utilidad para los ciudadanos, además de hacer publicidad. Esta foto es de un banco. Creo que es muy positivo que las empresas publicitarias usen de manera más responsable los espacios urbanos.

GRAMMAR

STATING, NEGATING, AND EXPRESSING CERTAINTY WITH THE INDICATIVE/SUBJUNCTIVE

Structures used to state and express certainty—that is, that present information as fact—are followed by the indicative. Those that negate and express uncertainty are followed by the subjunctive.

▶ **Stating**

creo que... / me parece que... + present indicative

Yo creo que *la publicidad siempre engaña un poco, ¿no?*
A mí me parece que *la publicidad a veces es honesta.*

▶ **Negating**

no creo que... / no me parece que... + present subjunctive

A mí no me parece que *el neuromarketing sea muy distinto del marketing tradicional.*
Yo no creo que *la publicidad deba estar permitida en las escuelas.*

▶ **Expressing certainty**
Expressions of certainty like **es verdad**, **es cierto**, **es evidente**, **está demostrado** or **está claro** are followed by the present indicative because they present information as a fact.

es verdad/cierto/evidente que... + indicative

Es evidente que *los anuncios que te hacen emocionarte son los mejores.*

However, when used in the negative, these expressions take the subjunctive because they no longer present information as a fact.

no es verdad/cierto/evidente que... + subjunctive

No es cierto que *esta campaña pretenda manipular al consumidor.*

WORD FAMILIES

In a word family, there is a variety of nouns, verbs, and adjectives.

noun	verb	adjective
anuncio	anunciar	anunciador/anunciante
manipulación	manipular	manipulador
engaño	engañar	engañoso
influencia	influir	influyente
consumo	consumir	consumista/consumidor
publicidad	publicitar	publicitario
emoción	emocionar	emocionante
convicción	convencer	convincente
persuasión	persuadir	persuasivo

Sometimes the root word is the verb—for example, **manipular**—and the nouns and adjectives are derived from it (**manipulación**, **manipulador**, **manipulable**). Other times the root word is the noun, like **emoción**, and the verb and adjective (**emocionar**, **emocionante**) are derived from it. The adjective can also be the root word, as with the word **simple**, from which the noun and verb (**simplicidad**, **simplificar**) are derived.

Using words from the same family is an elegant way to write cohesively without repetition.
*Los anuncios no deben **engañar** al consumidor porque, en muchas ocasiones, ese **engaño** tiene consecuencias negativas para la marca.*

EXPRESSING PERSONAL OPINIONS WITH THE SUBJUNCTIVE OR INFINITIVE

es **me parece**	**lógico** **normal** **increíble** **una tontería** **injusto** **exagerado** **peligroso** **una vergüenza**	**que** + present subjunctive + infinitive

me parece bien/mal	**que** + present subjunctive + infinitive
está bien/mal	**que** + present subjunctive + infinitive

When the main clause expresses an opinion or comment in the subordinate clause, we use the subjunctive in this subordinate clause when the person who comments is different from the subject of the subordinate clause.

Es lógico que *(impersonal) los publicistas quieran (ellos) saber qué pasa en la mente del consumidor.*
Me parece genial *(a mí) que quieras (tú) estudiar mercadotecnia.*

We use the infinitive when the subject of the two clauses is the same: the speaker is either talking about himself or herself, or making a general statement.

Es normal *tener miedo de algunos avances.*
Está muy bien *recibir información de productos y folletos en las redes sociales.*

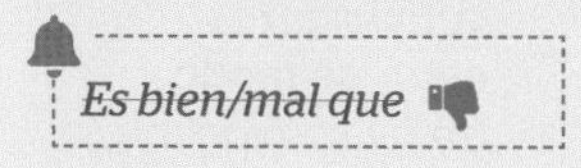

Me parece horrible *(a mí) abrir el correo (yo, en general) y encontrar esa enorme cantidad de spam (yo, en general).*

EXPRESSING PURPOSE WITH THE SUBJUNCTIVE/ INFINITIVE

We express purpose with **para** + infinitive or **para que** + subjunctive.

para + infinitive

We use the infinitive when the subject is the same in both clauses.

Las empresas usan el remarketing ***para*** *convencer (las empresas) a los clientes que están dudando.*

para que + subjunctive

We use the subjunctive when the subjects in the main and subordinate clauses are different.

Las empresas usan el remarketing ***para que*** *los clientes que dudan se convenzan.*

COMMUNICATION

DEFINING/EXPLAINING WHAT SOMETHING IS

es una forma de **es el arte de**	seducir/mostrar/presentar...
es lo/algo que **es una cosa que**	seduce/muestra/presenta...

COHESION

CONNECTORS TO CONSTRUCT AN ARGUMENT: ADDITIVE

además *(in addition)*

Adds information that follows the same line of argument, without necessarily introducing any additional or different sense or connotation.

Es llamativo, diferente, y ***además*** *es ecológico.*

encima *(on top of that)*

Introduces new information that challenges what is expected, usually with a connotation of surprise or disagreement.

Los que hacen anuncios engañan a la gente y ***encima*** *ganan dinero.*

incluso *(even, including)*

Adds and highlights information that is somewhat unexpected.

Hay publicidad de todo tipo en todas partes y ahora ***incluso*** *hay personas-anuncio.*

ni siquiera *(not even)*

Introduces and emphasizes something that has not happened.

Los famosos ganan un montón, se pasan la vida yendo a eventos y fiestas, y ***ni siquiera*** *compran los vestidos que llevan: ¡se los regalan las marcas!*

es más *(moreover)*

Introduces a new, stronger argument.

Yo creo que usar el cuerpo para hacer publicidad no está bien. ***Es más****, creo que debería estar prohibido.*

sobre todo *(above all)*

Introduces new information that should be considered more than previous information.

Es estético, llama la atención y, ***sobre todo****, no molesta a nadie.*

RECURSOS LINGÜÍSTICOS

VOCABULARY

PUBLICIDAD *(ADVERTISING)*

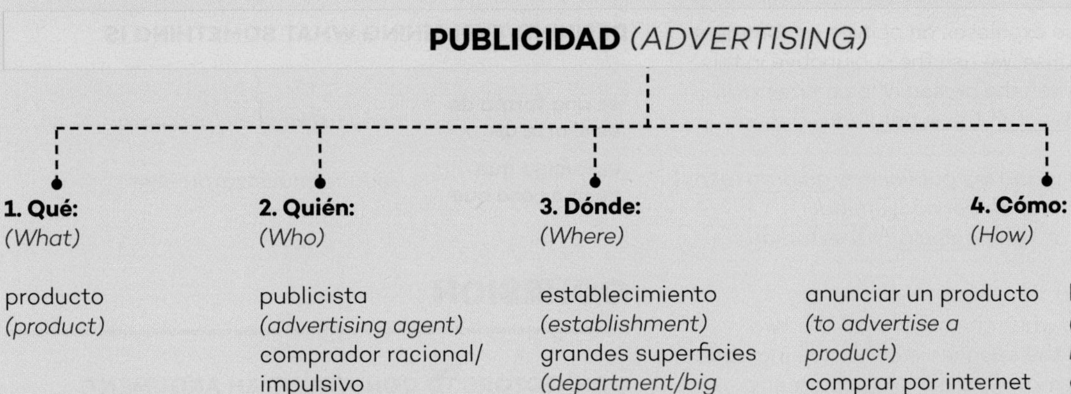

1. Qué: *(What)*

producto *(product)*

2. Quién: *(Who)*

publicista *(advertising agent)*
comprador racional/impulsivo *(rational/impulsive consumer)*

- reaccionar ante estímulos *(to react to stimuli)*
- decidirse por un producto *(to choose a product)*
- necesitar cosas *(to need things)*

3. Dónde: *(Where)*

establecimiento *(establishment)*
grandes superficies *(department/big box stores)*
valla publicitaria *(billboard)*

4. Cómo: *(How)*

anunciar un producto *(to advertise a product)*
comprar por internet *(to buy online)*
crear una marca *(to create a brand)*
diseñar un anuncio *(to design an ad)*
estudiar mercadotecnia *(to study marketing)*
hacer *marketing* online/digital *(to do online/digital marketing)*
técnicas de venta *(sales techniques)*
basarse en estudios *(to be based on research)*
diseñar una campaña publicitaria *(to design an advertising campaign)*
estar de moda *(to be fashionable/in style)*
llamar la atención *(to stand out/grab attention)*
poner un cartel publicitario/anuncio luminoso *(to post an ad/poster/illuminated sign)*

CONSEJOS PARA COMPRAR BIEN *(TIPS FOR A GOOD PURCHASE)*

comparar precios *(compare prices)*
consultar foros/redes sociales *(check forums/social media)*
(no) fiarse de (toda) la publicidad *(don't trust (all) the advertising)*
hacer la lista de la compra *(make a shopping list)*
no comprar por impulso *(avoid compulsive buying)*
seguir recomendaciones/confiar en la opinión de expertos *(follow recommendations/trust the opinions of the experts)*
ser consciente de tus necesidades *(be aware of what you need)*
tomar decisiones de forma consciente *(make sensible decisions)*

LOS CINCO SENTIDOS *(THE FIVE SENSES)*

el gusto *(taste)*

el oído *(hearing)*

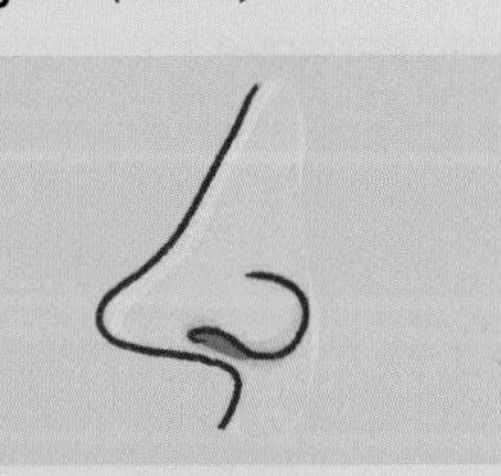

El olfato *(smell)*

el tacto *(touch)*

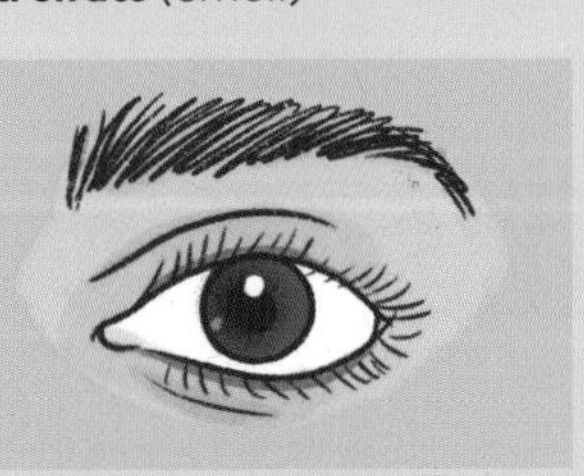

la vista *(sight)*

OBJETIVOS DE LA PUBLICIDAD
(THE GOALS OF ADVERTISING)

concientizar (a alguien) (de algo)
to raise awareness/to make aware

*Es una campaña para **concientizar**nos de que tenemos que leer más.*

convencer (a alguien) (de algo) *(to convince)*

*No estábamos seguros de comprar un auto, pero varios amigos nos **convencieron** de que era lo mejor.*

emocionar (a alguien) *(to move/touch)*

*Algunas campañas de concientización consiguen **emocionar**me.*

engañar (a alguien) *(to trick/mislead)*
mentir (a alguien) *(to lie)*

*La publicidad no puede **engañar** a la gente. De hecho, la publicidad engañosa es denunciable.*

explicar (algo) (a alguien) *(to explain)*

*Es un anuncio que (nos) **explica** las ventajas de usar la bici para desplazarse.*

divertir (a alguien) *(to entertain/amuse)*

*Me **divierten** mucho los anuncios de esa marca. Tienen un humor muy fino.*

hacer llorar/reír (a alguien) *(to make cry/laugh)*

*Este anuncio pretende **hacer llorar** a la gente, pero no lo consigue.*

hacer reflexionar (a alguien) (sobre algo)
(to make (someone) think about/reflect on (something))

*La campaña quiere hacernos **reflexionar** sobre la discriminación.*

manipular (a alguien) *(to manipulate)*

*La publicidad emocional quiere **manipular** al consumidor jugando con sus emociones.*

provocar (a alguien) *(to provoke/be provocative)*

*Esa campaña quería **provocar**, pero lo que consiguió fue ofender a muchas personas.*

sugerir (algo) (a alguien) *(to suggest)*
proponer (algo) (a alguien) *(to propose)*

*Ayer me llamaron de una compañía de telefonía celular que no conocía y me **propusieron** que me cambiara. La verdad es que la oferta era muy buena.*

FREQUENT WORD COMBINATIONS

publicidad emocional | engañosa | sexista | agresiva | subliminal | online | personalizada

emotional/misleading/sexist advertising
aggressive/subliminal advertising
online/personalized advertising

fijarse en | dejarse influenciar por **la publicidad**
hacer | prohibir

to notice/be influenced by advertising
to advertise/to ban advertising

una campaña de publicidad | de *marketing* | de marcadeo | de concientización | de sensibilización | agresiva | efectiva

advertising/marketing campaign
awareness campaign
aggressive/effective campaign

denunciar | retirar **una campaña**

to condemn/withdraw a campaign

un anuncio original | racista | aburrido | impactante | provocador | polémico | llamativo

an original/racist/boring ad
an impressive/provocative ad
a controversial/an appealing ad

un anuncio de perfumes | de autos | de la marca... | realizado por | diseñado por | dirigido a

a fragrance/car ad
an ad from [brand]
an ad made by/designed by/targeted at

recibir | crear | diseñar | hacer | ver **un anuncio**

to receive/create/design/make/see an ad

recomendar | vender | comprar | anunciar **un producto**

recommend/sell/buy/advertise a product

comprar por internet | por impulso | impulsivamente

to buy online/to buy on impulse

transmitir valores | una imagen | un mensaje

to communicate values
to broadcast/send an image
to send/deliver a message

comparar opiniones | productos | precios

to compare opinions/products/prices

generar polémica | críticas

to create controversy/criticism

HISTORIAS Y DESAFÍOS

En este capítulo, vas a aprender a hablar de acontecimientos históricos.

LEARNING OUTCOMES
- Describe historical events
- Express opinion
- Express agreement and disagreement

VOCABULARY
- History and politics

LANGUAGE STRUCTURES
- The past perfect
- Narrate past events
- The historic (narrative) present
- Relative clauses with **que**, **quien**, and **donde**

ORAL AND WRITTEN TEXTS
- Enriching vocabulary: nominalization
- Journalistic genre

SOUNDS
- The letter **ñ**
- Accents on words
- The **qu**- group

CULTURE
- The history of relations between Spanish-speaking countries
- The history of El Salvador
- Committed literature: Laura Restrepo (Colombia)

PROJECTS
- Group: present a historic moment through a monument, statue, building, etc.
- Individual: achievements in recent centuries

IMÁGENES

PREPÁRATE

1. Mira la tira cómica e intenta entenderla. Para ello, contesta a estas preguntas:

1. ¿Qué dos grupos de personas aparecen representados en ella?
2. ¿A qué problema hace referencia? ¿Cuál es el punto de vista de la autora sobre este problema?
3. ¿Cuál es el mensaje de la tira cómica?

Fuente: Ilustración de Raquel Gu

2. ¿Qué tres problemas te preocupan más a ti? Márcalos.

1. La explotación laboral
2. La contaminación y los problemas medioambientales
3. La intolerancia y la xenofobia
4. La desigualdad de derechos
5. La escasez de recursos naturales
6. La dificultad para acceder a la sanidad
7. La brecha salarial entre hombres y mujeres
8. Otros: ....

3. En parejas, comparen sus respuestas a las actividades 1 y 2.

4. Estos son algunos conflictos armados que marcaron el siglo XX. En grupos, relacionen los elementos de las columnas y comenten qué saben sobre ellos.

• Segunda Guerra Mundial	• 1939-1945	• Conflictos religiosos
• Guerras de Yugoslavia	• 1964-1975	• Disputas territoriales
• Guerra de Vietnam	• 1991-1999	• Intereses económicos
		• Posiciones políticas e ideológicas opuestas
		• Conflictos étnicos

Bueno, yo sé que la causa principal de la II Guerra Mundial fue...
No estoy seguro/a, pero creo que una de las razones fue...
No, la verdad es que no lo recuerdo / no lo sé, pero podemos buscar en...

INFOGRAFÍA

PREPÁRATE

5. **¿Sabes qué es la Agenda 2030 de las Naciones Unidas? Explícalo por escrito. Si lo necesitas, puedes usar internet.**

6. **Observa la infografía de presentación de la agenda. ¿A qué ámbito corresponde cada objetivo? Escríbelo.**

Medioambiente	Educación y trabajo	Sanidad	Economía	Política
....	....	....	1............	....

OBJETIVOS DE DESARROLLO SOSTENIBLE

7. **En parejas, comparen sus respuestas a las actividades 5 y 6.**

8. **En grupos, comenten qué objetivos les parecen prioritarios.**

Estoy de acuerdo contigo...
Yo también creo que...
Yo pienso lo mismo que tú.

Sí, puede ser, pero (también)...
Bueno, en parte sí, pero...

9. **¿Cuál podría ser el objetivo número 18? Discútanlo en grupos y luego pónganlo en común con el resto de la clase.**

Acabar con las guerras / el maltrato a los animales...
Garantizar la democracia / la libertad...

ATENCIÓN

Expressing opinion:

Creo/Pienso que... (I think/believe that...)

Expressing agreement or disagreement:

Estoy de acuerdo contigo. (I agree with you.)

Yo también creo que... (I also think that...)

Expressing partial agreement:

Puede ser, pero (Maybe, but...)

En parte sí, pero... (In some ways, / To some degree, yes, but...)

VIDEO: VIOLENCIA CONTRA LA MUJER EN MÉXICO

PREPÁRATE

10. **Ve el video hasta el minuto 1:44 y responde a estas preguntas:**

- ¿Cuál es la profesión de Janet Tirado?
- ¿Dónde estudió?
- ¿Qué tipo de periodismo quería hacer cuando terminó los estudios?
- ¿Qué tipo de periodismo hace actualmente?
- ¿Cómo describe su trabajo? Anota los adjetivos que usa.
- ¿Por qué cree que es importante el trabajo que realiza?

11. **Ahora ve el video hasta el minuto 5:13. ¿Por qué hay muchos feminicidios en México, según Janet Tirado? Toma notas de lo que dice y relaciónalo con cada una de estas ideas.**

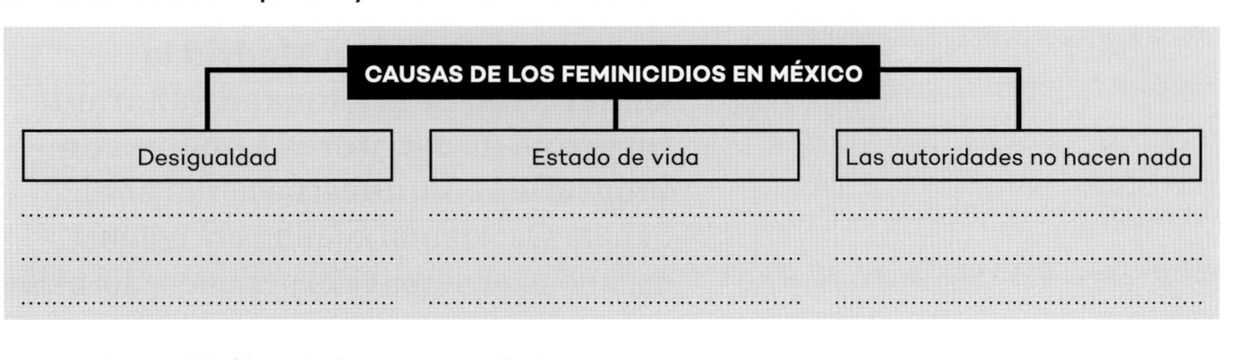

12. **Ve el resto del video. ¿Qué es esperanzador?**

13. **En parejas, comparen sus respuestas a las actividades 10, 11 y 12.**

14. **En grupos, comenten qué les pareció el video: qué información desconocían, qué les pareció interesante/preocupante, etc.**

15. **En parejas, busquen alguna noticia relacionada con el tema de la entrevista y resuman la información al resto de la clase.**

LA LENGUA COMO VÍNCULO

16. Lee el texto y representa en este mapa el recorrido vital común de la Generación de la Amistad.

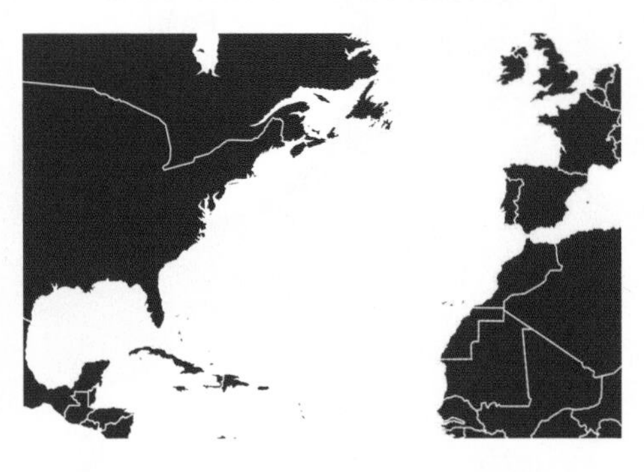

17. Decide cuáles son las 10 palabras clave que mejor sintetizan el texto.

- cubaraui
- hasanía
- ...

18. Resume el texto en un párrafo de unas 50 palabras.

19. En parejas, comparen sus respuestas a las actividades 16 y 17.

20. Comparen los resúmenes que han escrito en la actividad 18. Mejórenlos con los comentarios de sus compañeros/as.

21. En grupos, lean los fragmentos de poemas y comenten qué creen que expresan.

— Yo diría que en el primer poema el autor quiere expresar...

¿Conocen otros escritores que usen la literatura como forma de expresión política?

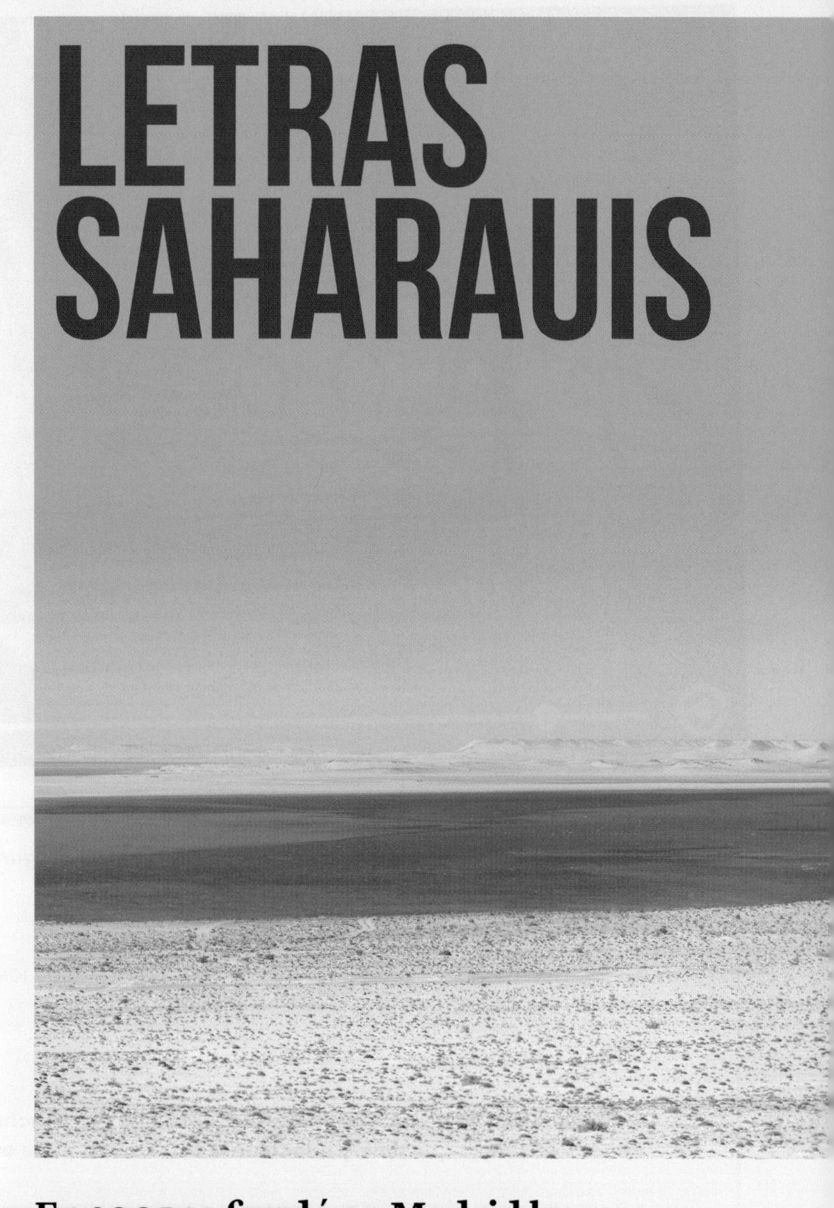

LETRAS SAHARAUIS

En 2005 se fundó en Madrid la Generación de la Amistad Saharaui, un grupo de escritores y poetas con biografías comunes: nacieron en el Sahara Occidental cuando era colonia española, vivieron la experiencia del exilio a causa de la ocupación marroquí y, en la mayoría de los casos, estudiaron en Cuba gracias a las becas que les había concedido el Gobierno cubano (forman parte de los llamados *cubarauis*). Después de algunos años en la isla, volvieron a los campamentos de refugiados en Argelia para trabajar a favor de la independencia saharaui.

Paisaje de Sahara Occidental

Escultura en el campo de refugiados saharaui de Tinduf (Argelia), con los símbolos saharauis

Escuela en un campo de refugidos saharaui

El regreso fue bastante difícil para la mayoría debido a las diferencias generacionales y culturales que se habían desarrollado con el tiempo y la distancia. Además, al principio tenían dificultades para comunicarse en hasanía, su lengua materna. Pero todo lo anterior no les impidió el reencuentro con su identidad saharaui ni trabajar intensamente a favor de la independencia con organismos internacionales de cooperación y a través de la Radio Nacional Saharaui.

En busca de nuevas perspectivas personales y profesionales, los miembros de este grupo llegaron a España, donde han continuado luchando a favor del Sahara Occidental y su gente. Estos autores han encontrado en la producción literaria, que realizan en español y hasanía, la mejor arma de resistencia política y de reivindicación de su identidad. Lo hacen mediante poemas y textos con los que también dan testimonio de una vida en el exilio.

"La lengua española es el único legado que nos dejó la metrópoli, es una herramienta de identidad y resistencia, elegida de manera consciente por los saharauis", dice el poeta Bahia Awah.

Algunos versos de poetas saharauis:

Un beso,
solamente un beso,
separa
la boca de África
de los labios de Europa.
LIMAM BOICHA

Se esconden los crímenes,
se negocian los principios
y se intenta sigilosamente
matar una esperanza.

Entonces, ¿qué es la carta
magna (*constitution*) del
mundo?
BAHIA MAHMUD AWAH

MEMORIA

PREPÁRATE

22. Investiga sobre Guinea Ecuatorial.

- capital: ....
- lenguas oficiales: ....
- lenguas autóctonas: ....
- principal recurso natural : ....
- Gobierno actual: ....
- periodo colonial español: ....
- año de la independencia: ....

23. Lee el texto y marca qué frases resumen el punto de vista del autor.

1. Los países africanos no pueden desarrollarse sin la ayuda de las potencias occidentales.
2. El desarrollo de la democracia ha fracasado por los intereses de las élites locales y las industrias occidentales.
3. Los países africanos son incapaces de gobernarse por sí mismos a causa del tribalismo *(tribalism)* intrínseco.
4. Los países africanos están avanzando en materia de democracia y desarrollo.

24. En parejas, comparen sus respuestas a las actividades 22 y 23.

— Guinea Ecuatorial fue colonia española...

25. Respondan a las siguientes preguntas.

- ¿Qué sucedió en 1885?
- ¿Y en 1960?
- ¿Cómo actuaron las élites locales tras la independencia?
- ¿Y las potencias occidentales?
- ¿Qué tienen en común colonialismo y neocolonialismo?
- ¿Cómo ha evolucionado el continente en los últimos 15 años?

26. El artículo es de 2010. ¿Cómo es la situación en diferentes países de África actualmente? En parejas, elijan un país africano y busquen información sobre estos temas:

- Dominación extranjera
- Explotación de las minas
- Democracia en países africanos

27. En grupos, compartan la información que han encontrado.

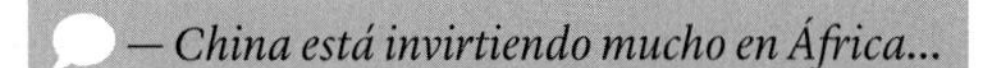
— China está invirtiendo mucho en África...

ÁFRICA

MEDIO SIGLO DE FRUSTRACIÓN

[...] 1960 es considerado *el año de África*. Ese año culminaron las ilusiones de libertad de los pueblos africanos, sometidos a la dominación extranjera desde hacía 75 años, tras la Conferencia de Berlín de 1885, en la que las principales potencias europeas se repartieron caprichosamente el continente. [...] Como en todos los grandes males padecidos por África en los últimos 500 años —la esclavitud y el colonialismo—, a esta situación concurren causas internas y externas. Entre las primeras, la excesiva ambición y el egoísmo exacerbado de unas élites locales a las que no les preocupa el bienestar de sus compatriotas [...]. Para ellos, la principal herencia del colonialismo fue únicamente la brutalidad de aquel sistema: los gobernantes africanos, sucesores de los gobernadores europeos, copian únicamente sus defectos en lugar de combinar los aspectos positivos de los usos ancestrales con los rasgos positivos del encuentro con otras civilizaciones [...].

[...] Pero las ingentes riquezas africanas —mineras, forestales, agrícolas, piscícolas...— eran imprescindibles para las industrias europeas y estadounidenses. Baste con recordar que el uranio de la República Democrática del Congo, Gabón y Níger fue y es indispensable para las potencias nucleares. De manera que, en plena Guerra Fría, Europa Occidental y Estados Unidos no podían permitir que África se independizara de verdad [...]. El neocolonialismo necesita de regímenes *fuertes* —es decir, autocráticos— y colocó en el poder a déspotas como Mobutu Sese Seko en la República Democrática del Congo —rebautizada Zaire bajo su mandato—, paradigma de una época en la que fueron más importantes las riquezas extraídas que los habitantes asesinados, los que morían a causa de la miseria

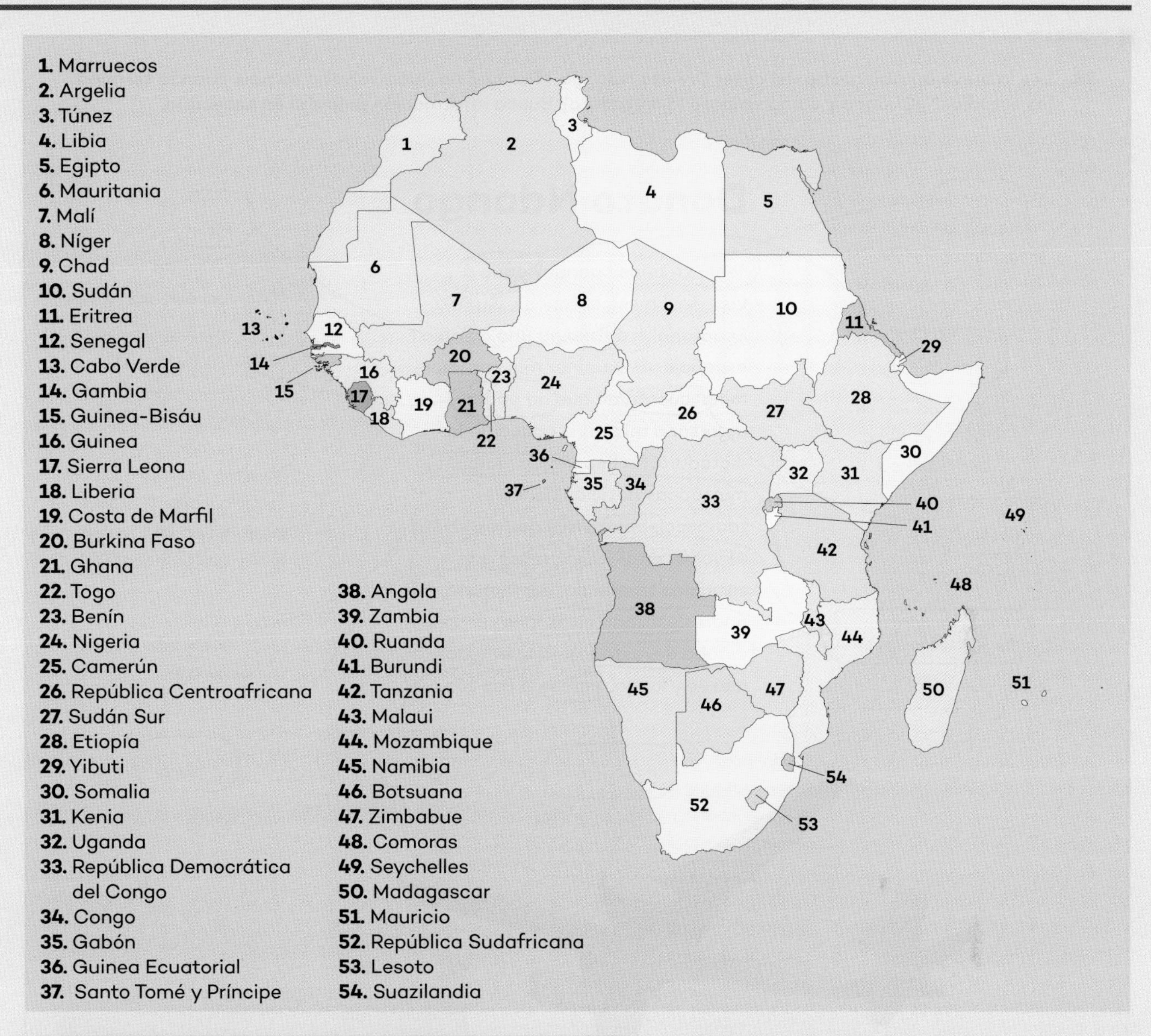

Donato Ndongo nació en Alén, Guinea Ecuatorial, en 1950. Estudió Historia y Periodismo en Barcelona. De 1985 a 1992 fue director del Centro Cultural Hispano-Guineano en Malabo. En 1994 volvió a España, exiliado por causas políticas. Entre los años 2005 y 2008, fue profesor visitante en la Universidad de Missouri-Columbia. Su *Antología de la literatura guineana* (1984) y su novela *Las tinieblas de tu memoria negra* (1987) son obras clave de la literatura ecuatoguineana en español.

o los que languidecían por la ausencia de toda libertad. [...] Al igual que el colonialismo, el neocolonialismo se basa en el determinismo racial, según el cual los africanos son eternos *menores de edad*, incapaces de gobernarse por sí mismos, de convivir en armonía, de organizarse en sociedad. Lo han expresado algunos políticos europeos sin temor a caer en lo políticamente incorrecto. De ahí la tendencia a interpretar los fenómenos africanos como consecuencias del "tribalismo".

África evoluciona a un ritmo quizá demasiado lento para muchos. Pero, si miramos hacia atrás, hace 15 años apenas se contaban con los dedos de una mano los países que respetaban los derechos de sus ciudadanos y estaban comprometidos a lograr mayores niveles de bienestar; entonces, las guerras asolaban las cuatro esquinas del continente y la inestabilidad era crónica. Hoy aumentan los países democráticos en los que la alternancia es real, y han cesado buena parte de los conflictos. Queda mucho por hacer, y no será fácil hacerlo, pero existe una conciencia generalizada de que la dictadura no es el estado *normal*, que la democracia y el desarrollo son posibles. Eso es importante de cara al futuro.

Donato Ndongo Bidyogo *El País* – Tribuna: LA CUARTA PÁGINA (2010)

NARRAR EVENTOS PASADOS

PREPÁRATE

28. Lee la breve autobiografía del autor Donato Ndongo. ¿Por qué no pudo volver a su país cuando terminó los estudios? ¿Cuándo y cómo empezó la dictadura? Busca información online si es necesario.

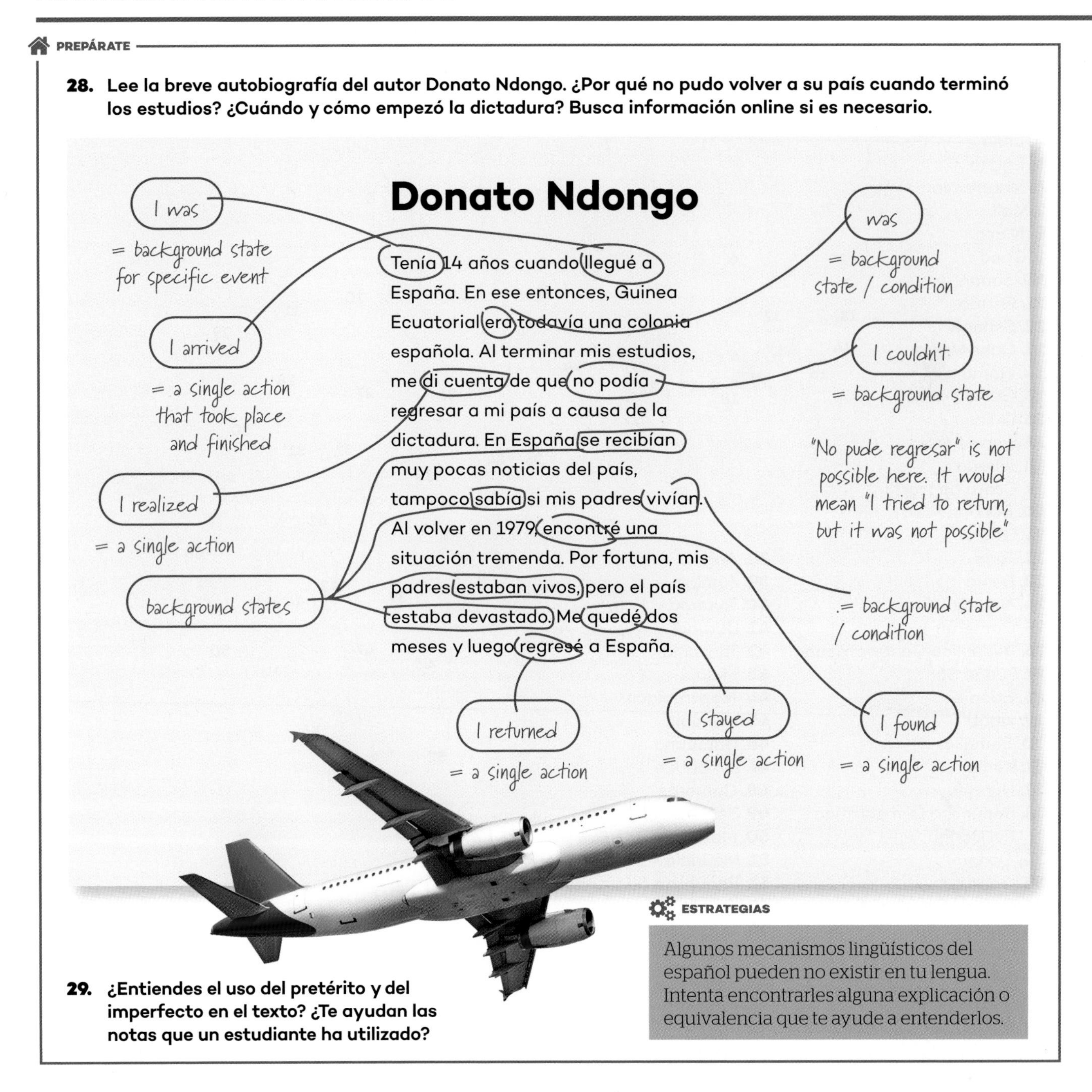

Donato Ndongo

Tenía 14 años cuando llegué a España. En ese entonces, Guinea Ecuatorial era todavía una colonia española. Al terminar mis estudios, me di cuenta de que no podía regresar a mi país a causa de la dictadura. En España se recibían muy pocas noticias del país, tampoco sabía si mis padres vivían. Al volver en 1979 encontré una situación tremenda. Por fortuna, mis padres estaban vivos, pero el país estaba devastado. Me quedé dos meses y luego regresé a España.

29. ¿Entiendes el uso del pretérito y del imperfecto en el texto? ¿Te ayudan las notas que un estudiante ha utilizado?

ESTRATEGIAS

Algunos mecanismos lingüísticos del español pueden no existir en tu lengua. Intenta encontrarles alguna explicación o equivalencia que te ayude a entenderlos.

30. En parejas, comparen sus respuestas a las actividades 28 y 29.

31. En parejas, relacionen los ejemplos con las explicaciones correspondientes.

1. **Salió** de su país porque **había** una guerra. **2.** **Salió** de su país porque **hubo** una guerra.	**a.** La salida del país se produjo durante la guerra. **b.** La salida del país y la guerra son dos hechos que empiezan y acaban. No sabemos si esa persona salió durante la guerra o después.
3. Cuando **viajé** a España, **conocí** a otros refugiados. **4.** Cuando **estaba viajando** a España, **conocí** a otros refugiados.	**a.** Esa persona primero viajó a España y después conoció a otros refugiados. **b.** Esa persona conoció a otros refugiados antes de llegar a España.
5. En aquella época, **fui** varias veces al año a mi país, pero nunca **me quedé**. **6.** En aquella época, **iba** varias veces al año a mi país, pero nunca **me quedé**.	**a.** Esa persona cuenta varias cosas que hizo en una época. **b.** Esa persona describe acciones que se repetían regularmente.

32. **¿En inglés existen recursos para expresar lo que en español se expresa en imperfecto? Coméntenlo en grupos.**

— Se puede usar "I used to" o...

33. **Vas a escuchar a Gabriela y a Víctor hablando de un acontecimiento que vivieron. Contesta a las preguntas.**

- ¿De qué país son? ....
- ¿De qué acontecimiento hablan y en qué año sucedió? ....

34. **Vuelve a escucharlos y completa estas frases.**

1. Gabriela

Cuando se produjo el huracán, tenía .... años.

Se enteró de lo que pasaba cuando estaba en ....

Cuando vivía en Puerto Rico, trabajaba de ....

Cuando llegó a Estados Unidos, se fue a vivir a ....

.... con

....

2. Víctor

Cuando se produjo el huracán, tenía .... años.

Se enteró de lo que pasaba cuando vio ....

Cuando vivía en Puerto Rico, trabajaba de ....

....

Cuando llegó a Estados Unidos, tuvo que ....

....

35. **Escribe dos continuaciones para cada una de estas frases: una usando el imperfecto y otra, el pretérito. Luego comenten en parejas las diferencias de significado.**

1. Cuando tenía 15 años...
   mis padres me compraron una guitarra.
   me quedaba en mi habitación escuchando música durante horas.
2. Cuando era niño/a...
   ....
   ....
3. Cuando nací...
   ....
   ....
4. Cuando empecé a estudiar en la universidad...
   ....
   ....

PLUSCUAMPERFECTO *(PLUPERFECT)*

GRAMÁTICA

PREPÁRATE

36. Lee las frases y marca si los verbos en negrita se refieren a una acción anterior o posterior a la del verbo subrayado.

	acción anterior	acción posterior
Nos fuimos a estudiar a Cuba gracias a los acuerdos de cooperación que la isla **había firmado** con nuestro Gobierno.	■	■
Cuando volvimos a los campamentos de refugiados, **empezamos** a trabajar con organizaciones no gubernamentales.	■	■
A la vuelta, tuvimos un choque cultural: nos dimos cuenta de que en Cuba **habíamos adoptado** muchos rasgos de la cultura caribeña.	■	■
Al llegar a España, **encontramos** mucha gente interesada en la situación e **hicimos** muchos buenos amigos.	■	■
Muchos de los jóvenes intelectuales que fundaron el movimiento independentista **habían estudiado** en España.	■	■

ATENCIÓN

Al llegar a España = **Cuando** llegamos a España

37. Lee la sección de Recursos lingüísticos, y comprueba tus respuestas.

38. En parejas, comparen sus respuestas a la actividad 36.

39. En parejas, relacionen cada frase con su interpretación.

1. Cuando llegó, su padre se fue. **2.** Cuando llegó, su padre se había ido.	**a.** Vio a su padre un momento. **b.** No vio a su padre.
3. Cuando terminó los estudios, empezó a trabajar. **4.** Cuando terminó los estudios, ya había empezado a trabajar.	**a.** Trabajó durante los estudios. **b.** Trabajó después de los estudios.
5. Al volver a su país, formaron una familia. **6.** Cuando volvieron a su país, ya habían formado una familia.	**a.** Formaron la familia en el extranjero. **b.** Formaron la familia en su país.

40. En parejas, terminen las siguientes oraciones usando estos verbos en pretérito pluscuamperfecto *(past perfect)*.

conocer **emigrar** **informarse** **terminar** **ver**

1. Luis viajó a Córdoba para ver a su hermana, que ....
2. Cuando volvió a su país, sus amigos ya ....
3. No reconocimos a nuestro hijo porque no lo ....
4. Al llegar, Mario contactó con un amigo que ....
5. Yo conocía muy bien la situación del país: ....

Centro cívico del Bicentenario (Córdoba, Argentina)

41. En grupos, comparen sus respuestas a la actividad 40.

ORACIONES DE RELATIVO CON PREPOSICIÓN

GRAMÁTICA

PREPÁRATE

42. Fíjate en los dos ejemplos de la tabla y conecta las frases que aparecen debajo.

Hoy aumentan los países democráticos. En esos países la alternancia en el poder es real.	> *Hoy aumentan* ***los países democráticos en los que*** *la alternancia en el poder es real.*
Estos creadores escriben poesías en español. Con estas poesías dan testimonio de una vida en el exilio.	> *Estos creadores escriben* ***poesías en español con las que*** *dan testimonio de una vida en el exilio.*

1.
a. Después de la independencia, surgieron élites locales.
b. A esas élites no les interesaba implementar una democracia real.
> ....
....

2.
a. El colonialismo es un sistema de dominación política.
b. Para ese sistema, la extracción de riquezas es más importante que el desarrollo de la población local.
> ....
....

3.
a. Algunos países firmaron diferentes acuerdos.
b. Con esos acuerdos pusieron fin a los conflictos bélicos.
> ....
....

43. En parejas, comparen sus respuestas a la actividad 42. Luego, consulten la sección de Recursos lingüísticos.

44. Completa estas preguntas de un concurso *(game show)* con las formas relativas adecuadas.

1. País norteamericano .... se exiliaron muchos españoles después de la Guerra Civil.
2. Potencias .... luchó Estados Unidos en la Segunda Guerra Mundial.
3. Año .... España entró en la actual Unión Europea.
4. Alianza regional .... pertenecen Argentina, Brasil, Paraguay y Uruguay.

45. En parejas, busquen las respuestas correctas a las preguntas anteriores y pónganlas en común con la clase.

46. En grupos, creen otras preguntas y escríbanlas en tarjetas, con la respuesta detrás. Con las tarjetas de toda la clase, hagan un concurso.

país al que... **país con el que...** **año en el que...** **escritor(a) al / a la que...** **...**

País de América Latina al que emigraron tres millones de italianos a finales del siglo XIX y principios del XX.

DÓNDE/DONDE, CÓMO/COMO, CUÁNDO/CUANDO

GRAMÁTICA

PREPÁRATE

47. Observa las siguientes frases. ¿Cuál es la diferencia entre las palabras marcadas en negrita? Consulta la sección de Recursos lingüísticos.

1.
—¿**Dónde** quieres vivir?
—En el pueblo **donde** vivía de niño.

2.
—¿**Cuándo** se fueron tus hijos?
—**Cuando** empezó la guerra.

3.
—Dime **cómo** llegaste hasta aquí.
—En barco, **como** llegó todo el mundo.

48. Marca la opción correcta en cada caso.

1. a. Buscaba un lugar **donde**/**dónde** vivir tranquilamente.

1. b. Me preguntaron de **donde**/**dónde** venía.

2. a. No sabía **cuando**/**cuándo** volvería.

2. b. Sentí una tristeza inmensa **cuando**/**cuándo** les dije adiós.

3. a. Nadie me preguntó **como**/**cómo** me llamaba.

3. b. Es médica, **como**/**cómo** soñaba desde que tenía ocho años.

49. En parejas, creen un relato breve usando algunas frases de la actividad 48 y agregando más detalles.

Buscaba un lugar donde vivir tranquilamente, así que decidí irme a un pequeño pueblo cerca del mar, pero lejos de todo: la ciudad más cercana estaba a 150 kilómetros. Allí...

50. Pongan en común sus relatos.

VERBOS PARA HABLAR DE HISTORIA

VOCABULARIO

PREPÁRATE

51. Relaciona los sinónimos.

- ocupar
- luchar
- rebelarse
- intervenir
- escapar
- resistir
- reivindicar
- independizarse

- huir
- sublevarse
- separarse
- reclamar
- invadir
- oponerse
- combatir
- tomar parte

52. Escribe titulares (reales o ficticios), usando los verbos anteriores.

Un grupo de manifestantes ocupa la Bolsa de Wall Street.

53. En parejas, compartan sus respuestas a las actividades 51 y 52.

CONFLICTOS

VOCABULARIO

PREPÁRATE

54. Forma grupos de tres palabras relacionándolas. Justifica tus agrupaciones.

- (una) guerra
- (un) conflicto
- (un) muro
- (una) frontera
- (un) refugiado
- (un) exilio
- (un) campamento
- (una) deportación
- (un) derecho
- (una) reivindicación
- (una) protesta
- (la) intolerancia
- (la) discriminación
- (el) racismo
- (la) desigualdad
- (la) pobreza
- (la) explotación

1. guerra, conflicto, exilio...

Un conflicto entre países puede provocar una guerra. Y, cuando hay guerra, muchas personas tienen que exiliarse.

55. En parejas, por turnos, definan una de las palabras anteriores. La otra persona tiene que decir de cuál se trata.

— Es una lucha armada entre dos bandos.
— Una guerra.

56. En grupos, busquen fotografías para ilustrar diez palabras de la lista de la actividad 54 y escriban pies de foto. Pueden colgar su trabajo en clase para que lo vean los demás grupos.

Casa en un campamento de refugiados saharauis en Argelia.

Muro de Melilla, en España, que separa África de Europa.

Refugiados sirios en Croacia.

57. En parejas, escriban sobre acontecimientos de la historia universal que conozcan, utilizando estos pares de palabras.

guerra y exilio | **muro y frontera** | **reivindicación y derecho** | **deportación y campamento**

La guerra civil en Siria ha provocado el exilio de más de cinco millones de sirios.

RECURSOS PARA UN REGISTRO FORMAL: NOMINALIZACIÓN

PREPÁRATE

58. Lee los pares de frases y observa las diferencias entre las dos versiones. ¿Cuál te parece más formal? ¿En tu lengua también son comunes este tipo de transformaciones?

1.

- El monumento recuerda que los pueblos originarios se rebelaron y se levantaron en armas en contra de los extranjeros que habían ocupado su territorio.
- El monumento recuerda **la rebelión** y **el levantamiento armado** de los pueblos originarios en contra de la **ocupación extranjera**.

2.

- Es una organización que lucha para que la prensa sea independiente y objetiva.
- Es una organización que lucha por **la independencia** y **la objetividad** de la prensa.

El Ángel o Monumento a la Independencia (Ciudad de México, México)

59. Completa la tabla con los verbos, sustantivos y adjetivos correspondientes.

verbo	sustantivo
....	el ataque
acordar	....
....	la dominación
proteger	....
levantarse	....
ocupar	....
luchar	....
....	la intervención
....	la resistencia
huir	....
....	el gobierno
sublevarse	....
....	la invasión
reivindicar	....
explotar	....
....	la cooperación
exiliarse	....

adjetivo	sustantivo
libre	....
....	la igualdad
independiente	....
....	la objetividad
escaso	....
....	la rapidez
separatista	....
....	el combate

ATENCIÓN

When we use nominalization, we have to adapt prepositions, connectors, etc.

- *Es una organización que lucha* ***para que*** *la prensa sea independiente y objetiva.*
- *Es una organización que lucha* ***por*** *la independencia y la objetividad de la prensa.*

- *El monumento recuerda* ***que*** *los pueblos originarios se rebelaron en contra de los extranjeros que habían ocupado su territorio.*
- *El monumento recuerda la rebelión y el levantamiento armado* ***de*** *los pueblos originarios en contra de la ocupación extranjera.*

CARACTERÍSTICAS DEL TEXTO

PREPÁRATE

60. Transforma los siguientes enunciados, aplicando mecanismos como los de la actividad 58.

1. Los voluntarios denunciaron que se había atacado a la población civil y la comunidad internacional se mostró indiferente.

   Los voluntarios denunciaron el ataque a la...

2. La ONU confirmó hoy que todos los países miembros habían acordado cooperar para proteger a los refugiados.

3. El comisionado para la paz subrayó que es muy importante defender la idea de que todos los seres humanos son iguales y tienen derecho a ser libres.

4. Una democracia real se caracteriza por tener medios de comunicación independientes y objetivos.

61. En parejas, comparen sus respuestas a las actividades 58, 59 y 60.

62. Escribe tres frases con los sustantivos de la tabla de la actividad 59 (u otros).

Conmemoración, en Estados Unidos, del 50 aniversario de la muerte de Martin Luther King, icono de la lucha por los derechos civiles de los afroamericanos.

1. ...

2. ...

3. ...

63. En parejas, intercambien las frases que han escrito en la actividad 62 y reformulen las que les han tocado sin usar los sustantivos.

En Estados Unidos, se conmemora el 50 aniversario de la muerte de Martin Luther King, activista que luchó por los derechos civiles de los afroamericanos.

Monumento en memoria de Martin Luther King, en Washington, DC

The Spanish Hub TEXTO MAPEADO TEXTO LOCUTADO

CRONOLOGÍA DE UN CONFLICTO

CARACTERÍSTICAS DEL TEXTO

PREPÁRATE

64. Busca información online sobre los mapuches.

- ¿Quiénes son?
- ¿De qué zona son originarios?
- ¿Cuál es su situación actual?
- ¿Qué reivindican al Estado?

65. Lee esta cronología. Luego, busca información online y complétala con algún otro momento clave de la historia o de la actualidad.

1. **Entre 1861 y 1883**, el Estado chileno ocupa la región de la Araucanía, en el sur de Chile, para consolidar su soberanía en esta zona considerada rebelde. En los años posteriores, se entregan las tierras de los mapuches a colonos extranjeros y los mapuches se quedan con un 5 % de su territorio original.
2. **A partir de 1930**, los mapuches empiezan a organizarse para reivindicar al Estado chileno la devolución de sus tierras y el reconocimiento de su identidad cultural.
3. **En 1972**, el Gobierno de Allende devuelve parte de las tierras a los pueblos originarios.
4. **Entre 1973 y 1990**, durante la dictadura militar, se vuelve a entregar tierras recuperadas a empresas privadas. Además, el Estado subvenciona a empresas forestales, que plantan especies de pinos y eucaliptos perjudiciales para el medioambiente. Eso agrava el empobrecimiento de las comunidades mapuches.
5. **A finales de los años 90**, nacen organizaciones políticas de activistas mapuches y se radicaliza la lucha por las tierras. Algunos sectores mapuches ocupan tierras; incendian casas, camiones de empresas forestales...
6. **El 13 de marzo de 2017**, la presidenta de Chile de entonces, Michelle Bachelet, pide oficialmente perdón a los mapuches y anuncia una serie de medidas para solucionar el conflicto.

Parque Auracano, Santiago de Chile, con chemamull (estatuas de madera) mapuches.

– En noviembre de 2018, muere un miembro de la comunidad mapuche en medio de un operativo policial, y...

66. ¿Qué tiempo verbal se usa en las frases anteriores? ¿Sabes por qué están escritas de esta manera? Comprueba tus hipótesis en Recursos lingüísticos.

67. En parejas, comparen sus respuestas a las actividades 64, 65 y 66.

68. En parejas, piensen en eventos de la política internacional reciente y escriban una cronología con los hechos más relevantes.

– En el verano del 2011, cientos de miles de sirios salen a las calles para pedir la dimisión de Asad.

69. Hagan una presentación ante la clase.

EL SONIDO DE LA LETRA Ñ

SONIDOS

70. Vas a escuchar la palabra cañón **pronunciada dos veces. ¿Cuál es la correcta en español?**

- a
- b

71. Léele a tu compañero/a las siguientes palabras. ¿Has oído una i**?**

1. niña
2. coñac
3. sueño
4. engaño
5. enseñar
6. añadir
7. español
8. compañero
9. bañarse
10. extrañar
11. año
12. pequeño
13. cumpleaños
14. viñeta

ESTRATEGIAS

Si te cuesta pronunciar la **ñ** en palabras como **niña**, puedes empezar pronunciando **ninia.** Pero intenta fusionar los sonidos de la **n** y de la **i** en uno único.

ACENTOS DIACRÍTICOS

SONIDOS

72. Completa estas frases con la palabra correcta en cada caso.

1. cuando / cuándo

a. ¿.................. empiezo a trabajar?

b. .... empiezo a trabajar en una nueva empresa, estoy muy nerviosa.

2. porque / por qué

a. ¿.................. has elegido Buenos Aires?

b. He buscado unas prácticas en Buenos Aires .... mi novia es argentina.

3. donde / dónde

a. México es el país .... he encontrado más ofertas de trabajo.

b. ¿.................. te gustaría hacer prácticas?

4. como / cómo

a. En Costa Rica me he sentido .... en casa.

b. ¿.................. ha ido en Costa Rica?

5. que / qué

a. ¿ .... te gusta más de Perú?

b. Perú es un país .... me encanta.

ATENCIÓN

The interrogative pronouns (**cuándo**, **dónde**, **cómo**, **qué**, etc.) have accent marks that differentiate them from relative pronouns and conjunctions (**cuando**, **donde**, **como**, **que**, etc.).

73. Escucha estas frases y marca qué se dice en cada caso.

1. porque / por qué
2. como / cómo
3. que / qué

Obelisco (Buenos Aires, Argentina)

The Spanish Hub TEXTO MAPEADO TEXTO LOCUTADO

LENGUAS ORIGINARIAS

La lucha antiautoritaria salvadoreña

Entre 1881 y 1882 se anuló en El Salvador el sistema colonial de tierras comunales. A partir de ahí, únicamente una pequeña oligarquía terrateniente tuvo acceso a la producción y el comercio internacional del café, entonces principal producto económico.

Con la caída de los precios del café, el Gobierno entró en crisis y fue derrocado en un golpe de Estado en 1931. Las fuerzas armadas controlaron el país de manera represiva hasta 1979 apoyados por la oligarquía cafetalera.

Poco después del golpe militar, miles de campesinos e indígenas se levantaron en contra de la desigualdad del sistema de tierras. El Gobierno respondió con ejecuciones masivas que provocaron el mayor etnocidio en la historia moderna del país.

En la década de 1940 un grupo de escritores participó activamente en el movimiento social contra la dictadura. Muchos fueron perseguidos y obligados a exiliarse. En las siguientes décadas, surgieron otros movimientos literarios socialmente reivindicativos.

ANTES DE LEER

74. Lee el texto y relaciona cada uno de estos títulos con su párrafo correspondiente.

1. Dictadura militar
2. Generación del 44
3. Masacre de 1932
4. República cafetalera

75. Comparen sus respuestas a la actividad 74.

76. En parejas, busquen en internet autores de la Generación del 44 y lleven un ejemplo de sus obras a clase. En grupos, lean los fragmentos y coméntenlos.

NOVELA

Delirio, de Laura Restrepo

COLOMBIA

"*Delirio* es una expresión de todo lo que Colombia tiene de fascinante, e incluso de terriblemente fascinante"
José Saramago

Aguilar regresa de un viaje y encuentra a su amada Agustina en un cuarto de hotel sin saber cómo ha llegado ahí y por qué parece haber enloquecido. Entonces decide investigar las causas. Laura Restrepo -escritora, periodista y activista colombiana- enmarca esta historia en una sociedad infectada por el narcotráfico en todos sus estratos.

1

Cuando todo empezó pensé que se trataba de una pesadilla de la que despertaríamos en cualquier momento, esto no nos puede estar pasando, me repetía a mí mismo y en el fondo me lo creía, quería convencerse de que la crisis de su mujer sería cuestión de horas, que se disiparía cuando cediera el efecto de las drogas, o los ácidos, o los tragos [...] .O uno de esos confusos episodios que se precipitan en esta ciudad en guerra de todos contra todos; historias de gente a la que le venden droga adulterada en algún bar, o le pegan en la cabeza para atracarla, o le hacen tomar burundanga para obligarla a actuar contra su voluntad.

2

¿Entonces de verdad crees, le pregunta el Midas McAlister a Agustina, que tu noble familia todavía vive de las bondades de la herencia agraria? Pues bájate de esa novela romántica, muñeca decimonónica, porque las haciendas productivas de tu abuelo Londoño hoy no son más que paisaje, así que aterriza en este siglo xx y arrodíllate ante Su Majestad el rey don Pablo [...]. Esta oligarquía nuestra todavía anda convencida de que maneja a Escobar cuando sucede exactamente al revés; [...] cometen el mismo error que cometí yo, mi princesa Agustina, y es un error suicida: la verdad es que el gordazo ya nos comió a todos crudos, y es por eso que tiene la barriga tan inflada.

ANTES DE LEER

77. **Lee la cita de José Saramago. En pequeños grupos, comenten qué saben sobre Colombia y qué cosas fascinantes creen que tiene.**

78. **A partir del título de la novela, *Delirio*, hagan hipótesis sobre la trama.**

DESPUÉS DE LEER

79. **Lee el texto introductorio y comprueba las hipótesis que han hecho en la actividad anterior.**

80. **Lee el primer fragmento. Luego, respondan a las siguientes preguntas en pequeños grupos.**

- ¿Quién habla en el fragmento?
- ¿Cómo se presenta la realidad social colombiana?

81. **Lee el segundo fragmento. Comenten las siguientes preguntas en grupos.**

- ¿A qué estrato social pertenece la familia de Agustina?
- ¿Qué relación hay entre la familia y el narcotraficante Pablo Escobar?

82. **¿Qué crítica social hace Laura Restrepo en los fragmentos anteriores? Coméntenlo en parejas.**

83. **Investiga en internet sobre otros autores colombianos que tratan la violencia del narcotráfico en sus obras. Lleva un ejemplo a clase.**

pesadilla: *nightmare*
ceder: *to finish*
precipitarse: *to rush into*
voluntad: *wish*
herencia: *inheritance*
paisaje: *landscape*
arrodillarse: *to kneel*
gordazo: *fat man*
crudo: *raw*

EL TEXTO PERIODÍSTICO

84. Lee el texto de este blog de prensa. Luego, en pequeños grupos, localicen las metáforas de los titulares y expliquen con sus propias palabras qué expresan. ¿Existen esas mismas metáforas en inglés?

— Cuando dice que el nuevo entrenador no sobrevivió a la tormenta de críticas, se refiere a que hubo muchas críticas negativas y lo despidieron.
— En inglés también se podría decir "storm of criticism".

METÁFORAS EN LA PRENSA

El uso de las metáforas no es exclusivo de los textos literarios. Con mucha frecuencia, el lenguaje cotidiano y también el lenguaje de la prensa, juegan con imágenes para conseguir efectos de sentido. Aquí mostramos algunos ejemplos de ocho tipos de metáforas habituales en la prensa en español. Como observamos, son enunciados más elaborados y ricos que captan la atención del receptor.

1. LAS SITUACIONES SON FENÓMENOS METEOROLÓGICOS
"El nuevo entrenador no sobrevivió a la tormenta de críticas después de la derrota 0 a 3".

5. VIVIR ES UN VIAJE
"Smiley, el perro que superó todos los obstáculos y nos da una gran lección de vida".

2. LAS IDEAS Y SITUACIONES NEGATIVAS SON ENFERMEDADES
"Una epidemia de populismo invade Europa".

6. ARGUMENTAR ES UNA GUERRA
"Usó todas sus armas ofensivas en el debate y atacó hasta el final, pero no convenció a la audiencia".

3. LAS IDEAS SON ALIMENTOS
"¿Se está cocinando algo en el Consejo de Ministros?"

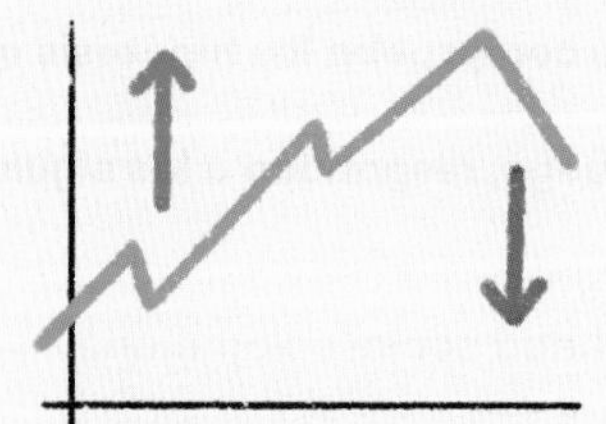

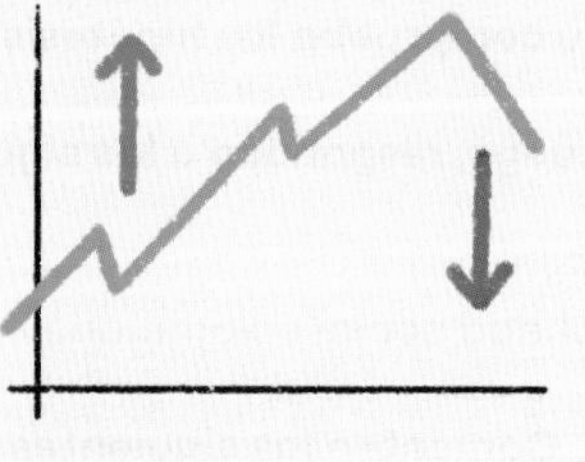

7. MÁS ES ARRIBA, MENOS ES ABAJO
"Los precios continúan subiendo por segundo año consecutivo".

4. LAS EMOCIONES SON PARTES DEL CUERPO
"'No tuve estómago para acabar de ver esta película'. Nuestro crítico invitado nos confiesa, en una entrevista exclusiva, sus debilidades y preferencias".

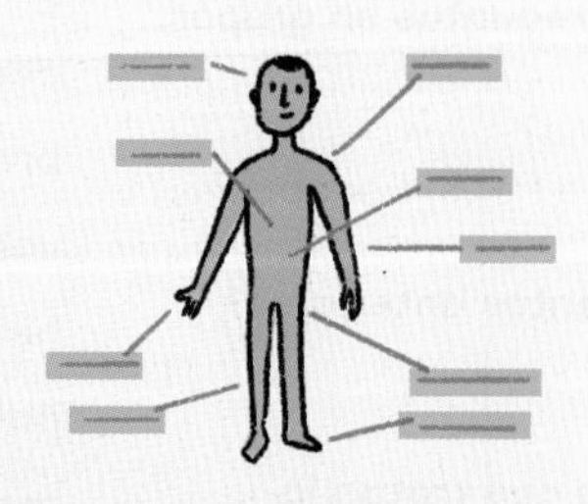

8. EL TIEMPO ES DINERO
"El equipo sevillano rectificó tras el descanso, pero malgastó toda la primera mitad del partido".

85. **¿En qué tipo de noticia y sección pueden aparecer? ¿Conocen otras metáforas similares?**

> *Este titular creo que puede pertenecer a la sección de deportes de un periódico. Podría ser también el texto de la pantalla de un noticiero de televisión.*

86. **En parejas, lean estos titulares e identifiquen qué metáforas hay en ellos. Clasifíquenlas según los ocho tipos que explica el texto.**

1. La periodista bombardeó al jugador con preguntas sobre su relación con la modelo

2. Los impuestos para las rentas más altas bajarán casi un 2 %

3. La directora argentina invirtió cuatro años en la preparación de su última película

4. "A mí me falta una pierna, pero a ustedes les falta cabeza y corazón". La modelo italiana Chiara Bordi se defiende de los insultos en las redes sociales

5. Al Presidente le costó mucho digerir su propio discurso

6. Balsells: "El Presidente está llevando al país a un callejón sin salida..."

7. El miedo de contagio de la crisis se extiende por toda la zona euro

8. Lluvia de críticas al rey, tras su viaje a África para cazar elefantes

87. ¿Qué quieren decir los ocho titulares de la actividad 86? Escriban una versión más explícita y literal.

88. En grupos, busquen en la prensa de su país un titular que use una metáfora como las que hemos visto. Tradúzcanla al español y preséntenla a sus compañeros/as.

PROYECTO EN GRUPO

La historia a través de un monumento

Vamos a presentar un monumento, edificio o escultura que conmemore un momento de la historia.

A. **Piensen en esculturas, monumentos, edificios, etc., que conmemoren eventos de la historia (de su país o ciudad, de un país del mundo hispano, de otro país del mundo...). Anoten dónde están y con qué evento histórico se relacionan.**

- El Obelisco de Buenos Aires, para conmemorar la fundación de la ciudad (1516).
- La Placa de la Universidad de Washington, para homenajear a los voluntarios norteamericanos de la Brigada Lincoln (1936-1939).
- ...

B. **Elijan la escultura, el monumento o el edificio que más les interese; investiguen y hagan una ficha, siguiendo el modelo.**

NOMBRE:	UBICACIÓN:	DESCRIPCIÓN:	AUTOR Y FECHA DE CREACIÓN:
Placa conmemorativa de los voluntarios norteamericanos de la Brigada Lincoln en las Brigadas Internacionales.	Universidad de Washington (Seattle)	Es una gran roca con una placa de bronce en el centro, en la que se ve un puño y hay un texto en español e inglés.	David Ryan, 1998.

TEXTO O PLACA:

"Voluntarios internacionales de la libertad. Ustedes son historia, ustedes son leyenda. ¡Viva la Brigada Lincoln! 1936-1939". El resto del texto original está en inglés. Versión en español: "40 000 voluntarios internacionales defendieron la República de los ataques de Hitler, Franco y Mussolini. Entre ellos se encontraban unos 3 000 jóvenes americanos, la Brigada Abraham Lincoln. Casi la mitad de ellos están enterrados en suelo español. 11 estudiantes de la Universidad de Washington se unieron a esta histórica lucha".

EVENTO QUE CONMEMORA:

Durante la guerra civil española, entre 1936 y 1939, se formaron las Brigadas Internacionales para defender al gobierno legal de la II República contra el ejército fascista. A las Brigadas Internacionales se unieron 40 000 voluntarios de 52 países. La Brigada Lincoln era la organización de voluntarios de Estados Unidos.

C. **Presenten al resto de la clase su monumento o edificio.**

Es una placa que conmemora...

PROYECTO INDIVIDUAL

Los logros de los últimos siglos

Vas a hacer una línea del tiempo de los logros y eventos principales que se han producido en los últimos siglos.

A. Haz una lluvia de ideas de los logros principales que se han producido en los últimos siglos.

- Nace internet.
- Las mujeres votan por primera vez en Wyoming.
- Se descubren la penicilina y los antibióticos.
- Se redacta la Declaración Universal de los Derechos Humanos.
- ...

B. Elige los logros más importantes y busca imágenes. Si quieres, puedes escoger los logros que se han producido en un ámbito (salud, tecnología, igualdad entre los hombres y las mujeres, etc.).

- 1796: Edward Jenner inventa la vacuna contra la viruela.
- Mediados del siglo XIX: se extiende el uso de la anestesia para operar.
- 1905: se realiza el primer trasplante de la historia.
- 1928: Alexander Fleming descubre la penicilina.
- 1948: se crea la OMS.
- ...

C. Haz una línea del tiempo con los datos que has seleccionado y las imágenes.

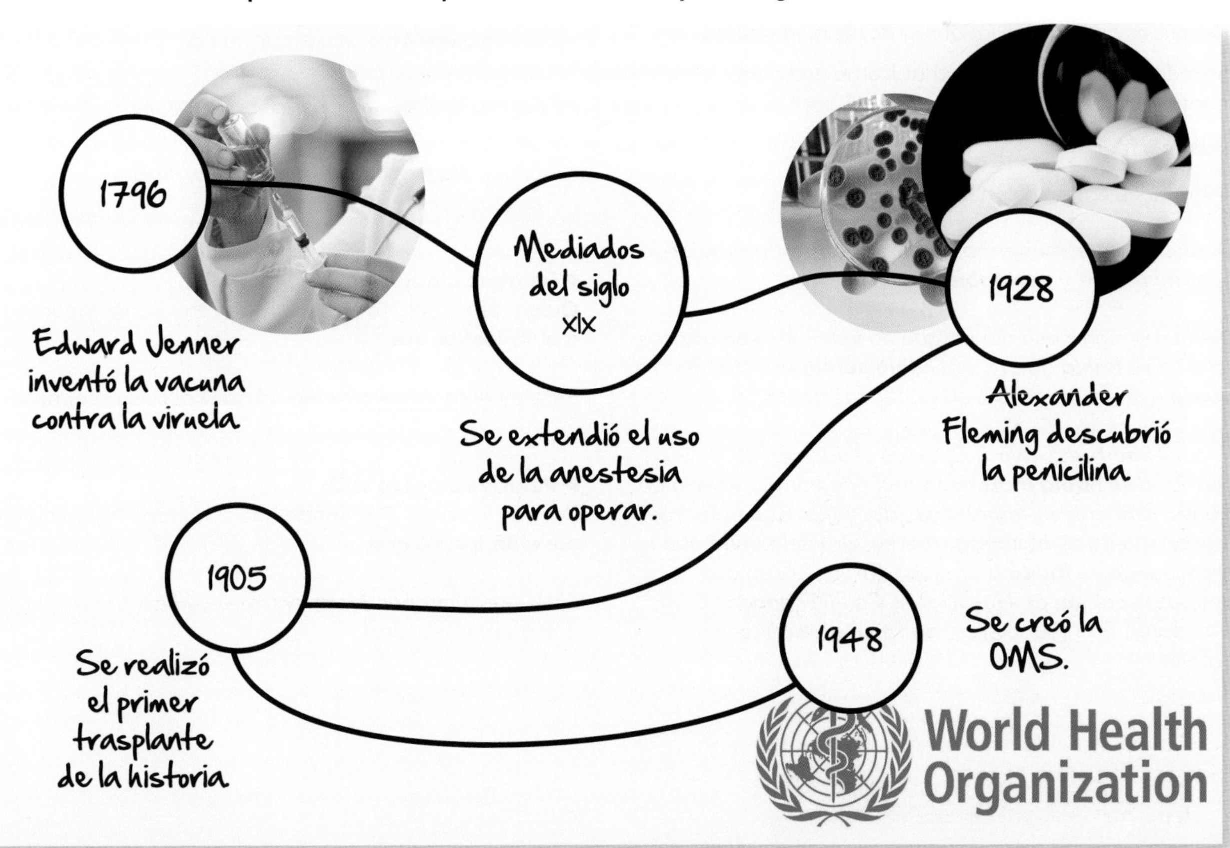

RECURSOS LINGÜÍSTICOS

GRAMMAR

PAST PERFECT

	the imperfect of the verb haber	+ past participle
yo	**había**	
tú, vos	**habías**	
él, ella, usted	**había**	viaj**ado** comet**ido** sal**ido**
nosotros/as	**habíamos**	
vosotros/as	**habíais**	
ellos, ellas, ustedes	**habían**	

We use the past perfect to indicate that one action was completed prior to another in the past.

*Cuando llegó a casa, su hermano ya **se había ido**.*
(17 h) (16:30 h)

*Cuando terminó los estudios, ya **había empezado** a trabajar.*

NARRATING PAST EVENTS

In a complex story, we usually combine different past tenses that each have their own function.

Preterite/Simple Past
Introduces and lists completed actions.
Advances the story with actions.
Imperfect
Describes ongoing situations or developing actions.
Introduces circumstances that frame and give context to the action.
Past perfect
Introduces earlier finished actions.

*Cuando **llegué**, mi hermano **estaba** en su habitación, pero mi madre ya **se había ido**.*

***Decidió** emigrar ese día porque no **veía** más esperanzas, en su país **había** guerra y él **había perdido** su trabajo. **Volvió** a casa, **empezó** a empacar sus cosas...*

*Graciela **se fue** a vivir a Estados Unidos en 2014. Su hermano **se había marchado** dos años antes y **vivía** en Nueva York con su mujer y sus dos hijas. Los primeros meses, mientras **buscaba** trabajo, Graciela **vivió** con ellos. Luego **se mudó** a un departamento con dos amigos, también en Nueva York. En 2017 **encontró** un trabajo en San Francisco y **se fue** a vivir allí con su pareja.*

RELATIVE CLAUSES WITH PREPOSITIONS

▶ **Relative clauses with** que
Que can refer to things or people and can perform various functions in a relative clause.

Buscamos una persona. *Esa persona habla chino.*	*> Buscamos una persona **que** hable chino.*
Son los libros. Pedimos esos libros.	*> Esos son los libros **que** pedimos.*
Es un dispositivo. *Aquí trabajamos con este dispositivo.*	*> Este es el dispositivo **con el que** trabajamos aquí.*
Es una empresa. *Trabajé para esa empresa en verano.*	*> Esa es la empresa **para la que** trabajé en verano.*
Es un país. *Mi madre nació en ese país.*	*> Es el país **en el que** nació mi madre.*

When relative clauses include a preposition, the article (***el/la/los/las***), which comes between the preposition and que, agrees in gender and number with the noun that it refers to.

*Esta es **la empresa** para **la** que trabajé.*
(This is the company that I worked for / for which I worked.)

*Este es **el periódico** para **el** que trabajé.*
(This is the newspaper that I worked for.)

*Estas son **las empresas** para **las** que trabajé.*
(These are the companies that I worked for.)

*Estos son **los periódicos** para **los** que trabajé.*
(These are the newspapers that I worked for.)

▶ **Relative clauses with** quien
Quien refers only to people. It has the same meaning as **a el/la/los/las que**.

*Este es el profesor **a quien** (al que) debes preguntar.*

▶ **Relative clauses with** donde
Refers to places. **Por donde** has the same meaning as **por el/la/los/las que**.

*Este es el lugar **por donde** entró el ejército.* (= el lugar por el que entró el ejército)

COHESION

COMO/CÓMO, CUANDO/CUÁNDO AND DONDE/DÓNDE

Cómo, **cuándo** and **dónde** have accent marks whenever they have an interrogative meaning, whether they appear in direct or indirect questions.

Direct question	Indirect question
*¿**Cómo** salieron del país los refugiados?*	*Nadie sabe **cómo** salieron del país los refugiados.*
*¿**Cuándo** fue la guerra de las Malvinas?*	*Tengo que buscar **cuándo** fue la guerra de las Malvinas.*
*¿**Dónde** se produjo el encuentro entre los presidentes?*	*Los medios no consiguieron averiguar **dónde** se iba a producir el encuentro entre los presidentes.*

In all other cases, **como**, **cuando** and **donde** do not have accent marks.

*Los refugiados salieron del país **como*** (de la manera en la que) *pudieron.*
*En la Primera Guerra Mundial no hubo tantas víctimas **como*** (segundo término de una comparación) *en la Segunda.*

*Muchas personas huyeron **cuando*** (en el momento en el que) *el ejército salió a la calle.*
Cuando (en el momento en el que) *murió Fidel Castro, yo estaba viendo la película* Diarios de motocicleta.

*Bogotá es la ciudad **donde*** (en la que) *nació Laura Restrepo.*
*Esa es la puerta por **donde*** (la que) *entraron los militares.*

BOGOTÁ, COLOMBIA

LEXICAL VARIETY AND NOMINALIZATION

Lexical variety, the avoidance of repetition, and the concise distillation of information are typical characteristics of academic, administrative, and journalistic texts. One tool for achieving these characteristics is the use of nouns—in some cases, nominalized verbs or adjectives.

verb	suffix	noun
explotar, proteger, revisar	-**ción**, -**cción**, -**sión***	la explota**ción**, la prote**cción**, la revi**sión**
legar, llegar, estallar, salir	-**ado/ada**, -**ido/ida**	el leg**ado**, la lleg**ada**, el estall**ido**, la sal**ida**
levantarse, descubrir	-**miento**	el levanta**miento**, el descubri**miento**
resistir, existir, alternar	-**encia/ancia***	la resist**encia**, la exist**encia**, la altern**ancia**
aumentar, desarrollar, exiliarse	-**o**	el aument**o**, el desarroll**o**, el exili**o**
matar, esperar,	-**anza***	la mat**anza**, la esper**anza**
luchar, firmar, reformar	-**a***	la luch**a**, la firm**a**, la reform**a**
romper, leer, abrir	-**ura***	la rupt**ura**, la lect**ura**, la apert**ura**

Nominalization allows the subject of an action to be omitted.

*La policía **buscó** al asesino sin descanso.*
> ***Búsqueda*** *sin descanso del asesino* (titular)

adjective	suffix	noun
escaso, rico	-**ez/eza**	la escas**ez**, la riqu**eza**
loco, culto	-**ura***	la loc**ura**, la cult**ura**
popular, objetivo	-**idad***	la popular**idad**, la objetiv**idad**

Nouns with endings marked with an asterisk (*) are always feminine.

HISTORICAL (NARRATIVE) PRESENT

In academic and informative writing (chronologies, encyclopedia entries, journalistic articles), it is common to use the historical (or narrative) present. This is the use of the present indicative to talk about past events.

*El escritor cubano Leonardo Padura **nace** en La Habana en 1955.*
*3 de enero de 1961: EE. UU. y Cuba **rompen** relaciones.*

VOCABULARY

HISTORIA Y POLÍTICA *(HISTORY AND POLITICS)*

Sistemas políticos
(Political systems)

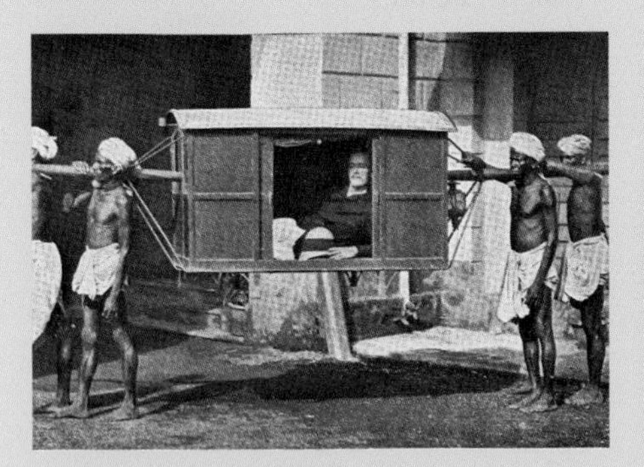

el colonialismo *(colonialism)*
la colonia *(colony)*

la democracia *(democracy)*

la dictadura *(dictatorship)*

Problemas del mundo
(Global issues)

la brecha salarial *(gender pay gap)*
la desigualdad *(inequality)*
la discriminación *(discrimination)*
la explotación laboral *(exploitation of labor)*
la esclavitud *(slavery)*

la guerra *(war)*
el hambre *(hunger)*
la intolerancia *(intolerance)*

la pobreza *(poverty)*
el racismo *(racism)*
la violencia de género *(domestic violence)*
la xenofobia *(xenophobia)*

Conflictos internacionales
(International conflicts)

el campo de refugiados *(refugee camp)*
el refugiado *(refugee)*
la deportación *(deportation)*

la frontera *(border)*
el muro *(wall)*

la independencia *(independence)*
independizarse *(to become independent/gain independence)*

VERBS, NOUNS, AND ADJECTIVES FOR DISCUSSING HISTORY

verb	noun
acordar *(to agree)*	el acuerdo *(agreement)*
atacar *(to attack)*	el ataque *(attack)*
cooperar con *(to cooperate with)*	la cooperación *(cooperation)*
dominar *(to dominate)*	la dominación *(domination)*
exiliarse *(to exile)*	el exilio *(exile)*
explotar *(to exploit)*	la explotación *(exploitation)*
gobernar *(to govern)*	el gobierno *(government)*
huir de/a *(to flee from/to)*	la huida *(flight/escape)*
intervenir en *(to intervene)*	la intervención *(intervention)*
invadir *(to invade)*	la invasión *(invasion)*
levantarse contra *(to rise up against)*	el levantamiento *(uprising)*
luchar *(to fight)*	la lucha *(fight)*
ocupar *(to occupy)*	la ocupación *(occupation)*
proteger *(to protect)*	la protección *(protection)*
rebelarse *(to rebel)*	la rebelión *(rebellion)*
resistir *(to resist)*	la resistencia *(resistance)*
sublevarse contra *(to revolt against)*	la sublevación *(revolt)*

adjective	noun
combatiente *(combatant)*	el combate *(combat)*
escaso/a *(scarce)*	la escasez *(scarcity/shortage)*
igual *(equal)*	la igualdad *(equality)*
independiente *(independent)*	la independencia *(independence)*
libre *(independent)*	la libertad *(freedom)*

FREQUENT WORD COMBINATIONS

acabar con › el hambre › la pobreza › las guerras

to end hunger/poverty/war

garantizar › la libertad › la democracia

to ensure freedom/democracy

la falta › de libertad › de recursos › de democracia

lack of freedom/resources/democracy

la igualdad › de derechos › de género › de condiciones

equal rights/gender equality/equal opportunity

la discriminación › racial › étnica

racial/ethnic discrimination

un conflicto › ideológico › religioso › étnico › bélico

an ideological/religious/ethnic/military conflict

ocupar › un territorio › un edificio

to occupy a territory/a building

luchar por › un territorio › la libertad › la independencia

to fight for a territory/freedom/independence

luchar/trabajar › a favor de la independencia

to fight/work for/in favor of independence

intervenir en › un conflicto › una guerra

to intervene/take part in a conflict/a war

huir de › una guerra › un ataque

to flee from a war/an attack

rebelarse contra › el gobierno › la ocupación extranjera

to rebel against government/a foreign occupation

reivindicar › la libertad › un derecho

to claim independence/a right

potencias › occidentales › europeas

western/European powers

pedir › perdón

to ask for forgiveness/apologize

solucionar › un conflicto

to resolve a conflict

REDES

En este capítulo vamos a investigar sobre personas influyentes en internet que hablen o escriban en español.

LEARNING OUTCOMES
- Reported speech
- Understanding apologetic texts

VOCABULARY
- The internet
- New ways of working
- Anglicisms

LANGUAGE STRUCTURES
- Changes in verb tenses in reported speech
- Adverbial clauses with indicative / subjunctive
- Combining infinitives and pronouns
- The future perfect

ORAL AND WRITTEN TEXTS
- Accuracy and enhancing vocabulary: alternatives to the verb **decir**
- Summarizing

SOUNDS
- The **ll** group

CULTURE
- Barbarita Lara's emergency alert system (Chile)
- *Kentukis*, a novel by Samanta Schweblin (Argentina)

PROJECTS
- Group: do a presentation about an influential Spanish-speaking person on the internet
- Individual: write a text on a topic related to the internet

EN LA RED

 **PREPÁRATE**

1. **¿Cuánto tiempo pasas al día en línea? ¿Dirías que eres un(a) adicto/a a la comunicación online? ¿Qué actividades realizas?**

2. **Observa las viñetas y responde por escrito a las siguientes preguntas.**

   - ¿Qué mensajes transmiten? Escríbelo en una o dos frases.
   - ¿Te parecen exageradas, realistas, sorprendentes, etc.? Justifica tu respuesta.
   - ¿Qué opinas sobre lo que se afirma en la primera viñeta?

3. **Busca en internet (en español o en otra lengua) una viñeta sobre la comunicación en la era digital o el uso de internet, imprímela y llévala a clase.**

4. **En pequeños grupos, compartan sus respuestas a las actividades 1 y 2, y anoten las ideas que les parezcan más interesantes.**

5. **Compartan las viñetas que han traído y tradúzcanlas al español si están en inglés. ¿Qué tienen en común?**

CITAS

PREPÁRATE

6. Responde a estas preguntas.

- ¿Qué redes sociales y aplicaciones sueles usar? ¿Para qué?
- ¿Qué tipo de usuario eres en las redes sociales? ¿Lo cuentas todo?
- ¿Cambias a menudo tu foto de perfil? ¿Subes muchas fotos?

7. ¿Qué ventajas e inconvenientes tiene la comunicación digital y en qué ámbitos (profesional, educativo o privado) nos afectan? Toma notas y llévalas a clase. Puedes utilizar estas expresiones.

perder tiempo | estar al día | estar en contacto con | estar informado/a | sufrir ataques | recibir información falsa | ser adicto/a a | estar enganchado/a a

Ventajas	Inconvenientes
Puedes informarte de oportunidades profesionales de cualquier lugar del mundo, tienes la posibilidad de...	Hay mucha gente que no descansa, que está todo el día conectada.

8. Lee estas citas. ¿Cómo las interpretas? ¿Estás de acuerdo con ellas? ¿Crees que sus razones para estar en contra de las redes sociales tienen relación con tus respuestas a la actividad 7?

"El nuevo ser humano teclea en lugar de actuar".
"Nosotros somos el Gran Hermano".
verne.elpais.com

BYUNG-CHUL HAN (1959)
filósofo coreano

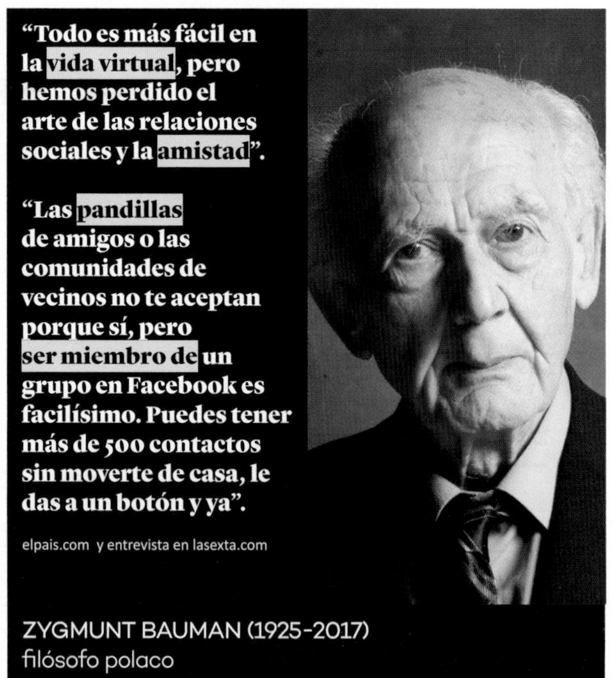

"Todo es más fácil en la vida virtual, pero hemos perdido el arte de las relaciones sociales y la amistad".
"Las pandillas de amigos o las comunidades de vecinos no te aceptan porque sí, pero ser miembro de un grupo en Facebook es facilísimo. Puedes tener más de 500 contactos sin moverte de casa, le das a un botón y ya".
elpais.com y entrevista en lasexta.com

ZYGMUNT BAUMAN (1925-2017)
filósofo polaco

9. En grupos, compartan sus respuestas a la actividad 6.

— Yo uso mucho Twitter.
— Pues yo estoy enganchado a Instagram.

10. Comparen sus respuestas a las actividades 7 y 8. Pongan ejemplos.

La gente que está siempre conectada puede tener problemas de salud como, por ejemplo, no dormir bien o hacer poco ejercicio. Eso es un problema de la vida privada, ¿no?

11. ¿Coinciden sus respuestas con la opinión de Bauman?

LA CAFETERÍA

¿Conoces a otras personas con opiniones interesantes sobre las redes sociales e internet?

teclear: *to type*

comunidad de vecinos: *residents' association*

dar a un botón: *to click on a button*

VIDEO: #SUPERINLOVE

Género: Cortometraje
País: España
Director: Curro Bernabeu
Año: 2019

PREPÁRATE

12. Antes de ver el video, mira estas imágenes e intenta averiguar qué sucede en la historia.

1 
2 
3 

13. Comprueba tus hipótesis viendo el video.

14. Contesta las preguntas. Puedes utilizar este vocabulario.

dar un like | etiquetar a alguien | tener muchos *likes* | escribir un comentario | borrar un comentario | publicar una foto

- ¿Por qué surge el conflicto? ¿Qué le molesta a él? ¿Y a ella?
- ¿Qué ha hecho él con el comentario de ella? ¿Por qué? ¿Cómo reacciona ella?
- ¿Qué sucede al final?

15. Marca quién dice las siguientes cosas. Luego, si lo necesitas, comprueba volviendo a ver el video.

	Él	Ella
1. Están de foto.		
2. Esta tiene muchos *likes*.		
3. ¿Cómo es que tú nunca me das *likes*?		
4. ¿Por qué tú nunca subes fotos mías a ninguna parte?		
5. Te hice una *story*.		
6. Colgué una foto y te etiqueté.		
7. Te puse un comentario y te nombre y todo, *hashtag superinlove*.		
8. ¿Has borrado mi comentario?		
9. El mundo está en las redes.		
10. ¿Nos hacemos una foto?		

16. En parejas, comparen sus respuestas a las actividades 14 y 15.

17. En grupos, comenten qué les parece la actitud de la pareja. ¿Conocen casos similares? Luego, imaginen un final alternativo.

¿NUEVAS FIGURAS?

PREPÁRATE

18. Responde a las siguientes preguntas y házselas también a personas de tu entorno.

- ¿Qué personas te parecen más influyentes en la sociedad actual?
- ¿Por qué crees que algunas personas consiguen influir tanto en otras: por la posición social, por el carácter, por el dinero, por el físico...?
- ¿Sabes qué es un *influencer*?

19. Lee el texto y escribe una definición breve para cada una de las cinco figuras descritas. ¿Conoces otras figuras relacionadas con el mundo de internet?

20. Busca ejemplos de personas que pertenezcan a cada categoría. Analiza si reúnen las características que menciona el texto.

21. Pongan en común sus respuestas a la actividad 18 y las de las personas que has entrevistado.

22. Contrasten sus respuestas a las actividades 19 y 20.

LA CAFETERÍA

Estas "nuevas figuras", ¿son realmente nuevas? ¿Nunca habían existido los *influencers*?

23. ¿Qué piensan del dinero que ganan estas personas y del poder que tienen? ¿Les parecen justificados?

24. Escucha esta entrevista a una *influencer* y responde las preguntas.

1. ¿Qué tipo de *influencer* es? ¿Cuál es su ámbito de influencia?
2. ¿Qué significa para ella ser tan popular? ¿Qué es el éxito para ella?
3. ¿Cuál es su público mayoritario?
4. ¿En qué redes sociales está presente y cuáles funcionan mejor?
5. ¿Cuáles son sus principales desafíos?
6. ¿Qué consejos da a quienes quieren ser *influencers*?

INFLUENCERS

Internet ha puesto en marcha una revolución en la manera de consumir productos y contenidos. En esta revolución, han aparecido nuevas figuras y, entre ellas, la que parece ser la profesión más deseada: *influencer*. El éxito de estos "influenciadores" tiene que ver con su importancia en el mundo de la publicidad: lo que dicen (y lo que no dicen) genera en los consumidores más confianza que otros medios de promoción tradicionales.

Pero el *influencer* no está solo. En la era digital surgen nuevas figuras y las empresas saben sacar provecho de todas ellas. Estas son las claves para entender qué es cada una.

1. Influencers

Tener muchos seguidores en las redes sociales no significa que uno sea *influencer*, pero un verdadero *influencer* tiene siempre unas cifras de seguidores considerables. Estas estrellas mediáticas consiguen, además, que sus seguidores participen y comenten (generando así mayor "ruido" sobre un tema o un producto).

Los *influencers* trabajan en diferentes plataformas y, para que realicen una acción, es necesario negociar con ellos o con sus representantes. Un *influencer* con millones de seguidores puede cobrar más de 100 000 € por una acción en YouTube y más de 70 000 € por un *post* en Facebook o una publicación en Instagram o Snapchat. El *influencer* escribe o publica sobre marcas, pero también protege su marca personal: para tener una influencia real en sus seguidores debe ser creíble y fiable. Solo de ese modo sus consejos se convierten en compras.

2. Brand ambassadors o embajadores de una marca

A diferencia de los *influencers*, los embajadores de marca tienen un contrato con una empresa. Mientras que los primeros participan en campañas a corto plazo, los embajadores son portavoces *(spokesperson)* de la marca durante más tiempo y suelen convertirse en orgullosos expertos de una marca o producto. Y, por supuesto, lo demuestran a través de todos los canales posibles.

3. Bloggers

En muchas ocasiones, los *bloggers* son considerados *influencers*, pero esto depende de su nivel de compromiso con los temas de los que hablan. La mayoría empieza escribiendo sobre sus pasiones y eso les da influencia en determinados ámbitos.

4. Brand advocates

Los *brand advocates* son fieles *(loyal to)* defensores de una marca (muchas veces auténticos fanáticos) y la defienden y promocionan en las redes sociales.

5. Fans

Normalmente, un fan es un cliente fiel que recomienda una marca en las redes sociales. Estos aficionados *(fan)* no reciben ningún tipo de compensación, pero tienen cierta influencia entre sus contactos, aunque no a gran escala *(on a large scale)*.

POSICIÓN DE LOS PRONOMBRES

GRAMÁTICA

PREPÁRATE

25. **¿Has escrito en alguna red social algo que luego has lamentado o recuerdas alguna experiencia de este tipo vivida por otra persona? Escribe qué pasó.**

26. **Lee el texto. ¿Qué te parecen los consejos que da? ¿Están relacionados con lo que has escrito en la actividad 25?**

PUBLICAR EN INTERNET: ¿MEJOR PENSARLO DOS VECES?

Nuestras publicaciones en internet pueden perjudicarnos. Lee los consejos que te damos: seguir**los** te puede evitar muchos problemas.

Diferencia tu vida privada de tu vida pública. Los sentimientos y estados de ánimo hay que compartir**los** solo con las personas que más nos conocen. No tener**lo** en cuenta nos puede traer alguna sorpresa desagradable *(unpleasant)*. Son típicos los casos de empleados que comparten en internet comentarios sobre el mal ambiente en su empresa y las ganas que tienen de encontrar otro empleo..., olvidando que las personas de su empresa pueden leerlos.

Sé respetuoso/a con todos los participantes en la conversación global. La identidad digital de cada uno se forma también a partir de lo que unas personas dicen o comparten sobre las otras. Por eso es importante ayudar a los demás a crear**se** una buena reputación en la red y agradecer**les** su apoyo en la creación de la nuestra. ¡Hacerlo así mejorará sin duda tu red de contactos! Las redes ofrecen muchas posibilidades, pero no es buena idea usar**las** en momentos de frustración ni para evitar la comunicación directa. Por ejemplo, cuando tenemos problemas con alguna institución, puede ser preferible planteár**selos** directamente a las personas de quienes depende la solución. Además de que así nos aseguramos de que nuestra queja *(complaint)* llega a los responsables, evitaremos otras consecuencias negativas. Puede ser el caso de los estudiantes que publican críticas a su universidad... sin darse cuenta de que la mala reputación de su centro los puede perjudicar, ya que es una parte muy importante de su currículum. El mal humor de un momento pasa en poco tiempo, pero es muy difícil borrar**lo** de internet.

Por último, no siempre más es mejor: todo el mundo puede compartir lo que quiera en internet, pero eso no significa que lo que se publica sea de interés para todos. Antes de escribir un mensaje o de colgar contenidos, pregúnta**te**: ¿de verdad es interesante compartir**los**?

27. **Los pronombres destacados en negrita no pueden ir en otra posición; los de las estructuras subrayadas, sí. ¿Sabes por qué?**

28. **Compartan sus respuestas a las actividades 25, 26 y 27.**

29. **Escribe los pronombres necesarios en la posición adecuada. Si hay dos posibilidades, márcalo (2).**

1. En internet, muchas veces los sentimientos .... hay que ocultar ....
2. A Laura y a mí .... puedes contar .... lo que quieras.
3. Escucha, Marta: .... preocupar .... tanto por lo que piensen los demás no es sano.
4. Yo creo que los problemas es mejor .... discutir .... cara a cara.

ESTILO INDIRECTO EN PASADO

GRAMÁTICA

PREPÁRATE

30. **Lee la queja que ha publicado Rafa en un foro de consumidores. ¿Crees que en tu país sería posible una situación similar?**

Rafa

Asunto: Mesa rota

Espero que alguien me pueda ayudar porque no sé qué hacer.
Hace una semana compré una mesa en Muebles García-Fun. En la tienda, el dependiente que me atendió me dijo que tenía 14 días para devolverla si había algún problema. Cuando me llegó a casa, dos días más tarde, vi que tenía dos patas rotas. Entonces llamé a la tienda y me dijeron que no la podía devolver porque era una oferta especial, ya que la mesa había estado en exposición *(a floor model)*. Ayer les escribí para protestar, pero, otra vez, me dijeron que no podían hacer nada y que las condiciones de venta estaban claras en el recibo de compra *(sales receipt)* (¡¡¿¿quién se lee un recibo??!!). ¿Es legal lo que están haciendo?

31. **Fíjate en cómo transmite Rafa las palabras que otras personas le han dicho y escribe las palabras originales. Puedes consultar el apartado de Recursos lingüísticos.**

Tiene 14 días para devolver la mesa...

32. **Por parejas, compartan sus respuestas a las actividades 30 y 31.**

33. **¿Has tenido algún problema similar? En pequeños grupos, comenten la información más relevante: qué compraron, cuál era el problema, si reclamaron, qué les dijeron, etc.**

34. **Vas a escuchar un mensaje de voz que alguien envía desde el aeropuerto para su asistente. Toma notas de todo lo que le pide.**

Para Héctor García:
Hola, Héctor: Verónica me dejó un mensaje para ti. Dice que....

35. **En parejas, imaginen que son el/la asistente de Verónica. Escriban los tres mensajes.**

36. **Han pasado tres días y nadie ha contestado a sus mensajes. Vuelvan a enviarlos realizando las modificaciones verbales necesarias.**

NUESTRAS MÁS SINCERAS DISCULPAS

GRAMÁTICA

37. **Muebles García-Fun ha hecho un seguimiento del caso de Rafa de la actividad 30. Le han contestado por chat y le han enviado un email. ¿Cuál crees que es la respuesta en el chat y cuál el email? ¿En qué se distinguen los textos?**

Hola, Rafa. Sentimos mucho que tengas problemas con la mesa. Para solucionarlos lo antes posible, te proponemos arreglártela. Por favor, ponte en contacto con nosotros para ver cuándo puede pasar por tu casa uno de nuestros técnicos.

Estimado cliente:

Lamentamos que haya tenido problemas con uno de nuestros productos y queremos presentarle nuestras disculpas *(apologies)*. Para evitar que se produzcan situaciones similares en el futuro, nos gustaría saber cómo se ha producido el problema. Para ello le pedimos que nos envíe a mueblesgarciafun@garcia-fun.com el número de referencia de la mesa y la dirección de la tienda en la que fue atendido.

Nos pondremos en contacto con usted lo antes posible.
Le rogamos acepte nuestras más sinceras disculpas por las molestias *(inconveniences)* ocasionadas.

Reciba un cordial saludo,
Raúl Garrido
Atención al cliente

38. **¿Cuál crees que es la respuesta más satisfactoria para Rafa?**

39. **Marca en los textos los recursos que se usan para pedir disculpas. ¿Existen en inglés fórmulas equivalentes?**

USOS DEL SUBJUNTIVO

PREPÁRATE

40. Antes de leer el texto, elige en esta lista los cuatro factores que consideras prioritarios para estar satisfecho/a con un empleo.

- tener un trabajo seguro
- elegir libremente el horario de trabajo
- ser mi propio jefe
- trabajar con personas simpáticas e interesantes
- llevar a la práctica mis ideas
- poder trabajar desde casa
- poder elegir el lugar de trabajo
- tener un buen salario
- poder separar el trabajo y el tiempo libre
- poder elegir o rechazar proyectos
- viajar
- conocer a muchas personas diferentes
- poder compatibilizar el trabajo con mi vida privada (familia, amigos, aficiones...)
- tener la oportunidad de hablar lenguas diferentes
- no hacer siempre lo mismo

41. Lee este texto sobre los nómadas digitales. ¿Qué factores de la lista de la actividad 40 encuentras en él?

NÓMADAS DIGITALES: ¿te imaginas trabajar en la playa o en el desierto?

La comunicación digital ha flexibilizado las formas de trabajo: ha hecho posible, por ejemplo, el teletrabajo o los equipos virtuales, formados por personas que cooperan desde distintos lugares. Gracias a estas nuevas alternativas, las empresas pueden encontrar candidatos idóneos en cualquier lugar del mundo y los empleados, por su parte, tienen la ventaja de organizar como quieran sus tareas laborales y personales.

Más reciente aún es la figura del nómada digital, una persona que, gracias a las tecnologías y sin tener un lugar de residencia fijo, combina su profesión con los viajes. Esto es posible porque dispone de una nube y puede acceder a sus trabajos desde donde los necesite, pero también porque puede permanecer en contacto con sus clientes desde donde esté. Algunas profesiones frecuentes entre los nómadas digitales son las relacionadas con la fotografía, el periodismo, la traducción, el diseño... Pero en el futuro seguramente habrá también nómadas digitales en ámbitos como la asesoría jurídica *(legal advice)*, la medicina o la enseñanza de lenguas. Zaida Echebeste, una nómada digital que se dedica al diseño gráfico, da un consejo fundamental para quien quiera tener este tipo de vida: "Esta vida es muy interesante, pero puede ser algo dura. Trabaja únicamente en proyectos que te interesen de verdad o para quien mejor te pague tus trabajos. Y utiliza las experiencias de tus viajes para crecer".

Lo cierto es que en la vida de estos nómadas modernos no todo son ventajas. La flexibilidad horaria implica estar disponible cuando lo pida el cliente y adaptarse a diferentes zonas horarias. Además, los constantes desplazamientos obligan a trasladar el equipo necesario allá donde se vaya. Por eso, el nómada digital depende de la conexión a internet del lugar donde se encuentre. En lo personal, viajar reduce las relaciones a la comunicación virtual, por lo que este tipo de trabajo puede conllevar *(entail)* momentos de soledad.

GRAMÁTICA

PREPÁRATE

42. Fíjate en estas oraciones y en cómo el inglés interpreta el uso de indicativo o subjuntivo en español. Traduce los ejemplos que faltan.

Los empleados tienen la ventaja de organizar **como quieran** sus tareas laborales y personales. Los empleados tienen la ventaja de organizar **como quieren** sus tareas laborales y personales.	Employees have the advantage of organizing their job or personal tasks however they want. Employees have the advantage of organizing their job or personal tasks the way they want.
Puede acceder a sus trabajos **cuando los necesite**. Puede acceder a sus trabajos **cuando los necesita**.	You can access your work wherever you need it. You can access your work when you need it.
Trabaja únicamente en proyectos **que te interesen** de verdad. Trabaja únicamente en proyectos **que te interesan** de verdad.	You work only on whichever projects really interest you. You work only on the projects that really interest you.
Puede trabajar **donde quiera**. Puede trabajar **donde quiere**.	....
Pueden elegir trabajar **con quien les parezca más interesante**. Pueden elegir trabajar **con quien les parece más interesante**.	....

43. En parejas, contrasten sus respuestas a las actividades 40, 41 y 42.

44. Por grupos, comenten para quiénes de ustedes podría ser una buena opción convertirse en nómada digital y por qué.

TRANSMITIR LAS PALABRAS DE OTROS EN TEXTOS ESCRITOS

CARACTERÍSTICAS DEL TEXTO

45. Observa los verbos destacados en negrita y busca su significado. Marca los que necesitan preposición.

1. El ministro de Ciencia y Tecnología **aclaró** a los periodistas algunas dudas sobre el Programa de Ayudas a la Digitalización.

2. La compañía **ha explicado** los servicios que ofrece su nueva *app* para la comunidad de amantes de los perros.

3. Joven empresario **habla** sobre el funcionamiento de su programa para espiar computadoras y **asegura** que solo se utilizará en colaboración con las autoridades.

4. Facebook **anunció** medidas para detener la publicación de noticias falsas.

5. El ganador del premio a la innovación **expresó** su satisfacción por el reconocimiento.

6. La portavoz de la policía **ha informado** sobre los avances en la lucha contra los ciberataques, pero **ha afirmado** que “todavía queda mucho por hacer”.

Usamos el verbo **decir** para transmitir las palabras de otra persona. En textos cuidados, sin embargo, tenemos que ser más precisos en el significado y usar verbos que aportan otros matices.

46. En un ejemplo se usan comillas. ¿Por qué?

FUTURO PERFECTO

GRAMÁTICA

PREPÁRATE

47. Lee con atención estas preguntas sobre el año 2100 y respóndelas según tu opinión.

a. ¿**Habrá cambiado** por completo el concepto de privacidad?
b. ¿Las redes sociales **se habrán convertido** en el principal medio de comunicación e información?
c. ¿**Habremos conseguido** disminuir la brecha digital?
d. ¿**Habremos olvidado** habilidades del mundo analógico, como escribir a mano o leer un mapa?

48. El tiempo verbal que aparece en negrita es el futuro perfecto *(future perfect)*. ¿Entiendes cómo se forma? Puedes consultar el apartado de Recursos lingüísticos.

49. Escribe tres preguntas más utilizando el futuro perfecto.

50. Comparen sus respuestas a la actividad 47.

51. En parejas, comparen sus respuestas a la actividad 48.

52. En pequeños grupos, háganse las preguntas que han escrito y discutan sobre las posibles respuestas. Luego compartan sus resultados con el resto de la clase.

ANGLICISMOS

VOCABULARIO

PREPÁRATE

53. Estos anglicismos son comunes en el español de la red. Escribe una breve definición de cada uno.

post ***blogger*** ***startup*** ***webinar*** ***newsletter*** ***community manager*** ***crowdfunding***

Un "blogger" es una persona que tiene un blog en internet. Y un blog es una página de internet donde un autor escribe textos sobre temas que le interesan y...

54. Busca textos en español donde se use alguna de las palabras anteriores.

55. Vuelve al texto "*Influencers* y otras especies digitales" y busca las palabras inglesas que aparecen. ¿Están todas escritas de la misma manera? ¿Por qué crees que es así?

56. En parejas, compartan sus definiciones de la actividad 53 y los ejemplos de la actividad 54.

57. Comenten en parejas sus respuestas a la actividad 55.

cruasanes

ESTRATEGIAS

Muchas palabras extranjeras se han adaptado al español y las encontramos en el *Diccionario de la lengua española* (dle.rae.es): **fan**, **bluyín**, **cruasán**... Pero muchas palabras de uso más reciente no aparecen todavía en el diccionario y muchos hablantes las escriben siguiendo su pronunciación en español (**textear**, **bloguer**...).

Para escribir textos cuidados, debemos consultar si es una palabra de uso frecuente y si cuenta con una alternativa aceptada en español (**email** > **correo electrónico**), y ser cuidadosos: las palabras extranjeras se escriben en cursiva.

PRONUNCIACIÓN DE LL Y ENTONACIÓN DE DUDA

58. Escucha y lee el siguiente fragmento de un programa de radio y fíjate en la pronunciación de ll **y de** y**. Luego completa la regla de abajo.**

Como muchos otros jóvenes, a Goyo Illescas le gustaría trabajar en las redes sociales. Para ello, lleva preparándose más de un año y ya hizo varios cursos de mercadeo digital y de *community manager*. Goyo quiere ser famoso: que la gente lo pare en la calle y que le lluevan ofertas para aparecer en los programas de moda...

Las dos eles (**ll**) del español y la (**y**) se pronuncian:

- de manera diferente.
- de la misma manera.

Su pronunciación es igual a la de la letra .... en inglés.

ATENCIÓN

There are some groups of letters in Spanish, like **ch** and **ll**, that are pronounced as one single sound.

59. Ahora escucha ese mismo fragmento, pero en la voz de una periodista argentina. ¿A qué letra del inglés se parecen su ll **y su** y**?**

60. La manera de pronunciar la ll **y la** y **de argentinos y uruguayos es un rasgo muy distintivo de su variante. En pequeños grupos, discutan si conocen alguna diferencia más del español según la zona donde se hable.**

ATENCIÓN

In all languages, we do certain things when we are unsure of ourselves: we speak more slowly, we hesitate, and we ask instead of stating. But there are other things we do that are unique to each language.

61. Escucha cómo expresan duda los hablantes de este audio. Luego, en parejas, imítenlo.

— ¿Vas a ir a que te firme el libro el Rubius?
— Mmm, no estoy seguro. Creo que habrá mucha cola.
— Sí, eso es verdad. ¿Qué tipo de gente crees que habrá?
— ¿Adolescentes?
— ¿Tú crees? También tiene seguidores más mayores.

62. En parejas, intenta contestar las preguntas de tu compañero/a sobre qué *influencers* conoces sin mostrar duda. No utilices muletillas como ¿vale?, ¿ok?, bueno **o** eh, **y no respondas con entonación de pregunta.**

- ¿Cuál es tu *instagramer* preferido?
- ¿Conoces *youtubers* en español?
- ¿Crees que se puede vivir de Youtube?
- ¿Los *youtubers* en inglés tienen más seguidores que en español?

ESTRATEGIAS

Si usas demasiadas muletillas como **¿vale?** u **¿ok?**, haces alargamientos, como **creooooo** y pausas llenas de **eh**, prueba el siguiente truco: cada vez que tengas ganas de decir una muletilla, de alargar las vocales o de decir **eh**, haz algo con las manos, como tocar un dedo o un anillo. Con el tiempo, lo interiorizarás y, cuando dudes, moverás la mano automáticamente y no pronunciarás nada.

TECNOLOGÍA

El sistema de alertas de Barbarita Lara

El *MIT Technology Review en español* escoge cada año a los 35 jóvenes menores de 35 años con mayor potencial para cambiar el mundo a través de la tecnología. Una de ellas es la chilena Barbarita Lara.

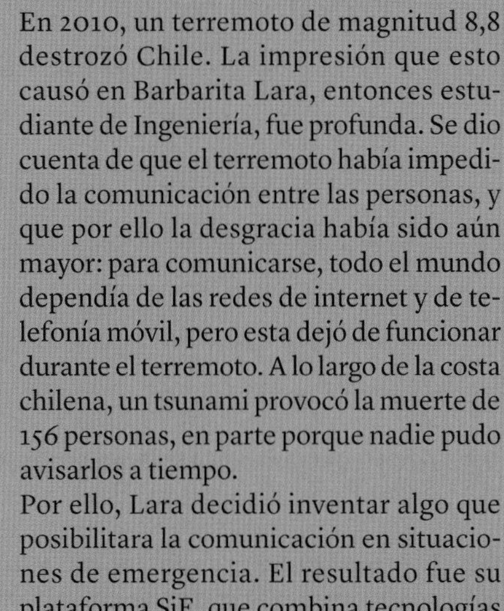

En 2010, un terremoto de magnitud 8,8 destrozó Chile. La impresión que esto causó en Barbarita Lara, entonces estudiante de Ingeniería, fue profunda. Se dio cuenta de que el terremoto había impedido la comunicación entre las personas, y que por ello la desgracia había sido aún mayor: para comunicarse, todo el mundo dependía de las redes de internet y de telefonía móvil, pero esta dejó de funcionar durante el terremoto. A lo largo de la costa chilena, un tsunami provocó la muerte de 156 personas, en parte porque nadie pudo avisarlos a tiempo.

Por ello, Lara decidió inventar algo que posibilitara la comunicación en situaciones de emergencia. El resultado fue su plataforma SiE, que combina tecnologías analógicas y digitales para que los usuarios de *smartphones* puedan recibir mensajes de las autoridades y comunicarse con otros usuarios de móvil cuando no funcionan las redes de telefonía y de internet. La plataforma utiliza la infraestructura de radio y está inspirada en el código morse. Al respecto de su intervención, Lara dice que “a veces, la mejor solución es la más simple”.

Fuente: www.technologyreview.es

ANTES DE LEER

63. ¿Cuáles son para ti las innovaciones tecnológicas más importantes de las últimas décadas? ¿Cuáles de ellas te parecen más útiles para el mundo?

DESPUÉS DE LEER

64. Despues de leer el texto sobre un invento de la ingeniera chilena Barbarita Lara, escribe dos preguntas sobre el contenido.

¿Cómo afectó el terremoto a las comunicaciones?

- ....
- ....

65. En grupos, hagan las preguntas de la actividad 69 a otras personas.

66. Ve a la página del *MIT Technology Review en español*, busca otros jóvenes innovadores y escoge algún invento que te parece interesante. Preséntaselo al resto de la clase.

NOVELA

Kentukis, de Samanta Schweblin

Samanta Schweblin nació en Buenos Aires en 1978. Desde 2012 vive en Alemania. Escribe cuentos y novelas y ha ganado varios premios, entre otros, el Premio *Tournament of Books* por *Distancia de rescate* al mejor libro del año publicado en Estados Unidos en 2018. Ese mismo año se publicó su novela *Kentukis*.

Dejó todo a un lado y sacó al kentuki. Era un muñeco bastante feo, un gran huevo rígido de peluche gris y negro. (...) Calzó el muñeco en el cargador y esperó a que la luz de contacto se iluminara. Titilaba cada tanto, como si buscara señal, después volvía a apagarse. Se preguntó si habría que conectarlo al wifi, pero revisó el manual y confirmó lo que ya creía haber leído en la caja, el 4G/LTE se activaba automáticamente, lo único que quedaba en manos del usuario era dejar al kentuki en su cargador. La compra incluía un año gratis de datos móviles y no era necesario instalar ni configurar nada. Sentada en la cama siguió un rato consultando el manual. Al fin encontró lo que buscaba: la primera vez que el "amo" de un kentuki ponía a cargar su dispositivo debía tener "paciencia de Amo": había que esperar a que el kentuki se conectara a los servidores centrales y a que este se linkeara con otro usuario, alguien en alguna otra parte del mundo que deseara "ser" kentuki.
[...]
Cuando la conexión del K0005973 finalmente se estableció, el kentuki se movió unos centímetros hacia la cama y Alina dio un salto y se puso de pie. Era un movimiento esperable y aun así la sorprendió. El kentuki bajó de la plataforma de su cargador, avanzó hasta el centro de la habitación y se detuvo. Ella se acercó manteniendo cierta distancia. Dio una vuelta a su alrededor pero el peluche no volvió a moverse. Entonces se dio cuenta de que tenía los ojos abiertos. La cámara está encendida, pensó. Tocó el jean de sus pantalones, era un milagro que no estuviera en ropa interior dentro de la habitación. Pensó en apagarlo hasta decidir qué hacer, y se dio cuenta de que no sabía cómo. No se veía ningún interruptor en el kentuki ni en la base. Volvió a dejarlo en el piso y se quedó mirándolo un momento. El kentuki también la miraba. ¿De verdad iba a hablarle? ¿Así, sola en la habitación? Carraspeó. Se acercó aún más y se acuclilló frente a él.
—Hola —dijo Alina.
Pasaron unos segundos, y entonces el kentuki avanzó hasta ella. Qué tontería, pensó, pero en el fondo le daba mucha curiosidad.
—¿Quién sos? —preguntó Alina.
Necesitaba saber qué tipo de usuario le había tocado. ¿Qué tipo de persona elegiría "ser" kentuki en lugar de "tener" un kentuki? Pensó en que también podía ser alguien que se sintiera solo, alguien como su madre, en la otra punta de Latinoamérica. O un misógino viejo y verde, o un depravado, o alguien que no hablaba español.
—¿Hola? —preguntó Alina.

peluche: *plush toy*
cargador: *charger*
buscar señal: *to search for a signal*
interruptor: *switch*
carraspear: *to clear one's throat*
acuclillarse: *to squat down*
depravado: *reprobate*

ANTES DE LEER

67. **¿Te interesa la ciencia ficción? ¿Qué cambios en las relaciones personales predicen las obras de ciencia ficción? ¿Te parecen verosímiles esas predicciones?**

DESPUÉS DE LEER

68. **Después de leer el texto, comenta con un compañero las siguientes preguntas.**

- ¿Qué es exactamente un kentuki? ¿Qué características tiene? Si quieren, pueden dibujarlo usando la información del texto.
- ¿Cuál es la diferencia entre "ser" kentuki y "tener" un kentuki?
- ¿Cómo se siente Alina con respecto a su nuevo kentuki?

69. **En grupos, respondan a las siguientes preguntas.**

- ¿Te parece verosímil la situación que se plantea en la novela?
- ¿Te puedes imaginar tener un kentuki en tu casa? ¿Qué podrías hacer con él?
- ¿Y ser un kentuki? ¿Cómo te comportarías?

70. **En parejas, escriban un párrafo para continuar este fragmento de la novela. ¿Qué creen que va a suceder?**

RESUMIR UN TEXTO

PREPÁRATE

71. **Piensa en situaciones del mundo profesional y académico en las que es necesario saber hacer un resumen. Anótalas.**

En el mundo profesional: resumir una reunión a compañeros que no han asistido...

72. **¿Haces resúmenes para revisar tus materias? ¿Qué pasos sigues cuando tienes que hacer uno?**

73. **Lee el texto de este blog y subraya la información que crees que puede resultarte más útil.**

MIS ESTUDIANTES Y YO

¿CÓMO HACER UN BUEN RESUMEN?

Hoy voy a daros algunas técnicas para resumir un texto.

¿QUÉ HACEMOS CUANDO RESUMIMOS?

Leer, entender y escribir. Resumir requiere un dominio de las estrategias de lectura y de escritura. De lectura, porque debemos ser capaces de entender un texto y diferenciar lo esencial de lo secundario. De escritura, porque tenemos que poder transmitir esa información esencial de forma clara y concisa: el resumen debe entenderse por sí solo, sin necesidad de conocer el texto al que hace referencia.

Me gustaría llamar la atención sobre dos aspectos:

1. Es necesario tener en cuenta el género del texto que queremos resumir: no se destaca lo mismo de un cuento que de un artículo de opinión. En el primero, es esencial decir quiénes son los personajes o dónde y cuándo se desarrolla la acción. En el segundo, lo importante son la tesis del autor y sus principales argumentos.
2. Un resumen, como cualquier otro texto, está dirigido a alguien y tiene un objetivo comunicativo. Eso determina qué información consideramos más importante y queremos incluir, así como la extensión del resumen.

ALGUNOS ERRORES FRECUENTES

Al escribir un resumen, hay algunos errores frecuentes que conviene evitar. Estos son los más comunes.

- Copiar frases literales del texto: debemos expresar con nuestras palabras lo esencial del texto que resumimos.
- Hacer descripciones, enumerar o ejemplificar: debemos ser concisos, usar términos generales y descartar la información secundaria.
- Usar la primera persona: no empezamos un resumen diciendo “creo que el artículo trata de”, sino “el artículo trata de”.
- Empezar un resumen diciendo “este es un resumen de”.

PASOS PARA HACER UN RESUMEN

Para escribir un resumen, recomiendo seguir estos pasos:

1. Leer varias veces el texto para comprender bien su significado y su intención.
2. Identificar el género del texto.
3. Marcar de alguna forma aquello que es esencial (haciendo un esquema mental, subrayando, escribiendo notas al margen...).
4. Hacer un borrador con las ideas principales. Estructurar las ideas.
5. Escribir el texto.
6. Revisar el resumen analizando si se entiende por sí solo, si recoge el significado esencial del texto y si se adecua al objetivo comunicativo.

74. **Comenten sus respuestas a las actividades 71, 72 y 73.**

75. **Lean este texto que aparece en el capítulo 6 del libro *Proyectos 1* y subrayen la información que les parezca más relevante para preparar su resumen.**

CONTACTO ENTRE CULTURAS

¿Un fenómeno de nuestra época?

Viajes de trabajo, de estudios o vacaciones, desplazamientos debidos a guerras, crisis económicas o catástrofes naturales... Existen muchas razones para tener que viajar o cambiar de país, y la sociedad actual se caracteriza por la movilidad y el contacto entre culturas.

Pero ¿es este un fenómeno nuevo? Viajando un poco y observando a nuestro alrededor, podemos comprobar fácilmente que no: las culturas se influyen unas a otras desde siempre.

Aquí tienes tres ejemplos del mundo hispano.

RAÍCES CULTURALES DE PUERTO RICO

La identidad de Puerto Rico es producto de la influencia de diferentes culturas a lo largo de los siglos. A la cultura originaria taína se unió la de los conquistadores españoles que impusieron su lengua y dejaron numerosas obras arquitectónicas en la isla. Más tarde, en el siglo XVI, empezó el comercio de esclavos africanos. Después de la abolición de la esclavitud en 1873, aumentaron las relaciones de los descendientes de africanos con el resto de la población y también su influencia en la lengua, la música o la cocina.
Tras la independencia de España, Puerto Rico comenzó una nueva etapa bajo el dominio de Estados Unidos y la identidad cultural de la isla y su lengua recibieron nuevas influencias.

LA CIUDAD DE LAS TRES CULTURAS

La historia europea está llena de conflictos, guerras y expulsiones, pero también encontramos ejemplos de convivencia entre culturas, como en la ciudad española de Toledo. La historia y la arquitectura de esta ciudad muestran que hubo largos periodos de coexistencia de musulmanes, judíos y cristianos. Un hecho importante es que durante dos siglos (XII y XIII), en esta ciudad, un grupo de estudiosos tradujo al latín obras clásicas griegas y árabes de filósofos y científicos.
Por estas razones, se suele llamar a Toledo "ciudad de las tres culturas".

REPOSTERÍA Y BOMBEROS ALEMANES EN CHILE

En el siglo XIX y a principios del XX llegaron a América Latina varias oleadas de europeos buscando un futuro mejor. Se calcula que entre 1870 y 1930 se trasladaron a América Latina unos 13 millones de europeos.
En el caso de Chile, el Gobierno apoyó la llegada de colonos europeos, especialmente alemanes, británicos, croatas, franceses, holandeses, italianos y suizos. La lengua, algunas costumbres y también la arquitectura muestran la presencia de estos emigrantes. Por ejemplo, en Chile hay muchas asociaciones de bomberos voluntarios de origen alemán y la repostería alemana (con la palabra *Kuchen* para designar los bizcochos y las tartas) está muy presente.

76. **Escribe un resumen de este texto prestando atención a los consejos de la página anterior. Compara tu resumen con el de dos compañero/a. Dense consejos para mejorarlos.**

77. **¿Qué tipo de información consideran relevante que aparezca en un resumen de estos tipos de textos? Hablen en pequeños grupos.**

- una noticia de un acontecimiento (qué pasó, quienes son los protagonistas, etc.)
- un artículo de opinión (qué piensa el autor, cómo lo expresa, etc.)
- un texto publicitario (qué anuncia, para quién, etc.)

PROYECTO EN GRUPO

Personas influyentes en la red

Vamos a investigar sobre personas influyentes en la red que escriban o hablen en español y a analizar sus perfiles.

A. En grupos, escojan tres ejemplos de personas influyentes en la red que escriban o hablen en español y completen la siguiente ficha para cada uno.

Nombre o apodo:
Darío Sztajnszrajber

Nacionalidad:
Argentina

Ámbito de especialización:
Filosofía

Canales de internet en los que es activo:
Youtube, Facebook, Twitter, Instagram

Estilo de comunicación:
Cercano, erudito, accesible, divulgativo

Descripción del carácter:
Riguroso, simpático, cercano, moderno

Número de seguidores:
Instagram: 348k, Twitter: 285000, Facebook: 175045

Perfil de los seguidores:
Personas jóvenes interesadas en la cultura, la filosofía

Clave de su éxito:
Explicaciones de los principales autores y temas de la historia de la filosofía en clave divulgativa y accesible.

B. Escojan a una de esas personas y respondan a las siguientes preguntas:

- ¿Cómo se llama?
- ¿Qué tipo de persona influyente es?
- ¿Cómo es?
- ¿Qué tipo de comunicación usa y qué mensaje quiere transmitir?
- ¿Habla desde su propia identidad o desde la de un personaje?

C. Naveguen por la red, y elijan un episodio del canal de esta persona y véanlo varias veces. Analícenlo contestando estas preguntas.

1. ¿Dónde está? ¿Qué está haciendo en este momento?
2. ¿Sobre qué habla?
3. ¿Qué estrategias de comunicación utiliza?
4. ¿Qué información aporta? ¿Aclara, comenta, anuncia, asegura o explica algo concreto?
5. ¿Cuál es su objetivo, su intención última? ¿Qué quiere conseguir de sus seguidores?

Quiere que sus seguidores...

D. Presenten a la persona escogida y compartan su análisis con el resto de la clase.

PROYECTO INDIVIDUAL

Dos personas influyentes

Vas a redactar un ensayo académico interpretando y comparando a dos personas influyentes en internet.

A. Elige dos personas influyentes en internet con perfiles muy distintos, pueden ser *influencers*, *brand ambassadors*, divulgadores, expertos prestigiosos, etc. Toma nota de sus características principales utilizando las preguntas del proyecto en grupo.

B. Busca una intervención (un episodio o un video) que te parezca interesante de cada uno y analízala como hiciste en el proyecto en grupo. Tu análisis debe ser lo más objetivo posible, sin hacer una valoración personal.

C. Ahora vas a interpretar la intención y las estrategias de comunicación de las dos personas. Puedes añadir alguna información acerca del tipo de conocimiento, idea o producto de los que hablan, los estilos de vida que representan, los mensajes y los valores que transmiten, el perfil de sus destinatarios, etc. Recuerda los recursos argumentativos que han ido apareciendo a lo largo del manual.

D. Redacta ahora la versión final de tu ensayo y revísala antes de entregarla, poniendo especial atención a la corrección formal y a la adecuación. Recuerda que se trata de un ensayo académico formal.

Nombre:
Camila Vallejo Dowling

Nacionalidad:
chilena

Ámbito de especialización:
política

Canales de internet en que es activa:
Twitter, Instagram, tiene su propio blog...

Según la organización Brandwatch, Camila Vallejo Dowling fue la persona más influyente de Chile en Twitter a lo largo del año 2018.

Es diputada del Partido Comunista de Chile y...

RECURSOS LINGÜÍSTICOS

GRAMMAR

REPORTED SPEECH

Reported or indirect speech is the communication of words said by someone else, or by ourselves. For that purpose, we may use the verb **decir** + **que**.

"Tiene 14 días para devolver la mesa".
*El dependiente me **dijo que** tenía 14 días para devolver la mesa.*

If time references in the original speech no longer apply, we make a series of changes in verb tenses.

*Me dijo que **tenía** 14 días para devolver la mesa.*
(15 días después)

Speakers of European Spanish make the following distinction:

Tiene 14 días para devolver la mesa.
*> Me ha dicho que **tengo** 14 días para devolver la mesa*
(diez minutos después).
*> Me dijo que **tengo** 14 días para devolver la mesa*
(un día después).

▶ Verb tense changes

presente	›	imperfecto
pretérito perfecto	›	pretérito pluscuamperfecto
pretérito indefinido	›	pretérito pluscuamperfecto
imperfecto	›	imperfecto
futuro	›	condicional

Original speech	Reported speech, when time references are no longer valid
	Aquel día me dijo que...
presente	**imperfecto**
Estoy contenta.	*estaba contenta.*
pretérito perfecto	**pretérito pluscuamperfecto**
Nunca he escrito en un blog.	*nunca había escrito en un blog.*
imperfecto	**imperfecto**
Estaba contenta.	*estaba contenta.*
pretérito	**pretérito pluscuamperfecto**
Ayer perdí el celular.	*el día antes había perdido el celular.*
futuro	**condicional simple**
Pasaré unos días en Oaxaca.	*pasaría unos días en Oaxaca.*
futuro perfecto	**condicional compuesto**
El viernes habré terminado todos los exámenes.	*ese viernes habría terminado todos los exámenes.*

When the speaker considers that the time markers in the original speech are still valid, no change in verb tense is made. However, commands change to the present subjunctive.

Original speech	Reported speech, when time references are no longer valid
	Dice que...
imperativo	**presente de subjuntivo**
Envíale un mensaje a Clara.	*le envíes un mensaje a Clara.*

Oaxaca, México

RELATIVE PRONOUNS (QUIEN**,** COMO**,** DONDE**,** CUANDO**, ETC.)**

We use the indicative to refer to a person, a way, a place, or a moment that we know exists, or for which we can presuppose an actual existence.

*Siempre trabajo con **quien paga** mejor. (I know who those people are or have already had this experience).*
*Puedo ir a **donde vives** tú. (I know where you live, or am aware that you live in a particular place).*
*Puedo ir **cuando quieres** tú. (I know what the moment is, or that you have a particular moment in mind).*

We use the subjunctive to refer to an unknown person, manner, place, or moment that may or may not have an actual existence.

*Trabajaré con **quien pague** mejor. (I don't know who those people are or have yet to experience it).*
*Puedo ir a **donde vivas** tú. (I don't know where you live, or I know you may live in different places).*
*Puedo ir **cuando quieras** tú. (I don't know the exact moment, or it could be many different moments).*

COMBINING THE INFINITIVE WITH PRONOUNS

When we need to combine an isolated infinitive (without a conjugated verb) with direct object, indirect object, or reflexive pronouns, the pronouns must be attached after the infinitive forming a single word.

*Es fácil tener problemas en internet. Planteár**selos** directamente a la persona responsable es lo mejor.*
*Las redes sociales ofrecen muchas posibilidades, pero no es bueno usar**las** en momentos de frustración.*
Las redes sociales ofrecen muchas posibilidades, pero no es bueno ~~las usar~~ en momentos de frustración.

When an infinitive is combined with a conjugated verb, the pronouns go before the conjugated verb or attached after the infinitive forming a single word.

*Nuestras publicaciones en internet **nos** pueden perjudicar.*
*Nuestras publicaciones en internet pueden perjudicar**nos**.*

Pronouns cannot be placed before the conjugated verb if the verb is impersonal.

Los sentimientos hay que dejarlos a un lado. 👍
Los sentimientos ~~los hay~~ que dejar a un lado. 👎

FUTURE PERFECT

The future perfect is formed with the future of the verb haber + the past participle of the main verb.

	HABER	
yo	habr**é**	hablado
tú, vos	habr**ás**	
él, ella, usted	habr**á**	
nosotros, nosotras	habr**emos**	
vosotros, vosotras	habr**éis**	
ellos, ellas, ustedes	habr**án**	

The future perfect is used to predict a future action or state that will have happened before another moment in the future.

*En 2050 **se habrá agotado** el petróleo.*
*Quiero firmar un contrato con una marca de cosméticos el año que viene. Para entonces ya **habré conseguido** 1 millón de seguidores.*

Remember that with the present perfect, we confirm that an action was completed in the past:

*Todavía no **hemos establecido** una base en la Luna, pero sí **hemos ido** hasta allá.*

With the future perfect, we are predicting that an action will be completed at a particular time in the future.

*En 2100 **habremos establecido** una base en la Luna.*

COHESION

COMMUNICATING THE WORDS OF OTHERS: PRECISION AND LEXICAL VARIETY

Precision and lexical variety improve the quality of a text. A carefully written text should not constantly repeat the verb **decir** to report speech. Instead, we can use other verbs with more specific meanings.

aclarar *(to clarify/to clear up)*

*El presidente **aclaró que** no van a subir los impuestos.*
*El ministro de Ciencia y Tecnología **aclaró** algunas dudas sobre el Programa de Ayudas a la Digitalización.*

afirmar *(to confirm/to declare)*

*Muchos expertos **afirman que** no es bueno pasar tanto tiempo sentado sin moverse.*
*El blogger **afirma que** quiere llegar a los 5 millones de seguidores.*

anunciar *(to announce)*

*La marca **anunció que** contratará los servicios de una conocida influencer.*
*La red social **anunció** medidas para detener la propagación de noticias falsas.*

asegurar *(to assure/to claim)*

*El creador del software **asegura que** solo se utiliza en colaboración con las autoridades.*
*El pirata informático **asegura tener/que tiene** pruebas de su inocencia.*

explicar *(to explain)*

*Una compañía de Managua **explicó** cuáles son los servicios que ofrece su nueva app.*
*Nadie **ha explicado** todavía **cómo** funciona el nuevo sistema de becas.*

expresar *(to express)*

*La presidenta de la compañía **expresó que** está muy satisfecha con los resultados de la campaña.*
*El ganador del premio a la innovación **expresó** su satisfacción por el reconocimiento del jurado.*

hablar *(to talk)*

*Joven empresario **habla sobre** el funcionamiento de su programa para espiar ordenadores.*
*Muchos influencers no **hablan de** ningún producto: la promoción que hacen es indirecta.*

The verb **hablar** does not take **que**.
El presidente ~~habló~~ que no van a subir los impuestos. 

informar *(to report)*

*Las autoridades **han informado de que** el huracán ha causado importantes daños.*
*La policía **ha informado sobre** los avances contra los ciberataques.*
*Las autoridades **han informado de** los daños ocasionados por el huracán.*

negar *(to deny)*

*Algunos expertos **niegan que** los problemas de sedentarismo sean causados por las nuevas tecnologías.*
*El acusado **negó estar** implicado en el robo.*

To indicate that we are reproducing someone's exact words, we use quotation marks.

El presidente afirmó que "todavía queda mucho por hacer".

VOCABULARY

PARTICIPAR EN LAS REDES SOCIALES *(PARTICIPATING IN SOCIAL MEDIA)*

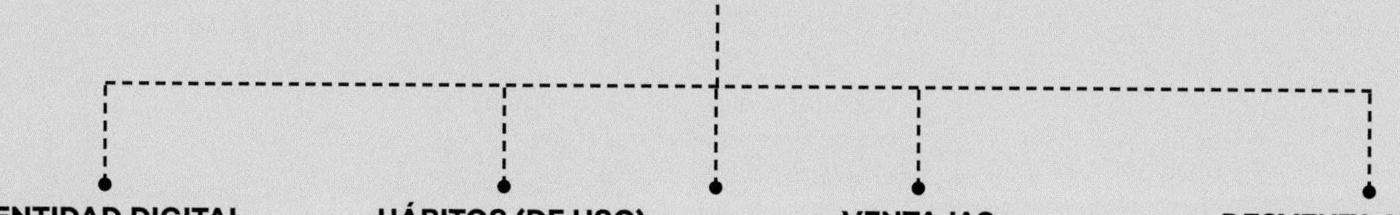

IDENTIDAD DIGITAL
(DIGITAL IDENTITY)

el/la usuario/a (de internet) *(internet user)*

la conversación global *(global conversation)*

la red de contactos *(network of contacts)*

crear una reputación en la red *(to create a reputation online)*

el/la influyente/*influencer* *(influencer)*

la privacidad *(privacy)*

HÁBITOS (DE USO)
(USAGE HABITS)

compartir algo en internet *(to share something online)*

borrar algo de internet *(to delete something from the internet)*

dar un *like* *(to (give a) like)*

etiquetar *(to tag)*

publicar (algo) en internet *(to publish (something) online)*

colgar una foto *(to post a picture)*

pensar algo (dos veces) *(to think twice)*

influir en/sobre *(to influence)*

ser respetuoso/a con... *(to be respectful of)*

bajar/subir un archivo/una foto/un video *(to download/upload a file/photo/video)*

VENTAJAS
(ADVANTAGES)

comunicación directa *(direct communication)*

estar al día *(to be up to date)*

estar (bien) informado/a *(to be (well) informed)*

ponerse/estar en contacto con *(to get/be in contact with)*

sacar provecho de las redes *(to take advantage of social media)*

DESVENTAJAS
(DISADVANTAGES)

recibir noticias falsas *(to receive fake news)*

sufrir ataques (verbales) *(to suffer (verbal) attacks)*

la brecha digital *(digital divide)*

ser adicto/a a *(to be addicted to)*

la frustración *(frustration)*

estar enganchado/a a *(to be hooked on)*

preocuparse por lo que piensan los demás *(to worry about what others think)*

VOCABULARY

NÓMADAS DIGITALES
(DIGITAL NOMADS)

acceder a algo desde cualquier lugar
(to access something from any location)

la flexibilidad horaria
(flexible schedule)

conectar(se) al wifi
(to connect to wi-fi)

la comunicación digital
(digital communication)

flexibilizar las formas de trabajo *(to make the way we work more flexible)*

cooperar desde distintos lugares
(to work together from different places)

depender de la conexión a internet
(to depend on an internet connection)

pertenecer a la plantilla de una empresa
(to be part of a company's staff)

momentos de soledad
(moments of) loneliness)

el teletrabajo
(telecommuting)

estar disponible *(to be available)*

disponer de una nube
(to have the cloud available)

el equipo virtual
(virtual team)

FRECUENCIA *(FREQUENCY)*

a menudo *(often)*
regularmente *(regularly)*

RELACIONES SOCIALES *(SOCIAL RELATIONS)*

la amistad *(friendship)*
la pandilla (de amigos) *(group/gang of friends)*
ser miembro de un grupo *(to be a member of a group)*

TRABAJO *(WORK)*

el candidato idóneo *(the ideal candidate)*
el empresario *(business owner/employer)*
la posición social *(social status)*
un trabajo seguro *(steady job)*

compatibilizar (algo) con (algo) *(to juggle/to coordinate)*
ser tu propio jefe *(to be your own boss)*
trabajar desde casa *(to work from home)*

FREQUENT WORD COMBINATIONS

usar redes sociales / internet / WhatsApp / Facebook / el celular / un dispositivo
to use social media/the internet/WhatsApp/Facebook/a cell phone/a device

tener seguidores / fans / *likes*
to have followers/fans/likes

compartir / consumir / acceder a **contenidos**
to share/consume/access content

actualizar el estado / el perfil
to update one's status/profile

publicar un *post* / un comentario / una foto / una noticia
to publish a post/a comment/a photo/news

huella / reputación / comunicación **digital**
digital fingerprint/reputation/communication

vida virtual / pública / privada
virtual/public/private life

CAPÍTULO 8

TRADICIONES

En este capítulo, vas a aprender a diseñar una campaña de promoción de una tradición y a hablar de tradiciones controvertidas.

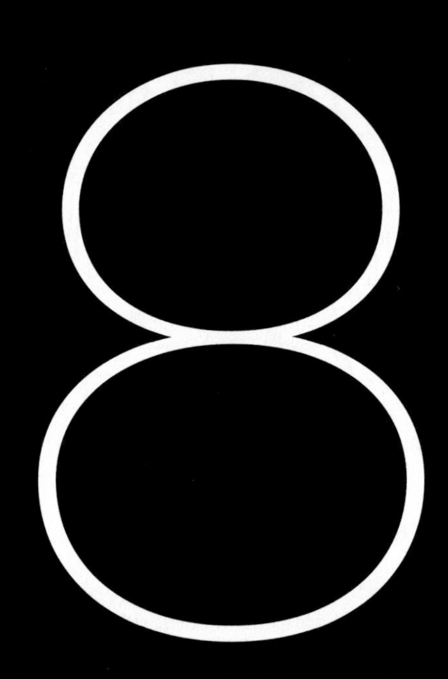

LEARNING OUTCOMES
- Talk about past events
- Describe traditions
- Express opinions about events

VOCABULARY
- Traditions, celebrations, and rites

LANGUAGE STRUCTURES
- Pronominal and non-pronominal constructions
- Express impersonality
- Passive constructions
- Intensify with **lo** + adjective / adverb

ORAL AND WRITTEN TEXTS
- Expository text

SOUNDS
- The letter **l**
- Intonation to express obviousness and doubt

CULTURE
- Traditions, celebrations, and rituals in the Hispanic world
- Popular festivities in Honduras
- Susana Baca, Peruvian musician

PROJECTS
- Group: design an ad to promote a cultural event in a Spanish-speaking country
- Individual: write a report about a controversial tradition

PALABRAS CLAVE

PREPÁRATE

1. Identifica a cuál de estos tres términos: celebración, rito y tradición, corresponde cada definición.

1. Transmisión de noticias, composiciones literarias, doctrinas, costumbres, etc., hecha de generación en generación.
2. Acción de recordar o conmemorar algún evento específico o bien a alguna persona. Aplauso, aclamación.
3. Práctica o ceremonia que se repite de forma invariable de acuerdo con un conjunto de normas establecidas.

2. Recuerda alguna tradición, celebración o rito de tu cultura, y escribe palabras relacionadas.

Alburquerque, Reunión de Naciones:
- ropa típica con insignias
- bailes
- música
- artesanías

3. En grupos, compartan sus respuestas a las actividades 1 y 2.

Yo soy de Alburquerque. La Reunión de Naciones es uno de los Pow-wows más grandes en los EE. UU. Participan más de 500 tribus de los EE. UU. y Canadá. Hay competencias de bailes y de canto, de tambores y de belleza. También hay...

CITAS

PREPÁRATE

4. Lee estas citas e intenta explicar con tus propias palabras qué intención tienen, qué significan. ¿Compartes sus puntos de vista?

1 **Para crear debes estar consciente de las tradiciones, pero para mantener las tradiciones debes crear algo nuevo.**
CARLOS FUENTES (1929-2012), escritor mexicano

2 **Los indígenas estamos dispuestos a combinar tradición con modernidad, pero no a cualquier precio.**
RIGOBERTA MENCHÚ (1959), activista guatemalteca, premio Nobel de la Paz

3 **Un pueblo sin tradición es un pueblo sin porvenir.**
ALBERTO LLERAS CAMARGO (1906-1990), periodista colombiano y presidente de Colombia (de 1945 a 1946 y de 1958 a 1962)

5. Elige entre estas tres personas la que más te interesa e investiga un poco sobre su vida y su contexto.

6. En grupos, compartan sus respuestas a la actividad 4. ¿Con qué cita está más de acuerdo la mayoría de la clase?

7. Compartan la información de la actividad 5 con el resto de la clase.

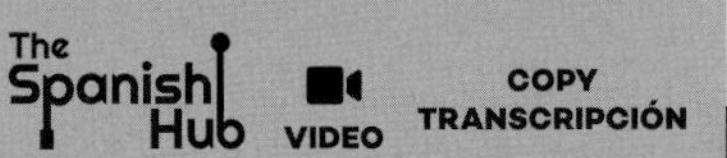

VIDEO: LA FIESTA DE LA CANDELARIA

PREPÁRATE

8. **Ve el video hasta el minuto 01:26. ¿Cuál es la historia del pueblo de La Candelaria? Completa estas frases.**

En 1521 **Hace miles de años** **En 1570 y pico**

- .... los españoles llegan a Coyoacán.
- .... nace el pueblo de La Candelaria, como unión de los antiguos barrios de Santa Cruz, San Lorenzo y La Candelaria.
- .... los tepanecas se asentaron en el pueblo.

9. **Sigue viendo el video hasta el minuto 02:22 y responde a estas preguntas.**

1. ¿De dónde viene la imagen de La Candelaria?

....

2. ¿Por qué los antiguos pobladores prefirieron una deidad mujer?

....

10. **Ve el resto del video. ¿En qué consiste la fiesta de La Candelaria? Contesta a las preguntas.**

- ¿Cuándo se celebra? ....
- ¿Qué se hace? ....

11. **Según el entrevistado, ¿qué valores representa esta fiesta? Escríbelo.**

12. **En grupos, comparen sus respuestas a las actividades 8, 9, 10 y 11.**

13. **¿Conocen otras fiestas tradicionales? ¿En qué lugar se celebran? ¿Qué valores representan? Coméntenlo en grupos.**

IMÁGENES

PREPÁRATE

14. Lee los textos sobre cuatro manifestaciones culturales inscritas en la lista del Patrimonio Cultural Inmaterial de la Humanidad de la UNESCO y relaciónalos con las imágenes.

1 Es una festividad religiosa que se celebra en San Francisco de Yare (Venezuela) el día de Corpus Christi. **Los diablos danzantes** bailan para rendir culto al Santísimo Sacramento y para celebrar el triunfo del bien sobre el mal. Visten trajes rojos, capas y máscaras, además de adornos como cruces *(crosses)*, rosarios *(rosaries)* y otros amuletos *(amulets)*.

2 **La danza de las tijeras** es un baile indígena de la región de Ayacucho (Perú). Es una danza de carácter mágico religioso que se baila especialmente en las fiestas navideñas. Durante el baile, los participantes llevan en la mano derecha unas tijeras *(scissors)* que chocan unos con otros mientras bailan.

3 **Las Fallas** son unas fiestas que se celebran en marzo, en Valencia (España), en honor a San José. Asociaciones y diferentes tipos de colectivos construyen muñecos de madera (las fallas), que se exponen durante unos días. Por votación popular, se elige la figura ganadora, que se guarda en un museo. Las demás se queman.

4 **La ceremonia ritual de los voladores** es una danza mexicana asociada a la fertilidad. Cinco jóvenes trepan por un poste de 18 a 40 metros de alto, y cuatro se lanzan al vacío desde la plataforma a la que están atados. Giran mientras la cuerda se desenrolla y van bajando poco a poco hasta el suelo.

15. Dividan la clase en cuatro grupos. Cada uno busca uno o varios videos representativos de una de estas tradiciones, amplía la información y comparte sus descubrimientos con el resto de la clase.

LA NOCHE DE SAN JUAN

PREPÁRATE

16. **¿Se celebra en tu comunidad el solsticio de verano? ¿Qué se hace y qué elementos están presentes? Si no se celebra, investiga cómo se hace en otras.**

17. **Antes de leer el texto, observa la fotografía que acompaña al artículo y haz una lista de elementos que ves o que te llaman la atención.**

18. **Ahora lee el texto y toma conciencia de tus conocimientos del léxico. Busca...**

- palabras relevantes que ya conoces.
- palabras que no conoces, pero que entiendes por el contexto.
- palabras que son iguales o similares en tu lengua.
- palabras que no entiendes en absoluto.

19. **Vas a escuchar a tres personas hablando de cómo se celebra San Juan en Cuba, Paraguay y en Perú. Relaciona cada una de estas fotos con el país correspondiente.**

....

....

....

20. **Vuelve a escuchar y completa estas frases.**

1. En Paraguay es típico ....
2. En Perú la tradición es ....
3. En Cuba la costumbre es ....

21. **Comparen en parejas sus respuestas a las actividades 16 y 17.**

22. **Compartan las palabras que han anotado en la actividad 18. ¿Cuáles son las palabras clave para entender el texto?**

23. **Vuelvan a leer el texto. Con el/la mismo/a compañero/a, preparen cinco o seis preguntas de comprensión lectora para otra pareja.**

¿Cuál es la motivación para cruzar el fuego andando?
¿Por qué pusieron pulsímetros a familiares y también a extraños?

24. **Intercambien las preguntas con otra pareja y respóndanlas.**

25. **Comparen sus respuestas a las actividades 19 y 20.**

26. **Piensa en una celebración, de tu comunidad o de otra, que has vivido. En pequeños grupos, contesten a las siguientes preguntas.**

- ¿En qué consiste esa celebración?
- ¿Habías participado antes o era la primera vez?
- ¿Cón quién estabas? ¿Con quién fuiste?
- ¿Había música, comida, ropa especial...?
- ¿Cuándo y dónde fue exactamente?
- ¿Participaste activamente? ¿Te interesó, la pasaste bien?

La gente se reúne/baila/canta/se viste...
sale en procesión/en un desfile...
Todo el mundo lleva/prepara...

EL RITUAL DEL FUEGO QUE UNE AL PUEBLO EN LA NOCHE DE SAN JUAN

El fuego es el protagonista de las fiestas de muchos pueblos y ciudades de España.

El fuego es el protagonista de numerosos rituales celebrados en diferentes lugares de todo el mundo, desde Polinesia a España pasando por la India. En ellos se mezclan elementos religiosos con el culto a la naturaleza y el sol.

En España, en un pequeño pueblo de la provincia de Soria llamado San Pedro Manrique, se celebra un ritual colectivo que ha llamado la atención de numerosos antropólogos: cada 23 de junio, sus habitantes celebran la noche de San Juan caminando descalzos sobre una alfombra de brasas. El recorrido es de tres metros y se cruza en unos cinco segundos. Aunque esta tradición concentra a una gran cantidad de turistas y curiosos, los habitantes del pueblo son los únicos que se atreven a hacer el "Paso del fuego". "Los de fuera se queman", suelen afirmar los lugareños. Muchos incluso caminan sobre las brasas llevando a hombros a algún familiar. Algunos lo hacen por tradición y otros para cumplir una promesa religiosa. Sea cual sea la razón, la fiesta es una de las principales señas de identidad de San Pedro.

Los antropólogos establecen que los rituales colectivos que generan emociones fuertes tienen una función social y contribuyen a la cohesión del grupo. Por ejemplo, el sociólogo Émile Durkheim habla de la "efervescencia colectiva", un sentimiento de estar más cerca de la gente. Sin embargo, esta noción de efervescencia es difícil de definir e imposible de medir, como explica Dimitris Xygalatas, un antropólogo que ha investigado el Paso del Fuego de San Pedro Manrique.

Este investigador griego colocó pulsímetros en 38 personas que participaron en la fiesta: 12 pasadores del fuego, 9 espectadores que tenían alguna relación con ellos y 17 visitantes que no conocían a quienes cruzaban las brasas. El experimento duró unos 30 minutos, durante los cuales varias personas hicieron paseos sobre el fuego de cinco segundos de duración. Después de medir sus latidos, los investigadores detectaron que el corazón de los familiares y amigos evolucionaba de una manera similar al de las personas que cruzaban las brasas. Por el contrario, los visitantes que no tenían relación con los pasadores no presentaron cambios en sus constantes.

Xygalatas asegura que su estudio "muestra por primera vez que los efectos de la acción social tienen una base fisiológica, que se puede medir con precisión, y que este efecto es independiente de la coordinación motora", ya que los pasadores que recorrían las brasas y sus amigos y familiares, que permanecían inmóviles, mostraban cambios fisiológicos similares.

RECURSOS PARA EXPRESAR IMPERSONALIDAD

PREPÁRATE

27. En Latinoamérica, existen diferentes tradiciones para recibir el Año Nuevo. Observa las ilustraciones y completa las frases como en el ejemplo. Puedes buscar online para saber de qué país es cada bandera.

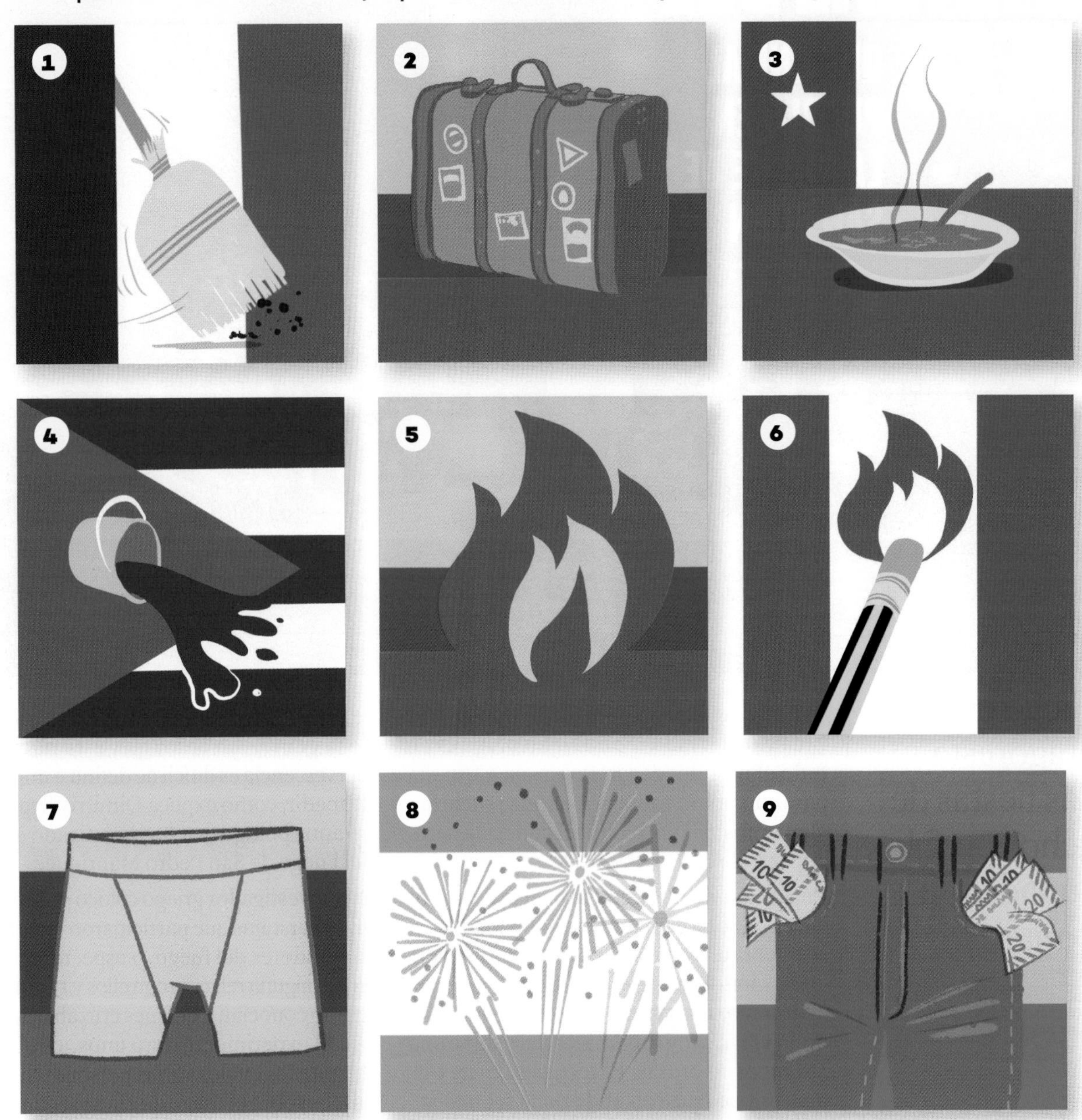

1. En México es típico barrer la casa de dentro hacia fuera para dejarla limpia de impurezas el resto del año.
2. En Colombia la tradición es .... una maleta alrededor de la casa para poder viajar todo el año.
3. En Chile es típico .... lentejas para tener prosperidad y abundancia.
4. En Cuba la costumbre es .... agua a la calle para quitar todo lo negativo.
5. En Ecuador la tradición es .... un muñeco de trapo para destruir lo malo del año viejo.
6. En Perú es típico .... cosas indeseables en papelitos para después quemarlos dentro de un muñeco y así evitar todo lo negativo.
7. En Venezuela la costumbre es .... ropa interior amarilla para tener éxito y dinero.
8. En Argentina la costumbre es .... fuegos artificiales.
9. En Bolivia es típico .... dinero en los bolsillos o los zapatos para tener un año próspero.

GRAMÁTICA

PREPÁRATE

28. Observa estos tres enunciados sobre la tradición mexicana e identifica el sujeto gramatical en cada uno. Puedes consultar Recursos lingüísticos.

1. Los mexicanos barren la casa de dentro hacia fuera para dejarla limpia de impurezas el resto del año.
2. En México barren la casa de dentro hacia fuera para dejarla limpia de impurezas el resto del año.
3. En México se barre la casa de dentro hacia fuera para dejarla limpia de impurezas el resto del año.

29. Sigue el modelo de la actividad 28 y haz lo mismo con las frases de la actividad 27: escribe en tu cuaderno tres versiones para cada tradición.

30. Comparen sus respuestas a las actividades 27, 28 y 29.

31. Escribe qué se hace en tu cultura y en tu familia para recibir el Año Nuevo.

En Nueva York algunas personas se bañan en la playa de Coney Island.

32. ¿Conocen otras tradiciones?

— En España y en muchos países de América Latina se comen uvas...

CONSTRUCCIONES PASIVAS Y ESTRATEGIAS PARA FOCALIZAR

GRAMÁTICA

PREPÁRATE

33. **Sigue el ejemplo y elige la opción correcta. Para responder, puedes investigar y documentarte.**

1.ª abolición de la esclavitud en el continente americano	
Cuba	1880
~~Chile~~	~~1823~~

La novela *Cien años de soledad*	
Gabriel García Márquez	1967
Julio Cortázar	1970

Celebración de la Copa Mundial de Fútbol de 1986	
México	mayo-junio
Argentina	agosto-septiembre

Diseño del mapa más antiguo del continente americano	
Juan de la Cosa	1500
Cristóbal Colón	1498

Dirección de la película *Biutiful*	
Guillermo del Toro	2014
Alejandro González Iñárritu	2010

El cuadro *La creación de las aves*	
Frida Kahlo	1975
Remedios Varo	1957

Poema 20, "Puedo escribir los versos más tristes esta noche"	
Federico García Lorca	1933
Pablo Neruda	1924

Organización de las Olimpiadas de 1968	
México	verano
Montreal	invierno

34. **Observa estas tres formas de expresar la misma idea. ¿Entiendes las diferencias? Haz lo mismo con las demás frases de la actividad 33.**

- Chile abolió la esclavitud en 1823.
- La esclavitud fue abolida por Chile en 1823.
- La esclavitud la abolieron en Chile en 1823.

ATENCIÓN

PASSIVE CONSTRUCTIONS

Passive subject (receiver) + **ser** + participle + **por** + active subject (agent)

La esclavitud ***fue abolida por*** *Chile en 1823.*
(Slavery was abolished by Chile in 1823.)

35. **Lean y escuchen estas posibles respuestas a la pregunta "¿Julio Cortázar escribió la novela *Cien años de soledad*?" ¿Qué recursos se usan en cada caso para destacar la información que se corrige? Pueden consultar el apartado "Word order" de Recursos lingüísticos.**

1. No, la escribió García Márquez.
2. No, Julio Cortázar no, García Márquez.
3. No, no fue Julio Cortázar, sino García Márquez.
4. No fue Julio Cortázar quien escribió *Cien años de soledad.*
5. GARCÍA MÁRQUEZ escribió *Cien años de soledad.*

36. **Comparen en parejas sus respuestas a las actividades 33 y 34, usando las estrategias para focalizar elementos que han visto en la actividad anterior.**

37. **En grupos, preparen preguntas como las de la actividad 33 para otro grupo.**

Dirección de la película *Roma*	
Iñárritu	2016
Cuarón	2018

INTENSIFICAR CON LO + ADJETIVO/ADVERBIO

GRAMÁTICA Y VOCABULARIO

PREPÁRATE

38. Termina estos mensajes enviados por el celular con la opción adecuada.

8:26 pm

¡No sabes lo grandes... 8:27 pm

10:15 am

¡Es increíble lo llenos... 10:17 am

6:06 pm

¡No sabes lo impresionante... 6:07 pm

12:19 pm

¡Hay que ver lo dulce... 12:20 pm

a. que es ver las ofrendas y los altares decorados!
b. que es el pan de muertos!
c. que son algunas calaveras!
d. que están los mercados de flores de cempasúchil!

ATENCIÓN

EMPHASIZING CHARACTERISTICS

Qué + adjective
*¡**Qué** lleno está este mercado!*

Qué + noun + **tan** + adjetivo
*¡**Qué** fiesta **tan** divertida!*

The prefix **super**
*Algunas calaveras son **super**grandes.*

Lo + adverb + **que** + verb + subject
*¡**Lo** bien **que** canta este coro!*

39. En parejas, comparen sus respuestas a la actividad 38.

40. Busca imágenes sobre alguna tradición y escribe mensajes de texto como los de la actividad 38.

No sabes lo...
¿Has visto lo...?
Hay que ver lo...
Es increíble/fantástico/alucinante lo...
Me encanta lo...
Me sorprende lo...
Qué divertido/bonito... que...
Qué... tan bonito/grande/divertido...

¿Has visto lo decoradas que lleva las manos esta novia?

TRADICIONES CON LOS CINCO SENTIDOS

PREPÁRATE

41. **¿Cómo se llaman los cinco sentidos en español? Escribe también verbos o palabras que relacionas con ellos.**

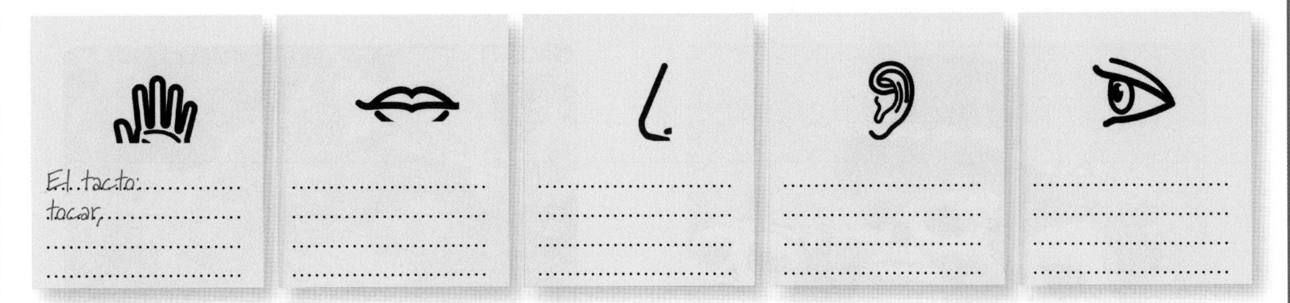

42. **¿Con qué sentido te identificas más? ¿Cuál es más importante para ti? ¿Por qué?**

43. **Observa las imágenes de estas celebraciones y responde en tu cuaderno a las preguntas.**

El tacto:
- ¿Qué crees que se toca?
- ¿Qué se puede sentir con el cuerpo?

El gusto:
- ¿Qué crees que se puede saborear?
- ¿Qué se come y se bebe?

El olfato:
- ¿Qué olores te parece que se pueden distinguir?
- ¿Qué se huele?

El oído:
- ¿Qué crees que se escucha?
- ¿Qué diferentes sonidos se pueden oír?

La vista:
- ¿Qué piensas que pueden observar los ojos?
- ¿Qué colores e imágenes se ven?

1. Inti Raymi (Cusco, Perú)

2. Feria de las Flores (Medellín, Colombia)

3. Feria de Abril (Sevilla, España)

44. **Comparen en pequeños grupos sus respuestas a las actividades 41, 42 y 43.**

45. **Cada grupo elige una de estas tres tradiciones, busca videos y los muestra a la clase. ¿Qué aspectos son más relevantes e interesantes en su opinión?**

46. **¿Con qué sentidos relacionan estas imágenes?**

El desierto de Atacama lo relaciono con el oído y con la vista. Con el oído porque me imagino que hay mucho silencio...

1. Jalapeños mexicanos

2. Mariachis (México)

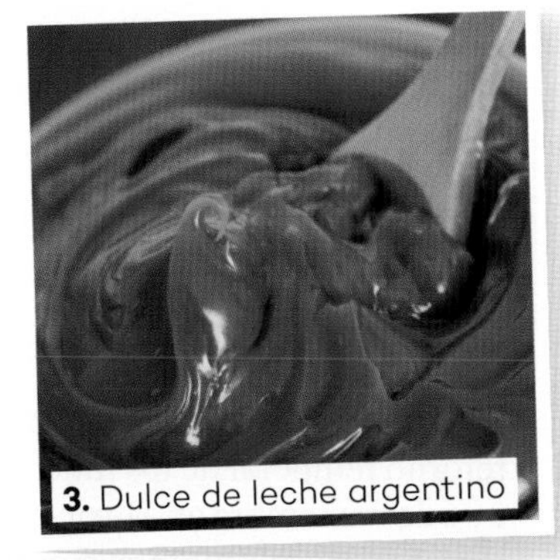
3. Dulce de leche argentino

4. Ocarina peruana

5. Café de Colombia

6. Lana de alpaca (Perú)

7. Papaya (Cuba)

8. El desierto de Atacama (Chile)

9. Loros arcoíris (Colombia)

10. Playa de Manuel Antonio (Costa Rica)

11. Tango (Argentina)

12. Salto Ángel (Venezuela)

47. **En parejas, lean este texto sobre los jalapeños, elijan dos imágenes de la actividad 46 que les interesen y escriban un texto parecido para cada una.**

Los jalapeños son un tipo de chile picante mexicano. Son verdes (o rojos, cuando están más maduros) y brillantes. Al tacto, son duros y carnosos. Son muy picantes, y cuando te metes un trozo en la boca, sientes que te arde.

EL TEXTO EXPOSITIVO

CARACTERÍSTICAS DEL TEXTO

PREPÁRATE

48. **Lee esta explicación sobre los textos expositivos. Luego, lee el texto del Día de Muertos y localiza sus tres partes.**

Un texto expositivo escrito tiene como objetivo explicar al lector un contenido concreto.
Se estructura en tres partes básicas:

1. **Introducción.** Se presenta el tema central y se sitúa al lector en el escenario.
2. **Desarrollo.** Se añade nueva información pertinente, se enriquece el texto.
3. **Cierre.** Se termina con una conclusión, una idea final o un dato que da por terminado el texto.

El Día de Muertos es una celebración para festejar el retorno temporal de los muertos, que tiene lugar los días 1 y 2 de noviembre en México. Esta celebración, que mezcla ritos precolombinos con tradiciones cristianas, fue declarada Patrimonio Inmaterial de la Humanidad por la UNESCO en 2003 por ser una de las más representativas y antiguas de México. Los mexicanos instalan altares en sus casas en honor a sus familiares muertos y los llenan de ofrendas: velas, alimentos, flores... Además, hay desfiles espectaculares, en los que los participantes se maquillan y se disfrazan de calavera. Yo he asistido a esta celebración desde pequeña. Me encanta porque es muy alegre, y porque no se ve la muerte como algo triste. Ese día los muertos están con los vivos, ¡y no solo en el recuerdo!

49. **Ordena el texto de la Fiesta Nacional de la Vendimia, de Mendoza (Argentina).**

☐ Durante la Fiesta Nacional de la Vendimia se desarrolla un calendario con muchas celebraciones. Las más destacadas son la Bendición de los frutos, un acto religioso; la Vía Blanca y el Carrussel, dos desfiles de carruajes; y el Acto Central, un espectáculo con más de mil bailarines, diferentes representaciones artísticas y fuegos artificiales, en el que se elige y se corona a la Reina Nacional Vendimia.

☐ Esta fiesta es una de las más importantes de Argentina y de las más populares del mundo, ya que acoge cada año a miles de turistas y a profesionales relacionados con el mundo del vino. A mí me encanta porque hay espectáculos musicales muy buenos y, además, es una fantástica ocasión para probar los vinos de nuestra región.

☐ Desde 1936 se celebra cada año en la ciudad de Mendoza la Fiesta Nacional de la Vendimia, en la que se representa el trabajo de la cosecha de la uva y de todos los que participan en el proceso de elaboración del vino.

50. **Comparen en parejas sus respuestas a las actividades 48 y 49.**

51. **Escojan un tema relacionado con tradiciones, celebraciones o rituales y redacten un texto breve de unas 120-150 palabras.**

52. **Intercambien el texto con otra pareja. Hagan sugerencias para mejorarlo y preguntas sobre el contenido.**

LA PRONUNCIACIÓN DE LA L

SONIDOS

53. Escucha cómo dicen lol ***(laughing out loud)*** **los siguientes hablantes. ¿Cuál de los dos tiene el inglés como lengua materna?**

1.

- español
- inglés

2.

- español
- inglés

54. Escucha la frase completa para comprobar tus respuestas.

55. ¿Alguna vez te has fijado en que, cuando dices en inglés lol**, las dos eles suenan ligeramente diferentes? La primera se llama "light" y la segunda, "dark". ¿A cuál de estas eles se parecen más las eles del español?**

56. Repite los siguientes pares de palabras pronunciando la l **de la misma manera en los dos casos.**

1. mala – mal
2. mili - mil
3. salado – sal
4. solo – sol
5. ángel – Ángela
6. gandul – gandula

ENTONACIÓN DE OBVIEDAD

SONIDOS

57. Escucha los siguientes diálogos y subraya las frases que expresan obviedad. Presta atención a la entonación que han usado para decirlas.

A.
—María se casa.
—¿Ah, sí? ¿Y con quién?
—Con quien va a ser. ¡Con su novio!
—Ay, yo qué sé, igual habían terminado.

B.
—¿De dónde eres?
—De Ciudad de México.
—¿Qué lengua se habla en Ciudad de México?
—Español.
—¿Y qué lengua extranjera has estudiado?
—Francés.

ATENCIÓN

In Spanish, when something seems obvious, we can express it in different ways:
• With intonation.
• With expressions like **Claro**, **¡Por supuesto!** or **¡Es obvio!**:
– *¿Para qué quieres un lápiz?*
– *Para escribir, **claro**.*
– *Why do you want a pencil?*
– *To write, of course.*

58. Escucha las siguientes frases y marca si están pronunciadas con entonación neutra o "de obviedad" (el primer hablante cree que el segundo ya debería saber la respuesta).

1.
- neutra
- de obviedad

2.
- neutra
- de obviedad

3.
- neutra
- de obviedad

4.
- neutra
- de obviedad

5.
- neutra
- de obviedad

The Spanish Hub TEXTO MAPEADO TEXTO LOCUTADO

LENGUAS ORIGINARIAS

Fiestas populares en Honduras

La riqueza cultural de Honduras se manifiesta en sus fiestas populares, en las que se puede disfrutar de eventos culturales, deportivos, etc. Estas son tres de las más representativas.

1. El Carnaval de La Ceiba (mayo)
Es la fiesta más grande del país en honor a San Isidro Labrador, el patrón de la ciudad de La Ceiba. En cada barrio tienen lugar los llamados "carnavalitos" con eventos de día y famosas fiestas nocturnas. Finaliza con el Carnaval Internacional de la Amistad, un gran desfile de comparsas *(troupes)* y carrozas.

2. Día del Pueblo Garífuna (12 de abril)
Conmemora la llegada de los garífunas (comunidad afrocaribeña) a Punta Gorda, en la Isla de Roatán, a finales del siglo XVIII. Se hacen representaciones teatrales de la llegada y se organizan conferencias y debates sobre la influencia cultural de los garífunas en el país y su realidad social actual.

3. Semana Santa
Uno de los eventos más atractivos y populares durante las celebraciones hondureñas son las coloridas alfombras de la ciudad de Comayagua, en las que numerosos artistas reproducen escenas bíblicas con flores, semillas y aserrín teñido.

ANTES DE LEER

59. **Observa las fotos. ¿Qué ves en cada una? ¿Con qué sentidos las relacionas? Escríbelo.**

DESPUÉS DE LEER

60. **Lee el texto y subraya las palabras clave. ¿Aparecen palabras que has usado en la actividad anterior?**

61. **Según el texto, ¿las siguientes informaciones son verdaderas o falsas?**

	V	F
1. Las tres fiestas tienen un trasfondo religioso.		
2. Las tres fiestas tienen lugar en la primera mitad del año.		
3. Las tres fiestas tienen lugar en la capital del país.		

62. **Comparen sus respuestas a las actividades 59, 60 y 61.**

63. **¿Te gustaría participar en alguna de estas fiestas? ¿En cuál? ¿Por qué? Coméntenlo en pequeños grupos.**

MÚSICA

La diva peruana de los pies descalzos

PERÚ

Susana Baca (Lima, 1944) es una cantante y compositora peruana reconocida internacionalmente. La llaman "la diva peruana de los pies descalzos", porque siempre canta descalza, en el escenario necesita moverse con total libertad.

Durante años, Susana Baca ha estudiado el legado musical africano de Perú, y muchas de sus canciones recuperan los ritmos afroperuanos. Algunos de sus temas más populares son "María Landó" (canción con la que se hizo conocida), "Negra presuntuosa", "Detrás de la puerta", "De los amores", "Se me van los pies", "Samba Malató" o "Plena y Bomba".

Ha ganado dos veces el Grammy latino: en 2002, por su álbum *Lamento Negro*, y en 2011, por su colaboración con el grupo portorriqueño Calle 13, en la canción "Latinoamérica".

Además de música, fue ministra de Cultura de Perú en 2011. En 2014, publicó el libro *El amargo camino de la caña dulce; Lo africano en el Perú*, con el sociólogo Ricardo Pereira (su esposo y representante) y Francisco Basili.

ANTES DE LEER

64. **Lee el título: ¿qué información da sobre Susana Baca?**

DESPUÉS DE LEER

65. **Lee el texto. Luego, busca información sobre la relación de la cantante con David Byrne y con Chabuca Granda, y completa el texto.**

66. **Escucha y lee las letras de las canciones que se citan en el texto. Después, responde a las siguientes preguntas.**

- ¿Cuáles son los temas que se tratan en las letras de esas canciones?
- ¿Cuál es la melodía que más te llamó la atención?

67. **Comparen sus respuestas a la actividad 65 y completen, si es necesario, la información que han encontrado.**

68. **Comenten sus respuestas a la actividad 66. ¿Coinciden en algo? ¿En qué no están de acuerdo?**

69. **Busquen información sobre la población afroperuana: ¿cuál es su origen?, ¿qué porcentaje de la población peruana representa?, etc.**

EL TEXTO EXPOSITIVO

PREPÁRATE

70. **¿Sabes qué es el Patrimonio Cultural Inmaterial de la Humanidad? Busca información en internet.**

71. **Lee el texto de la UNESCO sobre el sistema normativo de los wayuus, inscrito en 2010 en la Lista representativa del Patrimonio Cultural Inmaterial. Resúmelo en unas líneas.**

Península de La Guajira

La comunidad de los wayuus está asentada en la península de La Guajira, situada entre Colombia y Venezuela. Su sistema normativo comprende un conjunto de principios, procedimientos y ritos que rigen la conducta social y espiritual de la comunidad. Inspirado en principios de reparación y compensación, este sistema es aplicado por las autoridades morales autóctonas: los *pütchipü'üis* o "palabreros", personas experimentadas en la solución de conflictos y desavenencias entre los clanes matrilineales *(matrilineal)* de los wayuus.

Cuando surge un litigio *(dispute)*, las dos partes en conflicto, los ofensores y los ofendidos, solicitan la intervención de un *pütchipü'üi* o "palabrero". Tras haber examinado la situación, este comunica a las autoridades pertinentes su propósito de resolver el conflicto por medios pacíficos *(peaceful means)*. Si la palabra —*pütchikalü*— se acepta, se entabla el diálogo en presencia del *pütchipü'üi* que actúa con diplomacia, cautela y lucidez.
El sistema de compensación recurre a símbolos, representados esencialmente por la oferta de collares confeccionados con piedras preciosas o el sacrificio de vacas, ovejas y cabras. Incluso los crímenes más graves pueden ser objeto de compensaciones, que se ofrecen en el transcurso de ceremonias especiales a las que se invita a las familias en conflicto para restablecer la armonía social mediante la reconciliación.

La función de *pütchipü'üi* recae en tíos maternos —parientes especialmente respetados en el sistema de clanes matrilineales de los wayuus— que se destacan por sus virtudes en el plano ético y moral.

Comunidad de los wayuus

72. **Comparen sus respuestas a las actividades 70 y 71.**

73. **Reflexionen en torno al texto de la actividad 71 y respondan a las siguientes preguntas.**

- En tu cultura, ¿hay figuras parecidas a la del "palabrero"? ¿Cuáles? ¿En qué se parecen y en qué se diferencian?
- ¿Qué opinas de este sistema de resolución de conflictos? ¿Cuáles son para ti los aspectos positivos o negativos de este sistema normativo?
- Según tú, ¿qué cualidades debe tener un "palabrero" para hacer bien su trabajo?

74. **Lee este texto sobre las características de los textos expositivos. Luego, en parejas, analicen el texto sobre el sistema normativo de los wayuus (actividad 71) y decidan qué esquema de organización sigue.**

EL TEXTO EXPOSITIVO

La finalidad de este tipo de textos es compartir el conocimiento objetivo sobre un tema. Por lo tanto, se expone la información de manera ordenada y clara, y con precisión. La información puede organizarse siguiendo varios esquemas:

a. Definición o descripción: se definen conceptos, leyes, principios... y se describen estructuras, procesos, fases, mecanismos o sistemas de objetos o fenómenos.

b. Clasificación o tipología: se establecen tipologías.

c. Comparación o contraste: se establecen semejanzas y diferencias entre elementos.

d. Pregunta y respuesta: el conocimiento se estructura en forma de preguntas y respuestas.

e. Problema y solución: se plantean problemas y soluciones a un tema.

f. Causa y consecuencia: la información se organiza como una secuencia de causas y consecuencias.

75. **Teniendo en cuenta las actividades anteriores, ¿cuáles de estas características creen que tiene el texto expositivo?**

- [ ] Contenido claro y preciso
- [ ] Citas directas o indirectas de otras fuentes
- [ ] Estructura clara: presentación, desarrollo y cierre
- [ ] Lenguaje formal y comprensible
- [ ] Uso de metáforas y elementos poéticos
- [ ] Uso de juegos de palabras
- [ ] Uso de la primera persona y opiniones personales
- [ ] Uso de la tercera persona y de frases impersonales

PROYECTO EN GRUPO

Una campaña de promoción

Vamos a diseñar una campaña de promoción de una tradición.

A. **En grupos, elijan una tradición, rito o celebración del mundo hispano e investiguen sobre los 10 aspectos que propone la ficha de abajo. Pueden consultar la lista de la UNESCO sobre Patrimonios Intangibles de la Humanidad.**

1. ¿**Cómo** se llama esta celebración?
2. ¿**Qué** se celebra y **por qué**?
3. ¿**Dónde**?
4. ¿**Cuándo** y **con qué frecuencia**?
5. ¿**Desde cuándo** se celebra? ¿Ha cambiado a lo largo de los años?
6. ¿**Existen otras** celebraciones similares?
7. ¿**Quiénes** participan?
8. ¿**Cómo** se celebra?
9. ¿Se usan los **cinco sentidos**: tacto, gusto, olfato, oído y vista?
10. ¿**Qué palabras clave** pueden describirla?

B. **Diseñen su anuncio para promover esta celebración, teniendo en cuenta los siguientes puntos.**

- ¿Qué formato tiene el anuncio (póster, video, anuncio de internet...)?
- ¿Qué mensaje queremos transmitir?
- ¿A qué público va dirigida esta publicidad?
- ¿Qué tipo de imágenes queremos presentar?
- ¿Qué colores o sonidos son los más convenientes?
- ¿Cuál es el texto principal o eslogan del anuncio?
- ¿Qué otra información es necesaria?
- ¿Con qué elementos sorprendentes u originales queremos captar la atención?

C. **Presenten su idea de campaña al resto de la clase, usando la información de las actividades A y B.**

— Nosotros queremos hacer una campaña en video del Carnaval de Barranquilla, una de las fiestas más importantes y conocidas de Colombia.
— Sí, este carnaval se celebra...

PROYECTO INDIVIDUAL

Una tradición controvertida

Vas a escribir un artículo sobre una tradición controvertida.

A. **Algunas celebraciones tradicionales son controvertidas; es decir, algunas personas las consideran crueles, injustas, sexistas, racistas... Elige una celebración y busca información sobre ella. En un borrador, anota qué, dónde, cuándo, desde cuándo y cómo se celebra esa tradición.**

Aquí tienes algunos ejemplos del mundo hispano:

- Celebración de la Toma de Granada (España): conmemora la expulsión de los musulmanes y la conquista cristiana de la ciudad el 2 de enero de 1492.
- El Yawar Fiesta (Perú): fiesta de la sangre del toro y el cóndor, un espectáculo de estilo taurino.
- Día de la Hispanidad (España e Hispanoamérica): conmemora la llegada de Colón a América el 12 de octubre de 1492.

B. **Busca argumentos a favor y en contra de esa celebración.**
Toma nota de esos argumentos en tu borrador.

C. **Redacta un artículo de unas 400 - 450 palabras para describir la celebración y exponer los argumentos a favor y en contra de su existencia. Expón también tu punto de vista y justifícalo.**

D. **Busca un título para tu artículo, organiza las diferentes secciones y añade, si quieres, alguna imagen. Luego, revísalo teniendo en cuenta la sección Recursos lingüísticos del capítulo antes de su publicación final.**

Encierro en Pamplona (Navarra, España)

Encierro de Falces, (Navarra, España)

GRAMMAR

WORD ORDER

subject + verb + direct object

This is the preferred word order in Spanish.

México organizó las Olimpiadas de 1968.

If we want to emphasize particular information (the subject or the verb, for example), we can change the order.

(direct object) + DO pronoun + verb + subject

– *¿Montreal organizó las Olimpiadas de 1968?*
– *No, (**las Olimpiadas de 1968**) **las** organizó México.*

– *¿Los habitantes de San Pedro saltan las brasas?*
– *No, **no las saltan**, las pisan.*

▶ Other strategies for emphasizing information

Focusing attention through intonation

MÉXICO organizó las Olimpiadas de 1968.

Focusing attention through syntactic changes

***Fue Mistral quien** ganó el Nobel de Literatura en 1945.*
***No fue Neruda sino Mistral quien** ganó el Nobel de Literatura en 1945.*

*Los habitantes de San Pedro **no** saltan las brasas, **sino que** las pisan.*

Mural que conmemora a Gabriela Mistral, en Santiago de Chile

PRONOMINAL AND NON-PRONOMINAL CONSTRUCTIONS

Many verbs have both pronominal and non-pronominal forms, allowing them to be used with both active subjects (agents) and passive (grammatical) subject (receivers).

poner > **ponerse**
celebrar > **celebrarse**

▶ Non-pronominal construction

active subject (agent) + verb + direct object

*La mayoría de las ciudades **ponen** luces de Navidad.*
*Muchas culturas **celebran** la llegada del verano.*

We put the direct object at the beginning of the sentence when it is the topic of conversation.

direct object / DO pronoun + verb

*La llegada del verano **la** celebran muchas culturas.*

*La decoración navideña **la** pagan los comerciantes.*

– *¿Cómo se celebra la llegada del verano en tu cultura?*
– *(La llegada del verano) **la** celebramos en la playa.*
– *(La llegada del verano) **la** celebramos con fuego.*

▶ Pronominal construction

reflexive form of the verb + passive subject (receiver)

In this case, the subject receives the action instead of doing it.

*En la mayoría de las ciudades **se ponen** las luces de Navidad a principios de diciembre.*
*Aquí **se celebra** la llegada del verano con fuego.*

passive subject (receiver) + pronominal form of the verb

*Las luces de Navidad **se ponen** en la mayoría de las ciudades a principios de diciembre.*
*En muchas culturas la llegada del verano **se celebra** con fuego.*

WAYS TO EXPRESS IMPERSONALITY

▶ Third person plural
*En México **barren** la casa de dentro hacia fuera.*
*Aquí **preparan** unos buñuelos buenísimos.*

▶ Se **+ third person singular/plural**
*En Navidad **se** com**e** turr**ón** y **se** cant**an** cancion**es** típicas.*

▶ General subjects and subjects with collective nouns
We can also express impersonality through generalization or vagueness, using terms like **la gente**, **la mayoría** (**de la gente**), **alguna personas**...

*En Navidad **la gente** come mucho turrón, **algunas personas** cantan villancicos y **la mayoría** compra regalos.*

▶ Second-person singular
The second person singular is also used to express impersonality, particularly in colloquial conversations.

*En fiestas siempre **bebes** mucho y **comes** demasiado.*

PASSIVE CONSTRUCTIONS

In Spanish, the passive construction can be found in formal writing. In this case, the focus is on the passive subject (recipient).

passive subject (receiver) + **ser** + participle + **por** + active subject (agent)

This passive construction is formed with any tense of the verb **ser** + past participle.

*La fiesta de las hogueras **es celebrada** cada año en muchas localidades de la costa.*

*El próximo año esta fiesta **va a ser** / **será celebrada** sin presencia de investigadores.*

*Las autoridades quieren que la fiesta **sea declarada** Patrimonio Inmaterial de la Humanidad.*

Note the agreement in gender and number of the passive subject with the verb and participle.

*Las fiestas indígenas dedicadas a los muertos **fueron** declaradas Patrimonio Inmaterial de la Humanidad en 2003 por la UNESCO.*
(= La UNESCO declaró las fiestas indígenas dedicadas a los muertos Patrimonio Inmaterial de la Humanidad en 2003.)

*El Misterio de Elche **fue** inscrito por la UNESCO como Patrimonio de la Humanidad en 2008.*
(= La UNESCO inscribió el Misterio de Elche como Patrimonio de la Humanidad en 2008.)

EMPHASIZING WITH LO + ADJECTIVE/ADVERB

We can use this construction to emphasize a characteristic of an object, event, or person.

lo + adjetive + **que** + verb + subject

Note the agreement in both gender and number between the adjective and the subject.

Alicia es divertida.
*¡**Lo** divertida **que** es Alicia!*
*¡**Lo** variadas **que** son las tradiciones en México!*
*¡**Lo** difícil **que** debe de ser hacer esas esculturas!*

This construction can be introduced by expressions such as **me encanta**, **es increíble**, **hay que ver**, **¿has visto...?**, **recuerdo muy bien**...

*¡**Hay que ver** lo difícil que debe de ser hacer esas esculturas tan grandes!*
*¿**Has visto** lo bonitos que son estos fuegos?*

▶ Other ways of highlighting qualities

qué + adjective

*¡**Qué divertida** (**que**) es esta fiesta!*
*¡**Qué variadas** (**que**) son las tradiciones en México!*

qué + noun + **tan** + adjective

*¡**Qué** fiesta **tan** divertida!*
*¡**Qué** tradiciones **tan** variadas tiene México!*

▶ Highlighting the quality of an action

lo + adverb + **que** + verb + subject

*¡**Lo** bien **que** canta este coro!*
*¡**Lo** mal **que** están vestidos estos chicos!*

Piñata en la Ciudad de México

RECURSOS LINGÜÍSTICOS

COHESION

EXPOSITORY TEXT

The goal of a written expository text is to explain a topic to the reader. Usually it combines strategies to describe, narrate, argue, explain, etc. These are its three basic components:

▶ **Introduction**
The main topic is introduced.

El Día de Muertos es una celebración para festejar el retorno temporal de los muertos, que tiene lugar los días 1 y 2 de noviembre en México.

▶ **Development**
New, relevant information is added to develop and enhance the text.

Esta celebración, que mezcla ritos precolombinos con tradiciones cristianas, fue declarada Patrimonio Cultural Inmaterial de la Humanidad por la UNESCO en 2003, por ser una de las más representativas y antiguas de México.

Los mexicanos instalan altares en sus casas en honor a sus familiares muertos y los llenan de ofrendas: velas, alimentos, flores... Además, hay desfiles espectaculares, en los que los participantes se maquillan y se disfrazan de calavera.

▶ **Conclusion**
The text ends with a conclusion—a final idea or a fact that brings the text to an end.

Yo he asistido a esta celebración desde pequeña. Me encanta porque es muy alegre, y porque no se ve la muerte como algo triste. Ese día los muertos están con los vivos, ¡y no solo en el recuerdo!

Flor de cempasúchil

VOCABULARY

TRADICIONES: PALABRAS CLAVE *(TRADITIONS: KEY WORDS)*

ceremonia *(ceremony)*

festividad *(festival)*

rito *(ritual)*

ritual *(ritual)*

tradición *(tradition)*

CELEBRACIONES: ELEMENTOS Y ACTIVIDADES *(CELEBRATIONS: VARIOUS PARTS AND ACTIVITIES)*

la carroza *(float)*

el desfile *(parade)*

el disfraz *(costume)*

los fuegos artificiales *(fireworks)*

el maquillaje *(makeup)*

maquillarse *(to put on makeup)*

la máscara *(mask)*

la ofrenda *(offering)*

quemar *(to burn)*

la representación teatral *(theater performance)*

el traje tradicional *(traditional costume)*

FREQUENT WORD COMBINATIONS

DESCRIBIR FIESTAS Y TRADICIONES
(DESCRIBE FESTIVITIES AND TRADITIONS)

fiesta tradicional / religiosa / nocturna / representativa / de un pueblo / de un país
traditional/religious/ night-time celebration
typical celebration
a small town/country's festivity

representación teatral / artística
theater/art performance

ser de origen cristiano / precolombino
to be of Christian/Pre-Columbian origin

celebrar/festejar la llegada del verano / el Fin de Año
to celebrate the arrival of the summer/ New Year's Eve

homenajear a un(a) político/a / a un(a) escritor(a)
to honor a politician/a writer

conmemorar a un(a) político/a / a un(a) escritor(a) / un evento / la llegada de / la conquista
to commemorate a politician/a writer/an event/ the arrival of/the conquest

tener lugar en verano / primavera / enero / febrero / Mendoza / Perú
to take place in the summer/the spring/January/February/ Mendoza/Peru

tradiciones/costumbres cristianas / precolombinas
Christian/Pre-Columbian traditions/customs

ritos/rituales cristianos / precolombinos
Christian/Pre-Columbian rites/rituals

es típico bailar / comer / disfrazarse
It's traditional to dance/eat/dress up

de carácter mágico / popular / religioso
magical/popular/religious

decorar la casa / la ciudad / las calles
to decorate the house/the city/the streets

participar en una fiesta
to participate in a festivity

mezclar tradiciones / elementos
to mix traditions/elements

de manera similar
similarly

función social
social purpose

disfrazarse de calavera / bailarina
to dress up as a skull/dancer

Celebración de la abolición de la esclavitud en Washington, 1865
Celebration of the abolition of slavery in Washington, 1865

CAPÍTULO 9

EMOCIONES

En este capítulo, vas a aprender a evaluar tu universidad y a crear un *collage* de emociones.

LEARNING OUTCOMES
- Express emotions
- Thank, congratulate and apologize
- Give advice, persuade and influence others, and ask for something politely

VOCABULARY
- Emotions and feelings
- Word families

LANGUAGE STRUCTURES
- Intensifiers
- Express opinions using verbs with an indirect object: **(no) me gusta(n)**, **me motiva(n)**

ORAL AND WRITTEN TEXTS
- A movie review
- Expressive and directive speech acts
- Combined speech acts
- Politeness: linguistic resources

SOUNDS
- Universal intonation patterns compared with those specific to Spanish

CULTURE
- Education in the US: Victor Rios
- Uruguayan poetry: Idea Vilariño

PROJECTS
- Group: discuss the state of your college or university
- Individual: create a collage with feelings

IMÁGENES

PREPÁRATE

1. **¿Qué emociones de la tabla relacionas con estas expresiones faciales? Añade palabras asociadas.**

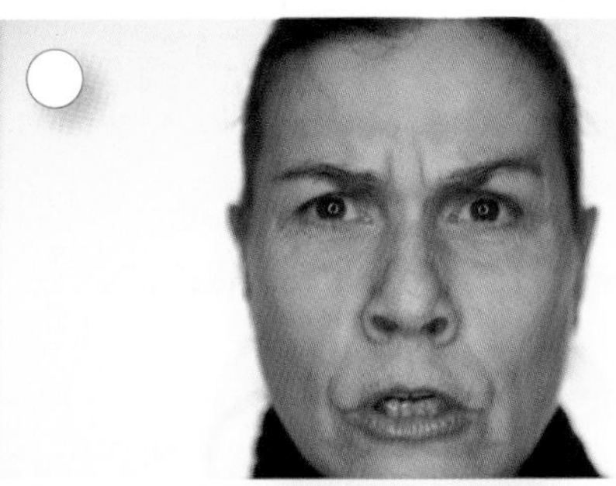

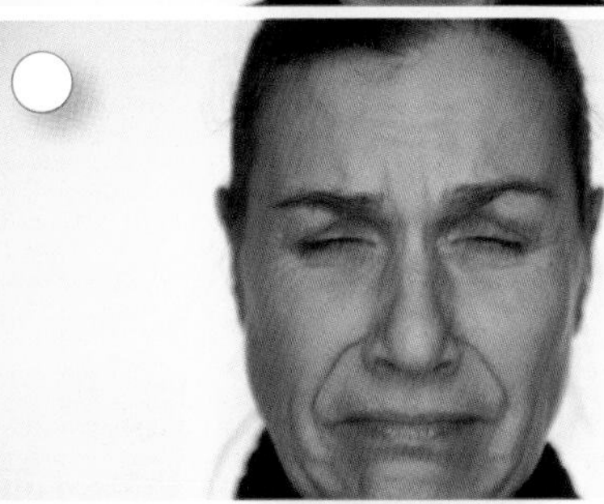

1. miedo	2. enojo	3. tristeza	4. asco	5. sorpresa	6. alegría
pánico, terror	....	....	....	....	....
....	....	....	....	....	....
....	....	....	....	....	....

2. **Piensa en situaciones de tu vida en las que sientes estas seis emociones básicas.**

Me da miedo/asco...
Me enojo cuando/si...
Me pongo triste cuando/si...
Me sorprendo cuando/si...
Me alegro cuando/si...

ATENCIÓN

Me da miedo no tener tiempo suficiente para estudiar.
(I'm afraid I will not have enough time to study.)
Me da miedo el campus por la noche.
(I'm afraid of (walking on) campus at night.)
*Me da**n** miedo los exámenes.*
(I panic with tests.)
Me pongo triste cuando/si no apruebo un examen.
(I get sad when/if I don't pass (a test).)

3. **En parejas, comparen y comenten las respuestas a la actividad 1.**

4. **Comenten en parejas sus respuestas a la actividad 2.**

— Me alegro cuando llegan las vacaciones.
— Pues yo me pongo triste cuando pienso en el futuro y no sé si encontraré trabajo.

PALABRAS CLAVE

PREPÁRATE

5. Lee el texto: ¿crees que la psicología del color tiene base científica?

Asociar el color a las emociones es el fundamento de la psicología del color. Cada color tiene un significado en nuestro subconsciente, por lo que le asociamos toda una serie de valores que suelen estar relacionados con la cultura en la que vivimos.

6. ¿Con cuál de los cinco colores indicados asocias los siguientes sentimientos y emociones?

la ilusión	la esperanza	la soledad	la vergüenza
la impotencia	la angustia	la frustración	la felicidad
la confianza	la calma	la envidia	la paz
la curiosidad	la pena	los celos	
la rabia	el amor	la amistad	

7. Comparen en clase sus respuestas a las actividades 5 y 6, y traten de llegar a una clasificación común.

TEXTOS

PREPÁRATE

8. El haiku es un tipo de poema japonés muy extendido también en Occidente. Está formado, generalmente, por tres versos de cinco, siete y cinco sílabas respectivamente. Cuenta las sílabas de estos haikus de Mario Benedetti.

1

Para qué sirve

pensar en lo que fuimos

si ya no somos.

2

Los pies de lluvia
nos devuelven el frío
de la desdicha.

3

Sé que el abismo
tiene su seducción
yo ni me acerco.

9. Investiga en internet y escribe dos o tres frases sobre Mario Benedetti.

10. Lee de nuevo los haikus. ¿Qué emociones o sentimientos podrías relacionar con cada uno de ellos? ¿Por qué?

Yo el haiku número 1 lo relaciono con...

11. Comparen en parejas sus respuestas a las actividades 8 y 9.

12. En pequeños grupos, comenten las respuestas a la actividad 10. Después, escriban con sus propias palabras cómo interpretan cada haiku. Las respuestas pueden ser muy variadas. Coméntenlo con el resto de la clase.

Mario Benedetti

VIDEO: *LA AUDICIÓN*

Género:
Cortometraje
País: Venezuela
Director: Emil Zabala
Año: 2016

PREPÁRATE

13. Ve el cortometraje y responde a las preguntas.

- ¿Por qué el director no quiere que Nina haga la audición? ¿Por qué accede al final a ver su actuación?
- ¿Qué le parece al director la actuación de Nina? ¿Cómo lo sabes?

14. Vuelve a ver el cortometraje y completa estas frases con las siguientes palabras, que describen emociones.

se emociona | **se sorprende** | **ilusionado/a** | **nervioso/a** | **se enoja** | **feliz** | **admirado/a** | **agradecido/a** | **frustrado/a**

1. Cuando llega al teatro, está .... y ....

2. Cuando el director le dice que se vaya y se tome un antigripal, se siente .... y ....

3. Cuando habla de las obras que ha leído del director, ...

4. Cuando Nina le dice que le pareció divertida su obra *La masacre de Sinamaica*, ...

5. Cuando la ve actuar, está ....

6. Se siente .... y .... cuando termina su actuación.

15. Comparen sus respuestas a las actividades 13 y 14.

16. En un momento del corto, el director describe a Nina como irritante, pero refrescante. En grupos, busquen otros adjetivos para describir a Nina.

17. Nina interpreta a tres hermanas, de la obra teatral *Las tres hermanas*, de Chéjov. ¿Cómo describirían las emociones que sienten las tres hermanas? Coméntenlo en grupos.

LA CAFETERÍA

¿Les gusta el teatro? ¿Hacen teatro? ¿Creen que es fácil interpretar las emociones de otros?

INTELIGENCIAS Y EMOCIONES EN EL APRENDIZAJE

PREPÁRATE

18. **Lee y completa el test sobre inteligencias múltiples.**

19. **Suma los puntos obtenidos en el apartado 1 y organiza tus inteligencias de mayor a menor.**

1. inteligencia verbal: 14 puntos
...

20. **En grupos, comenten los resultados del test, expliquen sus experiencias y busquen nuevos ejemplos de sus inteligencias.**

— Yo, además de lo que dice el test, también tengo muy buen sentido de la orientación.
— Yo, también.

21. **Ahora, comparen los resultados del apartado 2 del test y comenten con qué tipos de aprendizaje se identifican.**

Yo me identifico con...

22. **¿Qué inteligencias múltiples están más o menos presentes en los cursos y las materias que están haciendo? Busquen otros en el directorio de su universidad. Intenten usar las ocho inteligencias.**

— Las personas que estudian Arquitectura deben tener inteligencia lógico-matemática porque estudian mucho cálculo y geometría.
— Y también inteligencia espacial, porque para ser arquitecto...

23. **¿Qué saben sobre la inteligencia emocional? En parejas, escriban algunas palabras que relacionen con este concepto.**

24. **Van a escuchar un *podcast* para confirmar sus hipótesis. ¿Qué es, según esta psicóloga, la inteligencia emocional?**

25. **Busquen ejemplos de presencia o ausencia de inteligencia emocional en su experiencia.**

MÚLTIPLES INTELIGENCIAS, MÚLTIPLES EMOCIONES

1. ¿Te identificas con las siguientes afirmaciones? Marca estas afirmaciones de 1 (nada de acuerdo) a 4 (totalmente de acuerdo).

Inteligencia verbal 

	1 2 3 4
La lectura es muy importante en mi vida.	OOOO
Me entretiene mucho escuchar la radio o un *podcast*.	OOOO
Uso normalmente el diccionario y me preocupo por conocer nuevas palabras.	OOOO
Aprender otra lengua no me resulta complicado, no me pone nervioso/a ni hablarla ni escucharla.	OOOO

Inteligencia lógico-matemática

	1 2 3 4
Me parecen muy interesantes los avances científicos.	OOOO
Me tranquiliza saber que todo tiene una explicación racional.	OOOO
A veces pienso en conceptos claros, abstractos, sin palabras ni imágenes.	OOOO
Mi mente busca patrones o secuencias lógicas en las cosas.	OOOO

Inteligencia espacial

	1 2 3 4
Prefiero que el material de lectura y estudio tenga muchas ilustraciones e imágenes.	OOOO
Cuando cierro los ojos, veo imágenes visuales claras.	OOOO
Tomo fotos y videos para captar y guardar lo que veo a mi alrededor.	OOOO
Me divierte dibujar, pintar, crear imágenes. En la escuela lo hacía a menudo.	OOOO

Inteligencia cinético-corporal

	1 2 3 4
Me pone nervioso/a estar mucho tiempo quieto/a.	OOOO
Me gusta pasar mi tiempo de ocio al aire libre y practicar algún tipo de actividad física de forma regular.	OOOO
Gesticulo o utilizo otras formas de lenguaje corporal cuando hablo con alguien.	OOOO
No me interesa que me expliquen una actividad física, prefiero practicarla por mí mismo/a.	OOOO

Cuestionario creado a partir de Thomas Armstrong (2006). *Inteligencias múltiples en el aula. Guía práctica para educadores*. Barcelona: Paidós (pp. 39-43)

¿Te da vergüenza hablar en público? ¿Te aburres resolviendo problemas de lógica? ¿Te divierte escuchar música? ¿Prefieres que te dejen trabajar solo? Todas estas emociones dependen de las experiencias individuales y de las habilidades de cada persona. El prestigioso psicólogo Howard Gardner formuló su teoría de las inteligencias múltiples teniendo en cuenta las capacidades que los humanos tenemos para resolver problemas.

Inteligencia musical

	1 2 3 4
La música me hace feliz y me alegra la vida.	OOOO
Con solo escuchar una canción una o dos veces, soy capaz de reproducirla.	OOOO
Toco algún instrumento musical.	OOOO
A veces canto mentalmente melodías que me sé de memoria.	OOOO

Inteligencia interpersonal

	1 2 3 4
Cuando tengo un problema, necesito que me ayuden y no lo soluciono por mí mismo/a.	OOOO
Me encanta que me visiten mis amigos y familiares. Si ellos no vienen, voy yo a verlos.	OOOO
Me considero líder (o los/las demás dicen que lo soy).	OOOO
Prefiero que me inviten a una fiesta con desconocidos/as a quedarme en casa.	OOOO

Inteligencia intrapersonal

	1 2 3 4
Me relaja mucho meditar y reflexionar.	OOOO
Me molesta que la gente haga ruido cuando estoy pensando en mis cosas.	OOOO
Tengo algunos objetivos importantes en mi vida en los que pienso de forma habitual.	OOOO
Me considero una persona independiente y con mucha fuerza de voluntad.	OOOO

Inteligencia naturalista

	1 2 3 4
No me dan miedo los perros. Si veo uno, lo acaricio y juego con él.	OOOO
Me estresa la ciudad, el tráfico y el desorden.	OOOO
Me hace feliz pasear por el campo o por la playa y escuchar los pájaros, notar los olores, sentir el viento...	OOOO
Me gusta leer libros y ver programas o películas en los que la naturaleza está presente.	OOOO

2. Identifica tu(s) estilo(s) de aprendizaje. ¿Cómo te calificarías: más auditivo, más social...?

Aprendizaje visual

Aprendo mejor con mapas mentales, imágenes, fotografías... Prefiero representar los conceptos y organizar la información con dibujos y colores.

Aprendizaje individual

Prefiero aprender por mí mismo/a. Me concentro sin dificultad y necesito tiempo antes de actuar.

Aprendizaje lógico

Clasifico la información y busco conexiones entre los elementos. Trabajo con abstracciones, números, clasificaciones y listas.

Aprendizaje social

Me comunico sin dificultad con las personas. Sé escuchar a los demás y compartir. Aprendo mejor compartiendo mis experiencias.

Aprendizaje auditivo

Tengo sentido del ritmo y me gusta trabajar con los sonidos. No me molesta la música para trabajar o estudiar.

Aprendizaje físico

Proceso información mediante la acción física y los movimientos. Me gusta manipular objetos. Uso mi cuerpo para comunicarme.

Aprendizaje verbal

Sé expresarme sin dificultad de manera oral y escrita. Prefiero interactuar y construir mis ideas comunicándome con los demás.

VALORAR USANDO VERBOS DE OBJETO INDIRECTO

GRAMÁTICA

PREPÁRATE

26. **Tu profesor(a) quiere saber cómo te sientes en clase. Lee esta lista de actividades y explica las emociones que te provocan.**

Valoraciones positivas

Me divierte(n)...
Me gusta(n)...
Me encanta(n)...
Me interesa(n)...
Me motiva(n)...
Me da(n) confianza/seguridad
Me tranquiliza(n)...
Me parece(n) divertido/a/os/as, necesario/a/os/as, útil/es...
Me parece buena idea...

Valoraciones negativas

Me aburre(n)...
Me pone(n) nervioso/a...
Me estresa(n)...
Me da(n) ansiedad...
Me da(n) vergüenza...
Me da(n) miedo...
Me molesta(n)...
Me enoja(n)...
No me motiva(n)...
No me gusta(n)...
No me interesa(n)...

ATENCIÓN

Me parece divertido leer textos literarios.

(Reading literary texts seems fun (to me).)

*Me parece**n** divertido los juegos.*

(The games seem fun (to me).)

- Las actividades de corrección de errores
- Los exámenes
- Las clases con muchos/pocos estudiantes
- Hablar en público frente a toda la clase
- Hablar sobre mi vida privada en las actividades
- Las actividades en grupos o parejas
- Trabajar individualmente
- Usar solo el español en clase
- Leer textos de actualidad o literarios
- Las audiciones del libro y escuchar canciones
- Los videos y las películas
- Los juegos
- Las actividades de gramática
- Usar el diccionario
- Traducir del español a mi lengua o al contrario
- Otros

27. En grupos, comenten sus emociones y busquen lo que tienen en común.

28. En pequeños grupos, describan cómo sería una clase ideal de la materia que prefieran.

VERBOS CON SUJETO PERSONAL

GRAMÁTICA

PREPÁRATE

29. Observa las diferencias entre estos usos e identifica el sujeto gramatical en cada frase. Puedes consultar el apartado de Recursos lingüísticos.

Me pongo nervioso/a cuando tengo que hablar en público.
Me pone nervioso/a tener que hablar en público.
Me ponen nervioso/a las actividades en las que tengo que hablar en público.

Me aburro cuando leo textos literarios en clase.
Me aburre leer textos literarios en clase.
La lectura de textos literarios **me aburre**.
Me aburren los textos literarios en clase.

Nos estresamos cuando estudiamos la noche antes de un examen.
Nos estresa estudiar la noche antes de un examen.
Nos estresan los exámenes.

Me avergüenzo de mi pronunciación en español.
(**A mí**) **me avergüenza** / **me da vergüenza** pronunciar en español.
(**A mí**) **me avergüenzan** / **dan vergüenza** mis dificultades de pronunciación.

¿**Te diviertes** cuando juegas en clase?
¿**Te divierte** jugar en clase?
¿**Te divierten** los juegos en clase?

¿**Tienen miedo de** los exámenes orales?
¿**Les da miedo** hacer exámenes orales?
¿**Les dan miedo** los exámenes orales?

30. Lee los perfiles de estos estudiantes y formula frases sobre cómo crees que son en relación con las actividades de clase anotadas en la pizarra de la actividad 26.

- Jessica tiene una inteligencia interpersonal elevada, pero poca intrapersonal.

- Tom tiene muy desarrolladas la inteligencia naturalista y la cinético-corporal.

- Anthony tiene poca inteligencia verbal, pero una gran inteligencia musical.

- Malika tiene mucha inteligencia lógico-matemática, pero espacial, ninguna.

Seguramente, Jessica se aburre cuando tiene que trabajar individualmente...

31. Comenten en parejas sus respuestas a las actividades 29 y 30.

VALORAR USANDO EL SUBJUNTIVO

GRAMÁTICA

PREPÁRATE

32. Lee estos enunciados del test de la actividad 18. ¿Entiendes por qué los verbos en negrita están en subjuntivo? Puedes consultar el apartado de Recursos lingüísticos.

1. Me molesta que la gente **haga** ruido cuando estoy pensando en mis cosas.
2. Me encanta que me **visiten** mis amigos y familiares. Si ellos no vienen, voy yo a verlos.

33. Escribe enunciados similares a los de la actividad anterior para hacer valoraciones sobre estas personas, productos de ficción y situaciones.

- Tu compañero/a de cuarto
- Tus amigos
- Una serie o película
- Un libro
- Los personajes de un libro, una película o una serie
- En el auto o en el transporte público
- En vacaciones
- En el gimnasio
- En un restaurante
- Cuando estás leyendo o viendo una serie o película
- Cuando estás en un partido o en un concierto
- Cuando juegas videojuegos

Me molesta mucho que me hablen cuando estoy jugando videojuegos.

34. En grupos, compartan sus valoraciones. ¿En qué coinciden?

SUGERIR E INFLUIR EN LOS DEMÁS

GRAMÁTICA

35. En parejas, lean los problemas de estas personas y escriban consejos según su experiencia.

Me siento inseguro cuando conozco a gente nueva. Soy un poco tímido y a veces no sé de qué hablar.

Me da mucha vergüenza preguntar dudas en clase porque pienso que pueden ser preguntas tontas o muy evidentes.

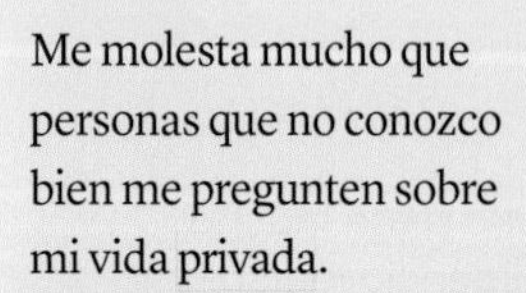

Me molesta mucho que personas que no conozco bien me pregunten sobre mi vida privada.

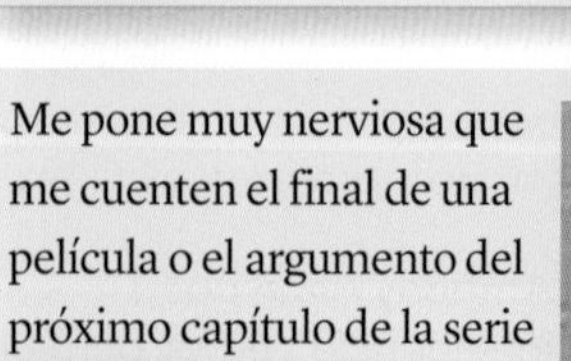

Me pone muy nerviosa que me cuenten el final de una película o el argumento del próximo capítulo de la serie que estoy viendo.

Yo te sugiero / te recomiendo tener más paciencia.
que tengas más paciencia.

Es importante / es buena idea aprender a trabajar en grupo.
que aprendas a trabajar en grupo.

36. Levántense por turnos y escriban cada uno un problema parecido a los de la actividad 35 en el pizarrón. Después, entre todos, léanlos y den consejos útiles para cada problema.

COLORES Y EMOCIONES

VOCABULARIO

PREPÁRATE

37. Aquí tienes una tabla con el vocabulario relacionado con algunas emociones. Complétala. Puedes usar el diccionario.

sustantivo(s)	adjetivo(s)	verbo(s)
....	....	entristecer(se), ponerse triste
....	sorprendido/a, sorprendente	....
....	....	tener/sentir miedo, dar miedo
la alegría	....	....
....	angustiado/a, angustioso/a	....
el enojo....................	....	....
....	....	ser amigos
....	asqueroso/a	....
los celos....................	....	....
....	avergonzado/a, vergonzoso/a	....
....	....	tener confianza en, confiar en
la envidia	....	....
....	tranquilo/a	....
....	....	tener/sentir curiosidad por

38. Completa la tabla con dos emociones más y adjudícales un color.

39. Completa las siguientes frases.

1. Me da muchísima envidia ....
2. Me parece asqueroso (que) ....
3. Los celos son ....
4. Siento muchísima curiosidad por ....
5. Me da (mucha) vergüenza (que) ....
6. Me sorprendo mucho cuando ....

40. Elige cuatro emociones y piensa en un ícono para representar cada una de ellas. Explica por qué.

Para la tristeza yo he elegido una lágrima porque...

41. En parejas, ponemos en común nuestras respuestas a las actividades 37, 38 y 39.

42. Compartan con la clase los íconos en los que han pensado en la actividad 40, sin decir a qué emociones los asocian. Los demás tratan de adivinar cuáles son.

— Para esta emoción yo he elegido un nudo porque...

ENTENDER CÓMO FUNCIONA LA LENGUA

ACTOS DE HABLA

CARACTERÍSTICAS DEL TEXTO

43. En parejas, clasifiquen estos mensajes breves enviados por el celular, según el acto de habla correspondiente: agradecer (A), dar instrucciones (I), disculparse (D), felicitar (F), pedir (P).

1. F......... Me alegro mucho.
2. .... Quédate en casa.
3. .... ¿Te importa prestarme tu bici?
4. .... Quisiera pedirte un favor.
5. .... No me escribas más.
6. .... Ha sido culpa mía, lo sé.
7. .... Muchísimas gracias, de verdad.
8. .... Llámame luego, es importante.
9. .... ¡Cómo te lo agradezco!
10. .... No tengo palabras, no era necesario.
11. .... No hacía falta.
12. .... Que cumplas muchos más.
13. .... ¡Cómo lo siento!
14. .... ¿Me prestas tu cámara el sábado, por favor?
15. .... Perdona que te moleste a estas horas.
16. .... No volverá a ocurrir, de verdad.
17. .... ¿Puedes traer algo para el postre?
18. .... Felicidades.
19. .... ¡Qué alegría por ustedes!
20. .... Ven un momentito, por favor.

44. ¿En qué contextos pueden enviarse los mensajes de la actividad anterior?

45. Añadan otros mensajes equivalentes a los de la actividad 43.

CORTESÍA EN LAS PETICIONES

CARACTERÍSTICAS DEL TEXTO

PREPÁRATE

46. Imagina que un amigo o una amiga te debe 100 dólares que le prestaste. Te dijo que te los devolvería, pero aún no lo ha hecho, y tú necesitas ese dinero con urgencia. Escribe cómo podrías pedírselo de forma más directa y menos directa.

47. Estas son cinco maneras de actuar en la situación de la actividad 46. Relaciónalas con su descripción.

1. **Quisiera** hablar contigo porque necesito que me devuelvas los 100 dólares que te presté. Hace ya dos meses y quedaste en que me los devolvías pronto. ¿**Te importa** traerlos mañana?
2. **Quiero** mi dinero ya. Eres un ladrón y un mentiroso. Lo **necesito** ya.
3. Hola, ¿qué tal? Mira, ya sabes que estamos todos muy mal de dinero. Entiendo que te hagan falta los 100 dólares, pero seguro que entiendes que te los pida ya. ¿**Puedes** traerlos mañana o ingresarlos en mi cuenta? Lo **necesitaría** cuanto antes, por favor.
4. ¿Sabes qué? Me faltan exactamente 100 dólares para pagar la renta de este mes.

a. Se realiza el acto con descortesía, de manera irrespetuosa. Se provoca el conflicto.
b. Se realiza el acto de manera clara y directa, pero no irrespetuosa.
c. Se realiza el acto de manera indirecta y con una cierta distancia. Pero no hay descortesía.
d. Se realiza el acto indirectamente. Puede haber ironía.

48. Compara tus versiones de la actividad 46 con los cinco ejemplos de la actividad 47. ¿Qué es similar y qué es diferente?

49. Comparen sus respuestas a las actividades 46, 47 y 48.

50. ¿Qué formas del verbo marcadas en negrita en la actividad 47 indican peticiones más o menos directas?

51. Imaginen que quieren que su compañero/a de cuarto limpie el baño porque es su turno y está todo muy sucio. ¿Cómo se lo pedirían de forma más o menos directa? Tomen nota y represéntenlo en parejas.

EXPRESAR EMOCIONES MEDIANTE LA ENTONACIÓN

SONIDOS

52. En pequeños grupos, respondan a las siguientes preguntas.

- ¿Se llora diferente en español?
- ¿Creen que las emociones cambian de lengua a lengua?
- ¿Y la manera de expresarlas?

53. Ve el video. Escribe, en cada caso, en qué intervención se expresa cada emoción.

a. contento: .... **b.** triste: .... **c.** inseguro: .... **d.** sorprendido: .... **e.** enojado: ....

54. Vuelve a ver el video y completa este cuadro.

Emoción	¿Cómo eran sus gestos?	¿Cómo era su voz?
a. contento/a	....	....
b. triste	....	....
c. sorprendido/a	....	....
d. enojado/a	....	....
e. inseguro/a	....	....

55. Lee estas frases, expresando distintas emociones. Tu compañero/a tiene que decir si estás enojado/a, triste, contento/a o sorprendido/a.

1. En la biblioteca hay mucha gente.
2. Las clases de gimnasia son obligatorias.
3. Esta comida se parece a la de mi padre.
4. El edificio del rectorado es antiguo.
5. Tienes que limpiar el baño.

ESTRATEGIAS

¿Sabías que algunas emociones básicas se expresan igual en todas las lenguas?

Por eso hay algunos gestos y entonaciones que no tienes que estudiar, ya los sabes. Por ejemplo, cuando estamos asustados, abrimos mucho los ojos, subimos las cejas y la voz sale entrecortada y más aguda de lo habitual.

ESTRATEGIAS

Fíjate en qué se hace con:
- la boca (sonreír o no)
- las cejas (arquearlas o subirlas)
- la cabeza (asentir o negar)

Fíjate en qué sucede con:
- la voz (tono monótono o expresivo, agudo o grave)
- el volumen (habla en voz baja o alta)
- la velocidad (habla rápido o despacio)

The Spanish Hub TEXTO MAPEADO TEXTO LOCUTADO

EDUCACIÓN

Cuando enseñas dirigiéndote al corazón...

Victor Rios es doctor en Etnología y profesor en la Universidad de California. Es autor del libro *Punished: Policing the lives of Black and Latino Boys* (2011), en el que estudia la trayectoria de cuarenta chicos nacidos en contextos marginales durante tres años. La historia de esos chicos es la suya: a los 16 años ya había dejado la escuela y tenía un historial judicial. Pero Flora Russ, una maestra, creyó en él y lo ayudó a terminar los estudios. Ahora él quiere ayudar también a otros jóvenes en situaciones parecidas.

Victor Rios (*The Daily Nexus*, Alex Nagase)

Rios cuenta su historia en su charla TED "Ayuda para niños que el sistema educativo ignora" (2015). Flora Russ, su maestra, siempre estuvo dispuesta a apoyarlo. Opinaba que, cuando enseñas dirigiéndote al corazón, la mente sigue ("*when you teach to the heart, the mind will follow*"). Rios sigue esa línea en su trabajo con jóvenes: "valoremos las historias y los contextos que estos jóvenes aportan al aula (...) y las capacidades que han desarrollado para sobrevivir". En su charla TED, defiende que no debemos ver a esos niños como "jóvenes en riesgo", sino como "jóvenes promesas". Porque "la manera en que etiquetas a la gente determina como la tratas" (Remezcla, 2018).

En el documental *The pushouts* (2018), de Katie Galloway, también se cuenta la historia y el trabajo de Victor Rios. El documental denuncia que uno de cada tres estudiantes de origen latino o afroamericano en Estados Unidos no se gradúa, termina en trabajos mal pagados o en la cárcel, y critica y responsabiliza al sistema, que trata a esos estudiantes como desertores, cuando en realidad son expulsados. Rios cree que es necesario transformar el sistema educativo, pero sabe también que llegar al corazón de estos jóvenes es el primer paso para transformar sus realidades.

ANTES DE LEER

56. **¿Qué sucede cuando alguien enseña dirigiéndose no solo a la mente, sino también al corazón? Lee el título del texto y completa la frase con tus ideas.**

57. **¿Has tenido algún/alguna profesor(a) que enseñara dirigiéndose al corazón? ¿Qué hacía?**

DESPUÉS DE LEER

58. **Lee el texto y escribe dos preguntas sobre el contenido.**

- Para Rios, ¿qué papel juegan las emociones en la educación?
- ...

59. **Comparen sus respuestas a las actividades 56 y 57, y hagan las preguntas de la actividad 58 a su pareja.**

60. **¿Conocen otras biografías inspiradoras como la de Victor Rios? Coméntenlo en grupos.**

POESÍA

Uruguay a través de sus letras

Uruguay—un país de 3,5 millones de habitantes—ha dado al mundo numerosas personalidades en el ámbito de la literatura. En la narrativa, Juan Carlos Onetti, Mario Benedetti o Eduardo Galeano, entre otros muchos; en la poesía, Benedetti, Cristina Peri Rossi, Eduardo Milán, Ida Vitale o Idea Vilariño.

En sus letras se refleja la historia reciente del país, a través de la mirada de cada uno de ellos. Con sus obras nos muestran las convulsiones políticas, las dictaduras, la emigración y el exilio, las alegrías, los grandes momentos y la vida cotidiana.

EL MAR NO ES MÁS QUE UN POZO DE AGUA OSCURA

El mar no es más que un pozo de agua oscura,
los astros solo son barro que brilla,
el amor, sueño, glándulas, locura,
la noche no es azul, es amarilla.

Los astros solo son barro que brilla,
el mar no es más que un pozo de agua amarga,
la noche no es azul, es amarilla,
la noche no es profunda, es fría y larga.

El mar no es más que un pozo de agua amarga,
a pesar de los versos de los hombres,
el mar no es más que un pozo de agua oscura.

La noche no es profunda, es fría y larga;
a pesar de los versos de los hombres,
el amor, sueño, glándulas, locura.

Idea Vilariño (1920-2009)

ANTES DE LEER

61. **Antes de leer el poema, comenten en grupos qué temas y qué imágenes pueden relacionar con el título: "El mar no es más que un pozo *(well)* de agua oscura...".**

DESPUÉS DE LEER

62. **Lee el poema. Luego, comenten en pequeños grupos las respuestas a estas preguntas.**

- ¿Qué estados emocionales expresa y cómo los representa?
- ¿Qué otras imágenes podrían ilustrar este poema en un libro?

63. **Imagina y escribe en tu cuaderno posibles historias detrás de este poema. ¿Quiénes, dónde, cuándo, cómo, por qué experimentan esas emociones?**

El poema podría contar la historia de un chico de secundaria enamorado de una chica de la otra clase, que...

CÓMO ESCRIBIR UNA CRÍTICA CINEMATOGRÁFICA

64. **En grupos, piensen qué partes y qué tipo de información incluye normalmente una crítica cinematográfica.**

65. **Lee el texto y comprueba si su respuesta a la actividad 64 era completa.**

10 PARTES DE UNA CRÍTICA CINEMATOGRÁFICA

1. Introducción
Puede hacer referencia al título de la crítica. Normalmente es breve y valorativa. Orienta al lector.

2. Sinopsis
Es concisa, objetiva y nunca revela el final.

3. Género
Se explica si es una comedia, un drama, un musical, un documental, una película de aventuras, de ciencia ficción, etc.

4. Dirección
Se evalúa la calidad de la dirección, se habla del género habitual de este/a director(a) y de otros títulos.

5. Guion
Se evalúa el guion: ¿es coherente con el tema? ¿Está bien estructurado? ¿Cómo son los diálogos? ¿El ritmo es lento? ¿Tiene acción? Se destaca una escena que apoya esas tesis.

6. Narración
- **a. Punto de vista:** ¿Desde qué punto de vista está contada la historia, desde el creador o desde uno de los personajes?
- **b. Personajes:** ¿Están bien definidos? ¿Son interesantes?
- **c. Estructura y acción:** ¿Es lineal? ¿Hay saltos en el tiempo o *flashbacks*?
- **d. Espacio-escenario:** ¿Es único o la acción se desarrolla en varios espacios?
- **e. Tiempo:** ¿Cuál es el tiempo histórico y el tiempo de la acción?

7. Reparto e interpretación
Se valora la calidad del trabajo de los actores y las actrices para encarnar a los personajes.

8. Aspectos técnicos
- **a.** Cinematografía-fotografía, tipos de planos, movimientos de cámara.
- **b.** Banda sonora.
- **c.** Sonido.
- **d.** Montaje (edición).
- **e.** Vestuario, maquillaje, peluquería.
- **f.** Decorados.
- **g.** Efectos especiales, etc.

9. Recepción del público y crítica

10. Valoración final
Se relaciona y se compara con otras películas de este/a director(a) o guionista, o con otras del mismo género. El crítico presenta su opinión de experto, a partir del análisis de los puntos anteriores, y da estrellas a la película (del 1 al 5).

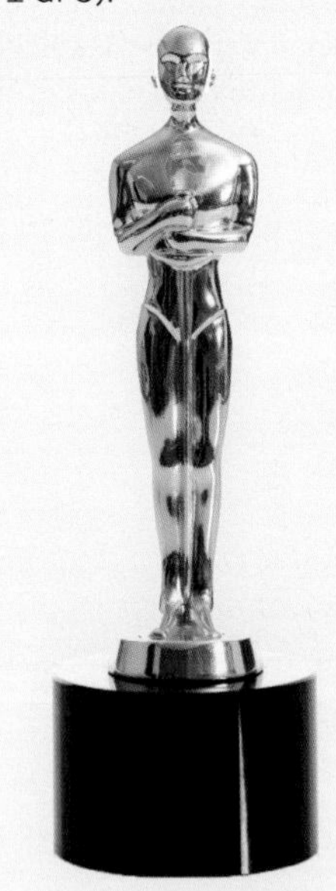

66. **Busquen en internet la ficha técnica de la película *Roma* y completen esta información.**

1. Dirección: ....
2. Guion: ....
3. Fotografía: ....
4. Protagonistas: ....
5. País: ....
6. Año: ....
7. Lenguas: ....
8. Premios: ....

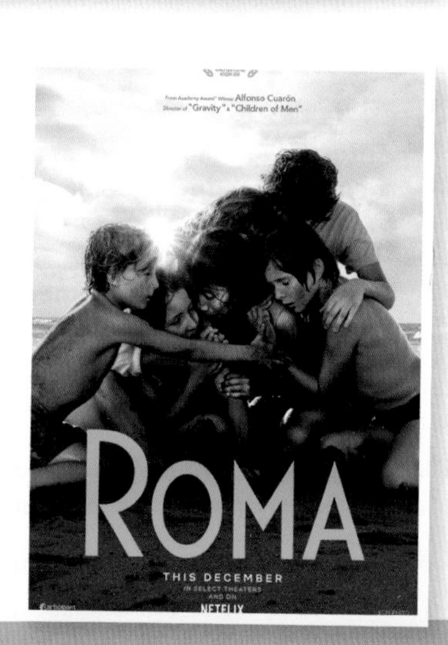

67. Lean y ordenen los diez fragmentos de la crítica de la película *Roma*, de Alfonso Cuarón, según las diez partes de las que se habla en el texto de la actividad 65.

① Estamos ante una poderosa historia de amor, valentía y esperanza colectiva. *Roma* está hecha de recuerdos honestos y reales, por esa razón es el tipo de película que jamás se olvidará. Un prodigioso trabajo de reflexión de un gran cineasta que exhibe control absoluto y confianza en lo que está haciendo. (...)

② La historia que narra *Roma*, del mexicano Alfonso Cuarón, gira en torno a dos jóvenes empleadas domésticas: Cleo (Yalitza Aparicio) y Adela (Nancy García García), ambas indígenas de ascendencia mixteca, que trabajan para una familia de clase media en la colonia Roma de la Ciudad de México en 1970; Sofía (Marina de Tavira), la madre de la familia, convive con las largas ausencias de su esposo. (...)

◯ Sin duda nos encontramos ante una obra maestra, del director y guionista mexicano Alfonso Cuarón (México, 1961). Cuatro años después de ganar el Óscar por *Gravity*, vuelve a las raíces de su México natal al que no regresaba desde 2001, cuando conquistó al público con *Y tú mamá también*. (...)

◯ Cuarón es también codirector de fotografía junto con Galo Olivares. Con sus impactantes y sutiles imágenes, en blanco y negro, mantienen un eficaz tono estético sencillo y poético. La cámara sigue a los personajes con un ritmo amable, como un ojo que comunica magistralmente los espacios exteriores e interiores. Puede parecer una película simple y sencilla, pero su producción técnica es magistral. (...)

◯ En raras ocasiones, la crítica y el público son tan unánimes en sus aplausos. Esta película cautiva a todos quienes se sumergen en ella. A nadie le dejará indiferente. (...)

◯ El film ha provocado elogiosas comparaciones con el neorrealismo italiano, con el paso lento del director ruso Andrei Tarkovsky, y con la cinta japonesa *Tokyo Story*, de Yasujirô Ozu. Alfonso Cuarón es un lujo para nuestro cine contemporáneo. *Roma* nos emociona y fascina con una historia poderosamente personal y auténtica, llena de verdad. (...) ★★★★★

◯ Durante 10 años, Cuarón reflexionó sobre hacer una película acerca de su niñez, en el barrio Roma, de la Ciudad de México, que se centrara en su querida niñera, Libo, quien fue como una segunda madre para él. Mientras trabajaba en el guion, realizó extensas entrevistas con Libo para comprender mejor lo que ella había vivido todos esos años atrás. (...)

◯ Podemos considerar *Roma* como una película de autor, pero, sin duda, también como un drama poético, mezcla de naturalismo y poesía, con gran sensibilidad hacia los problemas de clase y raza, sin caer nunca en el género melodramático. (...)

◯ *Roma*, inspirada en las memorias de niñez y juventud de Cuarón en la Ciudad de México, se puede describir como una autobiografía que organiza el punto de vista de la narración. En palabras de su creador: "En esta película no me preocupé en una cuestión narrativa, me preocupé en tratar de recuperar memorias desde el punto de vista emocional". (...)

◯ Alfonso Cuarón eligió para su película una mezcla de intérpretes profesionales y no actores. No podemos dejar de mencionar al corazón de la película, el personaje de Cleo, interpretado con una fuerza inusual por la joven originaria de Oaxaca Yalitza Aparicio, que aunque no es actriz profesional, luce con luz propia como una estrella en este universo del cine. (...)

68. Busquen un título para la crítica de la actividad 67. Tengan en cuenta que tiene que ser atractivo y animar a leer la reseña.

Alfonso Cuarón y las actrices Marina de Tavira y Yalitza Aparicio

PROYECTO EN GRUPO

Aspectos positivos y negativos

Vamos a evaluar los puntos positivos y negativos de nuestra universidad.

A. **En pequeños grupos, hagan una lista de aspectos y temas, positivos y negativos, más destacados de su experiencia universitaria.**

Aspectos positivos (pueden estar vinculados, por ejemplo, a cuestiones materiales, académicas, de convivencia, de confort, de perspectivas de futuro, de realización personal, etc.)

Aspectos negativos (pueden estar vinculados, por ejemplo, a cuestiones materiales, académicas, de convivencia, de confort, de perspectivas de futuro, de realización personal, etc.)

Para mí, algo realmente fantástico es que aquí se puede encontrar gente muy diversa, muy interesante y muy diferente de las personas que yo había conocido hasta ahora...

B. **Seleccionen los aspectos más relevantes, positivos y negativos; piensen qué sentimiento les provocan y preparen la presentación para la clase.**

C. **Cada grupo presenta a la clase sus conclusiones.**

A nosotros nos preocupa que el precio de algunos libros y materiales sea tan elevado. Pensamos que eso crea desigualdad...

D. **Con toda la clase, debatan lo mejor y lo peor de su universidad. Finalmente, voten de 0 a 10 según esta escala de satisfacción. ¿Cuál es la puntuación media?**

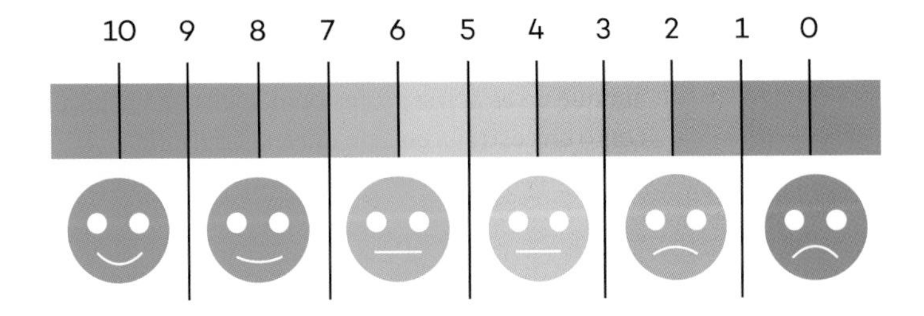

PROYECTO INDIVIDUAL

Un *collage* emocional

Vas a crear un *collage* emocional del curso.

A. **Vas a crear un *collage* o un "póster de emociones" del curso. Vas a trabajar con las emociones y los colores. Primero, haz una lista de temas, documentos, imágenes, momentos o experiencias que te han impactado durante tus clases. Asocia cada elemento de la lista a una emoción o a varias.**

- Video sobre el feminicidio en México: rabia
- Excursión al Museo del Barrio: sorpresa
- Primera presentación oral de un artista comprometido: miedo
- ...

B. **Elabora el *collage*. Puedes usar imágenes, videos o textos para hacer tu composición de la manera más original posible. No olvides escribir un pequeño texto para describirlo.**

Miedo y ansiedad
Me puse muy nerviosa cuando tuve que hacer la primera presentación en español. Tenía mucho miedo de equivocarme...

Sorpresa
Me sorprendió mucho todo lo que vimos y aprendimos cuando fuimos al Museo del Barrio.

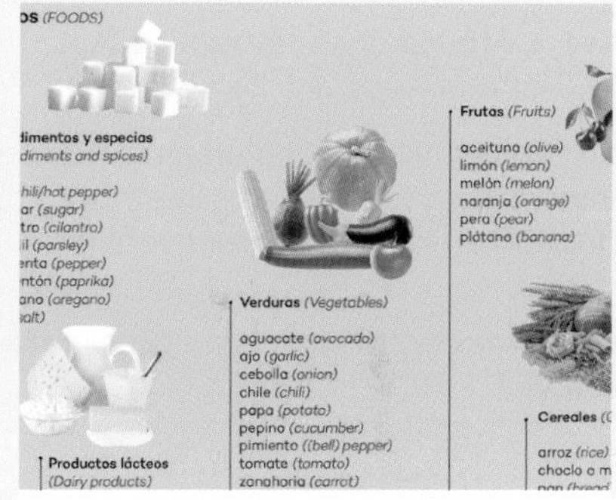

Frustración e impotencia
Me costó mucho aprender el vocabulario de los alimentos. Me sentí muy frustrada, porque no conseguía recordar los artículos...

Curiosidad
Me gustó mucho el capítulo 6 y sentí mucha curiosidad por la historia de Puerto Rico, porque tengo muchos amigos de origen puertorriqueño.

Rabia y tristeza
Cuando vi la entrevista a una periodista que investiga sobre los feminicidios en México, sentí rabia y me dio mucha tristeza la historia de las mujeres que sufren violencia.

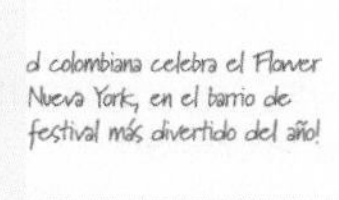

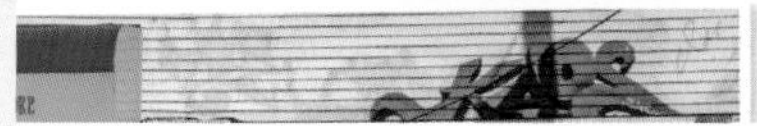

Ilusión
Me hizo ilusión buscar información sobre fiestas de alguna comunidad hispanohablante en Estados Unidos.

GRAMMAR

VERBS TO EXPRESS LIKES, FEELINGS, AND EMOTIONS WITH AN INDIRECT OBJECT: PREOCUPARLE

indirect object	verb	subject
(a mí) **me** (a ti, vos) **te** (a él, ella, usted) **le** (a nosotros/as) **nos** (a vosotros/as) **os** (a ellos, ellas, ustedes) **les**	gusta(n) interesa(n) motiva(n) divierte(n) molesta(n) aburre(n) preocupa(n) pone(n) nervioso/a/os/as, triste/s, contento/a/os/as, alegre/s da(n) miedo, pena, vergüenza parece(n) bien/mal	sustantivo infinitivo **que** + subjuntivo

Me *preocupa mucho mi futuro.*
No ***me*** *preocupa tener que buscar empleo.*
Me *preocupa**n** los exámenes finales.*
Me *preocupa* ***que*** *nos hagan un examen sorpresa.*

We use the indicative to state a fact.

Mucha gente ***estudia*** *español.*

To express likes and opinions on a fact or piece of information, we use verbs like those in the yellow box above and the subjunctive in the subordinate clause.

(A mí) me encanta que tanta gente estudie español.

VERBS TO EXPRESS FEELINGS AND EMOTIONS IN REFLEXIVE CONSTRUCTIONS: PREOCUPARSE

subject pronoun	verb	complement
(yo) (tú, vos) (él, ella, usted) (nosotros/as) (vosotros/as) (ellos, ellas, ustedes)	**me** pon**go** nervioso/a **te** diviert**es** **se** aburr**e** **nos** preocup**amos** **os** estres**áis** **se** sorprend**en**	**cuando** + presente de indicativo

Me pongo *nerviosa* ***cuando*** *hablo en público.*
*¿****Se aburren cuando*** *no tienen conexión a internet?*
Siempre ***se preocupa cuando*** *tiene que ir al médico; es un poco hipocondriaco.*
Nos divertimos *mucho* ***cuando*** *hacemos juegos en clase porque aprendemos más rápido.*

MAKING SUGGESTIONS AND INFLUENCING OTHERS

te recomiendo te sugiero es importante es buena idea	infinitivo **que** + subjuntivo

Te recomiendo ***estudiar*** *todos los días.*
Te sugiero ***que estudies*** *todos los días.*
(Creo que) es buena idea ***estudiar*** *todos los días.*
(Creo que) es buena idea ***que estudies*** *todos los días.*

EXPRESSING OPINIONS WITH SER AND PARECER

es **parece**	bueno malo lógico (in)necesario absurdo (in)útil normal importante ...	sustantivo infinitivo **que** + subjuntivo

Es *importante la organización.*
Es *importante organizarse.*
Es *importante* ***que*** *organicemos bien el trabajo.*

INTENSIFYING WITH QUÉ + ADJECTIVE OR + NOUN AND CÓMO + VERB

	qué + adjetivo
Estoy muy triste.	*¡**Qué** triste estoy!*
Estoy muy alegre.	*¡**Qué** alegre estoy!*
Estoy sorprendido.	*¡**Qué** sorprendente!*

	qué + sustantivo
Es muy triste.	*¡**Qué** tristeza!*
Es una alegría.	*¡**Qué** alegría!*
Es una sorpresa.	*¡**Qué** sorpresa!*

	cómo + verbo
Me alegro.	*¡**Cómo** me alegro!*
Lo siento.	*¡**Cómo** lo siento!*
Me duele.	*¡**Cómo** me duele!*

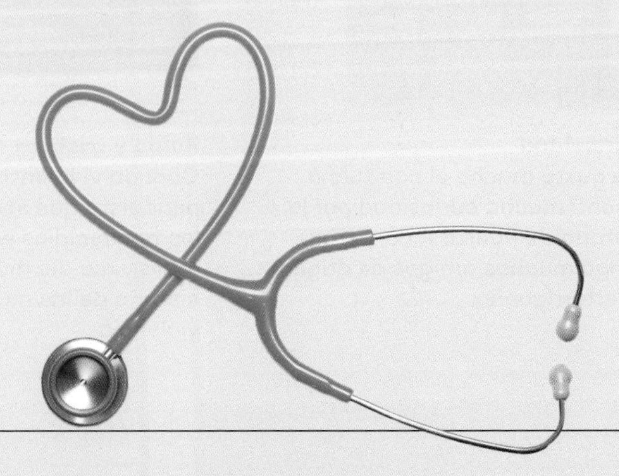

COHESION

EXPRESSIVE SPEECH ACTS

These speech acts express affective, emotional, or physical states. Depending on the context, they may have different degrees of emphasis.

▶ Greeting
Hola.
Buenos días. ¿Qué tal? ¿Cómo estás?

▶ Congratulating
Felicidades.
¡Enhorabuena!
¡Cómo me alegro!
¡Qué bien!
¡Qué bueno!

▶ Expressing gratitude
Muchas gracias.
¡No sabes cómo te lo agradezco!

▶ Complimenting
Estás muy guapo con ese suéter.
¡Qué bien te queda ese suéter! ¡Estás guapísimo!

▶ Apologizing

The person apologizing admits having committed an offense. Depending on the context, they may use the following strategies.

Explicitly expressing an apology

Perdona/e.
Lo siento mucho.
Disculpa/e.
Excúsame/Excúseme.

Explanation or account of the situation

***Es que** no funcionaba el metro **y** tuve que venir en autobús.*

Acknowledgement of responsibility

***Ya sé que** es mi culpa.*

An offer of repair

Te invito yo. / Yo invito.

Promise of forebearance

No volverá a ocurrir, te lo prometo.

DIRECTIVE SPEECH ACTS

The speaker tries to persuade the listener to perform a particular action. To do so, the speaker may use different strategies of varying degrees of courtesy, depending on the context.

▶ Direct requests
*¿**Me pasas** el diccionario?*
*¿**Puedes pasarme** el diccionario?*
*¿**Podrías pasarme** el diccionario?*

▶ Indirect requests
*¿**Tienes** un diccionario?*

▶ Direct instruction
¡No me llames más!
*¡**Ve** a ver a la directora ahora mismo!*

COMBINING SPEECH ACTS

In interpersonal communication, it is common to combine multiple speech acts to add emphasis to one's message.

▶ Greeting and congratulating
¿Qué tal? Muy buenas. ¿Cómo estás?** Oye, que me he enterado de que estás embarazada. **¡Felicidades!

▶ Expressing gratitude and compliments
Muchas gracias. Eres un encanto.

▶ Requesting something and explaining a situation.
*¿**Podrías** dejarme la bici esta tarde? **Es que** tengo que ir a la biblioteca y la mía la tiene mi novio.*

¿Podrías atar al perro? Es que me da miedo.
(Could you please tie up your dog? Dogs scare me.)
¡Pero si no hace nada, es muy bueno! Mira, acarícialo, ya verás cómo le gusta.
(But he's harmless! Pet him. You'll see he's a good boy.)

VOCABULARY

EMOCIONES: FAMILIAS DE PALABRAS *(EMOTIONS: WORD FAMILIES)*

noun(s)	adjetive(s)	verb(s)
la alegría *(happiness)*	alegre *(happy)*	alegrar(se) *(to make/become happy)*
el aburrimiento *(boredom)*	aburrido/a *(boring)*	aburrir(se) *(to bore/become bored)*
la angustia *(anguish, distress)*	angustioso/a *(anguished/distressed)*	angustiar(se), sentir angustia *(to distress/to get distressed, to feel distressed)*
el asco *(disgust)*	asqueroso/a *(disgusting)*	dar asco, sentir asco *(to disgust)*
la calma *(calm)*	calmado/a *(calm)*	calmar(se) *(to calm/calm down)*
los celos *(jealousy)*	celoso/a *(jealous)*	tener celos de, dar celos *(to be jealous, to cause jealousy)*
la confianza *(trust/confidence)*	confiado/a *(confident, trusting)*	tener confianza en, confiar en *(to have confidence in, to trust)*
la curiosidad *(curiosity)*	curioso/a *(curious)*	tener/sentir curiosidad por *(to be curious about)*
la diversión *(fun)*	divertido/a *(fun)*	divertir(se) *(to have fun)*
el enojo *(anger)*	enojado/a *(angry)*	enojar(se) *(to anger/become angry)*
la envidia *(envy)*	envidioso/a *(envious)*	tener envidia de, dar envidia *(to be envious, to cause envy)*
el estrés *(stress)*	estresado/a, estresante *(stressed (out), stressing)*	estresar(se) *(to stress (out)/get stressed (out))*
la frustración *(frustration)*	frustrado/a *(frustrated)*	frustrar(se), sentirse frustrado/a *(to frustrate/get frustrated, feel frustrated)*
la ilusión *(excitement, eagerness)*	ilusionado/a *(excited)*	ilusionar(se) *(to inspire hope/excite/ to delude onself)*
la impotencia *(helplessness)*	impotente *(helpless)*	sentir impotencia por *(to feel helpless)*
el miedo *(fear)*	miedoso/a *(cowardly)*	tener/sentir miedo, dar miedo *(to be/feel afraid, to scare)*
la pena *(sadness/sorrow)*	apenado/a *(sad)*	dar pena, sentir pena *(to make sad, to feel sad)*
la preocupación *(worry)*	preocupado/a *(worried)*	preocupar(se) *(to worry)*
la rabia *(anger/fury)*	rabioso/a *(angry/furious)*	dar rabia, sentir rabia por *(to infuriate, to anger, to feel anger)*
la soledad *(loneliness)*	solo/a *(alone)*	sentirse solo/a *(to feel lonely/lonesome)*
la sorpresa *(surprise)*	sorprendido/a, sorprendente *(surprised, surprising)*	sorprenderse *(to surprise/be surprised)*
la tristeza *(sadness)*	triste *(sad)*	entristecer(se), ponerse triste *(to sadden, to make sad, to become sad)*
la vergüenza *(embarrassment)*	avergonzado/a *(embarrassed)*	avergonzar(se), dar vergüenza *(to feel embarrassed, to embarrass)*

VARIEDAD LÉXICA

In Colombia, ***tener*** o ***sentir pena*** means ***tener*** o ***sentir vergüenza***.

FREQUENT WORD COMBINATIONS

APRENDIZAJE *(LEARNING)*

resultar › fácil › complicado
to find easy/complicated

ser sensible a › la música › el color
to be sensitive to music/color

solucionar › un problema
to solve a problem

aprender › por mí mismo
to learn on my own

procesar › información
to process information

saber › de memoria
to know by heart

trabajar › individualmente › en grupos › en parejas
to work individually/in groups/in pairs

hablar › en público
› sobre la vida privada
› con desconocidos
to speak in public
to speak about one's private life
to talk to strangers

leer › textos › revistas › libros
to read texts/magazines/books

hacer › exámenes › actividades en grupo
to take exams / to do group activities

exámenes › orales › escritos › parciales › finales
oral/written/mid-term/final exams

hablar › rápido › despacio › en español
to speak quickly/slowly/in Spanish

traducir a › un idioma
to translate into a language

corregir › los errores
to correct mistakes

aprender › con imágenes › con mapas mentales
› dibujando › hablando
to learn with images/mind maps
to learn by drawing/speaking

tener › fuerza de voluntad › esperanza
› sentido del ritmo › paciencia
to have will power/hope
to have a sense of rhythm/patience

estar › quieto/a
to be/stay still

concentrarse › bien › mal
› con/sin dificultad › con facilidad
› mucho
to concentrate well / poorly / with/without difficulty / easily / a lot

comunicarse › bien
› con/sin dificultad › con facilidad
to communicate well / poorly / with/without difficulty / easily

EMOCIONES *(EMOTIONS)*

estar › triste › sorprendido/a › asombrado/a
› confiado/a › alegre › enojado/a
› frustrado/a › ilusionado/a
to be sad/surprised/amazed/confident/happy/angry/ frustrated/ excited

dar › miedo › pena › asco › vergüenza › envidia
› angustia › seguridad
› ansiedad › confianza
to scare / make sad / disgust / embarrass / make envious
to distress / to make (someone) feel assured
to make anxious / to make (someone) feel confident

ponerse › nervioso/a › tranquilo/a › contento/a
› triste › celoso/a
to become nervous/calm/happy/sad/jealous

sentir/experimentar › tristeza › pena
› sorpresa › miedo
› confianza › admiración
› alegría › paz
› enojo › odio
to feel/experience sadness/pity/surprise/fear/ confidence/admiration/ joy/ peace-calm/anger/hatred

ser › irritante › refrescante › inseguro/a › irrespetuoso/a
› tímido/a
to be irritating/refreshing/insecure/disrespectful/shy

ser › un líder
to be a leader

CAPÍTULO 10

MUJERES Y PODER

En este capítulo vas a aprender a hablar de los logros de mujeres importantes del mundo hispanohablante.

LEARNING OUTCOMES

- Conditions with different degrees of probability
- Expressing wishes
- Discuss past and future events
- Report what someone said

VOCABULARY

- Discrimination and society

LANGUAGE STRUCTURES

- The past subjunctive in present and future conditionals
- The pluperfect subjunctive and conditional in past conditionals
- Use of the subjunctive (**ojalá, me gustaría que...**)
- The past subjunctive in reported speech

ORAL AND WRITTEN TEXTS

- Academic text

SOUNDS

- Linguistic diversity

CULTURE

- Past, present and future of women
- Significant contributions to the Spanish-speaking world made by women
- Puerto Rico and the bolero
- Cinema: *Una mujer fantástica* (Chile)

PROJECTS

- Group: do a presentation about a woman who played a key role in the history or politics of Latin America
- Individual: write an academic essay about the representation of women in art

PALABRAS CLAVE

PREPÁRATE

1. Relaciona estas palabras con las explicaciones.

1. identidad sexual
2. heteronormativo/a
3. brecha salarial
4. micromachismo
5. género
6. patriarcado
7. techo de cristal
8. feminismo
9. empoderamiento de la mujer

a. Desde una perspectiva biológica, este término se refiere a la pertenencia a los sexos masculino y femenino. ......

b. Este término hace referencia a la clasificación personal de alguien respecto a su propia sexualidad. Es independiente del sexo biológico o de la orientación sexual. ......

c. Se aplica a las barreras invisibles que impiden a las mujeres el ascenso en el ámbito laboral. ......

d. Se refiere a la diferencia existente en el mundo laboral entre el sueldo de los hombres y el de las mujeres. ......

e. Sistema de distribución desigual de poder entre los hombres y las mujeres. Bajo este principio, la organización de la sociedad se basa en el dominio de los intereses de los hombres. ......

f. Se usa este término para calificar las prácticas sociales, políticas, económicas y culturales que consideran que la perspectiva heterosexual es la única aceptable. ......

g. Movimiento que lucha por la igualdad de derechos del hombre y la mujer. ......

h. Prácticas de ejercicio del poder de dominio masculino que se llevan a cabo en lo cotidiano (sutiles y casi imperceptibles), que atentan en diversos grados contra la igualdad. ......

i. Proceso por el cual las mujeres adquieren o refuerzan sus capacidades y protagonismo para poder acceder de forma igualitaria a los recursos, y tomar decisiones en el plano individual y colectivo. ......

2. Comparen sus respuestas a la actividad 1.

3. Relacionen cada hecho con una o varias palabras de la actividad 1.

a. Según un informe de Naciones Unidas, las mujeres ganan un 23 % menos que los hombres en todo el mundo. ....

b. De 1259 empresas analizadas en un estudio sobre América Latina y el Caribe, solo en el 4,2 %, el puesto de director ejecutivo lo ocupa una mujer. ....

c. La famosa deportista olímpica Caitlyn Jenner vivió prácticamente toda su vida como Bruce Jenner. ....

d. Las letras de multitud de canciones repiten insistentemente que el hombre necesita a la mujer y ella necesita al hombre. ....

e. En 1974, en Islandia, miles de mujeres de todas las edades hicieron huelga y se manifestaron en las calles para reclamar políticas a favor de la igualdad de género. ....

f. En la mayoría de los baños públicos, los cambiadores para bebés están en el baño de las mujeres. ....

g. En un discurso pronunciado en 2014, la actriz Emma Watson afirmó que los hombres y las mujeres deben tener igualdad de derechos y oportunidades. ....

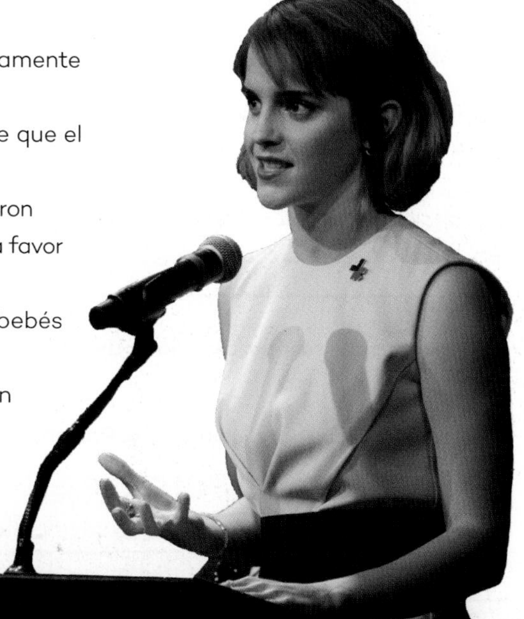

4. Escriban tres ejemplos más para ilustrar tres palabras de la actividad 1.

CITAS

PREPÁRATE

5. Lee estas citas. ¿Cómo las interpretas? ¿Cuáles te parecen más pertinentes hoy en día? ¿Por qué? Puedes usar el vocabulario de la actividad 1 para responder.

1

Yo no deseo que las mujeres tengan poder sobre los hombres, sino sobre ellas mismas.

MARY WOLLSTONECRAFT
(1759- 1797), filósofa y escritora inglesa

El nivel de civilización a que han llegado diversas sociedades está en proporción a la independencia de que gozan las mujeres.

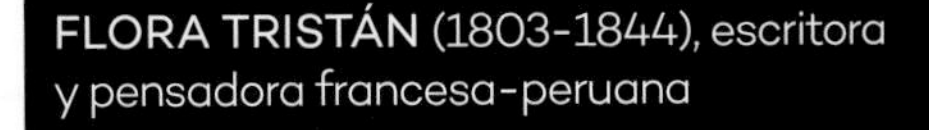

FLORA TRISTÁN (1803-1844), escritora
y pensadora francesa-peruana

2

3

No se nace mujer, se llega a serlo.

SIMONE DE BEAUVOIR (1908-1986), escritora
y filósofa francesa

Para mí, Simone de Beauvoir quiere decir que...
Yo relaciono lo que dice Simone de Beauvoir con... / con la idea de (que)...
Para mí, Simone de Beauvoir transmite la idea / el mensaje de (que)...
Creo que lo que dice Simone de Beauvoir (no) es muy actual, porque...

Yo relaciono lo que dice Mary Wollstonecraft con la idea del empoderamiento de las mujeres. Quiere decir que...

6. Compartan sus respuestas a la actividad 5.

7. Busca otra cita sobre las mujeres. Preséntala y explícala al resto de la clase.

Yo encontré esta cita de Charles Fourier: "El grado de emancipación de la mujer en una sociedad es el barómetro general por el que se mide la emancipación general". Es la misma idea de Flora Tristán...

VIDEO: FEMINISMO EN PERÚ

PREPÁRATE

8. Ve el video hasta el minuto 01:10 y toma nota de lo que se dice sobre la historia del feminismo en Perú. ¿Quién es para Parwa Oblitas la primera feminista de la historia de Perú?

9. Ve el video hasta el minuto 02:02. Según Rosario Grados, ¿cuál es la situación de la mujer en el trabajo?

10. Ve el resto del video y completa esta tabla.

Cómo era antes	Principales logros del feminismo hasta ahora	Para qué se está luchando
....	....	....
....	....	....
....	....	....
....	....	....
....	....	....
....	....	....
....	....	....
....	....	....
....	....	....

11. Comparen sus respuestas a la actividad 8. Luego, busquen información sobre Micaela Bastidas.

12. Comparen sus respuestas a las actividades 9 y 10. ¿En qué aspectos la situación de las mujeres en Perú se parece a la de las mujeres en su país?

13. Una de las entrevistadas dice que "el feminismo es una arma de liberación". ¿Cuál es su argumento?

DISCRIMINACIÓN CONTRA LA MUJER

PREPÁRATE

14. **Lee esta infografía basada en un documento de la ONU. Identifica cuál es el tema de cada apartado.**

a. educación: ....
b. empleo: ....
c. familia: ....
d. mutilación genital femenina: ....
e. nacionalidad: ....
f. género e identidad: ....
g. política: ....
h. tierra y otros recursos: ....
i. salud: ....
j. violencia: ....

15. **Anota las palabras clave de la infografía relacionadas con la discriminación.**

....
....
....
....
....
....
....
....

16. **Comparen sus respuestas a las actividades 14 y 15.**

17. **¿Cuáles de las formas de discriminación de la infografía existen en tu país? ¿Cuáles crees que hay que solucionar con mayor urgencia? ¿Por qué? Coméntenlo en grupos.**

En mi país, hay muy pocas mujeres con puestos de responsabilidad en la política...

LAS MUCHAS Y DIVERSAS FORMAS DE DISCRIMINACIÓN CONTRA LA MUJER

En todo el mundo, 781 millones de personas adultas y 126 millones de jóvenes no tienen las competencias básicas de alfabetización; de estos, **más del 60 %** son mujeres.

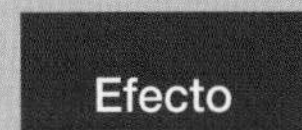

Acceso reducido a los recursos económicos y productivos, condiciones deficientes de salud y bienestar; mayores obstáculos para la toma de decisiones.

En 26 de 143 países analizados, las leyes de herencia establecen diferencias entre mujeres y hombres.

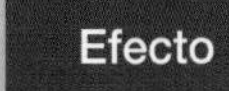

Vulnerabilidad ante la pobreza; acceso limitado o inexistente a los recursos económicos y al crédito; dependencia económica con respecto a los hombres.

6

Fuente: Naciones Unidas

En **más de 60 países**, se les niega a las mujeres el derecho a adquirir, cambiar o conservar su nacionalidad.

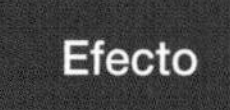

Incapacidad de ejercer los mismos derechos de ciudadanía que los hombres, como el derecho de residencia; el derecho a votar, trabajar, poseer tierras y propiedades; y el derecho a la educación y la atención sanitaria.

1

En la mayoría de los países evaluados, las mujeres ganan **entre un 10 y un 30 % menos** que los hombres.

Mayor pobreza entre las mujeres; menores posibilidades de ahorrar e invertir; mayor vulnerabilidad ante crisis externas; mayor probabilidad de ocupar trabajos mal remunerados e inseguros.

2

En 29 de 134 países, los maridos son los únicos cabezas de familia legales.

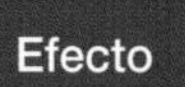

Solo los maridos pueden tomar legalmente las principales decisiones, como la elección del lugar de residencia de la familia o la obtención de documentos oficiales. En algunos casos, además, se les permite restringir el derecho de la mujer a trabajar o a abrir una cuenta bancaria.

3

77 países penalizan las relaciones entre personas del mismo sexo.

Mayor vulnerabilidad ante la violencia; arrestos y detenciones arbitrarias; violencia contra el derecho a la privacidad y a la no discriminación.

4

En todo el mundo, **una de cada tres mujeres** ha sufrido violencia física o sexual, principalmente por parte de un compañero sentimental.

Efecto

Consecuencias negativas en la vida y en la salud de las mujeres; implicaciones socioeconómicas significativas para las personas, las familias, las comunidades y la sociedad.

7

133 millones de niñas y mujeres han sufrido mutilación genital en los 29 países donde esta práctica nociva es más habitual.

Traumas emocionales y físicos graves; riesgos para la salud, incluidas complicaciones en la salud sexual y reproductiva.

8

Más de **140 millones de mujeres** (casadas o que viven en pareja) no cuentan con recursos suficientes de planificación familiar.

Limitación en la capacidad de las mujeres de elegir si desean quedarse embarazadas y cuándo. Dificultades en determinar el número de hijas e hijos y el tiempo de distancia entre ellos, lo que puede aumentar los índices de mortalidad materna e infantil.

9

Las mujeres ocupan únicamente **el 22 %** de los escaños parlamentarios de todo el mundo.

Efecto

Las decisiones políticas que afectan a la sociedad se toman a menudo sin las contribuciones sustanciales de las mujeres o sin una perspectiva de género y, en consecuencia, es posible que pasen por alto sus necesidades.

10

¿CÓMO HABRÍA SIDO?

PREPÁRATE

18. **Vas a escuchar a tres personas que dicen cómo creen que habría sido su vida si hubieran nacido con otro sexo biológico. Marca a qué temas se refiere cada una.**

	imagen física	maternidad	educación	sueldo	presión social	violencia	empleo
1. Mabel							
2. Ramona							
3. Víctor							

19. **¿Y tú qué crees? Escoge y continúa la opción que más se ajusta a ti.**

a. Si hubiera nacido con otro sexo, mi vida habría sido igual a la que tengo ahora, porque... por ejemplo...
b. Si hubiera nacido con otro sexo, mi vida habría sido bastante similar a la que tengo ahora, con alguna diferencia porque... por ejemplo...
c. Si hubiera nacido con otro sexo, mi vida habría sido muy diferente a la que tengo ahora, porque... por ejemplo...

20. **Comparen sus respuestas a las actividades 18 y 19.**

ENTREVISTA EN FEMENINO SINGULAR

PREPÁRATE

21. **Antes de leer la entrevista de la página de la derecha, contesta a esta pregunta: si pudieras cambiar algo para mejorar la situación de la mujer, ¿qué cambiarías?**

Si pudiera *(If I could)*...
Si fuera político/a *(If I were a politician)*...

haría...
defendería...
cambiaría...
decidiría...
prohibiría...
propondría...

Si fuera político/a...
– haría leyes contra el techo de cristal.
– ...

22. **Lee la entrevista. Según Trifonia Melibea Obono, ¿cuáles son los problemas principales de las mujeres en Guinea Ecuatorial y qué cambiaría ella? Subráyalo en el texto.**

23. **Vuelve a leer la entrevista y marca:**

- las palabras clave para ti.
- las palabras que son cognados (iguales o similares en tu lengua).
- las palabras que tuviste que buscar en el diccionario.
- las construcciones gramaticales que son nuevas para ti.

24. **Comparen sus respuestas a las actividades 22 y 23.**

25. **En grupos, comparen sus respuestas a la actividad 21. ¿Coinciden en algo? ¿Dijeron algo parecido a lo que dice Trifonia en la entrevista?**

Las tres escribimos que invertiríamos más en educación, y Trifonia dice que...

LA CAFETERÍA

¿Conoces a otras escritoras que hablen sobre la vida de las mujeres? ¿Cuáles de sus libros recomiendas?

TRIFONIA MELIBEA OBONO, MUJER, AFRICANA Y ESCRITORA EN ESPAÑOL

Entrevista exclusiva para *Proyectos*

Trifonia Melibea Obono (Afaetom, Evineyong, Guinea Ecuatorial, 1982) es periodista, politóloga, docente, investigadora en temas de género y una de las voces más vanguardistas y valientes de la literatura ecuatoguineana. Es profesora en la Universidad Nacional de Guinea Ecuatorial de Malabo y pertenece al equipo del Centro de Estudios Afro-Hispánicos de la Universidad Nacional de Educación a Distancia de España. Su novela *La bastarda* (2016) ha sido traducida al inglés.

1. Eres mujer, africana y escritora. Si tuvieras que definirte con uno de estos términos, ¿cuál usarías?
Anteriormente me describía como mujer, era feliz, no hablaba en voz alta de la igualdad. Identificarme como mujer y mujer africana reivindicativa es un estigma; por eso a veces me da miedo saber lo que soy. Ser escritora me relaja, me comunica con el mundo a través de la literatura.

2. ¿Cuáles son los principales problemas de la mujer en la actualidad, en particular en el contexto de Guinea Ecuatorial?
El reconocimiento de la ciudadanía es el primer problema: las leyes no reconocen a la mujer como persona; las costumbres, tampoco, y aquí mandan las costumbres. Por eso, derechos fundamentales como la educación, la salud, el derecho a decidir, el trabajo, etc., no son efectivos. Las niñas embarazadas no tienen derecho a la educación en un país cuya cultura entiende la maternidad como única manera de ser mujer.

3. Si pudieras cambiar algo para mejorar la situación de la mujer, ¿qué cambiarías?
Lo cambiaría todo. Todo, desde los ritos de iniciación, la educación sexista... Las mujeres han venido a este mundo para hacer un papel insignificante, el que nos deja el patriarcado. Desconozco la razón por la que nosotras para tener derechos tenemos que conquistarlos, convencer y decir "somos personas". ¿Hay que explicarlo, demostrarlo? Se nos va la vida en el proceso. De repente cumples años, te haces mayor y no has vivido; has peleado para existir.

4. Si hubieras nacido con otro sexo biológico, ¿cómo habría sido tu vida?
Si hubiese nacido hombre, sería negro y no blanco, africano y no occidental, bisexual y no heterosexual. Me salvaría solo el género masculino, sería varón. En mi país y mi etnia, mi familia se habría esforzado en formarme, tendría más autoestima, tendría derechos reconocidos y protegidos. No me gustaría ser hombre a pesar de las ventajas: dejaría de mostrar afecto, de ser humana.

5. ¿Cómo son los personajes femeninos de tu obra?
Los personajes femeninos son el reflejo de una sociedad cambiante; las mujeres no podemos quedarnos atrás. Son mujeres valientes, sumisas, menores, adultas... Mujeres cansadas, emprendedoras. La mayoría de los personajes solo existirán en Guinea Ecuatorial como muy pronto en cincuenta años, pero son mujeres con historia, que lo cuestionan todo, que ladran, que viajan (...). Son personajes especiales.

6. Para despedirnos, un consejo.
La lectura es la mejor arma de cohesión social que existe. No dejen de leer nunca.

ORACIONES CONDICIONALES CON IMPERFECTO DE SUBJUNTIVO

GRAMÁTICA

PREPÁRATE

26. Lee estos pares de frases. ¿Qué frase de cada par presenta los hechos como más probables?

1.

- Si ustedes **van** a América Latina, verán que la realidad es muy diversa.
- Si ustedes **fueran** a América Latina, verían que la realidad es muy diversa.

2.

- Si **tienes** una hija, verás las cosas de manera diferente.
- Si **tuvieras** una hija, verías las cosas de manera diferente.

27. Teniendo en cuenta tus respuestas a la actividad 26, completa el cuadro.

	Más probable	Menos probable
Si + presente de indicativo		
Si + imperfecto de subjuntivo		

28. Fíjate en los verbos en negrita de la actividad 26 y completa la tabla con las formas del imperfecto del subjuntivo *(imperfect subjunctive)* que faltan.

	ir	tener
yo	**fuer**a	**tuvier**a
tú, vos	**fuer**as	....
él, ella, usted	**fuer**a	**tuvier**a
nosotros, nosotras	**fuér**amos	**tuviér**amos
vosotros, vosotras	**fuer**ais	**tuvier**ais
ellos, ellas, ustedes	....	**tuvier**an

29. Comparen sus respuestas a las actividades 26, 27 y 28.

30. Lean estas preguntas y comenten qué harían en estas situaciones.

¿Qué harías...

1. si **pudieras** elegir a una mujer relevante para el discurso de graduación?

2. si un(a) compañero/a de clase o tu profesor(a) **hiciera** un comentario muy machista?

3. si **tuvieras** que compartir habitación con otra persona?

4. si **fueras** responsable de decidir el próximo premio Nobel de la Paz?

5. si en tu trabajo **hubiera** rumores de discriminación contra una mujer en concreto?

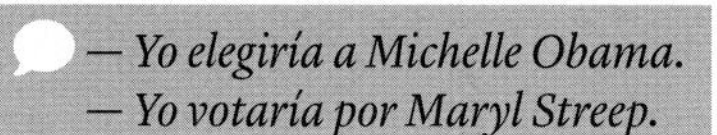

— Yo elegiría a Michelle Obama.
— Yo votaría por Maryl Streep.

SUBJUNTIVO PARA EXPRESAR DESEOS

GRAMÁTICA

PREPÁRATE

31. Lee los siguientes comentarios publicados en un foro de estudiantes. ¿Existen problemas similares en tu contexto universitario? ¿Compartes algunos de estos comentarios?

Asunto:
¿Qué nos hace falta en la universidad?
Propuestas para mejorar nuestro centro de estudios.

Jesse

A mucha gente le gustaría poder elegir si quieren compartir habitación con un chico o con una chica. ¿Por qué hay habitaciones dobles solo para hombres o para mujeres? Aunque a mí, personalmente, me gusta tener privacidad. ¡Ojalá hubiera más habitaciones individuales!

Aurelia

Ojalá nuestro college siga algún día el ejemplo de otros colleges que ya tienen baños con el símbolo de género inclusivo. ¡Nosotros solo tenemos baños para hombres o mujeres!

Jordan

Me encantaría que hubiera más ayudas para financiar los estudios y las estancias en el extranjero. Y a mí, personalmente, me gustaría tener alternativas de trabajo en la universidad durante los estudios.

Eric

¡La biblioteca abierta las 24 horas durante todo el año! Y no solo al final del semestre, para los exámenes. Lo prometieron el año pasado, pero no se cumplió la promesa. ¡Ojalá lo hagan por fin este año! En los espacios comunes no hay ambiente de estudio; necesitamos la biblioteca.

Yamir

A los vegetarianos y veganos nos gustaría que en la cafetería de la universidad hubiera más opciones de comida para nosotros. Muchas veces solo podemos pedir pasta... ¡Ojalá pudiéramos comer más fruta y más verdura fresca!

Brenda

Yo, personalmente, desearía poder consultar a tutores especializados para los cursos más complicados. Pero no hay suficientes tutores y, además, están muy solicitados.

32. Completa este cuadro con otros ejemplos de los comentarios de la actividad 31.

1. Ojalá (que) + presente de subjuntivo	*Ojalá nuestro college siga algún día el ejemplo de otros colleges.* ....
2. Ojalá (que) + imperfecto de subjuntivo	*Ojalá hubiera más habitaciones individuales.* ....
3. Verbo en condicional + infinitivo (misma persona)	*A mucha gente le gustaría poder elegir si quieren compartir habitación con un chico o con una chica.* ....
4. Verbo en condicional + **que** + imperfecto de subjuntivo (diferente persona)	*Me encantaría que hubiera más ayudas para poder financiar los estudios.* ....

33. Escribe cuatro entradas diferentes con las cuatro estructuras que has visto, expresando tus deseos sobre las necesidades de tu contexto universitario.

34. Comparen sus respuestas a las actividades 31 y 32.

35. En grupos, presenten sus cuatro comentarios de la actividad 33. ¿En qué aspectos están de acuerdo?

> *— Yo escribí que ojalá el campus estuviera mejor comunicado.*
> *— Yo, también.*

CONDICIONALES CON PLUSCUAMPERFECTO DE SUBJUNTIVO

PREPÁRATE

36. ¿Conoces a estas seis mujeres? ¿Sabes qué hicieron? Relaciona cada enunciado con su final. Investiga en internet si es necesario.

1 Clara Campoamor (1888-1972)

2 Harriet Tubman (1820-1913)

3 Sirimavo Bandaranaike (1916-2000)

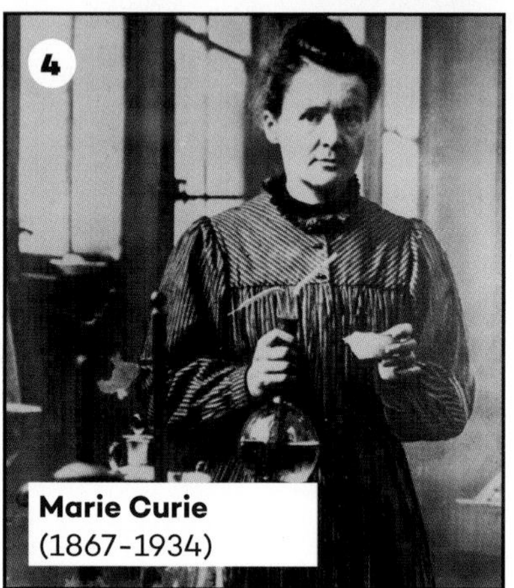
4 Marie Curie (1867-1934)

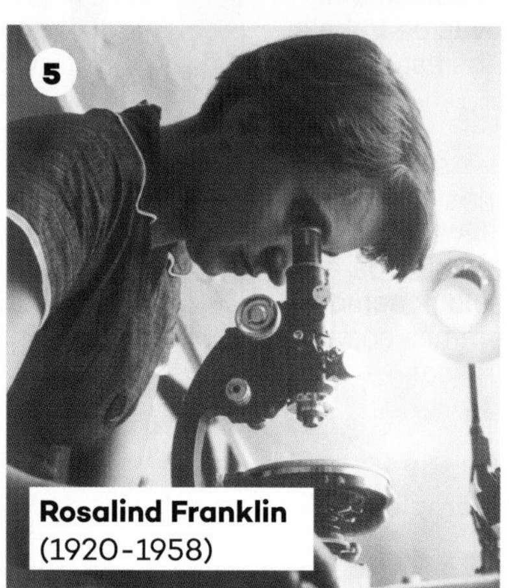
5 Rosalind Franklin (1920-1958)

6 Rosa Parks (1913-2005)

1. En 1931 Clara Campoamor **defendió**
2. Harriet Tubman **liberó** a cientos de esclavos
3. En 1960 Sirimavo Bandaranaike **ganó**
4. Marie Curie **ganó**
5. La química Rosalind Franklin
6. El 1 de diciembre de 1955, Rosa Parks no **cedió** su asiento de autobús en Alabama a un hombre blanco

a. y es un símbolo de la lucha contra la esclavitud.
b. en el Parlamento español el derecho al voto de las mujeres.
c. **participó** en el descubrimiento de la estructura del ADN.
d. dos premios Nobel en 1903 y 1911.
e. las elecciones en Sri Lanka y **se convirtió** en la primera mujer del mundo presidenta de un Estado.
f. y por ese motivo **fue arrestada**. **Se convirtió** en una figura destacada del movimiento por los derechos civiles.

37. Ahora lee estas frases y observa cómo funcionan las oraciones condicionales en el pasado. Completa la tabla con las formas verbales en negrita.

1. Si Marie Curie no **hubiera estudiado** Física y Matemáticas, probablemente no **habría ganado** dos premios Nobel: uno en física y otro en química.
2. Si Campoamor no **hubiera defendido** el voto femenino, tal vez las españolas no **hubieran tenido** derecho a voto en la República.

Si + pluscuamperfecto de subjuntivo	+	condicional compuesto/pluscuamperfecto de subjuntivo
Si *(no)* .... ***Si*** *(no)*		*(no)* .... *(no)* ....

GRAMÁTICA

38. **Comparen sus respuestas a las actividades 36 y 37. Luego, miren en Recursos lingüísticos cómo se forma el pluscuamperfecto de subjuntivo *(pluperfect subjunctive)* y el condicional compuesto *(past conditional)*.**

39. **Escriban frases como las de la actividad 37 sobre las otras mujeres de la actividad 36.**

40. **Investiguen sobre otros hechos históricos protagonizados por mujeres y escriban hipótesis en el pasado. Después, preséntenlas al resto de la clase.**

Si en 1837 Mary Lyon no hubiera fundado el seminario femenino Mount Holyoke en Massachusetts, no se habría creado años después esta universidad y no habría sido modelo para otras escuelas de mujeres.

Mary Lyon (1797-1849)

ATENCIÓN

In English, past conditional sentences use the pluperfect (past perfect):

*If **I had studied** Portuguese, **I would have traveled** to Brazil to practice.*

In Spanish, these sentences use the pluperfect subjunctive (pluscuamperfecto de subjuntivo):

👍 *Si **hubiera estudiado** portugués, **habría viajado** a Brasil para practicar.*

👎 ~~Si había estudiado~~
~~Si habría estudiado~~

TEMAS QUE IMPORTAN

VOCABULARIO

PREPÁRATE

41. **Completa las siguientes combinaciones frecuentes con estas palabras. Hay varias posibilidades.**

una etnia | una persona | poseer tierra | violencia física | conciliación laboral | trabajar | un partido político | enfermedad | una vivienda | la familia | exclusión social | un salario justo

1. **pertenecer a** un grupo > ....
2. **tener acceso a** los servicios > ....
3. **tener derecho a** votar > ....
4. **cuidar de** los hijos > ....
5. **votar a/por** un(a) candidato/a > ....
6. **discriminar a** un grupo > ....
7. **sufrir** pobreza > ....

42. **Comparen sus respuestas a la actividad 41.**

43. **Piensen qué otras combinaciones pueden formar con los verbos de la actividad 41.**

44. **Escribe ejemplos de uso de los verbos de la actividad 41.**

En muchos países, las mujeres no tienen acceso a servicios de planificación familiar.

DISCURSO INDIRECTO EN PETICIONES Y CONSEJOS

GRAMÁTICA

PREPÁRATE

45. Lee los testimonios de estas mujeres. ¿Crees que las actuaciones que relatan son actos de micromachismo? ¿Por qué? Coméntenlo en pequeños grupos.

Mara

1. **Mara, 50 años:** "En las reuniones del departamento, el director se refiere a otros profesores por su apellido (y a los que son doctores diciendo el doctor Rodríguez, el doctor Alonso, etc.). En cambio, a mí, que también soy doctora, se refiere con mi nombre, Mari Carmen. Ya me he cansado y ahora **le exijo que** me llame también doctora Asensio".

Olivia

2. **Olivia, 42 años:** "Cuando voy en auto con mi padre, si tengo que estacionar, él siempre se baja y me da instrucciones. Yo **le pido que** no se baje, pero él **insiste en que** le haga caso. En cambio, cuando es mi marido el que lleva el auto, él no se baja nunca".

Fernanda

3. **Fernanda, 31 años:** "Hace un año mi esposo y yo tuvimos una hija. Algunos amigos nuestros le dicen siempre que es un 'padrazo' porque le cambia los pañales, la lleva a la guardería, al parque... Y yo no soy una 'madraza' por hacer lo mismo. Un día por la mañana, yo salí con unas amigas y mi marido se quedó con la niña. Por la tarde, vinieron nuestros amigos y uno de ellos le dijo: 'Así que te has quedado de niñera, ¿eh?' **Le pedí que** no repitiera ese tipo de comentarios porque me parecía totalmente inadecuado".

Lucía

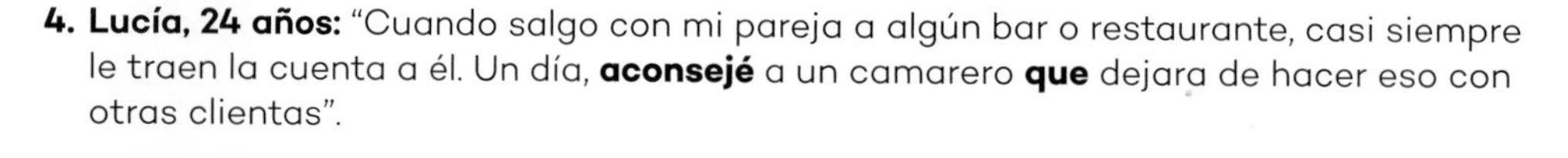

4. **Lucía, 24 años:** "Cuando salgo con mi pareja a algún bar o restaurante, casi siempre le traen la cuenta a él. Un día, **aconsejé** a un camarero **que** dejara de hacer eso con otras clientas".

Victoria

5. **Victoria, 23 años:** "Cuando estaba decidiendo qué carrera estudiar, un profesor **me sugirió que** no estudiara Ingeniería porque no era 'algo para mí'. **Le pedí que** me explicara por qué, ya que yo era la mejor alumna de la clase en Matemáticas, Física y Dibujo".

46. Fíjate en las formas verbales que aparecen después de los verbos en negrita. ¿En qué tiempos están? ¿Qué diferencias observas? Lee la sección de Recursos lingüísticos.

47. Completa la tabla: piensa cuáles pudieron ser las palabras originales en estilo directo *(direct speech)*.

Peticiones y consejos en estilo directo	Peticiones y consejos en estilo indirecto *(reported speech)*
1.	Ahora le exijo que me llame doctora Asensio.
2.	Yo le pido que no se baje del auto.
3.	Él insiste en que le haga caso.
4.	Le pedí que no repitiera ese tipo de comentarios.
5.	Aconsejé a un camarero que dejara de hacer eso con otras clientas.
6.	Un profesor me sugirió que no estudiara Ingeniería.
7.	Le pedí que me explicara por qué.

48. En pequeños grupos, pongan en común sus respuestas a la actividad 45. ¿Conocen ejemplos parecidos?

49. En parejas, interpreten estos enunciados: busquen a qué contexto se pueden referir y qué actuación están relatando.

1. Les he pedido a mis padres que no vuelvan a regalarle nada así a mi hija.
2. Le sugerí al jefe de Edición que me enviara a cubrir las noticias deportivas.
3. Le aconsejé a mi amiga que fuera al trabajo con pantalones.
4. Le exigí al cliente que me tratara de usted.

DIFERENCIAS DE PRONUNCIACIÓN DEL ESPAÑOL POR EL MUNDO

SONIDOS

50. Escucha y fíjate cómo pronuncian estas personas los sonidos de las letras en negrita.

Arturo Valle

1. Soy Arturo Va**ll**e y soy urugua**y**o.

Yolanda Roca

2. Soy **Y**olanda Roca y soy de Mede**ll**ín, Colombia.

Laura Payà

3. Soy Laura Pa**y**à y soy de Ma**ll**orca, España.

Nieves Blanco

4. Yo soy Nieve**s**, soy de Los Monegro**s**, España.

Marcos Martín

5. Yo soy Marco**s**, soy de La**s** Palma**s**, España.

Lucas Romero

6. Yo soy Luca**s**, soy de La**s** Tuna**s**, Cuba.

Cecilia Marcos

7. Yo soy **Ce**cilia, de **Z**arago**z**a, España.

Cicerón Pérez

8. Yo soy **Ci**cerón, de **Z**arago**z**a, Colombia.

ATENCIÓN

The vast majority of Spanish speakers pronounce **za**, **ce**, **ci**, **zo**, and **zu** as **sa**, **se**, **si**, so, and **su** (i.e., with the same sound as the English word **sand**). This means that they pronounce the following pairs of words in the exact same way: **cazar** and **casar**, **maza** and **masa**, **voz** and **vos**.

However, a few million Spanish speakers (namely, the majority of Spaniards and Equatoguineans) pronounce **za**, **ce**, **ci**, **zo**, and **zu** with the *th* sound of the English word **think**.

The weakening of the **s** sound at the end of a syllable (known as the syllable-final **s**)—such as in words like **tres**, **las**, **pasta**, **resto**, and in all words ending in **s**—is common in the Caribbean, Central America, Venezuela, Peru, Chile, Argentina, Paraguay, the coasts of Colombia, parts of Ecuador and Mexico, and the south of Spain. This syllable-final **s** is weakened to the point of disappearing in Panama, on the coasts of Colombia and Venezuela, and in parts of Cuba, Puerto Rico, the Dominican Republic, and Spain.

ESTRATEGIAS

Las diferentes variantes del español tienen pronunciaciones diversas, pero la inmensa mayoría de los hispanohablantes no tienen problemas en entender las pronunciaciones diferentes a la suya. Todas las variantes son consideradas correctas y forman parte de la riqueza de la lengua.

51. Escucha este texto de la infografía de la actividad 14 leído por dos hablantes del español. Fíjate en la pronunciación de la s. ¿Qué observas?

"Solo los maridos pueden tomar legalmente las principales decisiones, como la elección del lugar de residencia de la familia o la obtención de documentos oficiales. En algunos casos, además, se les permite restringir el derecho de la mujer a trabajar o a abrir una cuenta bancaria".

52. Vas a escuchar la siguiente cita de Chimamanda Ngozi pronunciada por mujeres de diversas nacionalidades, ¿sabrías decir de dónde es cada una?

"Soy una feminista feliz africana que no odia a los hombres y a quien le gusta llevar pintalabios y tacones altos para sí misma y no para los hombres".

	Argentina	Colombia	España	México
1.				
2.				
3.				
4.				

Chimamanda Ngozi
(1977, escritora nigeriana)

The Spanish Hub TEXTO MAPEADO TEXTO LOCUTADO

MÚSICA

Músicas y mensajes

Una de las características más relevantes de la cultura puertorriqueña es, sin duda, su riqueza y variedad musicales. Durante el siglo XX, sobre todo a través de la radio, el cine y la televisión, los ritmos de la isla se difunden y conquistan todo el mundo, especialmente desde Nueva York, donde actualmente residen más de un millón de puertorriqueños. La Gran Manzana también es el lugar de nacimiento de la salsa o el reguetón, los dos ritmos caribeños más conocidos en la actualidad.

Entre los más conocidos ejemplos del éxito de la música puertorriqueña se encuentra Bobby Capó (Coamo, Puerto Rico, 1922 - Nueva York, 1989), compositor y cantante muy famoso por sus boleros y otros temas románticos. Grabó sus primeros éxitos en los años 40 en Nueva York y pronto se convirtió en una estrella de la televisión en toda Hispanoamérica. Su bolero *Piel canela* es una de las composiciones más universales de la música latina. También popularizó como intérprete otros muchos temas, como *Corazón Loco*, colaborando con artistas de la talla de Tito Puente.

El bolero, tal como lo conocemos hoy en día, nació de la fusión de varias tradiciones musicales a mediados del siglo XIX en Cuba. El primer bolero clásico fue compuesto por José Pepe Sánchez en 1883 en Santiago de Cuba. Después, se extendió por las demás islas del Caribe: Puerto Rico, República Dominicana, y por el resto del continente, sobre todo en México.

Los boleros no solo fueron uno de los ritmos más bailados del siglo XX en el mundo hispano, sino también una manera de educación sentimental que marcó a varias generaciones en las dos orillas del Atlántico. Sus letras nos hablan de amor y desamor, ausencia y presencia de la persona querida, de deseo y pasión, de encuentros y desencuentros, de sufrimiento y placer. En los boleros clásicos la persona que canta, normalmente en primera persona, pone en escena su experiencia emocional en tono melodramático. En las letras de estas canciones, en un tono poético, domina el punto de vista masculino. La mujer, como objeto de deseo, ocupa casi siempre una posición subordinada, dentro de los códigos de la tradición popular.

CORAZÓN LOCO (1971)
RICHARD DANNEMBERG

No te puedo comprender,
corazón loco,
no te puedo comprender
y ellas tampoco.
Yo no me puedo explicar
cómo las puedes amar tranquilamente,
yo no puedo comprender
cómo se pueden querer,
dos mujeres a la vez, y no estar loco.
Merezco una explicación,
porque es imposible seguir con las dos.

Aquí va mi explicación,
pues me llaman sin razón, corazón loco.
Una es el amor sagrado,
compañera de mi vida,
esposa y madre a la vez.
La otra es el amor prohibido,
complemento de mis ansias,
y a quien no renunciaré,
y ahora puedes tú saber,
cómo se pueden querer,
dos mujeres a la vez, y no estar loco.

DESPUÉS DE LEER

53. Lee el texto y resume en pocas frases la información que te parece esencial sobre los boleros.

54. Lee la letra del bolero y explica a qué se refieren el título *Corazón loco*. Imagina otro título para este bolero.

55. En grupos, pongan en común las actividades 53 y 54.

56. Vuelvan a leer la letra y, si pueden, escuchen la canción. Reflexionen después sobre estas cuestiones.

1. ¿Qué historia de amor se cuenta?
2. ¿Qué imagen se representa de la mujer?
3. ¿Qué papeles en las relaciones se atribuyen a las personas de esta historia?

57. ¿Creen que el papel atribuido a la mujer es muy diferente en otros géneros musicales como el pop, el rock, el country, el folk, el reguetón, el trap, el rap, el hip hop, etc.?

58. Busquen canciones que intenten romper con esa imagen de la mujer. Compártanlas en clase.

ENSAYO

Cine chileno: *Una mujer fantástica*

CHILE

SINOPSIS. *Una mujer fantástica* (Sebastián Lelio, Chile, 2017), ganadora, entre otros muchos premios, del Óscar a la mejor película en habla no inglesa en 2018, cuenta la historia de amor y pérdida de Marina (Daniela Vega), una joven camarera y cantante que tiene que luchar contra los prejuicios y el rechazo de la familia de su novio Orlando (Francisco Reyes), veinte años mayor que ella, recién fallecido. Marina no solo luchará contra Sonia, la exmujer de Orlando, y su hijo, sino también contra una sociedad que la discrimina y no la acepta. Ella deberá defender lo que es: una persona íntegra y enamorada, fuerte y pasional, una mujer fantástica.

Fotogramas de la película *Una mujer fantástica*, producida por Fabula.

DIÁLOGOS DE ALGUNAS ESCENAS

1. Marina, mirando a la cámara en primer plano, en un ascensor.
Marina: *Mi nombre es Marina Vidal. ¿Tiene algún problema con eso?*

2. Marina y Orlando en un restaurante, en una cena romántica, él le ofrece algo.
Orlando: *Vale por dos pasajes a las Cataratas de Iguazú.*
Marina: *Gracias, mi amor.*

3. Interrogatorio policial, en voz en off, entre la detective Cortés y Marina. Vemos a Orlando en un ascensor transparente con un sobre.
Detective Cortés: *Don Orlando...*
Marina: *Oneto.*
Detective Cortés: *¿Te pagaba?*
Marina: *Éramos pareja, ¿por qué quiere saber eso?*

4. En un garaje subterráneo, Sonia, la exmujer de Orlando, habla con Marina.
Sonia: *Te digo la verdad, pienso que en esto hay pura perversión, no más.*

5. En el vestíbulo de un edificio público, conversación entre Marina y Sonia, la exmujer de Orlando.
Sonia: *No vas a ir al funeral.*
Marina: *Yo también tengo derecho a despedirlo.*

ANTES DE LEER

59. **Observen los fotogramas de la película chilena *Una mujer fantástica*, de Sebastián Lelio. ¿Cuáles pueden ser los temas de esta película?**

DESPUÉS DE LEER

60. **Lean la sinopsis y confirmen las hipótesis que han hecho en la actividad anterior.**

61. **Lee los diálogos de las cinco escenas. Luego, en pequeños grupos, describan la actitud de los personajes. Pueden utilizar estas palabras o sus derivados. Finalmente, pueden ver en internet el tráiler de la película para confirmar sus hipótesis.**

incomprensión | intolerancia | agresividad | prejuicios | desconfianza | confianza | dureza | frialdad | amor | cariño | determinación | combatividad | empatía

Orlando: ....

Marina: ....

Sonia: ....

Detective Cortés: ....

62. **Busca más información sobre el argumento de la película y descubre con qué diferentes problemas se enfrenta Marina. Luego, compartan en grupos lo que han descubierto.**

63. **Conocen otras películas que traten temas similares al de la película *Una mujer fantástica*?**

LOS TEXTOS ACADÉMICOS

64. **¿Qué tipo de textos académicos escribes? Coméntenlo.**

— Comentarios de texto.
— Sí, y trabajos de investigación...

65. **¿Qué características lingüísticas tienen esos textos académicos? Piénsenlo en grupos y luego lean el texto. ¿Hay muchas características diferentes de las que habían pensado?**

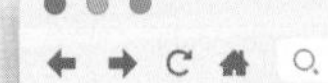

CARACTERÍSTICAS DE LOS TEXTOS ACADÉMICOS EN ESPAÑOL

Los textos académicos, técnicos y científicos usan un lenguaje más especializado que los textos de divulgación general. Su función básica es exponer el conocimiento de la manera más objetiva posible.

1. PUNTO DE VISTA

1.1. Imparcialidad. En general, en los textos académicos se evita expresar los gustos e intereses.

Texto no académico:
Me gusta mucho el modernismo con tanta decoración de plantas y flores.

Texto académico:
El modernismo catalán incorpora motivos vegetales en los elementos decorativos y tectónicos.

1.2. Relevancia. El tema se centra en aspectos pertinentes que se estudian. No se tratan aspectos anecdóticos.

Texto no académico:
En el Palau de la Música de Barcelona hay cosas que me recuerdan al jardín de mis abuelos.

Texto académico:
El Palau de la Música de Barcelona incorpora en su decoración elementos de la naturaleza, como flores, palmeras o frutos, típicos del modernismo catalán.

2. IMPERSONALIDAD

La voz del emisor desaparece. Se evita el uso de la primera persona del singular.

2.1. Se **impersonal.**
Se tiene escasa información sobre el autor de *La Celestina.*

2.2. Sujeto pasivo.
La obra se publicó en 1499.
La obra, publicada en 1499, ...

2.3. Voz pasiva.
Esta obra fue publicada en 1499.

2.4. Uso del nosotros**.**
Sabemos que la obra fue publicada en 1499.

3. LÉXICO

Los términos buscan la precisión y la especialización típica de un registro culto.

3.1. Nominalizaciones.
Construcciones con sustantivos a partir de verbos y adjetivos.

Texto no académico:
La gente relaciona el acento con la clase social y esto margina a algunas personas.

Texto académico:
La relación del acento con el nivel económico es origen de marginación contra sectores de la población.

3.2. Variedad. Léxico no repetitivo, rico en matices; sinónimos, antónimos, etc.

Texto no académico:
Este cuadro de Picasso...

Texto académico:
Esta obra/creación/lienzo de Picasso...

3.3. Precisión. Se evita la ambigüedad y la vaguedad.

Texto no académico:
Lo más raro de este cuadro es que no tiene perspectiva.

Texto académico:
El aspecto más sorprendente de esta acuarela es la ausencia de perspectiva.

4. ADJETIVOS

4.1. Se evitan los usos antepuestos de adjetivos con connotaciones subjetivas.

Texto no académico:
Un fantástico crecimiento de la población...

Texto académico:
Un crecimiento del 40 % de la población...

4.2. Se admiten usos de algunos adjetivos antepuestos:
un buen ejemplo, una gran mayoría, la mejor obra, la mayor parte...

66. Lee estos tres párrafos de tres artículos. Localiza el tema principal y busca ejemplos concretos de las características de los textos académicos de la actividad 65.

(...) La historia, del arte en este caso, ha forjado la representación de la realidad bajo la mirada masculina, de forma que mientras esta se presenta como la única existente y su forma de ver el mundo es considerada como la verdad objetiva, las mujeres aparecen en el arte, a pesar de que existen numerosas representaciones de ellas como modelos, silenciadas como creadoras de arte. Incluso en el movimiento artístico vanguardista, a pesar de su inclinación revolucionaria, la mayoría de los artistas no se dieron cuenta de que la misma sociedad que tanto criticaban y contra la que luchaban además de ser "burguesa" era también "patriarcal". Casi nunca percibieron la opresión sexual que soportaban las mujeres. (...)

Itxasne Gaubeca Vidorreta. *Representaciones de las mujeres en obras paradigmáticas del arte de vanguardia del siglo xx*

(...) Cuando las artistas del siglo xx afrontan el tema de su propia imagen, plantean la posibilidad de existir de forma independiente de la mirada masculina, de crear para sí una identidad que no dependa de ello. Así, el autorretrato es el primer tema puramente femenino que encontramos en las pintoras de principios de siglo, y como tal aparece en todos los movimientos de vanguardia, desde el simultaneísmo ruso-francés de Sonia Delaunay hasta el expresionismo sueco de Sigrid Hjertén. Son mujeres artistas que se sienten en la obligación de buscar en ellas mismas las fuentes de su arte, dada la falta de una tradición de pintoras, que no ha sido conocida hasta hace muy poco. (...)

Amparo Serrano de Haro. *Imágenes de lo femenino en el arte: atisbos y atavismos*

(...) El discurso socialmente dominante sobre el cuerpo de la mujer, un discurso claramente androcéntrico, ha variado relativamente poco a lo largo de la historia. El cambio más destacado ha sido el producido en la edad contemporánea, cuando la biología femenina dejó de considerarse desde la óptica de la carencia o la disminución (ya que el modelo de referencia era el cuerpo del varón), para ser considerado no como inferior, sino como diferente. Así se pasa de considerar a la mujer como un ser "imperfecto" frente al modelo masculino, a concebir lo femenino como diferente y opuesto a lo masculino. Esta idea, la mujer como el negativo/complementario del hombre, está aún hoy en la base de la concepción más extendida socialmente de la feminidad. (...)

María Teresa Alario. *La mujer creada: lo femenino en el arte occidental*

El venado herido (1946), de Frida Kahlo (1907-1954)

67. En grupos, pongan en común las conclusiones de la actividad 66.

PROYECTO EN GRUPO

Una mujer relevante en la historia de América Latina

Vamos a presentar a una mujer relevante en la historia de América Latina.

A. En grupos, lean la lista de mujeres latinoamericanas y elijan una de ellas u otra que les interese. Busquen información.

- Su biografía, los momentos clave de su vida.
- Su contexto histórico (circunstancias y acontecimientos de su época).
- Su principal contribución a la historia.
- Citas o comentarios sobre ella.
- Imágenes y otro tipo de documentos sobre ella.

B. Piensen la respuesta a estas preguntas.

1. ¿Qué tuvo que pasar para que fuera un personaje relevante?
2. ¿Qué habría pasado si no hubiera hecho lo que hizo?
3. Si hubiera nacido en otro momento o lugar, ¿cómo crees que habría sido su vida?

C. Con toda la información que tienen, preparen una presentación para el resto de la clase.

D. Hagan su presentación y escuchen las presentaciones de los demás grupos.

E. Anoten los puntos en común de todas estas mujeres. ¿Por qué han pasado a la historia?

PROYECTO INDIVIDUAL

La representación de la mujer en el arte

Vas a escribir un ensayo sobre la representación de la mujer en el arte.

A. Para preparar tu ensayo, observa este cartel del grupo activista Guerrilla Girls y responde a las preguntas.

- ¿Cuál es el mensaje?
- ¿Qué temas piensas que se podrían tratar en un ensayo académico sobre la representación de la mujer en el arte?

B. Investiga sobre la representación de la mujer en el arte, en uno o varios contextos históricos.

Algunas sugerencias:

- La mujer en el arte prehistórico occidental.
- La mujer en las representaciones de las culturas precolombinas.
- La mujer en la iconografía clásica grecorromana, renacentista, barroca y neoclásica.
- La mujer en la temática religiosa del arte cristiano español e hispanoamericano.
- La mujer en el arte del siglo XIX.
- La mujer en el arte de vanguardias del siglo XX: surrealismo, expresionismo, etc.
- La mujer en el muralismo mexicano del siglo XX.
- Mujeres artistas que se representan a sí mismas o bien a otras mujeres.

C. Haz un esquema de tu ensayo, siguiendo estas pautas.

1. **Contexto:** ¿Cuáles son las características del contexto histórico que has elegido?
2. **Características de la representación de la mujer:** ¿Qué aspectos de la mujer se representan y cómo se hace? Elige imágenes que lo ilustren.
3. **Intencionalidad:** ¿Para qué y por qué se representa de esta manera a la mujer? ¿Qué idea transmiten de lo femenino? Interpreta críticamente la función que tuvieron o tienen esas imágenes.

D. Redacta y revisa tu ensayo. Ten en cuenta lo que has aprendido en la sección Conocer los textos de este capítulo, y cita las fuentes que hayas consultado.

GRAMMAR

IMPERFECT SUBJUNCTIVE

The most common version of the imperfect subjunctive (imperfecto de subjuntivo) is formed with the third person plural form of the preterite (pretérito de indicativo).

	ESTUDIAR > estudiaron	**APRENDER > aprendier**on
yo	estudiar**a**	aprendier**a**
tú, vos	estudiar**as**	aprendier**as**
él, ella, usted	estudiar**a**	aprendier**a**
nosotros, nosotras	estudiár**amos***	aprendiér**amos** *
vosotros, vosotras	estudiar**ais**	aprendier**ais**
ellos, ellas, ustedes	estudiar**an**	aprendier**an**

	VIVIR > vivieron
yo	vivier**a**
tú, vos	vivier**as**
él, ella, usted	vivier**a**
nosotros, nosotras	viviér**amos** *
vosotros, vosotras	vivier**ais**
ellos, ellas, ustedes	vivier**an**

* The **nosotros/as** form always has an accent.

There is a second form of the imperfect subjunctive, as well. Both forms are equivalent, but the second one is less common and its use is more formal.

	ESTUDIAR	**APRENDER**
yo	estudiase	aprendiese
tú, vos	estudiases	aprendieses
él, ella, usted	estudiase	aprendiese
nosotros, nosotras	estudiásemos	aprendiésemos
vosotros, vosotras	estudiaseis	aprendieseis
ellos, ellas, ustedes	estudiasen	aprendiesen

	VIVIR
yo	viviese
tú, vos	vivieses
él, ella, usted	viviese
nosotros, nosotras	viviésemos
vosotros, vosotras	vivieseis
ellos, ellas, ustedes	viviesen

▶ Frequent irregular verbs:

	PODER	**SER/IR**	**TENER**
yo	pudiera	fuera	tuviera
tú, vos	pudieras	fueras	tuvieras
él, ella, usted	pudiera	fuera	tuviera
nosotros, nosotras	pudiéramos	fuéramos	tuviéramos
vosotros, vosotras	pudierais	fuerais	tuvierais
ellos, ellas, ustedes	pudieran	fueran	tuvieran

	HABER	**ESTAR**	**SABER**
yo	hubiera	estuviera	supiera
tú, vos	hubieras	estuvieras	supieras
él, ella, usted	hubiera	estuviera	supiera
nosotros, nosotras	hubiéramos	estuviéramos	supiéramos
vosotros, vosotras	hubierais	estuvierais	supierais
ellos, ellas, ustedes	hubieran	estuvieran	supieran

	PONER	**TRAER**	**DECIR**
yo	pusiera	trajera	dijera
tú, vos	pusieras	trajeras	dijeras
él, ella, usted	pusiera	trajera	dijera
nosotros, nosotras	pusiéramos	trajéramos	dijéramos
vosotros, vosotras	pusierais	trajerais	dijerais
ellos, ellas, ustedes	pusieran	trajeran	dijeran

	PRODUCIR	**LEER**	**CAER**
yo	produjera	leyera	cayera
tú, vos	produjeras	leyeras	cayeras
él, ella, usted	produjera	leyera	cayera
nosotros, nosotras	produjéramos	leyéramos	cayéramos
vosotros, vosotras	produjerais	leyerais	cayerais
ellos, ellas, ustedes	produjeran	leyeran	cayeran

PLUPERFECT SUBJUNCTIVE

The pluperfect subjunctive (pluscuamperfecto de subjuntivo) is a complex tense formed from the imperfect subjunctive of the auxiliary verb **haber**, plus the past participle of the main verb. The two forms (with **hubiese** and with **hubiera**) are equally valid and have the same meaning, but the **hubiera** form is more common.

	IMPERFECT SUBJUNCTIVE OF HABER	**PARTICIPLE**
yo	**hubier**a	
tú, vos	**hubier**as	
él, ella, usted	**hubier**a	
nosotros, nosotras	**hubiér**amos	
vosotros, vosotras	**hubier**ais	
ellos, ellas, ustedes	**hubier**an	
		estudiado **aprendido** **vivido**
yo	**hubies**e	
tú, vos	**hubies**es	
él, ella, usted	**hubies**e	
nosotros, nosotras	**hubiés**emos	
vosotros, vosotras	**hubies**eis	
ellos, ellas, ustedes	**hubies**en	

CONDITIONAL PERFECT

The conditional perfect (*condicional compuesto*) is formed with the conditional form of the auxiliary verb **haber**, plus the past participle of the main verb.

	CONDITIONAL OF HABER	**PARTICIPLE**
yo	**habr**ía	
tú, vos	**habr**ías	
él, ella, usted	**habr**ía	**estudiado** **aprendido** **vivido**
nosotros, nosotras	**habr**íamos	
vosotros, vosotras	**habr**íais	
ellos, ellas, ustedes	**habr**ían	

EXPRESSING WISHES

▶ **The verb** gustar

When referring to the same person, we use the infinitive:

Me gustaría (yo) ***ir*** *(yo).*

When referring to another person, we use **que** + subjunctive:

Me gusta (yo) ***que vengas*** *(tú).*
¿Te gusta (tú) ***que vengamos*** *(nosotros)?*
Me gustaría (yo) ***que fueras*** *(tú).*
¿Te gustaría (tú) ***que fuera*** *(yo)?*

▶ Other expressions of wishes

	PRESENT SUBJUNCTIVE
Ojalá (que)*	**haya** más igualdad entre hombres y mujeres.
Deseo que	todos y todas **seamos** más solidarios.
Espero que	la sociedad **esté** más concientizada.
Quiero que	**llegues** a tiempo.
	salga todo bien.
	tengas buen viaje.
	pueda conectarme.

	IMPERFECT SUBJUNCTIVE
Ojalá (que)	**hubiera** más igualdad entre hombres y mujeres.
Desearía que	todos y todas **fuéramos** más solidarios.
Querría que	la sociedad **estuviera** más concientizada.
	saliera todo bien.
	tuvieras buen viaje.

* **Ojalá** comes from the Arabic “law sha’a Allah” (ءاش ول هلل), and means, literally, "should God will it" (**si Dios quisiera**). **Ojalá** always introduces an action in the subjunctive.

RECURSOS LINGÜÍSTICOS

GRAMMAR

PRESENT AND FUTURE CONDITIONALS

Probable condition **Si** + present indicative ***Si tengo** conexión a internet*	present indicative ***te escribo**.*
	ir a + infinitive ***te voy a poder escribir**.*
Improbable condition **Si** + imperfect subjunctive ***Si tuviera** conexión a internet*	future ***te escribiré**.*
	command ***escríbeme** un mail al día.*
	conditional ***te escribiría**.*

In English, the conditional form of the verb is used to express future conditionals, but this is not the case in Spanish.

If I could... 👍 Si pudiera...
If I were... 👍 Si fuera...
If I had... 👍 Si tuviera...

PAST CONDITIONALS

We use the following types of conditional sentences to express hypotheses that are based on past actions and are, therefore, impossible:

Impossible condition in the past **Si** + pluperfect subjunctive	past conditional ***te habría escrito.***
***Si hubiera/hubiese tenido** conexión a internet*	pluperfect subjunctive ***te hubiera/hubiese escrito.***

***Si hubiera/hubiese tenido** conexión a internet, **te habría escrito** y no **habrías tenido** que llamarme.*

Hubiera/hubiese tenido conexión a internet (= I had no Internet connection)
No hubiera/hubiese tenido conexión a internet (= I had Internet connection)

Te habría escrito (= I did not write to you)
No habrías tenido que llamar (= you had to call me)

In English, the pluperfect (past perfect) form of the verb is used to express past conditionals.
In Spanish, the pluperfect subjunctive is always used.

*If **I had studied** Portuguese, **I would have traveled** to Brazil to practice.*

Si ~~había estudiado~~ 👎
Si ~~habría estudiado~~ 👎
Si hubiera estudiado 👍

DIRECT AND REPORTED SPEECH WITH REQUESTS AND ADVICE

DIRECT SPEECH	REPORTED SPEECH IN THE PRESENT Present subjunctive	REPORTED SPEECH IN THE PAST Imperfect subjunctive
"¿Puedes enviarme el correo?"	*Me pide que le **envíe** el correo hoy.*	*Me pidió que le **enviara** el correo.*
"Es mejor que no vayas sola".	*Me aconseja que no **vaya** sola.*	*Me aconsejó que no **fuera** sola.*
"Tienes que limpiar el baño esta semana".	*Me pide que **limpie** el baño esta semana.*	*Me pidió que **limpiara** el baño esta/aquella semana.*
"Tenéis que pagarme lo mismo que a Manuel".	*Nos exige que le **paguemos** lo mismo que a Manuel.*	*Nos exigió que le **pagáramos** lo mismo que a Manuel.*
"No me digas lo que tengo que hacer".	*Me pide que no le **diga** lo que tiene que hacer.*	*Me pidió que no le **dijera** lo que tiene/tenía que hacer.*
"Es mejor que estudies francés".	*Me sugiere que **estudie** francés.*	*Me sugirió que **estudiara** francés.*

Pedir vs **preguntar**
In reported speech, the verb ***preguntar*** reproduces the original question literally.
The verb ***pedir*** communicates the intention behind the question.

Javier: Ana, ¿tienes hora?
*Javier le **pregunta si** tiene hora.*
*Javier le **pide que** le diga la hora.*
*Javier le **pidió que** le dijera la hora.*

VOCABULARY

Educación y trabajo
(Education and work)
la alfabetización *(literacy)*
alfabetizar *(to teach to read and write)*
el analfabetismo *(illiteracy)*
la brecha salarial *(pay gap)*
conciliar *(reconcile)*
la conciliación laboral *(work-life balance)*
la enseñanza *(teaching)*
los ingresos *(income)*
el permiso de maternidad/paternidad
(maternity/paternity leave)
el techo de cristal *(glass ceiling)*

Violencia *(Violence)*
la agresión *(agression)*
la agresividad *(agressiveness)*
las detenciones *(arrests)*
el machismo *(male chauvinism/sexism)*
el micromachismo *(sexist microagressions)*
la violencia física > psicológica > doméstica > machista
(physical/psychological/domestic/sexual violence)

Diversidad sexual e identidad de género
(sexual diversity and gender identity)
la bisexualidad *(bisexuality)*
bisexual *(bisexual)*
la heterosexualidad *(heterosexuality)*
heterosexual *(heterosexual)*
heteronormativo *(heteronormative)*
la homosexualidad *(homosexuality)*
homosexual *(homosexual)*
la identidad sexual *(sexual identity)*
inclusivo *(inclusive)*
el patriarcado *(the patriarchy)*
hombre/mujer trans *(trans man/woman)*
el sexo biológico *(biological sex)*

Salud *(Health)*
el embarazo *(pregnancy)*
la maternidad *(maternity/motherhood)*
la planificación familiar *(family planning)*
quedarse embarazada *(to get pregnant)*
la reproducción *(reproduction)*

SOCIEDAD *(SOCIETY)*

Recursos *(Resources)*
la cuenta bancaria *(bank account)*
la herencia *(inheritance)*
la pobreza *(poverty)*
la riqueza *(wealth)*
la seguridad *(safety)*

Familia *(Family)*
el/la cabeza de familia
(head of the household)
el cuidado *(care)*
cuidar *(to take care of/care for)*
la dependencia *(dependency)*
la maternidad *(maternity)*
el matrimonio *(marriage)*

Política *(Politics)*
el empoderamiento de la mujer
(empowerment of women)
la ciudadanía *(citizenship/citizens)*
la cohesión social *(social cohesion)*
los derechos humanos *(human rights)*
la discriminación positiva *(affirmative action)*
el Gobierno *(government)*
la justicia *(justice)*
las leyes *(laws)*
el Parlamento *(parliament)*
el partido político *(political party)*
la votación *(voting)*

RECURSOS LINGÜÍSTICOS

VOCABULARY

FAMILIAS DE PALABRAS *(WORD FAMILIES)*

la madre *(mother)* la maternidad *(maternity/motherhood)* el matriarcado *(matriarchy)* el matrimonio *(marriage)*	el padre *(father)* la paternidad *(fatherhood)* patriarcado *(patriarchy)*	heterosexual *(heterosexual)* heteropatriarcal *(heteropatriarchal)* el heteropatriarcado *(heteropatriarchy)* heteronormativo *(heteronormative)* la heteronormatividad *(heteronormativity)*
el macho *(male)* el machismo *(male chauvinism)* el micromachismo *(sexist microaggression)*	femenino *(feminine)* el feminismo *(feminism)* feminista *(feminist)*	

COMPORTAMIENTO *(BEHAVIOUR)*

la combatibidad *(fighting spirit)*
la determinación *(determination)*
la empatía *(empathy)*
la incomprensión *(lack of understanding)*
la intolerancia *(intolerance)*

Manifestación por la igualdad de hombres y mujeres, en Sevilla (España), en marzo del 2018.

FREQUENT WORD COMBINATIONS

tener acceso a 〉internet 〉una vivienda digna 〉una educación
to have access to the internet/decent housing/education

disponer de ≠ carecer de 〉agua potable 〉alimentación 〉empleo 〉internet 〉vivienda 〉nacionalidad 〉servicios 〉privacidad
to have ≠ to lack drinking water/food/work/internet/ housing/nationality/services/privacy

tener derecho a 〉votar 〉trabajar 〉un salario justo 〉un permiso de maternidad/paternidad 〉poseer tierra
to have the right to vote/to work/to a fair salary
to have the right to maternity/paternity leave
to have the right to own land

cuidar de 〉una persona 〉los hijos 〉la familia
to take care of a person/one's children/one's family

pertenecer a 〉un grupo 〉una etnia 〉un club 〉una sociedad
to belong to a group / an ethnicity / a club / an association

votar a/por 〉una persona 〉un partido político
to vote for a person/a political party

discriminar a 〉una persona 〉un grupo 〉una etnia
to discriminate against a person/a group/an ethnicity

estar al cargo de 〉una empresa 〉un proyecto 〉la/una familia
to be in charge of a company / a project /the/a family

sufrir 〉violencia física 〉hambre 〉pobreza
to suffer (from) physical violence/hunger/poverty

restringir 〉los derechos
to limit rights

estar en riesgo de 〉pobreza 〉enfermedad 〉exclusión social 〉vulnerabilidad
to be at risk of poverty/illness/social exclusion/vulnerability

la discriminación contra/hacia 〉las mujeres 〉las minorías 〉un grupo
discrimination against/toward women/minorities/a group

la violencia contra/hacia 〉la mujer 〉los animales
violence against/toward women/animals

los derechos de 〉las mujeres 〉los niños 〉los trabajadores
women's/children's/workers' rights

la igualdad de 〉oportunidades 〉salario
equal opportunities/salary

el papel de 〉la mujer 〉la sociedad 〉los políticos
the role of women/society/politicians

el papel del 〉hombre 〉Gobierno
the role of men/the government

el cuidado de 〉los hijos 〉la familia
childcare/family care

mujer 〉emprendedora 〉sumisa 〉empoderada 〉reivindicativa
entrepreneurial/obedient/empowered/activist woman

igualdad de 〉derechos 〉oportunidades
equal rights/oopportunities

momentos/acontecimientos 〉clave
key moments/events

representación de 〉la mujer
representation of women

derechos 〉reconocidos 〉protegidos
recognized/protected rights

arma 〉de liberación
weapon of freedom

TABLAS VERBALES

REGULAR VERBS: verbs ending in **-ar**: **cantar**

INDICATIVE: Simple Tenses

PRESENT	PRETERITE	IMPERFECT	FUTURE	CONDITIONAL
canto	canté	cantaba	cantaré	cantaría
cantas	cantaste	cantabas	cantarás	cantarías
canta	cantó	cantaba	cantará	cantaría
cantamos	cantamos	cantábamos	cantaremos	cantaríamos
cantáis	catntasteis	cantabais	cantaréis	cantaríais
cantan	cantaron	cantaban	cantarán	cantarían

INDICATIVE: Compound Tenses

PRESENT PERFECT	PAST PERFECT	FUTURE PERFECT	CONDITIONAL PERFECT
he cantado	había cantado	habré cantado	habría cantado
has cantado	habías cantado	habrás cantado	habrías cantado
ha cantado	había cantado	habrá cantado	habría cantado
hemos cantado	habíamos cantado	habremos cantado	habríamos cantado
habéis cantado	habíais cantado	habréis cantado	habríais cantado
han cantado	habían cantado	habrán cantado	habrían cantado

SUBJUNCTIVE: Simple and Compound Tenses

PRESENT	IMPERFECT	PRESENT PERFECT	PAST PERFECT
cante	cantara/se	haya cantado	hubiera cantado
cantes	cantaras/ses	hayas cantado	hubieras cantado
cante	cantara/se	haya cantado	hubiera cantado
cantemos	cantáramos/semos	hayamos cantado	hubiéramos cantado
cantéis	cantarais/seis	hayáis cantado	hubiérais cantado
canten	cantaran/sen	hayan cantado	hubiéramos cantado

IMPERSONAL FORMS

GERUND
cantando

PARTICIPLE
cantado

COMMANDS (Affirmative/ Negative)

canta/ no cantes
cante/ no cante
cantad/ no cantéis
canten/ no canten

Other verbs in this category: bailar, cambiar, cocinar, comprar, cortar, dejar, desayunar, desear, ducharse, escuchar, estudiar, entrar, esperar, estudiar, ganar, gastar, hablar, necesitar, olvidar, preguntar, preparar, presentar, terminar, tomar, trabajar, usar, etc.

REGULAR VERBS: verbs ending in **-er**: **aprender**

INDICATIVE: Simple Tenses

PRESENT	PRETERITE	IMPERFECT	FUTURE	CONDITIONAL
aprendo	aprendí	aprendía	aprenderé	aprendería
aprendes	aprendiste	aprendías	aprenderás	aprenderías
aprende	aprendió	aprendía	aprenderás	aprendería
aprendemos	aprendimos	aprendíamos	aprenderemos	aprenderíamos
aprendéis	aprendisteis	aprendíais	aprenderéis	aprenderíais
aprenden	aprendieron	aprendían	aprenderán	aprenderían

INDICATIVE: Compound Tenses

PRESENT PERFECT	PAST PERFECT	FUTURE PERFECT	CONDITIONAL PERFECT
he aprendido	había aprendido	habré aprendido	habría aprendido
has aprendido	habías aprendido	habrás aprendido	habrías aprendido
ha aprendido	había aprendido	habrá aprendido	habría aprendido
hemos aprendido	habíamos aprendido	habremos aprendido	habríamos aprendido
habéis aprendido	habíais aprendido	habréis aprendido	habríais aprendido
han aprendido	habían aprendido	habrán aprendido	habrían aprendido

SUBJUNCTIVE: Simple and Compound Tenses

PRESENT	IMPERFECT	PRESENT PERFECT	PAST PERFECT
aprenda	aprendiera/se	haya aprendido	hubiera aprendido
aprendas	aprendieras/ses	hayas aprendido	hubieras aprendido
aprenda	aprendiera/se	haya aprendido	hubiera aprendido
aprendamos	aprendiéramos/semos	hayamos aprendido	hubiéramos aprendido
aprendáis	aprendierais/seis	hayáis aprendido	hubierais aprendido
aprendan	aprendieran/sen	hayan aprendido	hubieran aprendido

IMPERSONAL FORMS

GERUND
aprendiendo

PARTICIPLE
aprendido

COMMANDS (Affirmative/ Negative)

aprende/ no aprendas
aprenda/ no aprenda
aprended/ no aprendáis
aprendan/ no aprendan

Other verbs in this category: beber, comer, comprender, creer, deber, leer, vender, etc.

REGULAR VERBS: verbs ending in **-ir**: **vivir**

INDICATIVE: Simple Tenses

PRESENT	PRETERITE	IMPERFECT	FUTURE	CONDITIONAL
vivo	viví	vivía	viviré	viviría
vives	viviste	vivías	vivirás	vivirías
vive	vivió	vivía	vivirá	viviría
vivimos	vivimos	vivíamos	viviremos	viviríamos
vivís	vivisteis	vivíais	viviréis	viviríais
viven	vivieron	vivían	vivirán	vivirían

INDICATIVE: Compound Tenses

PRESENT PERFECT	PAST PERFECT	FUTURE PERFECT	CONDITIONAL PERFECT
he vivido	había vivido	habré vivido	habría vivido
has vivido	habías vivido	habrás vivido	habrías vivido
ha vivido	había vivido	habrá vivido	habría vivido
hemos vivido	habíamos vivido	habremos vivido	habríamos vivido
habéis vivido	habíais vivido	habréis vivido	habríais vivido
han vivido	habían vivido	habrán vivido	habrían vivido

IMPERSONAL FORMS

GERUND
viviendo

PARTICIPLE
vivido

COMMANDS (Affirmative/ Negative)

vive/ no vivas
viva/ no viva
vivid/ no viváis
vivan/ no vivan

Other verbs in this category: compartir, dividir, escribir, existir, permitir, prohibir, recibir, subir, sufrir, etc.

STEM-CHANGING VERBS: e>ie: **preferir**

INDICATIVE: Simple Tenses

PRESENT	PRETERITE	IMPERFECT	FUTURE	CONDITIONAL
prefiero	preferí	prefería	preferiré	preferiría
prefieres	preferiste	preferías	preferirás	preferirías
prefiere	**prefirió**	prefería	preferirá	preferiría
preferimos	preferimos	preferíamos	preferiremos	preferiríamos
preferís	preferisteis	preferíais	preferiréis	preferiríais
prefieren	**prefirieron**	preferían	preferirán	preferirían

INDICATIVE: Compound Tenses

PRESENT PERFECT	PAST PERFECT	FUTURE PERFECT	CONDITIONAL PERFECT
he preferido	había preferido	habré preferido	habría preferido
has preferido	habías preferido	habrás preferido	habrías preferido
ha preferido	había preferido	habrá preferido	habría preferido
hemos preferido	habíamos preferido	habremos preferido	habríamos preferido
habéis preferido	habíais preferido	habréis preferido	habríais preferido
han preferido	habían preferido	habrán preferido	habrían preferido

SUBJUNCTIVE: Simple and Compound Tenses

PRESENT	IMPERFECT	PRESENT PERFECT	PAST PERFECT
prefiera	**prefiriera/se**	haya preferido	hubiera preferido
prefieras	**prefirieras/ses**	hayas preferido	hubieras preferido
prefiera	**prefiriera/se**	haya preferido	hubiera preferido
prefiramos	**prefiriéramos/semos**	hayamos preferido	hubiéramos preferido
prefiráis	**prefirierais/seis**	hayáis preferido	hubierais preferido
prefieran	**prefirieran/sen**	hayan preferido	hubieran preferido

IMPERSONAL FORMS

GERUND
prefiriendo

PARTICIPLE
preferido

COMMANDS (Affirmative/ Negative)

prefiere/no **prefieras**
prefiera/ no **prefiera**
preferid/ no **prefiráis**
prefieran/ no **prefieran**

Other verbs in this category: calentar, cerrar, comenzar, convertir(se), despertar(se), divertir(se), empezar, encender, entender, gobernar, herir, mantener, mentir, nevar, pensar, recomendar, sentir, sugerir, etc.

STEM-CHANGING VERBS: e>i pedir

INDICATIVE: Simple Tenses

PRESENT	PRETERITE	IMPERFECT	FUTURE	CONDITIONAL
pido	pedí	pedía	pediré	pediría
pides	pediste	pedías	pedirás	pedirías
pides	**pidió**	pedía	pedirás	pediría
pedimos	pedimos	pedíamos	pediremos	pediríamos
pedís	pedisteis	pedíais	pediréis	pediríais
piden	**pidieron**	pedían	pedirán	pedirían

INDICATIVE: Compound Tenses

PRESENT PERFECT	PAST PERFECT	FUTURE PERFECT	CONDITIONAL PERFECT
he pedido	había pedido	habré pedido	habría pedido
has pedido	habías pedido	habrás pedido	habrías pedido
ha pedido	había pedido	habrá pedido	habría pedido
hemos pedido	habíamos pedido	habremos pedido	habríamos pedido
habéis pedido	habíais pedido	habréis pedido	habríais pedido
han pedido	habían pedido	habrán pedido	habrían pedido

SUBJUNCTIVE: Simple and Compound Tenses

PRESENT	IMPERFECT	PRESENT PERFECT	PAST PERFECT
pida	**pidiera/se**	haya pedido	hubiera pedido
pidas	**pidieras/ses**	hayas pedido	hubieras pedido
pida	**pidiera/se**	haya pedido	hubiera pedido
pidamos	**pidiéramos/semos**	hayamos pedido	hubiéramos pedido
pidáis	**pidierais/seis**	hayáis pedido	hubierais pedido
pidan	**pidieran/sen**	hayan pedido	hubieran pedido

Other verbs in this category: conseguir, despedir(se), repetir, seguir, servir, vestir(se), etc.

IMPERSONAL FORMS

GERUND
pidiendo

PARTICIPLE
pedido

COMMANDS (Affirmative/Negative)

pide/no **pidas**
pida/ no **pida**
pedid/ no **pidáis**
pidan/ no **pidan**

STEM-CHANGING VERBS: o>ue DORMIR

INDICATIVE: Simple Tenses

PRESENT	PRETERITE	IMPERFECT	FUTURE	CONDITIONAL
duermo	dormí	dormía	dormiré	dormiría
duermes	dormiste	dormías	dormirás	dormirías
duerme	**durmió**	dormía	dormirá	dormiría
dormimos	dormimos	dormíamos	dormiremos	dormiríamos
dormís	dormisteis	dormíais	dormiréis	dormiríais
duermen	**durmieron**	dormían	dormirán	dormirían

INDICATIVE: Compound Tenses

PRESENT PERFECT	PAST PERFECT	FUTURE PERFECT	CONDITIONAL PERFECT
he dormido	había dormido	habré dormido	habría dormido
has dormido	habías dormido	habrás dormido	habrías dormido
ha dormido	había dormido	habrá dormido	habría dormido
hemos dormido	habíamos dormido	habremos dormido	habríamos dormido
habéis dormido	habíais dormido	habréis dormido	habríais dormido
han dormido	habían dormido	habrán dormido	habrían dormido

SUBJUNCTIVE: Simple and Compound Tenses

PRESENT	IMPERFECT	PRESENT PERFECT	PAST PERFECT
duerma	**durmiera/se**	haya dormido	hubiera dormido
duermas	**durmieras/ses**	hayas dormido	hubieras dormido
duerma	**durmiera/se**	haya dormido	hubiera dormido
durmamos	**durmiéramos/semos**	hayamos dormido	hubiéramos dormido
durmáis	**durmierais/seis**	hayáis dormido	hubierais dormido
duerman	**durmieran/sen**	hayan dormido	hubieran dormido

Other verbos in this category: acordarse (de), acostar(se), almorzar, aprobar, colgar, comprobar, contar, costar, demostrar, devolver, doler, encontrar, llover, morir, mover, probar, recordar, soñar, volar, volver, etc.

IMPERSONAL FORMS

GERUND
durmiendo

PARTICIPLE
dormido

COMMANDS (Affirmative/Negative)

duerme/no **duermas**
duerma/ no **duerman**
dormid/ no **durmáis**
duerman/ no **duerman**

STEM-CHANGING VERBS: u>ue: JUGAR

INDICATIVE: Simple Tenses

PRESENT	PRETERITE	IMPERFECT	FUTURE	CONDITIONAL
juego	jugué	jugaba	jugaré	jugaría
juegas	jugaste	jugabas	jugarás	jugarías
juega	jugó	jugaba	jugará	jugaría
jugamos	jugamos	jugábamos	jugaremos	jugaríamos
jugáis	jugasteis	jugabais	jugaréis	jugaríais
juegan	jugaron	jugaban	jugarán	jugarían

INDICATIVE: Compound Tenses

PRESENT PERFECT	PAST PERFECT	FUTURE PERFECT	CONDITIONAL PERFECT
he jugado	había jugado	habré jugado	habría jugado
has jugado	habías jugado	habrás jugado	habrías jugado
ha jugado	había jugado	habrá jugado	habría jugado
hemos jugado	habíamos jugado	habremos jugado	habríamos jugado
habéis jugado	habíais jugado	habréis jugado	habríais jugado
han jugado	habían jugado	habrán jugado	habrían jugado

SUBJUNCTIVE: Simple and Compound Tenses

PRESENT	IMPERFECT	PRESENT PERFECT	PAST PERFECT
juegue	jugara/se	haya jugado	hubiera jugado
juegues	jugaras/ses	hayas jugado	hubieras jugado
juegue	jugara/se	haya jugado	hubiera jugado
juguemos	jugáramos/semos	hayamos jugado	hubiéramos jugado
juguéis	jugarais/seis	hayáis jugado	hubierais jugado
jueguen	jugaran/sen	hayan jugado	hubieran jugado

IMPERSONAL FORMS

GERUND
jugando

PARTICIPLE
jugado

COMMANDS (Affirmative/ Negative)

juega/ no **juegues**
juegue/ no **juegue**
jugad/ no juguéis
jueguen/ no **jueguen**

OTHER IRREGULAR VERBS: ANDAR

INDICATIVE: Simple Tenses

PRESENT	PRETERITE	IMPERFECT	FUTURE	CONDITIONAL
ando	**anduve**	andaba	andaré	andaría
andas	**anduviste**	andabas	andarás	andarías
anda	**anduvo**	andaba	andará	andaría
andamos	**anduvimos**	andábamos	andaremos	andaríamos
andáis	**anduvisteis**	andabais	andaréis	andaríais
andan	**anduvieron**	andaban	andarán	andarían

INDICATIVE: Compound Tenses

PRESENT PERFECT	PAST PERFECT	FUTURE PERFECT	CONDITIONAL PERFECT
he andado	había andado	habré andado	habría andado
has andado	habías andado	habrás andado	habrías andado
ha andado	había andado	habrá andado	habría andado
hemos andado	habíamos andado	habremos andado	habríamos andado
habéis andado	habíais andado	habréis andado	habríais andado
han andado	habían andado	habrán andado	habrían andado

SUBJUNCTIVE: Simple and Compound Tenses

PRESENT	IMPERFECT	PRESENT PERFECT	PAST PERFECT
ande	**anduviera/se**	haya andado	hubiera andado
andes	**anduvieras/ses**	hayas andado	hubieras andado
ande	**anduviera/se**	haya andado	hubiera andado
andemos	**anduviéramos/semos**	hayamos andado	hubiéramos andado
andéis	**anduvierais/seis**	hayáis andado	hubierais andado
anden	**anduvieran/sen**	hayan andado	hubieran andado

IMPERSONAL FORMS

GERUND
andando

PARTICIPLE
andado

COMMANDS (Affirmative/ Negative)

anda/ no andes
ande/ no ande
andad/ no andéis
anden/ no anden

OTHER IRREGULAR VERBS: CAER

INDICATIVE: Simple Tenses

PRESENT	PRETERITE	IMPERFECT	FUTURE	CONDITIONAL
caigo	caí	caía	caeré	caería
caes	caíste	caías	caerás	caerías
cae	**cayó**	caía	caerá	caería
caemos	caímos	caíamos	caeremos	caeríamos
caéis	caísteis	caíais	caeréis	caeríais
caen	**cayeron**	caían	caerán	caerían

INDICATIVE: Compound Tenses

PRESENT PERFECT	PAST PERFECT	FUTURE PERFECT	CONDITIONAL PERFECT
he caído	había caído	habré caído	habría caído
has caído	habías caído	habrás caído	habrías caído
ha caído	había caído	habrá caído	habría caído
hemos caído	habíamos caído	habremos caído	habríamos caído
habéis caído	habíais caído	habréis caído	habríais caído
han caído	habían caído	habrán caído	habrían caído

SUBJUNCTIVE: Simple and Compound Tenses

PRESENT	IMPERFECT	PRESENT PERFECT	PAST PERFECT
caiga	**cayera/se**	haya caído	hubiera caído
caigas	**cayeras/ses**	hayas caído	hubieras caído
caiga	**cayera/se**	haya caído	hubiera caído
caigamos	**cayéramos/semos**	hayamos caído	hubiéramos caído
caigáis	**cayerais/seis**	hayáis caído	hubierais caído
caigan	**cayeran/sen**	hayan caído	hubieran caído

IMPERSONAL FORMS

GERUND
cayendo

PARTICIPLE
caído

COMMANDS (Affirmative/ Negative)

cae/ no **caigas**

caiga/ no **caiga**

caed/ no **caigáis**

caigan/ no **caigan**

OTHER IRREGULAR VERBS: CONOCER

INDICATIVE: Simple Tenses

PRESENT	PRETERITE	IMPERFECT	FUTURE	CONDITIONAL
conozco	conocí	conocía	conoceré	conocería
conoces	conociste	conocías	conocerás	conocerías
conoce	conoció	conocía	conocerá	conocería
conocemos	conocimos	conocíamos	conoceremos	conoceríamos
conocéis	conocisteis	conocíais	conoceréis	conoceríais
conocen	conocieron	conocían	conocerán	conocerían

INDICATIVE: Compound Tenses

PRESENT PERFECT	PAST PERFECT	FUTURE PERFECT	CONDITIONAL PERFECT
he conocido	había conocido	habré conocido	habría conocido
has conocido	habías conocido	habrás conocido	habrías conocido
ha conocido	había conocido	habrá conocido	habría conocido
hemos conocido	habíamos conocido	habremos conocido	habríamos conocido
habéis conocido	habíais conocido	habréis conocido	habríais conocido
han conocido	habían conocido	habrán conocido	habrían conocido

SUBJUNCTIVE: Simple and Compound Tenses

PRESENT	IMPERFECT	PRESENT PERFECT	PAST PERFECT
conozca	conociera/se	haya conocido	hubiera conocido
conozcas	conocieras/ses	hayas conocido	hubieras conocido
conozca	conociera/se	haya conocido	hubiera conocido
conozcamos	conociéramos/semos	hayamos conocido	hubiéramos conocido
conozcáis	conocierais/seis	hayáis conocido	hubierais conocido
conozcan	conocieran/sen	hayan conocido	hubieran conocido

IMPERSONAL FORMS

GERUND
conociendo

PARTICIPLE
conocido

COMMANDS (Affirmative/ Negative)

conoce/ no **conozcas**

conozca/ no **conozca**

conoced/ no **conozcáis**

conozcan/ no **conozcan**

OTHER IRREGULAR VERBS: DECIR

INDICATIVE: Simple Tenses

PRESENT	PRETERITE	IMPERFECT	FUTURE	CONDITIONAL
digo	**dije**	decía	diré	diría
dices	**dijiste**	decías	dirás	dirías
dice	**dijo**	decía	dirá	diría
decimos	**dijimos**	decíamos	diremos	diríamos
decís	**dijisteis**	decíais	diréis	diríais
dicen	**dijeron**	decían	dirán	dirían

INDICATIVE: Compound Tenses

PRESENT PERFECT	PAST PERFECT	FUTURE PERFECT	CONDITIONAL PERFECT
he dicho	había dicho	habré dicho	habría dicho
has dicho	habías dicho	habrás dicho	habrías dicho
ha dicho	había dicho	habrá dicho	habría dicho
hemos dicho	habíamos dicho	habremos dicho	habríamos dicho
habéis dicho	habíais dicho	habréis dicho	habríais dicho
han dicho	habían dicho	habrán dicho	habrían dicho

SUBJUNCTIVE: Simple and Compound Tenses

PRESENT	IMPERFECT	PRESENT PERFECT	PAST PERFECT
diga	**dijera/se**	haya dicho	hubiera dicho
digas	**dijeras/ses**	hayas dicho	hubieras dicho
diga	**dijera/se**	haya dicho	hubiera dicho
digamos	**dijéramos/semos**	hayamos dicho	hubiéramos dicho
digáis	**dijerais/seis**	hayáis dicho	hubierais dicho
digan	**dijeran/sen**	hayan dicho	hubieran dicho

IMPERSONAL FORMS

GERUND
diciendo

PARTICIPLE
dicho

COMMANDS (Affirmative/ Negative)

- **di**/ no **digas**
- **diga**/ no **diga**
- decid/ no **digáis**
- **digan**/ no **digan**

OTHER IRREGULAR VERBS: ESTAR

INDICATIVE: Simple Tenses

PRESENT	PRETERITE	IMPERFECT	FUTURE	CONDITIONAL
estoy	**estuve**	estaba	estaré	estaría
estás	**estuviste**	estabas	estarás	estarías
está	**estuvo**	estaba	estará	estaría
estamos	**estuvimos**	estábamos	estaremos	estaríamos
estáis	**estuvisteis**	estabais	estaréis	estaríais
están	**estuvieron**	estaban	estarán	estarían

INDICATIVE: Compound Tenses

PRESENT PERFECT	PAST PERFECT	FUTURE PERFECT	CONDITIONAL PERFECT
he estado	había estado	habré estado	habría estado
has estado	habías estado	habrás estado	habrías estado
ha estado	había estado	habrá estado	habría estado
hemos estado	habíamos estado	habremos estado	habríamos estado
habéis estado	habíais estado	habréis estado	habríais estado
han estado	habían estado	habrán estado	habrían estado

SUBJUNCTIVE: Simple and Compound Tenses

PRESENT	IMPERFECT	PRESENT PERFECT	PAST PERFECT
esté	**estuviera/se**	haya estado	hubiera estado
estés	**estuvieras/ses**	hayas estado	hubieras estado
esté	**estuviera/se**	haya estado	hubiera estado
estemos	**estuviéramos/semos**	hayamos estado	hubiéramos estado
estéis	**estuvierais/seis**	hayáis estado	hubierais estado
estén	**estuvieran/sen**	hayan estado	hubieran estado

IMPERSONAL FORMS

GERUND
estando

PARTICIPLE
estado

COMMANDS (Affirmative/ Negative)

- está/ no estés
- esté/ no estés
- estad/ no estéis
- estén/ no estén

OTHER IRREGULAR VERBS: HABER

INDICATIVE: Simple Tenses

PRESENT	PRETERITE	IMPERFECT	FUTURE	CONDITIONAL
he	**hube**	había	**habré**	**habría**
has	**hubiste**	habías	**habrás**	**habrías**
ha/**hay***	**hubo**	había	**habrá**	**habría**
hemos	**hubimos**	habíamos	**habremos**	**habríamos**
habéis	**hubisteis**	habíais	**habréis**	**habríais**
han	**hubieron**	habían	**habrán**	**habrían**

INDICATIVE: Compound Tenses

PRESENT PERFECT	PAST PERFECT	FUTURE PERFECT	CONDITIONAL PERFECT
x	x	x	x
x	x	x	x
ha habido	había habido	habrá habido	habría habido
x	x	x	x
x	x	x	x
x	x	x	x

SUBJUNCTIVE: Simple and Compound Tenses

PRESENT	IMPERFECT	PRESENT PERFECT	PAST PERFECT
haya	**hubiera/se**	x	x
hayas	**hubieras/ses**	x	x
haya	**hubiera/se**	haya habido	hubiera habido
hayamos	**hubiéramos/semos**	x	x
hayáis	**hubierais/seis**	x	x
hayan	**hubieran/sen**	x	x

* impersonal

IMPERSONAL FORMS

GERUND
habiendo

PARTICIPLE
habido

COMMANDS (Affirmative/ Negative)

he (única forma en uso)

OTHER IRREGULAR VERBS: HACER

INDICATIVE: Simple Tenses

PRESENT	PRETERITE	IMPERFECT	FUTURE	CONDITIONAL
hago	**hice**	hacía	**haré**	**haría**
haces	**hiciste**	hacías	**harás**	**harías**
hace	**hizo**	hacía	**hará**	**haría**
hacemos	**hicimos**	hacíamos	**haremos**	**haríamos**
hacéis	**hicisteis**	hacíais	**haréis**	**haríais**
hacen	**hicieron**	hacían	**harán**	**harían**

INDICATIVE: Compound Tenses

PRESENT PERFECT	PAST PERFECT	FUTURE PERFECT	CONDITIONAL PERFECT
he hecho	había hecho	habré hecho	habría hecho
has hecho	habías hecho	habrás hecho	habrías hecho
ha hecho	había hecho	habrá hecho	habría hecho
hemos hecho	habíamos hecho	habremos hecho	habríamos hecho
habéis hecho	habíais hecho	habréis hecho	habríais hecho
han hecho	habían hecho	habrán hecho	habrían hecho

SUBJUNCTIVE: Simple and Compound Tenses

PRESENT	IMPERFECT	PRESENT PERFECT	PAST PERFECT
haga	**hiciera/se**	haya hecho	hubiera hecho
hagas	**hicieras/ses**	hayas hecho	hubieras hecho
haga	**hiciera/se**	haya hecho	hubiera hecho
hagamos	**hiciéramos/semos**	hayamos hecho	hubiéramos hecho
hagáis	**hicierais/seis**	hayáis hecho	hubierais hecho
hagan	**hicieran/sen**	hayan hecho	hubieran hecho

IMPERSONAL FORMS

GERUND
haciendo

PARTICIPLE
hecho

COMMANDS (Affirmative/ Negative)

haz/ no hagas

haga/ no haga

haced/ no hagáis

hagan/ no hagan

OTHER IRREGULAR VERBS: IR

INDICATIVE: Simple Tenses

PRESENT	PRETERITE	IMPERFECT	FUTURE	CONDITIONAL
voy	**fui**	**iba**	iré	iría
vas	**fuiste**	**ibas**	irás	irías
va	**fue**	**iba**	irá	iría
vamos	**fuimos**	**íbamos**	iremos	iríamos
vais	**fuisteis**	**ibais**	iréis	iríais
van	**fueron**	**iban**	irán	irían

INDICATIVE: Compound Tenses

PRESENT PERFECT	PAST PERFECT	FUTURE PERFECT	CONDITIONAL PERFECT
he ido	había ido	habré ido	habría ido
has ido	habías ido	habrás ido	habrías ido
ha ido	había ido	habrá ido	habría ido
hemos ido	habíamos ido	habremos ido	habríamos ido
habéis ido	habíais ido	habréis ido	habríais ido
han ido	habían ido	habrán ido	habrían ido

SUBJUNCTIVE: Simple and Compound Tenses

PRESENT	IMPERFECT	PRESENT PERFECT	PAST PERFECT
vaya	**fuera/fuese**	haya ido	hubiera ido
vayas	**fueras/fueses**	hayas ido	hubieras ido
vaya	**fuera/fuese**	haya ido	hubiera ido
vayamos	**fuéramos/fuésemos**	hayamos ido	hubiéramos ido
vayáis	**fuerais/fueseis**	hayáis ido	hubierais ido
vayan	**fueran/fuesen**	hayan ido	hubieran ido

IMPERSONAL FORMS

GERUND
yendo

PARTICIPLE
ido

COMMANDS (Affirmative/ Negative)

ve/ no **vayas**
vaya/ no **vaya**
id/ no **vayáis**
vayan/ no **vayan**

OTHER IRREGULAR VERBS: OÍR

INDICATIVE: Simple Tenses

PRESENT	PRETERITE	IMPERFECT	FUTURE	CONDITIONAL
oigo	oí	oía	oiré	oiría
oyes	oíste	oías	oirás	oirías
oye	**oyó**	oía	oirá	oiría
oímos	oímos	oíamos	oiremos	oiríamos
oís	oísteis	oíais	oiréis	oiríais
oyen	**oyeron**	oían	oirán	oirían

INDICATIVE: Compound Tenses

PRESENT PERFECT	PAST PERFECT	FUTURE PERFECT	CONDITIONAL PERFECT
he oído	había oído	habré oído	habría oído
has oído	habías oído	habrás oído	habrías oído
ha oído	había oído	habrá oído	habría oído
hemos oído	habíamos oído	habremos oído	habríamos oído
habéis oído	habíais oído	habréis oído	habríais oído
han oído	habían oído	habrán oído	habrían oído

SUBJUNCTIVE: Simple and Compound Tenses

PRESENT	IMPERFECT	PRESENT PERFECT	PAST PERFECT
oiga	**oyera/se**	haya oído	hubiera oído
oigas	**oyeras/ses**	hayas oído	hubieras oído
oiga	**oyera/se**	haya oído	hubiera oído
oigamos	**oyéramos/semos**	hayamos oído	hubiéramos oído
oigáis	**oyerais/seis**	hayáis oído	hubierais oído
oigan	**oyeran/sen**	hayan oído	hubieran oído

IMPERSONAL FORMS

GERUND
oyendo

PARTICIPLE
oído

COMMANDS (Affirmative/ Negative)

oye/ no **oigas**
oiga/ no **oiga**
oíd/ no **oigáis**
oigan/ no **oigan**

OTHER IRREGULAR VERBS: PODER

INDICATIVE: Simple Tenses

PRESENT	PRETERITE	IMPERFECT	FUTURE	CONDITIONAL
puedo	**pude**	podía	**podré**	**podría**
puedes	**pudiste**	podías	**podrás**	**podrías**
puede	**pudo**	podía	**podrá**	**podría**
podemos	**pudimos**	podíamos	**podremos**	**podríamos**
podéis	**pudisteis**	podíais	**podréis**	**podríais**
pueden	**pudieron**	podían	**podrán**	**podrían**

INDICATIVE: Compound Tenses

PRESENT PERFECT	PAST PERFECT	FUTURE PERFECT	CONDITIONAL PERFECT
he podido	había podido	habré podido	habría podido
has podido	habías podido	habrás podido	habrías podido
ha podido	había podido	habrá podido	habría podido
hemos podido	habíamos podido	habremos podido	habríamos podido
habéis podido	habíais podido	habréis podido	habríais podido
han podido	habían podido	habrán podido	habrían podido

SUBJUNCTIVE: Simple and Compound Tenses

PRESENT	IMPERFECT	PRESENT PERFECT	PAST PERFECT
pueda	**pudiera/se**	haya podido	hubiera podido
puedas	**pudieras/ses**	hayas podido	hubieras podido
pueda	**pudiera/se**	haya podido	hubiera podido
podamos	**pudiéramos/semos**	hayamos podido	hubiéramos podido
podáis	**pudierais/seis**	hayáis podido	hubierais podido
puedan	**pudieran/sen**	hayan podido	hubieran podido

IMPERSONAL FORMS

GERUND
pudiendo

PARTICIPLE
podido

COMMANDS (Affirmative/ Negative)

- **puede**/ no **puedas**
- **pueda**/ no **pueda**
- poded/ no **podáis**
- **puedan**/ no **puedan**

OTHER IRREGULAR VERBS: PONER

INDICATIVE: Simple Tenses

PRESENT	PRETERITE	IMPERFECT	FUTURE	CONDITIONAL
pongo	**puse**	ponía	**pondré**	**pondría**
pones	**pusiste**	ponías	**pondrás**	**pondrías**
pone	**puso**	ponía	**pondrá**	**pondría**
ponemos	**pusimos**	poníamos	**pondremos**	**pondríamos**
ponéis	**pusisteis**	poníais	**pondréis**	**pondríais**
ponen	**pusieron**	ponían	**pondrán**	**pondrían**

INDICATIVE: Compound Tenses

PRESENT PERFECT	PAST PERFECT	FUTURE PERFECT	CONDITIONAL PERFECT
he puesto	había puesto	habré puesto	habría puesto
has puesto	habías puesto	habrás puesto	habrías puesto
ha puesto	había puesto	habrá puesto	habría puesto
hemos puesto	habíamos puesto	habremos puesto	habríamos puesto
habéis puesto	habíais puesto	habréis puesto	habríais puesto
han puesto	habían puesto	habrán puesto	habrían puesto

SUBJUNCTIVE: Simple and Compound Tenses

PRESENT	IMPERFECT	PRESENT PERFECT	PAST PERFECT
ponga	**pusiera/se**	haya puesto	hubiera puesto
pongas	**pusieras/ses**	hayas puesto	hubieras puesto
ponga	**pusiera/se**	haya puesto	hubiera puesto
pongamos	**pusiéramos/semos**	hayamos puesto	hubiéramos puesto
pongáis	**pusierais/seis**	hayáis puesto	hubierais puesto
pongan	**pusieran/sen**	hayan puesto	hubieran puesto

IMPERSONAL FORMS

GERUND
poniendo

PARTICIPLE
puesto

COMMANDS (Affirmative/ Negative)

- pon/ no **pongas**
- **ponga**/ no **ponga**
- poned/ no **pongáis**
- **pongan**/ no **pongan**

OTHER IRREGULAR VERBS: QUERER

INDICATIVE: Simple Tenses

PRESENT	PRETERITE	IMPERFECT	FUTURE	CONDITIONAL
quiero	**quise**	quería	**querré**	**querría**
quieres	**quisiste**	querías	**querrás**	**querrías**
quiere	**quiso**	quería	**querrá**	**querría**
queremos	**quisimos**	queríamos	**querremos**	**querríamos**
queréis	**quisisteis**	queríais	**querréis**	**querríais**
quieren	**quisieron**	querían	**querrán**	**querrían**

INDICATIVE: Compound Tenses

PRESENT PERFECT	PAST PERFECT	FUTURE PERFECT	CONDITIONAL PERFECT
he querido	había querido	habré querido	habría querido
has querido	habías querido	habrás querido	habrías querido
ha querido	había querido	habrá querido	habría querido
hemos querido	habíamos querido	habremos querido	habríamos querido
habéis querido	habíais querido	habréis querido	habríais querido
han querido	habían querido	habrán querido	habrían querido

SUBJUNCTIVE: Simple and Compound Tenses

PRESENT	IMPERFECT	PRESENT PERFECT	PAST PERFECT
quiera	**quisiera/se**	haya querido	hubiera querido
quieras	**quisieras/ses**	hayas querido	hubieras querido
quiera	**quisiera/se**	haya querido	hubiera querido
queramos	**quisiéramos/semos**	hayamos querido	hubiéramos querido
queráis	**quisierais/seis**	hayáis querido	hubierais querido
quieran	**quisieran/sen**	hayan querido	hubieran querido

IMPERSONAL FORMS

GERUND
queriendo

PARTICIPLE
querido

COMMANDS (Affirmative/ Negative)

quiere/ no **quieras**

quiera/ no **quiera**

quered/ no **queráis**

quieran/ no **quieran**

OTHER IRREGULAR VERBS: SABER

INDICATIVE: Simple Tenses

PRESENT	PRETERITE	IMPERFECT	FUTURE	CONDITIONAL
sé	**supe**	sabía	**sabré**	**sabría**
sabes	**supiste**	sabías	**sabrás**	**sabrías**
sabe	**supo**	sabía	**sabrá**	**sabría**
sabemos	**supimos**	sabíamos	**sabremos**	**sabríamos**
sabéis	**supisteis**	sabíais	**sabréis**	**sabríais**
saben	**supieron**	sabían	**sabrán**	**sabrían**

INDICATIVE: Compound Tenses

PRESENT PERFECT	PAST PERFECT	FUTURE PERFECT	CONDITIONAL PERFECT
he sabido	había sabido	habré sabido	habría sabido
has sabido	habías sabido	habrás sabido	habrías sabido
ha sabido	había sabido	habrá sabido	habría sabido
hemos sabido	habíamos sabido	habremos sabido	habríamos sabido
habéis sabido	habíais sabido	habréis sabido	habríais sabido
han sabido	habían sabido	habrán sabido	habrían sabido

SUBJUNCTIVE: Simple and Compound Tenses

PRESENT	IMPERFECT	PRESENT PERFECT	PAST PERFECT
sepa	**supiera/se**	haya sabido	hubiera sabido
sepas	**supieras/ses**	hayas sabido	hubieras sabido
sepa	**supiera/se**	haya sabido	hubiera sabido
sepamos	**supiéramos/semos**	hayamos sabido	hubiéramos sabido
sepáis	**supierais/seis**	hayáis sabido	hubierais sabido
sepan	**supieran/sen**	hayan sabido	hubieran sabido

IMPERSONAL FORMS

GERUND
sabiendo

PARTICIPLE
sabido

COMMANDS (Affirmative/ Negative)

sabe/ no **sepas**

sepa/ no **sepa**

sabed/ no **sepáis**

sepan/ no **sepan**

OTHER IRREGULAR VERBS: SALIR

INDICATIVE: Simple Tenses

PRESENT	PRETERITE	IMPERFECT	FUTURE	CONDITIONAL
salgo	salí	salía	**saldré**	**saldría**
sales	saliste	salías	**saldrás**	**saldrías**
sale	salió	salía	**saldrá**	**saldría**
salimos	salimos	salíamos	**saldremos**	**saldríamos**
salís	salisteis	salíais	**saldréis**	**saldríais**
salen	salieron	salían	**saldrán**	**saldrían**

INDICATIVE: Compound Tenses

PRESENT PERFECT	PAST PERFECT	FUTURE PERFECT	CONDITIONAL PERFECT
he salido	había salido	habré salido	habría salido
has salido	habías salido	habrás salido	habrías salido
ha salido	había salido	habrá salido	habría salido
hemos salido	habíamos salido	habremos salido	habríamos salido
habéis salido	habíais salido	habréis salido	habríais salido
han salido	habían salido	habrán salido	habrían salido

SUBJUNCTIVE: Simple and Compound Tenses

PRESENT	IMPERFECT	PRESENT PERFECT	PAST PERFECT
salga	saliera/se	haya salido	hubiera salido
salgas	salieras/ses	hayas salido	hubieras salido
salga	saliera/se	haya salido	hubiera salido
salgamos	saliéramos/semos	hayamos salido	hubiéramos salido
salgáis	salierais/seis	hayáis salido	hubierais salido
salgan	salieran/sen	hayan salido	hubieran salido

IMPERSONAL FORMS

GERUND
saliendo

PARTICIPLE
salido

COMMANDS (Affirmative/ Negative)

- sal/ no **salgas**
- **salga**/ no **salga**
- salid/ no **salgáis**
- **salgan**/ no **salgan**

OTHER IRREGULAR VERBS: SER

INDICATIVE: Simple Tenses

PRESENT	PRETERITE	IMPERFECT	FUTURE	CONDITIONAL
soy	**fui**	era	seré	sería
eres	**fuiste**	eras	serás	serías
es	**fue**	era	será	sería
somos	**fuimos**	éramos	seremos	seríamos
sois	**fuisteis**	erais	seréis	seríais
son	**fueron**	eran	serán	serían

INDICATIVE: Compound Tenses

PRESENT PERFECT	PAST PERFECT	FUTURE PERFECT	CONDITIONAL PERFECT
he sido	había sido	habré sido	habría sido
has sido	habías sido	habrás sido	habrías sido
ha sido	había sido	habrá sido	habría sido
hemos sido	habíamos sido	habremos sido	habríamos sido
habéis sido	habíais sido	habréis sido	habríais sido
han sido	habían sido	habrán sido	habrían sido

SUBJUNCTIVE: Simple and Compound Tenses

PRESENT	IMPERFECT	PRESENT PERFECT	PAST PERFECT
sea	**fuera/fuese**	haya sido	hubiera sido
seas	**fueras/fueses**	hayas sido	hubieras sido
sea	**fuera/fuese**	haya sido	hubiera sido
seamos	**fuéramos/fuésemos**	hayamos sido	hubiéramos sido
seáis	**fuerais/fueseis**	hayáis sido	hubierais sido
sean	**fueran/fuesen**	hayan sido	hubieran sido

IMPERSONAL FORMS

GERUND
siendo

PARTICIPLE
sido

COMMANDS (Affirmative/ Negative)

- sé/ no seas
- sea/ no sea
- sed/ no seáis
- sean/ no sean

OTHER IRREGULAR VERBS: SONREÍR

INDICATIVE: Simple Tenses

PRESENT	PRETERITE	IMPERFECT	FUTURE	CONDITIONAL
sonrío	sonreí	sonreía	sonreiré	sonreiría
sonríes	sonreíste	sonreías	sonreirás	sonreirías
sonríe	sonrió	sonreía	sonreirá	sonreiría
sonreímos	sonreímos	sonreíamos	sonreiremos	sonreiríamos
sonreís	sonreísteis	sonreíais	sonreiréis	sonreiríais
sonríen	sonrieron	sonreían	sonreirán	sonreirían

INDICATIVE: Compound Tenses

PRESENT PERFECT	PAST PERFECT	FUTURE PERFECT	CONDITIONAL PERFECT
he sonreído	había sonreído	habré sonreído	habría sonreído
has sonreído	habías sonreído	habrás sonreído	habrías sonreído
ha sonreído	había sonreído	habrá sonreído	habría sonreído
hemos sonreído	habíamos sonreído	habremos sonreído	habríamos sonreído
habéis sonreído	habíais sonreído	habréis sonreído	habríais sonreído
han sonreído	habían sonreído	habrán sonreído	habrían sonreído

SUBJUNCTIVE: Simple and Compound Tenses

PRESENT	IMPERFECT	PRESENT PERFECT	PAST PERFECT
sonría	**sonriera/se**	haya sonreído	hubiera sonreído
sonrías	**sonrieras/ses**	hayas sonreído	hubieras sonreído
sonría	**sonriera/se**	haya sonreído	hubiera sonreído
sonriamos	**sonriéramos/semos**	hayamos sonreído	hubiéramos sonreído
sonriáis	**sonrierais/seis**	hayáis sonreído	hubierais sonreído
sonrían	**sonrieran/seis**	hayan sonreído	hubieran sonreído

IMPERSONAL FORMS

GERUND
sonriendo

PARTICIPLE
sonreído

COMMANDS (Affirmative/ Negative)

sonríe/ no **sonrías**

sonría/ no **sonría**

sonreíd/ no **sonriáis**

sonrían/ no **sonrían**

OTHER IRREGULAR VERBS: TENER

INDICATIVE: Simple Tenses

PRESENT	PRETERITE	IMPERFECT	FUTURE	CONDITIONAL
tengo	**tuve**	tenía	**tendré**	**tendría**
tienes	**tuviste**	tenías	**tendrás**	**tendrías**
tiene	**tuvo**	tenía	**tendrá**	**tendría**
tenemos	**tuvimos**	teníamos	**tendremos**	**tendríamos**
tenéis	**tuvisteis**	teníais	**tendréis**	**tendríais**
tienen	**tuvieron**	tenían	**tendrán**	**tendrían**

INDICATIVE: Compound Tenses

PRESENT PERFECT	PAST PERFECT	FUTURE PERFECT	CONDITIONAL PERFECT
he tenido	había tenido	habré tenido	habría tenido
has tenido	habías tenido	habrás tenido	habrías tenido
ha tenido	había tenido	habrá tenido	habría tenido
hemos tenido	habíamos tenido	habremos tenido	habríamos tenido
habéis tenido	habíais tenido	habréis tenido	habríais tenido
han tenido	habían tenido	habrán tenido	habrían tenido

SUBJUNCTIVE: Simple and Compound Tenses

PRESENT	IMPERFECT	PRESENT PERFECT	PAST PERFECT
tenga	**tuviera/se**	haya tenido	hubiera tenido
tengas	**tuvieras/ses**	hayas tenido	hubieras tenido
tenga	**tuviera/se**	haya tenido	hubiera tenido
tengamos	**tuviéramos/semos**	hayamos tenido	hubiéramos tenido
tengáis	**tuvierais/seis**	hayáis tenido	hubierais tenido
tengan	**tuvieran/sen**	hayan tenido	hubieran tenido

IMPERSONAL FORMS

GERUND
teniendo

PARTICIPLE
tenido

COMMANDS (Affirmative/ Negative)

ten/ no **tengas**

tenga/ no **tenga**

tened/ no **tengáis**

tengan/ no **tengan**

OTHER IRREGULAR VERBS: TRAER

INDICATIVE: Simple Tenses

PRESENT	PRETERITE	IMPERFECT	FUTURE	CONDITIONAL
traigo	**traje**	traía	traeré	traería
traes	**trajiste**	traías	traerás	traerías
trae	**trajo**	traía	traerá	traería
traemos	**trajimos**	traíamos	traeremos	traeríamos
traéis	**trajisteis**	traíais	traeréis	traeríais
traen	**trajeron**	traían	traerán	traerían

INDICATIVE: Compound Tenses

PRESENT PERFECT	PAST PERFECT	FUTURE PERFECT	CONDITIONAL PERFECT
he traído	había traído	habré traído	habría traído
has traído	habías traído	habrás traído	habrías traído
ha traído	había traído	habrá traído	habría traído
hemos traído	habíamos traído	habremos traído	habríamos traído
habéis traído	habíais traído	habréis traído	habríais traído
han traído	habían traído	habrán traído	habrían traído

SUBJUNCTIVE: Simple and Compound Tenses

PRESENT	IMPERFECT	PRESENT PERFECT	PAST PERFECT
traiga	**trajera/se**	haya traído	hubiera traído
traigas	**trajeras/ses**	hayas traído	hubieras traído
traiga	**trajera/se**	haya traído	hubiera traído
traigamos	**trajéramos/semos**	hayamos traído	hubiéramos traído
traigáis	**trajerais/seis**	hayáis traído	hubierais traído
traigan	**trajeran/sen**	hayan traído	hubieran traído

IMPERSONAL FORMS

GERUND
trayendo

PARTICIPLE
traído

COMMANDS (Affirmative/ Negative)

trae/ no **traigas**
traiga/ no **traiga**
traed/ no **traigáis**
traigan/ no **traigan**

OTHER IRREGULAR VERBS: VENIR

INDICATIVE: Simple Tenses

PRESENT	PRETERITE	IMPERFECT	FUTURE	CONDITIONAL
vengo	**vine**	venía	**vendré**	**vendría**
vienes	**viniste**	venías	**vendrás**	**vendrías**
viene	**vino**	venía	**vendrá**	**vendría**
venimos	**vinimos**	veníamos	**vendremos**	**vendríamos**
venís	**vinisteis**	veníais	**vendréis**	**vendríais**
vienen	**vinieron**	venían	**vendrán**	**vendrían**

INDICATIVE: Compound Tenses

PRESENT PERFECT	PAST PERFECT	FUTURE PERFECT	CONDITIONAL PERFECT
he venido	había venido	habré venido	habría venido
has venido	habías venido	habrás venido	habrías venido
ha venido	había venido	habrá venido	habría venido
hemos venido	habíamos venido	habremos venido	habríamos venido
habéis venido	habíais venido	habréis venido	habríais venido
han venido	habían venido	habrán venido	habrían venido

SUBJUNCTIVE: Simple and Compound Tenses

PRESENT	IMPERFECT	PRESENT PERFECT	PAST PERFECT
venga	**viniera/se**	haya venido	hubiera venido
vengas	**vinieras/ses**	hayas venido	hubieras venido
venga	**viniera/se**	haya venido	hubiera venido
vengamos	**viniéramos/semos**	hayamos venido	hubiéramos venido
vengáis	**vinierais/seis**	hayáis venido	hubierais venido
vengan	**vinieran/sen**	hayan venido	hubieran venido

IMPERSONAL FORMS

GERUND
viniendo

PARTICIPLE
venido

COMMANDS (Affirmative/ Negative)

ven/ no **vengas**
venga/ no **venga**
venid/ no **vengáis**
vengan/ no **vengan**

OTHER IRREGULAR VERBS: VER

INDICATIVE: Simple Tenses

PRESENT	PRETERITE	IMPERFECT	FUTURE	CONDITIONAL
veo	**vi**	veía	**veré**	**vería**
ves	**viste**	veías	**verás**	**verías**
ve	**vio**	veía	**verá**	**vería**
vemos	**vimos**	veíamos	**veremos**	**veríamos**
veis	**visteis**	veíais	**veréis**	**veríais**
ven	**vieron**	veían	**verán**	**verían**

INDICATIVE: Compound Tenses

PRESENT PERFECT	PAST PERFECT	FUTURE PERFECT	CONDITIONAL PERFECT
he visto	había visto	habré visto	habría visto
has visto	habías visto	habrás visto	habrías visto
ha visto	había visto	habrá visto	habría visto
hemos visto	habíamos visto	habremos visto	habríamos visto
habéis visto	habíais visto	habréis visto	habríais visto
han visto	habían visto	habrán visto	habrían visto

SUBJUNCTIVE: Simple and Compound Tenses

PRESENT	IMPERFECT	PRESENT PERFECT	PAST PERFECT
vea	**viera/se**	haya visto	hubiera visto
veas	**vieras/ses**	hayas visto	hubieras visto
vea	**viera/se**	haya visto	hubiera visto
veamos	**viéramos/semos**	hayamos visto	hubiéramos visto
veáis	**vierais/seis**	hayáis visto	hubierais visto
vean	**vieran/sen**	hayan visto	hubieran visto

IMPERSONAL FORMS

GERUND
viendo

PARTICIPLE
visto

COMMANDS (Affirmative/ Negative)

ve/ no **veas**
vea/ no **vea**
ved/ no **veáis**
vean/ no **vean**

COMMON IRREGULAR PAST PARTICIPLES

INFINITIVE	PAST PARTICIPLE	
abrir	**abierto**	opened
cubrir	**cubierto**	covered
decir	**dicho**	said, told
descubrir	**descubierto**	discovered
escribir	**escrito**	written
hacer	**hecho**	made, done
morir	**muerto**	died
poner	**puesto**	put, placed
resolver	**resuelto**	resolved
romper	**roto**	broken, torn
traer	**traído**	brought
ver	**visto**	seen
volver	**vuelto**	returned

ESPAÑOL — INGLÉS

A

a corto plazo *short-term* 7
a favor de *for/in favor of* 6
a la hora *on time* 3
a largo plazo *long-term* 2
a mediano plazo *medium-term* 7
a menudo *often* 7
abolición *f. abolition* 8
abundancia *f. abundance* 8
aburrido/a *adj. bored* 1
aburrido/a *adj. boring* 5
aburrimiento *m. boredom* 9
aburrir(se) *to bore/become bored* 9
acabar con *to put an end to* 6
acariciar *to pet/to stroke* 9
acceder a *to access (something)* 7
acción *f. action* 4
acontecimiento clave *m. key event* 10
acordar *to agree* 6
acordarse de *to remember* 3
acostumbrarse a *to get used to* 3
actividad *f. event* 8
actividad en grupo *f. group activity* 9
acuerdo *m. agreement* 6
adjetivo *m. adjetive* 9
admiración *f. admiration* 9
adquirir *to acquire* 2
agenda *f. planner/calendar* 3
agresividad *f. agression/aggressiveness* 10
agresivo/a *adj. aggressive* 5
agricultor, agricultora *farmer* 1
agua potable *f. drinking water* 10
ahorrar *to save* 4
ahorrar dinero *to save money* 4
alegrar(se) *to make/be happy* 9
alegre *m. f. happy* 1
alegría *f. happiness, joy* 9
alfabetización *f. literacy* 10
alfabetizar *to teach to read and write* 10
alimentación *f. food* 10
amistad *f. friendship* 9
analfabetismo *m. illiteracy* 10
análisis abstracto *m. abstract reasoning* 2
analista *m. f. analyst* 1
angustia *f. anguish, distress* 9
angustiar(se) *to distress/to get distressed* 9
angustioso/a *adj. distressing* 9
anunciar *to advertise* 5
anuncio *m. ad* 5
anuncio luminoso *m. illuminated sign* 5
apenado/a *adj. sad* 9
aplazar *to postpone* 4
apoyar *to support* 4
aprender *to learn* 2
aprendizaje *m. learning* 2
apuntar(se) algo *to make a note of something* 3
árbol *m. tree* 4
archivo *m. file* 7
arma de liberación *m. weapon of freedom* 10
arreglar *to fix* 4
asco *m. disgust* 9
asociación de consumo *f. co-op* 4
asombrado/a *adj. amazed* 9
asqueroso/a *adj. disgusting* 9
asustado/a *adj. scared, afraid* 1
atacar *to attack* 6
ataque *m. attack* 6
ataque verbal *m. verbal attack* 7
aumentar *to increase* 4
autodisciplina *f. self-discipline* 2
autoridad *f. authority* 1
avance en educación *m. advancement in education* 2
avance tecnológico *m. technological advancement* 2
ayudante de laboratorio *m. f. laboratory assistant* 1

B

Bachillerato *m. high school* 2
bailarín, bailarina *dancer* 1
bajar algo (de internet) *to download* 7
banca ética *f. ethical bank* 4
basarse en *to be based on* 5
basura *f. waste* 4
beca *f. scholarship* 1
bélico/a *adj. military* 6
bienes de consumo *m.pl. consumer goods* 4
biodegradable *biodegradable* 4
bisexual *m. f. bisexual* 10
bisexualidad *f. bisexuality* 10
bloquear distracciones *to block out distractions* 3
bolsa de basura *f. garbage bag* 4
bolsa de plástico *f. plastic bag* 4
bolsa de tela *f. cloth bag* 4
bolsa de trabajo *f. clasiffied ads, employment agency* 1
borrar algo (de internet) *to delete* 7
brecha digital *f. digital divide* 7
brecha salarial *f. gender pay gap* 6
buenos hábitos *m.pl. good habits* 1
buscar información *to look for information* 2
buscar recursos *to look for resources* 2

C

cabeza de familia *m. f. head of the household* 10
cadena de moda *f.pl. fashion chain* 4
caducidad *f. expiration date* 4
calavera *f. skull* 8
calefacción *f. heating* 4
calendario *m. calendar* 3
calma *f. calm* 9
calmado/a *adj. calm* 9
calmar(se) *to calm/calm down* 9
cambio climático *m. climate change* 4
campaña *f. campaign* 5
campaña de concienciación *f. awareness campaign* 5
campaña de marketing *f. marketing campaign* 5
campaña de publicidad *f. advertising campaign* 5
campaña de sensibilización *f. awareness campaign* 5
campo de refugiados *m. refugee camp* 6
candidato, candidata *candidate* 1
capacidad de colaboración *f. ability to collaborate* 2
capacidad de comunicación *f. ability to comunicate* 2
carecer de *to lack* 10
carrera *f. degree, major* 2
carril bici *m. bike lane* 4
carroza *f. float* 8
cartel publicitario *m. poster* 5
casa *f. house* 8
celebrar *to celebrate* 8
celos *m.pl. jealousy* 9
celoso/a *adj. jealous* 9
centro comercial *m. shopping mall* 2
cerebro *m. brain* 3
ceremonia *f. ceremony* 8
cerrar *to turn off* 4
ciclorruta *f. bike lane* 4
ciudadanía *f. citizenship/citizens* 10
cohesión social *f. social cohesion* 10
colgar (una foto) *to post (a picture)* 7
colonia *f. colony* 6
colonial *m. f. adj. colonial* 6
colonialismo *m. colonialism* 6
combate *m. combat* 6
combatiente *m. f. combatant* 6
combatir *to fight/battle* 6
comercio de barrio *m. neighborhood business* 4
comercio de proximidad *m. local business* 4
comercio justo *m. fair trade* 4

cómo *how* 5
compaginar/compatibilizar *to combine, to coordinate* 3
comparar *to compare* 5
compartir (en internet) *to share* 7
compatibilizar con *to juggle, to balance* 7
competencia *f. skill* 1
competencia blanda *f. soft skill* 2
competencias básicas en... *f.pl. basic skills in...* 2
competente *m. f. adj. competent* 1
competir *to compete* 2
competitivo/a *adj. competitive* 2
complicado/a *adj. complicated* 9
comprador, compradora impulsivo/a *impulsive consumer* 5
comprador, compradora racional *rational consumer* 5
comprar *to buy* 4
comprar a granel *to buy in bulk* 4
comprar por impulso/impulsivamente *to buy/to buy impulsively* 5
comprar por internet *to buy online* 5
comunicación digital *f. digital communication* 7
comunicación directa *f. direct communication* 7
comunicarse bien/mal *to communicate well/poorly* 9
con calma *calmly* 3
con dificultad *with difficulty* 9
con retraso *with a delay* 3
concentrarse (en) *to concentrate* 3
concienciado/a *adj. to be aware* 4
concienciar a *to raise awareness of/about* 4
concientizar (a alguien) (de algo) *to raise awareness/to make aware* 5
conciliación laboral *f. work-life balance* 10
conciliar *to reconcile* 10
conectar(se) al wifi *to connect to wi-fi* 7
conexión a internet *f. internet connection* 2
conexión a internet *f. internet connection* 7
confiado/a *adj. confident* 9
confianza *f. trust/confidence* 9
confiar en *to trust* 5
conflicto *m. conflict* 6
conmemorar *to commemorate* 8
conocimiento *m. knowledge* 1
conquista *f. conquest* 8
conseguir *to achieve* 3
consejos para comprar bien *m.pl. purchasing advice* 5
consultar foros *to check discussion boards* 5
consumidor, consumidora *consumer* 4
consumir *to consume* 4
consumir de forma responsable *to consume responsibly* 4
consumismo *m. consumerism* 4
consumista *m. f. consumer/consumerist* 4
consumo *m. consumption* 4
consumo responsable *m. responsable consumption* 4
contaminante *m. f. adj. polluting* 4
contenedor de basura *m. garbage can* 4
contento/a *adj. happy, content* 1
contestar llamadas *to answer calls* 3
contraseña *f. password* 2
contratación *f. hiring* 1
contratar *to hire* 1
contribuir a *to contribute to* 4
convencer (a alguien) (de algo) *to convince* 5
conversación global *f. global conversation* 7
cooperación *f. cooperation* 6
cooperar *to work together* 7
cooperar con *to cooperate with* 6
corregir los errores *to correct mistakes* 9
corriendo *quickly* 3
costumbre *f. tradition/custom* 8
crear una marca *to create a brand* 5
creatividad *f. creativity* 2
crimen *m. crime* 6
cristiano/a *adj. Christian* 8
cubo de basura *m. garbage bucket* 4
cuenta bancaria *f. bank account* 10
cuidado de la familia *m. family care* 10
cuidado de los hijos *m. childcare care* 10
cuidado *m. care* 10
cuidar *to take care of* 4
cuidar de una persona *to take care of a person* 10
cumplir con la fecha límite *to meet the deadline* 3
curiosidad *f. curiosity* 9
curioso/a *adj. curious* 9
currículum *m. résumé* 1

D

dañar *to hurt* 4
dar angustia *to distress* 9
dar ansiedad *to make anxious* 9
dar asco *to disgust* 9
dar celos *to cause jealousy* 9
dar envidia *to make envious* 9
dar pena *to make sad* 9
dar rabia *to infuriate* 9
dar seguridad *to make someone feel confident* 9
dar un like *to (give a) like* 7
dar vergüenza *to embarrass* 9
de carácter mágico *magical in character* 8
de manera similar *in a similar way, similarly* 8
de temporada *seasonal* 4
decidirse por un producto *to choose a product* 5
decorar *to decorate* 8
dedicar tiempo a *to dedicate time to* 3
dejar (permitir) *to allow* 4
dejar algo para el final *to leave something until the last minute* 3
dejar de (interrumpir una acción) *to stop* 4
dejarse influenciar por *to be influenced by* 5
dejarse llevar *to go with the flow* 3
demasiado *too (much)* 3
democracia *f. democracy* 6
dentro de *within* 2
denunciar una campaña *to condemn/pull a campaign* 5
dependencia *f. dependency* 10
depender de *to depend on* 7
dependiente, dependienta *sales person* 1
deportación *f. deportation* 6
deprisa *quickly* 3
derecho *m. right* 6
derechos de las mujeres *m.pl. women's rights* 10
derechos de los niños *m.pl. children's rights* 10
derechos de los trabajadores *m.pl. workers' rights* 10
derechos humanos *m.pl. human rights* 10
derechos protegidos *m.pl. protected rights* 10
derechos reconocidos *m.pl. recognized rights* 10
desarrollar las competencias *to develop skills* 2
descansar *to rest* 3
descanso *m. break* 3
desconectar *to escape* 3
desconocido/a *adj. stranger* 9
desfile *m. parade* 8
desigualdad *f. inequality* 6
desmotivado/a *adj. unmotivated* 1
desorganizado/a *adj. disorganized* 3
despacio *slowly* 3
desperdiciar *to waste* 3
destrezas *f.pl. skills* 2
desventaja *f. disadvantage* 7
detención *f. arrest* 10
dibujar *to draw* 9
dictadura *f. dictatorship* 6
diploma *m. diploma* 1
director, directora de hotel *hotel manager* 1
dirigido/a a *adj. targeted at* 5

disciplinado/a *adj.* *well-behaved, disciplined* 1
disco duro *m.* *hard drive* 2
discriminación *f.* *discrimination* 6
discriminación contra/hacia *f.* *discrimination against/toward* 10
discriminación positiva *f.* *affirmative action* 10
discriminar a una persona *to discriminate against a person* 10
diseñar *to design* 5
disfraz *m.* *costume* 8
disfrazarse *to dress in costume* 8
disfrazarse de *to dress up as a* 8
disponer de *to have (something) available* 4
dispositivo *m.* *device* 3
dispositivo electrónico *m.* *electronic device* 2
distraerse (con facilidad) *to become distracted (easily)* 3
diversidad sexual *f.* *sexual diversity* 10
diversión *f.* *fun* 9
divertido/a *adj.* *fun* 9
divertir (a alguien) *to entertain, to amuse* 5
divertir(se) *to have fun* 9
docente *m. f.* *instructor* 2
doctorado *m.* *doctorate* 1
dominación *f.* *domination* 6
dominar *to dominate* 6
durar *to last* 4

E

ecológico/a *adj.* *ecological* 4
edificio *m.* *building* 6
educación *f.* *education* 2
educación online *f.* *online education* 2
educación presencial *f.* *face-to-face education* 2
efectivo/a *adj.* *effective* 5
efecto invernadero *m.* *greenhouse effect* 4
elegir asignaturas *to choose classes* 2
elemento *m.* *part* 8
embarazo *m.* *pregnancy* 10
emisiones *f.pl.* *emissions* 4
emoción *f.* *emotion* 9
emocional *m. f. adj.* *emotional* 5
emocionar (a alguien) *to move* 5
empleado/a *adj.* *employee* 1
empleo *m.* *work* 10
empoderado/a *adj.* *empowered* 10
empoderamiento *m.* *empowerment* 10
emprendedor/a *adj.* *entrepreneurial* 1
empresa *f.* *company* 1
empresario, empresaria *business owner/employer* 7
en una década *in a decade* 2
energía *f.* *energy* 4
energía eólica *f.* *wind energy* 4
energía hidráulica *f.* *hydropower energy* 4
energía solar *f.* *solar energy* 4
energías renovables *f.pl.* *renewable energy* 4
enfrentarse a nuevas situaciones *to face new situations* 2
engañar (a alguien) *to trick/mislead* 5
engañoso/a *adj.* *misleading* 5
enojado/a *adj.* *angry* 9
enojar(se) *to anger/become angry* 9
enojo *m.* *anger* 9
enseñanza *f.* *teaching* 10
entorno saludable *m.* *healthy environment* 4
entrenador, entrenadora *coach* 1
entrenar *to train* 3
entretenimiento *m.* *entertainment* 2
entrevistador, entrevistadora *interviewer* 1
entristecer(se) *to sadden/depress* 9
envasado/a *adj.* *packaged* 4
envidia *f.* *envy* 9
envidioso/a *adj.* *envious* 9
equipo virtual *m.* *virtual team* 7
escasez *f.* *scarcity/shortage* 6
escaso/a *adj.* *scarce* 6
esclavitud *f.* *slavery* 6
esperanza *f.* *hope* 9
establecer prioridades *to establish/set priorities* 3
establecimiento *m.* *establishment, store* 5
estar (bien) informado/a *to be (well) informed* 7
estar al cargo de *to be in charge of* 10
estar al día *to be up to date* 7
estar al día con *to be up to date with* 3
estar de moda *to be fashionable/in fashion* 5
estar disponible *to be available* 7
estar en riesgo de *to be at risk of* 10
estar enganchado/a a *to be hooked on* 7
estar ocupado/a *to be busy* 3
estar quieto/a *to be/stay still* 9
estar triste *to be sad* 9
estimular *to stimulate* 3
estímulos *m.pl.* *stimuli* 5
estrés *m.* *stress* 3
estresado/a *adj.* *stressed out / tense* 1
estresante *m. f. adj.* *stressing* 9
estresar(se) *to stress (out)/to get stressed (out)* 9
estropeado/a *adj.* *damaged* 4
estudiar mercadotecnia *to study marketing* 5
estudio *m.* *study* 3
etiquetar *to tag* 7
etnia *f.* *ethnicity* 10
étnico/a *adj.* *ethnic* 6
evitar el trabajo excesivo *to avoid being overworked* 3
evolucionar *to evolve* 8
examen *m.* *exam* 9
examen escrito *m.* *written exam* 9
examen final *m.* *final exam* 9
examen oral *m.* *oral exam* 9
examen parcial *m.* *mid-term exam* 9
exclusión social *f.* *social exclusion* 10
exiliarse *to be exiled/go into exile* 6
exilio *m.* *exile* 6
experimentar *to experience* 9
experto/a *m. f. adj.* *expert* 5
explicar (algo) (a alguien) *to explain (something) (to someone)* 5
explotación *f.* *exploitation* 6
explotación laboral *f.* *labor exploitation* 6
explotación minera *f.* *mining* 4
explotar *to exploit* 6
extrovertido/a *adj.* *outgoing* 1

F

fábrica *f.* *factory* 2
fabricar *to make/manufacture* 4
falta de concentración *f.* *lack of concentration* 3
faltar poco tiempo para *to be short of time for* 3
faltarle tiempo para... *to not have time to/for* 3
favorecer *to boost* 4
fecha de cumpleaños *f.* *date of birth* 3
fecha de entrega *f.* *due date* 3
fecha límite *f.* *deadline* 3
femenino/a *adj.* *feminine* 10
feminismo *m.* *feminism* 10
feminista *m. f. adj.* *feminist* 10
festejar *to celebrate* 8
festividad *f.* *festival* 8
(no) fiarse de *to do not believe/trust* 5
fiesta *f.* *celebration, festivity* 8
fiesta representativa *f.* *typical celebration* 8
fijarse en *to notice* 5
fin de año *m.* *end of the year* 8
flexibilidad horaria *f.* *flexible schedule* 7
flexibilizar *to make more flexible* 7
flexible *m. f. adj.* *flexible, adaptable* 1
fomentar *to encourage* 4

formas de hacer las cosas *f.pl. ways of doing things* 3
fotógrafo, fotógrafa *photographer* 1
frenar *to slow* 4
fresco/a *adj. fresh* 4
frontera *f. border* 6
frustración *f. frustration* 7
frustrado/a *adj. frustrated* 9
frustrar(se) *to frustrate/get frustrated* 9
fuegos artificiales *m.pl. fireworks* 8
fuente de información *f. source of information* 2
fuerza de voluntad *f. will power* 9
función social *f. social purpose* 8
funcionar bien/mal *to work well/ badly* 4
futuro *m. future* 2

G

garantizar *to ensure* 1
gas *m. gas* 4
gastar *to spend, to waste* 4
gastar recursos *to use resources* 4
gastar tiempo *to spend time* 4
generar basura *to create trash* 4
generar críticas *to generate/create criticism* 5
generar polémica *to generate/ create controversy* 5
generar residuos *to create waste* 4
gestión de proyectos *f. project management* 1
gestionar el tiempo *time management* 3
gobernar *to govern* 6
gobierno *m. government* 6
graduarse *to graduate* 2
grandes superficies *f.pl. department/big box stores* 5
grupo *m. group* 10
grupo de consumo *m. co-op* 4
guerra *f. war* 6
gusto *m. taste* 5

H

haber *to have/there be* 2
habilidad *f. skill* 2
habilidad personal *f. personal skill* 2
habilidades blandas *f.pl. soft skills* 2
hábito (de uso) *m. user habit* 7
hábitos de consumo *m.pl. consumer habits* 4
hablar en público *to speak in public* 9
hacer la lista de la compra *make a shopping list* 5
hacer llorar (a alguien) *to make (someone) cry* 5
hacer marketing online/digital *to to do online/digital marketing* 5
hacer publicidad *to advertise* 5
hacer reflexionar (a alguien) (sobre algo) *to make (someone) think (about something)* 5
hacer reír (a alguien) *to make (someone) laugh* 5
hacer un esfuerzo para *to make an effort to* 3
hacer exámenes *to take exams* 2
hacer una videollamada *to conduct a video call* 2
hacer una lista *to write a list* 3
hacer una videoconferencia *to conduct a video conference* 2
hambre *f. hunger* 6
hasta dentro de *within* 2
herencia *f. inheritance* 10
herramienta *f. tool* 2
heteronormatividad *f. heteronormativity* 10
heteronormativo/a *adj. heteronormative* 10
heteropatriarcado *m. heteropatriarchy* 10
heteropatriarcal *m. f. adj. heteropatriarchal* 10
heterosexual *m. f. heterosexual* 10
heterosexualidad *f. heterosexuality* 10
hijos, hijas *pl. children* 10
homenajear *to honor* 8
homosexual *m. f. adj. homosexual* 10
homosexualidad *f. homosexuality* 10
horario de mañanas *m. morning schedule* 1
horario de trabajo *m. work schedule* 1
horario flexible *m. flexible schedule* 1
hospital *m. hospital* 2
huella digital *f. digital fingerprint* 2
huerta *f. vegetable garden* 4
huida *f. flight/escape* 6
huir de *to escape* 6

I

identidad de género *f. gender identity* 10
identidad digital *f. digital identity* 7
identidad sexual *f. sexual identity* 10
ideológico/a *adj. ideological* 6
idóneo/a *adj. ideal* 7
igual *m. f. adj. equal* 6
igualdad *f. equality* 6
igualdad de condiciones *f. equal terms* 6
igualdad de derechos *f. equal rights* 6
igualdad de derechos *f. equal rights/opportunity* 10
igualdad de oportunidades *f. equal opportunity* 10
ilusión *f. excitement, eagerness* 9
ilusionado/a *adj. excited, hopeful* 9
ilusionar(se) *to inspire hope/excite/ to delude onself* 9
imagen *f. image* 9
imaginación *f. imagination* 2
impactante *m. f. adj. impressive* 5
impacto medioambiental *m. environmental impact* 4
impotencia *f. helplessness* 9
impotente *m. f. adj. helpless* 9
impresora 3D *f. 3D printer* 1
improvisar *to improvise* 3
impulsivo/a *adj. impulsive* 5
inclusivo/a *adj. inclusive* 10
indeciso/a *adj. indecisive* 1
independencia *f. independence* 6
independizarse *to become independent/gain independence* 6
iindustria alimentaria *f. food industry* 4
industria armamentística *f. arms industry* 4
influyente/influencer *m. f. influential/influencer* 7
información falsa *f. false information* 7
ingresos *m.pl. income* 10
iniciativa *f. initiative* 1
inseguro/a *adj. insecure* 9
instalar *to install* 4
inteligencia artificial *f. AI, Artificial Intelligence* 2
interesado/a en *adj. interested in* 4
intérprete *m. f. interpreter* 1
interrupción *f. interruption* 3
intervención *f. intervention* 6
intervenir en *to intervene/take part in* 6
intolerancia *f. intolerance* 6
invadir *to invade* 6
invasión *f. invasion* 6
investigar *to do research* 2
iirrespetuoso/a *adj. disrespectful* 9
irritante *m. f. irritating* 9

J

jefe, jefa *boss* 1
jefe, jefa de cocina *chef* 1
juez, jueza *judge* 1
jugador, jugadora de básketbol *basketball player* 1
juicio *m. (good) judgment* 2
justicia *f. justice* 10
justo/a *adj. fair* 4

L

levantamiento *m.* *uprising* 6
levantarse contra *to rise up against* 6
ley *f.* *law* 10
libertad *f.* *freedom* 6
libre *m. f. adj.* *independent* 6
líder *m. f.* *leader* 9
llamar la atención *to stand out/ grab attention* 5
llamativo/a *adj.* *appealing* 5
llave *f.* *tap, faucet* 4
llegada *f.* *arrival* 8
local *m. f. adj.* *local* 4
logro *m.* *achievement* 1
lucha *f.* *fight* 6
luchar *to fight* 6
luchar contra *to fight against* 4

M

machismo *m.* *male chauvinism/ sexism* 10
macho *m.* *male* 10
madrugar *to get up early* 3
maestría *f.* *master's degree* 1
malos hábitos **m.pl.** *bad habits* 3
maltratar *to abuse* 4
manipular (a alguien) *to manipulate* 5
mapa mental *m.* *mind map* 9
maquillaje *m.* *makeup* 8
máquina automatizada *f.* *automated machine* 2
máquina inteligente *f.* *intelligent machine* 2
marca *f.* *brand* 5
marcador temporal *m.* *time marker* 2
marcar lo más importante *to note the most important* 3
máscara *f.* *mask* 8
materias primas *f.* *raw materials* 4
maternidad *f.* *maternity/ motherhood* 10
matriarcado *m.* *matriarchy* 10
matricularse en *to enroll in* 2
matrimonio *m.* *marriage* 10
medioambiental *m. f. adj.* *environmental* 4
memoria USB *f.* *USB drive* 2
memorizar contenido *to memorize content* 2
mentir (a alguien) *to lie* 5
mercado de producción local *m.* *local product market* 4
mercado laboral *m.* *job market* 1
mezclar *to mix* 8
micromachismo *m.* *sexist microagression* 10
miedo *m.* *fear* 9
miedoso/a *adj.* *cowardly* 9
minoría *f.* *minority* 10
modelo educativo *m.* *educational model* 2
modo de vida *m.* *lifestyle* 4
momento clave *m.* *key moment* 10
momento de soledad *m.* *moment of loneliness* 7
mostrar *to show* 8
motivado/a *adj.* *motivated* 1
muerte *f.* *death* 10
mujer *f.* *woman* 10
mujer emprendedora *f.* *woman entrepreneurial* 10
mundo laboral *m.* *working world* 2
muro *m.* *wall* 6

N

natural *m. f. adj.* *natural* 4
necesidades *f.pl.* *needs* 5
necesitar cosas *to need things* 5
negarse a *to refuse to* 3
nervioso/a *adj.* *nervous* 1
nocturno/a *adj.* *nighttime* 8
nómada digital *m. f.* *digital nomad* 7
noticias falsas **f.pl.** *fake news* 7
nube *f.* *cloud* 2
nueva tecnología *f.* *new technology* 2
nuevo/a *adj.* *new* 2

O

objetivo *m.* *goal* 3
objeto *m.* *object* 4
obligaciones académicas *f.pl.* *academic obligations* 3
obsolescencia programada *f.* *planned obsolescence* 4
obtener una beca *to get a scholarship* 1
ocupación *f.* *occupation* 6
ocupación extranjera *f.* *foreign occupation* 6
ocupar *to occupy* 6
oferta de empleo *f.* *job vacancy* 1
oferta de trabajo *f.* *job offer* 1
oficina *f.* *office* 2
ofrenda *f.* *offering* 8
oído *m.* *hearing* 5
olfato *m.* *smell* 5
olvidar *to forget* 3
ordenado/a *adj.* *tidy, organized* 1
orgánico/a *adj.* *organic* 4
organizado/a *adj.* *organized* 1
organizar el tiempo/el trabajo *to organize time/work* 3
organizarse *to organize oneself* 3
original *m. f. adj.* *original* 5

P

paciencia *f.* *patience* 1
paciente *m. f.pl.* *patient* 1
palabras clave *f.pl.* *keywords* 8
pandilla *f.* *group/gang* 7
panel solar *m.* *solar panel* 4
panorama laboral *m.* *occupational outlook* 2
papel *m.* *role* 10
parlamento *m.* *parliament* 10
participar en *to participate in* 7
partido político *m.* *political party* 10
pasar un rato *to spend some time* 3
paternidad *f.* *paternity* 10
patriarcado *m.* *patriarchy* 10
paz *f.* *peace-calm* 9
pedir perdón *to ask for forgiveness/apologize* 6
pedir prestado *to borrow* 4
peluquero, peluquera *hair stylist* 1
pena *f.* *sadness/sorrow* 9
pensamiento *m.* *thinking* 2
pensamiento creativo *m.* *creative thinking* 2
pensamiento crítico *m.* *critical thinking* 2
pensar algo dos veces *to think twice* 7
pensativo/a *adj.* *thoughtful, pensive* 1
perder el tiempo *to waste time* 3
permiso de maternidad *m.* *maternity leave* 10
permiso de paternidad *m.* *paternity leave* 10
persistencia *f.* *persistence* 2
personal *m.* *staff* 1
personalidad *f.* *personality* 1
personalizado/a *adj.* *personalized* 5
pertenecer a *to be part of* 7
petróleo *m.* *oil* 4
pizarrón interactivo *m.* *interactive whiteboard* 2
planeta *m.* *planet* 4
planificación familiar *f.* *family planning* 10
planificar *to plan* 3
plantar *to plant* 4
plantilla de una empresa *f.* *company's staff* 7
plástico *m.* *plastic* 4
plataforma educativa *f.* *learning platform* 2
pobreza *f.* *poverty* 6
polémico/a *adj.* *controversial* 5
polivalente *m. f.* *multi-talented* 1
poner *to set up* 5
poner la calefacción *to turn on the heat* 4
poner notas *to grade* 2
ponerse en contacto con *to get in contact with* 7
ponerse triste *to get sad* 9
popular *m. f. adj.* *popular* 8
por mí mismo *on my own* 9
poseer *to own* 10

posgrado *m.* *postgraduate work* 1
posición social *f.* *social status* 7
positivo/a *adj.* *positive* 1
potencia occidental/europea *f.* *western/European power* 6
pozo petrolero/petrolífero *m.* *oil well* 4
prácticas *f.pl.* *internship* 1
precolombino/a *adj.* *Pre-Columbian* 8
prensa *f.* *press* 6
preocupación *f.* *worry* 9
preocupado/a *adj.* *worried* 9
preocupado/a por *adj.* *worried about* 4
preocupar(se) *to worry* 9
preocuparse por *to worry about* 7
preparar las clases/un examen *to prepare for clases/an exam* 2
preposición *f.* *preposition* 4
preservar *to preserve* 4
prestar *to lend* 4
primaria *f.* *elementary school* 2
principio *m.* *principle* 6
priorizar *to prioritize* 3
privacidad *f.* *privacy* 7
problema *m.* *problem* 3
procedencia local *f.* *local* 4
procesar información *to process information* 9
procrastinar *to procrastinate* 3
producir *to produce* 4
producto *m.* *product* 4
profesionista/profesional *m. f.* *profesional* 2
programar *to schedule* 3
prohibir la publicidad *to prohibit advertising* 5
promover *to promote* 4
pronto *soon* 3
proponer (algo) (a alguien) *to propose* 5
protagonista *m. f.* *protagonist/hero/leading role* 8
protección *f.* *protection* 6
proteger *to protect* 4
protesta *f.* *protest* 6
provocador/a *adj.* *provocative* 5
provocar (a alguien) *to provoke/be provocative* 5
proyecto *m.* *project* 1
proyector *m.* *projector* 2
publicar (algo) en internet *to publish (something) online* 7
publicista *m. f.* *advertising executive* 5
puesto de trabajo *m.* *job position* 1
puntual *m. f. adj.* *on time* 3

Q

qué *what* 5
quedar con *to go out with/meet* 3
quedarse embarazada *to get pregnant* 10
quemar *to burn* 8
quién *who* 5

R

rabia *f.* *anger/fury* 9
rabioso/a *adj.* *angry/furious* 9
racial *m. f. adj.* *racial* 6
racional *m. f. adj.* *rational* 5
racismo *m.* *racism* 6
racista *m. f. adj.* *racist* 5
rato *m.* *some time* 3
razonamiento lógico *m.* *logical reasoning* 2
reaccionar ante *to react to* 5
realidad virtual *f.* *VR, virtual reality* 2
realizar *to have/conduct* 2
rebelarse (contra) *to rebel (against)* 6
rebelión *f.* *rebellion* 6
rechazar *to refuse* 4
rechazar *to reject* 4
rechazo (a/de) *m.* *rejection (of)* 4
recibir *to receive* 5
reciclaje (de) *m.* *recyling (of)* 4
reciclar *to recycle* 4
recomendar *to recommend* 5
reconciliación *f.* *reconciliation* 8
recordar *to remember* 3
recurso *m.* *resource* 2
recursos digitales *m.pl.* *digital resources* 2
recursos en internet *m.pl.* *online resources* 2
recursos en papel *m.pl.* *hard-copy resources* 2
recursos humanos *m.pl.* *human resources* 1
recursos naturales *m.pl.* *natural resources* 4
red de contactos *f.* *network of contacts* 7
redactor, redactora *editor* 1
reducción (de) *f.* *reduction (of)* 4
reducir *to reduce* 4
refrescante *m. f. adj.* *refreshing* 9
refugiado/a *adj.* *refugee* 6
registrarse en una clase *to register in a course* 2
reivindicación *f.* *claim* 6
reivindicar *to claim, to demand* 6
reivindicativo/a *adj.* *activist* 10
relaciones públicas *f.pl.* *public relations* 1
religioso/a *adj.* *religious* 6
remuneración *f.* *salary, compensation* 1
renovable *m. f. adj.* *renewable* 4
reparación (de) *f.* *repair (of)* 4
reparar *to repair* 4
reponer fuerzas *to recharge* 3
representación artística *f.* *artistic performance* 8
representación de la mujer *f.* *representation of women* 10
representación teatral *f.* *theater performance* 8
reproducción *f.* *reproduction* 10
reputación *f.* *reputation* 7
residuos *m.pl.* *waste* 4
resistencia *f.* *resistance* 6
resistir *to resist* 6
resolución de problemas *f.* *problem-solving* 2
resolutivo/a *adj.* *decisive, resolute* 1
responsabilidad *f.* *responsibility* 2
responsable *m. f. adj.* *responsible, in charge* 1
responsable de marketing *m. f.* *marketing manager* 1
responsable de ventas *m. f.* *sales manager* 1
restringir *to limit* 10
resultar *to turn out to be* 9
resultar (fácil/complicado) *to find (easy/complicated)* 9
retirar una campaña *to withdraw a campaign* 5
reto *m.* *challenge* 2
reutilización (de) *f.* *reuse (of)* 4
reutilizar *to reuse* 4
revista *f.* *magazine* 9
riqueza *f.* *wealth* 10
rito *m.* *ritual* 8
ritual *m.* *ritual* 8
robot *m.* *robot* 2
rol *m.* *rol* 2
roto/a *adj.* *broken* 4

S

saber colaborar *to be able to collaborate* 2
saber de memoria *to know by heart* 9
saber decir no *to know how to say no* 3
saber interactuar *to be able to interact with other people* 2
sacar provecho de *to take advantage of* 7
salario *m.* *wage, salary* 1
salario justo *m.* *fair salary* 10
sanidad *f.* *health service* 6
secundaria *f.* *high school* 2
seguidor/a *adj.* *follower* 7
seguir recomendaciones *to follow recommendations* 5
seguridad *f.* *safety* 10
selección de personal *f.* *hiring process* 1
seleccionador, seleccionadora *selector* 1
sentido *m.* *sense* 5
sentido del ritmo *m.* *sense of rhythm* 9
sentir angustia *to feel distressed* 9
sentir asco *to disgust* 9

sentir curiosidad por *to be curious about* 9
sentir impotencia por *to feel helpless about* 9
sentir miedo *to feel afraid* 9
sentir rabia *to feel anger* 9
sentirse frustrado/a *to feel frustrated* 9
sentirse solo/a *to feel lonely/ lonesome* 9
ser adicto/a a *adj. to be addicted to* 7
ser consciente de *to be aware/ conscious of* 4
ser consciente de tus necesidades *to know what you need* 5
ser de origen... *to be of ... origin* 8
ser respetuoso/a con *to be respectful of* 7
servicios *m.pl. services* 10
sexista *m. f. adj. sexist* 5
sexo biológico *m. biological sex* 10
ssincronizar *to synchronize* 3
sistema político *m. political system* 6
situación *f. situation* 2
sociedad *f. society* 4
sociedad *f. association* 10
sociedad de consumo *f. consumerist society* 4
socorrista *m. f. lifeguard* 1
soledad *f. loneliness* 7
solo/a *adj. alone* 9
solucionar un conflicto *to resolve a conflict* 6
solucionar un problema *to solve a problem* 9
sorprendente *m. f. surprising* 9
sorprenderse *to surprise/to be surprised* 9
sorprendido/a *adj. surprised* 9
sorpresa *f. surprise* 9
sostenible *m. f. adj. sustainable* 4
subir (algo a internet) *to upload* 7
sublevación *f. revolt/uprising* 6
sublevarse contra *to revolt/to rise up against* 6
subliminal *m. f. adj. subliminal* 5
suficiente/s *m. f. adj. enough* 3
sugerir (algo) (a alguien) *to suggest* 5
sumiso/a *adj. obedient* 10
sustantivo *m. noun* 9

T

tableta *f. tablet* 2
tacto *m. touch* 5
tarde/con retraso *late/with a delay* 3
tarea *f. task, homework* 3
techo de cristal *m. glass ceiling* 10
técnicas de venta *f.pl.* *sales techniques* 5
tela *f. cloth* 4
teletrabajo *m. telecommuting* 7
tendencia *f. trend* 2
tener acceso a internet *to have access to the internet* 10
tener buen humor *to be good-natured* 1
tener celos *to be jealous* 9
tener confianza en *to have confidence in* 9
tener curiosidad por *to be curious about* 9
tener derecho a votar *to have the right to vote* 10
tener envidia *to be envious* 9
tener exceso de trabajo *to be overworked* 3
tener iniciativa *to have initiative* 1
tener lugar *to take place* 8
tener miedo *to be afraid* 9
tener tiempo para *to have time for* 3
territorio *m. territory* 6
tímido/a *adj. shy* 9
típico/a *adj. typical* 8
tirar *to throw out* 4
tomar decisiones de forma consciente *to make sensible decisions* 5
tomarse un descanso *to take a break* 3
tomarse un tiempo *to take some time* 3
tomarse unas vacaciones *to take a vacation* 3
tóxico/a *adj. toxic* 4
trabajador, trabajadora *employee* 1
trabajar desde casa *to work from home* 7
trabajar individualmente *to work individually* 9
trabajo altamente cualificado/ calificado *m. highly-skilled work/ job* 2
trabajo de baja cualificación/ calificación *m. low-skilled work/ job* 2
trabajo en equipo *m. teamwork* 2
trabajo escrito *m. paper* 3
trabajo estandarizado *m. standardized work* 2
trabajo medianamente cualificado/ calificado *m. semi-skilled work/ job* 2
trabajo rutinario *m. routine work/ job* 2
trabajo seguro *m. steady job* 7
tradicional *m. f. adj. traditional* 4
traducir a un idioma *to translate into a language* 9
traductor, traductora *translator* 1
traje tradicional *m. traditional costume* 8
tranquilamente *to take your time (doing something)* 3
tranquilo/a *adj. calm* 9
transexual *m. f. transexual* 10
transexualidad *f. transexuality* 10
transmitir un mensaje *to send a message* 5
transmitir una imagen *to broadcast/send an image* 5
transmitir valores *to communicate values* 5
trauma *m. trauma* 10
triste *m. f. sad* 1
tristeza *f. sadness* 9

U

usado/a *adj. used* 4
usar y tirar *to use and throw out* 4
usuario, usuaria (de internet) *internet user* 7

V

valla publicitaria *f. billboard* 5
vender *to sell* 5
ventaja *f. advantage* 1
ventas *f.pl.* *sales* 1
verbo *m. verb* 9
vertedero *m. garbage dump* 4
vida privada *f. private life* 7
vida profesional *f. professional life* 1
vida pública *f. public life* 7
videoconferencia *f. videoconference* 2
viejo/a *adj. old* 4
violencia *f. violence* 10
violencia contra/hacia *f. violence against/toward* 10
violencia de género *f. domestic violence* 6
violencia doméstica *f. domestic violence* 10
violencia física *f. physical violence* 10
violencia machista *f. sexual violence* 10
violencia psicológica *f. psychological violence* 10
vista *f. sight* 5
vivienda *f. housing* 10
vivienda digna *f. decent housing* 10
votación *f. voting* 10
votar a *to vote for* 10
vulnerabilidad *f. vulnerability* 10

X

xenofobia *f. xenophobia* 6

INGLÉS — ESPAÑOL

A

ability to collaborate *capacidad de colaboración f.* 2
ability to comunicate *capacidad de comunicación f.* 2
abolition *abolición f.* 8
abstract reasoning *análisis abstracto m.* 2
abundance *abundancia f.* 8
academic obligations *obligaciones académicas f.pl.* 3
achievement *logro m.* 1
action *acción f.* 4
activist *reivindicativo/a adj.* 10
ad *anuncio m.* 5
adjetive *adjetivo m.* 9
admiration *admiración f.* 9
advancement in education *avance en educación m.* 2
advantage *ventaja f.* 1
advertising campaign *campaña de publicidad f.* 5
advertising executive *publicista m. f.* 5
affirmative action *discriminación positiva f.* 10
aggressive *agresivo/a adj.* 5
agreement *acuerdo m.* 6
agression/ aggressiveness *agresividad f.* 10
AI, Artificial Intelligence *inteligencia artificial f.* 2
alone *solo/a adj.* 9
amazed *asombrado/a adj.* 9
analyst *analista m. f.* 1
anger *enojo m.* 9
anger/fury *rabia f.* 9
angry *enojado/a adj.* 9
angry/furious *rabioso/a adj.* 9
anguish, distress *angustia f.* 9
appealing *llamativo/a adj.* 1
arms industry *industria armamentística f.* 4
arrest *detención f.* 10
arrival *llegada f.* 8
artistic performance *representación artística f.* 8
association *sociedad f.* 10
attack *ataque m.* 6
authority *autoridad f.* 1
automated machine *máquina automatizada f.* 2
awareness campaign *campaña de concienciación f.* 5
awareness campaign *campaña de sensibilización f.* 5

B

bad habits *malos hábitos m.pl.* 3
bank account *cuenta bancaria f.* 10
basic skills in... *competencias básicas en... f.pl.* 2
basketball player *jugador, jugadora de básketbol* 1
bike lane *carril bici m.* 4
bike lane *ciclorruta f.* 4
billboard *valla publicitaria f.* 5
biodegradable *biodegradable* 4
biological sex *sexo biológico m.* 10
bisexual *bisexual m. f.* 10
bisexuality *bisexualidad f.* 10
border *frontera f.* 6
bored *aburrido/a adj.* 1
boredom *aburrimiento m.* 9
boring *aburrido/a adj.* 5
boss *jefe, jefa* 1
brain *cerebro m.* 3
brand *marca f.* 5
break *descanso m.* 3
broken *roto/a adj.* 4
business owner/ employer *empresario, empresaria* 7

C

calendar *calendario m.* 3
calm *calma f.* 9
calm *calmado/a adj.* 9
calm *tranquilo/a adj.* 9
calmly *con calma* 3
campaign *campaña f.* 5
candidate *candidato, candidata* 1
care *cuidado m.* 10
celebration, festivity *fiesta f.* 8
ceremony *ceremonia f.* 8
challenge *reto m.* 2
chef *jefe, jefa de cocina* 1
childcare care *cuidado de los hijos m.* 10
children *hijos, hijas pl.* 10
children's rights *derechos de los niños m.pl.* 10
Christian *cristiano/a adj.* 8
citizenship/citizens *ciudadanía f.* 10
claim *reivindicación f.* 6
clasiffied ads, employment agency *bolsa de trabajo f.* 1
climate change *cambio climático m.* 4
cloth *tela f.* 4
cloth bag *bolsa de tela f.* 4
cloud *nube f.* 2
co-op *asociación de consumo f.* 4
co-op *grupo de consumo m.* 4
coach *entrenador, entrenadora* 1
colonial *colonial m. f.* 6
colonialism *colonialismo m.* 6
colony *colonia f.* 6
combat *combate m.* 6
combatant *combatiente m. f.* 6
company *empresa f.* 1
company's staff *plantilla de una empresa f.* 7
competent *competente m. f. adj.,*1
competitive *competitivo/a adj.* 2
complicated *complicado/a adj.* 9
confident *confiado/a adj.* 9
conflict *conflicto m.* 6
conquest *conquista f.* 8
consumer *consumidor, consumidora* 4
consumer goods *bienes de consumo m.pl.* 4
consumer habits *hábitos de consumo m.pl.* 4
consumer/consumerist *consumista m. f.* 4
consumerism *consumismo m.* 4
consumerist society *sociedad de consumo f.* 4
consumption *consumo m.* 4
controversial *polémico/a adj.* 5
cooperation *cooperación f.* 6
costume *disfraz m.* 8
cowardly *miedoso/a adj.* 9
creative thinking *pensamiento creativo m.* 2
creativity *creatividad f.* 2
crime *crimen m.* 6
critical thinking *pensamiento crítico m.* 2
curiosity *curiosidad f.* 9
curious *curioso/a adj.* 9

D

damaged *estropeado/a adj.* 4
dancer *bailarín, bailarina* 1
date of birth *fecha de cumpleaños f.* 3
deadline *fecha límite f.* 3
death *muerte f.* 10
decent housing *vivienda digna f.* 10
decisive, resolute *resolutivo/a adj.* 1
degree, major *carrera f.* 2
democracy *democracia f.* 6
department/big box stores *grandes superficies f.pl.* 5
dependency *dependencia f.* 10
deportation *deportación f.* 6
device *dispositivo m.* 3
dictatorship *dictadura f.* 6
digital communication *comunicación digital f.* 7
digital divide *brecha digital f.* 7
digital fingerprint *huella digital f.* 2

digital identity *identidad digital f.* 7
digital nomad *nómada digital m. f.* 7
digital resources *recursos digitales m.pl.* 2
diploma *diploma m.* 1
direct communication *comunicación directa f.* 7
disadvantage *desventaja f.* 7
discrimination *discriminación f.* 6
discrimination against/ toward *discriminación contra/ hacia f.* 10
disgust *asco m.* 9
disgusting *asqueroso/a adj.* 9
disorganized *desorganizado/a adj.* 3
disrespectful *irrespetuoso/a adj.* 9
distressing *angustioso/a adj.* 9
doctorate *doctorado m.* 1
domestic violence *violencia de género f.* 6
domestic violence *violencia doméstica f.* 10
domination *dominación f.* 6
drinking water *agua potable f.* 10
due date *fecha de entrega f.* 3

E

ecological *ecológico/a adj.* 4
editor *redactor, redactora* 1
Eeducation *educación f.* 2
educational model *modelo educativo m.* 2
effective *efectivo/a adj.* 5
electronic device *dispositivo electrónico m.* 2
elementary school *primaria f.* 2
emissions *emisiones f.pl.* 4
emotion *emoción f.* 9
emotional *emocional m. f. adj.* 5
employee *empleado/a adj.* 1
employee *trabajador, trabajadora* 1
empowered *empoderado/a adj.* 10
empowerment *empoderamiento m.* 10
end of the year *fin de año m.* 8
energy *energía f.* 4
enough *suficiente/s m. f. adj.* 3
entertainment *entretenimiento m.* 2
entrepreneurial *emprendedor/a adj.* 1
envious *envidioso/a adj.* 9
environmental *medioambiental m. f. adj.* 4
environmental impact *impacto medioambiental m.* 4
envy *envidia f.* 9
equal *igual m. f. adj.* 6
equal opportunity *igualdad de oportunidades f.* 10
equal rights *igualdad de derechos f.* 6
equal rights/opportunity *igualdad de derechos f.* 10
equal terms *igualdad de condiciones f.* 6
equality *igualdad f.* 6
establishment *establecimiento m.* 5
ethical bank *banca ética f.* 4
ethnic *étnico/a adj.* 6
ethnicity *etnia f.* 10
event *actividad f.* 8
exam *examen m.* 9
excited, hopeful *ilusionado/a adj.* 9
excitement, eagerness *ilusión f.* 9
exile *exilio m.* 6
expert *experto/a m. f. adj.* 5
expiration date *caducidad f.* 4
exploitation *explotación f.* 6

F

face-to-face education *educación presencial f.* 2
factory *fábrica f.* 2
fair *justo/a adj.* 4
fair salary *salario justo m.* 10
fair trade *comercio justo m.* 4
fake news *noticias falsas f.pl.* 7
false information *información falsa f.* 7
family care *cuidado de la familia m.* 10
family planning *planificación familiar f.* 10
farmer *agricultor, agricultora* 1
fashion chain *cadena de moda f.pl.* 4
fear *miedo m.* 9
feminine *femenino/a adj.* 10
feminism *feminismo m.* 10
feminist *feminista m. f. adj.* 10
festival *festividad f.* 8
fight *lucha f.* 6
file *archivo m.* 7
final exam *examen final m.* 9
fireworks *fuegos artificiales m.pl.* 8
flexible schedule *horario flexible m.* 1
flexible schedule *flexibilidad horaria f.* 7
flexible, adaptable *flexible m. f. adj.* 1
flight/escape *huida f.* 6
float *carroza f.* 8
follower *seguidor/a adj.* 7
food *alimentación f.* 10
food industry *industria alimentaria f.* 4
ffor/in favor of *a favor de* 6
foreign occupation *ocupación extranjera f.* 6
freedom *libertad f.* 6
fresh *fresco* 4
friendship *amistad f.* 9
frustrated *frustrado/a adj.* 9
frustration *frustración f.* 7
fun *diversión f.* 9
fun *divertido/a adj.* 9
future *futuro m.* 2

G

garbage bag *bolsa de basura f.* 4
garbage bucket *cubo de basura m.* 4
garbage can *contenedor de basura m.* 4
garbage dump *vertedero m.* 4
gas *gas m.* 4
gender identity *identidad de género f.* 10
gender pay gap *brecha salarial f.* 6
glass ceiling *techo de cristal m.* 10
global conversation *conversación global f.* 7
goal *objetivo m.* 3
good habits *buenos hábitos m.pl.* 3
(good) judgment *juicio m.* 2
government *gobierno m.* 6
ggreenhouse effect *efecto invernadero m.* 4
group *grupo m.* 10
group activity *actividad en grupo f.* 9
group/gang *pandilla f.* 7

H

hair stylist *peluquero, peluquera* 1
happiness, joy *alegría f.* 9
happy *alegre m. f. adj.* 1
happy, content *contento/a adj.* 1
hard drive *disco duro m.* 2
hard-copy resources *recursos en papel m.pl.* 2
head of the household *cabeza de familia m. f.* 10
health service *sanidad f.* 6
healthy environment *entorno saludable m.* 4
hearing *oído m.* 5
heating *calefacción f.* 4
helpless *impotente m. f.* 9
helplessness *impotencia f.* 9
heteronormative *heteronormativo/a adj.* 10
heteronormativity *heteronormatividad f.* 10
heteropatriarchal *heteropatriarcal m. f.* 10
heteropatriarchy *heteropatriarcado m.* 10
heterosexual *heterosexual m. f. adj.* 10
heterosexuality *heterosexualidad f.* 10
high school *Bachillerato m.* 2

high school *secundaria f.* 2
highly-skilled work/ job *trabajo altamente cualificado/calificado m.* 2
hiring *contratación f.* 1
hiring process *selección de personal f.* 1
homosexual *homosexual m. f. adj.* 10
homosexuality *homosexualidad f.* 10
hope *esperanza f.* 9
hospital *hospital m.* 2
hotel manager *director, directora de hotel* 1
house *casa f.* 8
housing *vivienda f.* 10
how *cómo* 5
human resources *recursos humanos m.pl.* 1
human rights *derechos humanos m.pl.* 10
hunger *hambre f.* 6
hydropower energy *energía hidráulica f.* 4

I

ideal *idóneo/a adj.* 7
ideological *ideológico/a adj.* 6
illiteracy *analfabetismo m.* 10
illuminated sign *anuncio luminoso m.* 5
image *imagen f.* 9
imagination *imaginación f.* 2
impressive *impactante m. f. adj.* 5
impulsive *impulsivo/a adj.* 5
impulsive consumer *comprador, compradora impulsivo/a* 5
in a decade *en una década* 2
in a similar way, similarly *de manera similar* 8
inclusive *inclusivo/a adj.* 10
income *ingresos m.pl.* 10
indecisive *indeciso/a adj.* 1
independence *independencia f.* 6
independent *libre m. f. adj.* 6
inequality *desigualdad f.* 6
influential/influencer *influyente/ influencer m. f.* 7
inheritance *herencia f.* 10
initiative *iniciativa f.* 1
insecure *inseguro/a adj.* 9
instructor *docente m. f.* 2
intelligent machine *máquina inteligente f.* 2
interactive whiteboard *pizarrón interactivo m.* 2
interested in *interesado/a en adj.* 4
internet connection *conexión a internet f.* 2
internet user *usuario, usuaria (de internet)* 7
internship *prácticas f.pl.* 1
interpreter *intérprete m. f.* 1
interruption *interrupción f.* 3
intervention *intervención f.* 6
interviewer *entrevistador, entrevistadora* 1
intolerance *intolerancia f.* 6
invasion *invasión f.* 6
irritating *irritante m. f. adj.* 9

J

jealous *celoso/a adj.* 9
jealousy *celos m.pl.* 9
job market *mercado laboral m.* 1
job offer *oferta de trabajo f.* 1
job position *puesto de trabajo m.* 1
job vacancy *oferta de empleo f.* 1
judge *juez, jueza* 1
justice *justicia f.* 10

K

key event *acontecimiento clave m.* 10
key moment *momento clave m.* 10
keywords *palabras clave f.pl.* 8
knowledge *conocimiento m.* 1

L

labor exploitation *explotación laboral f.* 6
laboratory assistant *ayudante de laboratorio m. f.* 1
lack of concentration *falta de concentración f.* 3
late/with a delay *tarde/con retraso* 3
law *ley f.* 10
leader *líder m. f.* 9
learning *aprendizaje m.* 2
learning platform *plataforma educativa f.* 2
lifeguard *socorrista m. f.* 1
lifestyle *modo de vida m.* 4
literacy *alfabetización f.* 10
local *procedencia local f.* 4
local *local m. f. adj.* 4
local business *comercio de proximidad m.* 4
local product market *mercado de producción local m.* 4
logical reasoning *razonamiento lógico m.* 2
loneliness *soledad f.* 1
long-term *a largo plazo* 2
low-skilled work/job *trabajo de baja cualificación/calificación m.* 2

M

magazine *revista f.* 9
magical in character *de carácter mágico* 8
make a shopping list *hacer la lista de la compra* 5
makeup *maquillaje m.* 8
male *macho m.* 10
male chauvinism/sexism *machismo m.* 10
marketing campaign *campaña de marketing f.* 5
marketing manager *responsable de marketing m. f.* 1
marriage *matrimonio m.* 10
mask *máscara f.* 8
master's degree *maestría f.* 1
maternity leave *permiso de maternidad m.* 10
maternity/motherhood *maternidad f.* 10
matriarchy *matriarcado m.* 10
medium-term *a mediano plazo* 7
mid-term exam *examen parcial m.* 9
military *bélico/a adj.* 6
mind map *mapa mental m.* 9
mining *explotación minera f.* 4
minority *minoría f.* 10
misleading *engañoso/a adj.* 5
moment of loneliness *momento de soledad m.* 7
morning schedule *horario de mañanas m.* 1
motivated *motivado/a adj.* 1
multi-talented *polivalente m. f. adj.* 1

N

natural *natural m. f. adj.* 4
natural resources *recursos naturales m.pl.* 4
needs *necesidades f.pl.* 5
neighborhood business *comercio de barrio m.* 4
nervous *nervioso/a adj.* 1
network of contacts *red de contactos f.* 7
new *nuevo/a adj.* 2
new technology *nueva tecnología f.* 2
nighttime *nocturno/a adj.* 8
noun *sustantivo m.* 9

O

obedient *sumiso/a adj.* 10
object *objeto m.* 4
occupation *ocupación f.* 6
occupational outlook *panorama laboral m.* 2
offering *ofrenda f.* 8
office *oficina f.* 2
often *a menudo* 7
oil *petróleo m.* 4

oil well *pozo petrolero/petrolífero m.* 4
old *viejo/a adj.* 4
on my own *por mí mismo* 9
on time *a la hora* 3
on time *puntual m. f. adj.* 3
online education *educación online f.* 2
online resources *recursos en internet m.pl.* 2
oral exam *examen oral m.* 9
organic *orgánico/a adj.* 4
organized *organizado/a adj.* 1
original *original m. f. adj.* 5
outgoing *extrovertido/a adj.* 1

P

packaged *envasado/a adj.* 1
paper *trabajo escrito m.* 3
parade *desfile m.* 8
parliament *parlamento m.* 10
part *elemento m.* 8
password *contraseña f.* 2
paternity *paternidad f.* 10
paternity leave *permiso de paternidad m.* 10
patience *paciencia f.* 1
patient *paciente m. f.* 1
patriarchy *patriarcado m.* 10
peace-calm *paz f.* 9
persistence *persistencia f.* 2
personal skill *habilidad personal f.* 2
personality *personalidad f.* 1
personalized *personalizado/a adj.* 5
photographer *fotógrafo, fotógrafa* 1
physical violence *violencia física f.* 10
planet *planeta m.* 4
planned obsolescence *obsolescencia programada f.* 4
planner/calendar *agenda f.* 3
plastic *plástico m.* 4
plastic bag *bolsa de plástico f.* 4
political party *partido político m.* 10
political system *sistema político m.* 6
polluting *contaminante m. f.* 4
popular *popular m. f. adj.* 8
positive *positivo/a adj.* 1
poster *cartel publicitario m.* 5
postgraduate work *posgrado m.* 1
poverty *pobreza f.* 6
Pre-Columbian *precolombino/a adj.* 8
pregnancy *embarazo m.* 10
preposition *preposición f.* 4
press *prensa f.* 6
principle *principio m.* 6
privacy *privacidad f.* 7
private life *vida privada f.* 7
problem *problema m.* 3
problem-solving *resolución de problemas f.* 2
product *producto m.* 4
profesional *profesionista/profesional m. f.* 2
professional life *vida profesional f.* 1
project *proyecto m.* 1
project management *gestión de proyectos f.* 1
projector *proyector m.* 2
protagonist/hero/leading role *protagonista m. f.* 8
protected rights *derechos protegidos m.pl.* 10
protection *protección f.* 6
protest *protesta f.* 6
provocative *provocador/a adj.* 5
psychological violence *violencia psicológica f.* 10
public life *vida pública f.* 7
public relations *relaciones públicas f.pl.* 1
purchasing advice *consejos para comprar bien m.pl.* 5

Q

quickly *corriendo* 3
quickly *deprisa* 3

R

racial *racial m. f. adj.* 6
racism *racismo m.* 6
racist *racista m. f. adj.* 5
rational *racional m. f. adj.* 5
rational consumer *comprador, compradora racional* 5
raw materials *materias primas f.* 4
rebellion *rebelión f.* 6
recognized rights *derechos reconocidos m.pl.* 10
reconciliation *reconciliación f.* 8
recyling (of) *reciclaje (de) m.* 4
reduction (of) *reducción (de) f.* 4
refreshing *refrescante m. f. adj.* 9
refugee *refugiado/a adj.* 6
refugee camp *campo de refugiados m.* 6
rejection (of) *rechazo (a/de) m.* 4
religious *religioso/a adj.* 6
renewable *renovable m. f. adj.* 4
renewable energy *energías renovables f.pl.* 4
repair (of) *reparación (de) f.* 4
representation of women *representación de la mujer f.* 10
reproduction *reproducción f.* 10
reputation *reputación f.* 7
resistance *resistencia f.* 6
resource *recurso m.* 2
responsable consumption *consumo responsable m.* 4
responsibility *responsabilidad f.* 2
responsible, in charge *responsable m. f.* 1
résumé *currículum m.* 1
reuse (of) *reutilización (de) f.* 4
revolt/uprising *sublevación f.* 6
right *derecho m.* 6
ritual *rito m.* 8
ritual *ritual m.* 8
robot *robot m.* 2
rol *rol m.* 1
role *papel m.* 10
routine work/job *trabajo rutinario m.* 2

S

sad *apenado/a adj.* 9
sad *triste m. f. adj.* 1
sadness *tristeza f.* 9
sadness/sorrow *pena f.* 9
safety *seguridad f.* 10
salary, compensation *remuneración f.* 1
sales *ventas f.pl.* 1
sales manager *responsable de ventas m. f.* 1
sales person *dependiente, dependienta* 1
sales techniques *técnicas de venta f.pl.* 5
scarce *escaso/a adj.* 6
scarcity/shortage *escasez f.* 6
scared, afraid *asustado/a adj.* 1
scholarship *beca f.* 1
seasonal *de temporada* 4
selector *seleccionador, seleccionadora* 1
self-discipline *autodisciplina f.* 2
semi-skilled work/ job *trabajo medianamente cualificado/calificado m.* 2
sense *sentido m.* 5
sense of rhythm *sentido del ritmo m.* 9
services *servicios m.pl.* 10
sexist *sexista m. f. adj.* 5
sexist microagression *micromachismo m.* 10
sexual diversity *diversidad sexual f.* 10
sexual identity *identidad sexual f.* 10
sexual violence *violencia machista f.* 10
shopping mall *centro comercial m.* 2
short-term *a corto plazo* 7
shy *tímido/a adj.* 9
sight *vista f.* 5
situation *situación f.* 2
skill *habilidad f.* 2
skill *competencia f.* 1
skills *destrezas f.pl.* 2

skills *habilidades f.pl.* 2
skull *calavera f.* 8
slavery *esclavitud f.* 6
slowly *despacio* 3
smell *olfato m.* 5
social cohesion *cohesión social f.* 10
social exclusion *exclusión social f.* 10
social purpose *función social f.* 8
social status *posición social f.* 7
society *sociedad f.* 4
soft skills *habilidades blandas f.pl.* 2
solar energy *energía solar f.* 4
solar panel *panel solar m.* 4
some time *rato m.* 3
soon *pronto* 3
source of information *fuente de información f.* 2
staff *personal m.* 1
standardized work *trabajo estandarizado m.* 2
steady job *trabajo seguro m.* 7
stimuli *estímulos m.pl.* 5
stranger *desconocido/a adj.* 9
stress *estrés m.* 3
stressed out / tense *estresado/a adj.* 1
stressing *estresante m. f. adj.* 9
study *estudio m.* 3
subliminal *subliminal m. f. adj.* 5
surprise *sorpresa f.* 9
surprised *sorprendido/a adj.* 9
surprising *sorprendente m. f. adj.* 9
sustainable *sostenible m. f. adj.* 4

T

tablet *tableta f.* 2
tap, faucet *llave f.* 4
targeted at *dirigido/a a adj.* 5
task, homework *tarea f.* 3
taste *gusto m.* 5
teaching *enseñanza f.* 10
teamwork *trabajo en equipo m.* 2
technological advancement *avance tecnológico m.* 2
telecommuting *teletrabajo m.* 7
territory *territorio m.* 6
theater performance *representación teatral f.* 8
thinking *pensamiento m.* 2
thoughtful, pensive *pensativo/a adj.* 1
3D printer *impresora 3D f.* 2
tidy, organized *ordenado/a adj.* 1
time management *gestionar el tiempo* 3
time marker *marcador temporal m.* 2
to take exams *hacer exámenes* 2
to (give a) like *dar un like* 7
to abuse *maltratar* 4
to access (something) *acceder a* 7
to achieve *conseguir* 3
to acquire *adquirir* 2
to advertise *anunciar* 5
to advertise *hacer publicidad* 5
to agree *acordar* 6
to allow *dejar (permitir)* 4
to anger/become angry *enojar(se)* 9
to answer calls *contestar llamadas* 3
to ask for forgiveness/ apologize *pedir perdón* 6
to attack *atacar* 6
to avoid being overworked *evitar el trabajo excesivo* 3
to ban advertising *prohibir la publicidad* 5
to be aware of what you need *ser consciente de tus necesidades* 5
to be (well) informed *estar (bien) informado/a* 7
to be able to collaborate *saber colaborar* 2
to be able to interact with other people *saber interactuar* 2
to be addicted to *ser adicto/a a adj.* 7
to be afraid *tener miedo* 9
to be at risk of *estar en riesgo de* 10
to be available *estar disponible* 7
to be aware *concienciado/a adj.* 1
to be aware/conscious of *ser consciente de* 4
to be based on *basarse en* 5
to be busy *estar ocupado/a* 3
to be curious about *sentir curiosidad por* 9
to be curious about *tener curiosidad por* 9
to be envious *tener envidia* 9
to be exiled/go into exile *exiliarse* 6
to be fashionable/in fashion *estar de moda* 5
to be good-natured *tener buen humor* 1
to be hooked on *estar enganchado/a a* 7
to be in charge of *estar al cargo de* 10
to be influenced by *dejarse influenciar por* 5
to be jealous *tener celos* 9
to be of ... origin *ser de origen...* 8
to be overworked *tener exceso de trabajo* 3
to be part of *pertenecer a* 7
to be respectful of *ser respetuoso/a con* 7
to be sad *estar triste* 9
to be short of time for *faltar poco tiempo para* 3
to be up to date *estar al día* 7
to be up to date with *estar al día con* 3
to be/stay still *estar quieto/a* 9
to become distracted (easily) *distraerse (con facilidad)* 3
to become independent/gain independence *independizarse* 6
to block out distractions *bloquear distracciones* 3
to boost *favorecer* 4
to bore/become bored *aburrir(se)* 9
to borrow *pedir prestado* 4
to broadcast/send an image *transmitir una imagen* 5
to burn *quemar* 8
to buy *comprar* 4
to buy in bulk *comprar a granel* 4
to buy on impulse/to buy impulsively *comprar por impulso/ impulsivamente* 5
to buy online *comprar por internet* 5
to calm/calm down *calmar(se)* 9
to cause jealousy *dar celos* 9
to celebrate *celebrar* 8
to celebrate *festejar* 8
to check discussion boards *consultar foros* 5
to choose a product *decidirse por un producto* 5
to choose classes *elegir asignaturas* 2
to claim, to demand *reivindicar* 6
to combine, to coordinate *compaginar/ compatibilizar* 3
to commemorate *conmemorar* 8
to communicate values *transmitir valores* 5
to communicate well/ poorly *comunicarse bien/mal* 9
to compare *comparar* 5
to compete *competir* 2
to concentrate *concentrarse (en)* 3
to condemn/pull a campaign *denunciar una campaña* 5
to conduct a video call *hacer una videollamada* 2
to conduct a video conference *hacer una videoconferencia* 2
to connect to wi-fi *conectar(se) al wifi* 7
to consume *consumir* 4
to consume responsibly *consumir de forma responsable* 4
to contribute to *contribuir a* 4
to convince *convencer (a alguien) (de algo)* 5
to cooperate with *cooperar con* 6
to correct mistakes *corregir los errores* 9
to create a brand *crear una marca* 5
to create trash *generar basura* 4
to create waste *generar residuos* 4
to decorate *decorar* 8
to dedicate time to *dedicar tiempo a* 3

to delete *borrar algo (de internet)* 7
to depend on *depender de* 7
to design *diseñar* 5
to develop skills *desarrollar las competencias* 2
to discriminate against a person *discriminar a una persona* 10
to disgust *dar asco* 9
to disgust *sentir asco* 9
to distress *dar angustia* 9
to distress/to get distressed *angustiar(se)* 9
to do not believe/trust *(no) fiarse de* 5
to do research *investigar* 2
tto dominate *dominar* 6
to download *bajar algo (de internet)* 7
to draw *dibujar* 9
to dress in costume *disfrazarse* 8
to dress up as a *disfrazarse de* 8
to embarrass *dar vergüenza* 9
to encourage *fomentar* 4
to enroll in *matricularse en* 2
to ensure *garantizar* 6
to entertain *divertir (a alguien)* 5
to escape *desconectar* 3
to escape *huir de* 6
to establish/set priorities *establecer prioridades* 3
to evolve *evolucionar* 8
to experience *experimentar* 9
to explain (something) (to someone) *explicar (algo) (a alguien)* 5
to exploit *explotar* 6
to face new situations *enfrentarse a nuevas situaciones* 2
to feel afraid *sentir miedo* 9
to feel anger *sentir rabia* 9
to feel distressed *sentir angustia* 9
to feel frustrated *sentirse frustrado/a* 9
to feel helpless about *sentir impotencia por* 9
to feel lonely/lonesome *sentirse solo/a* 9
to fight *luchar* 6
to fight against *luchar contra* 4
to fight/battle *combatir* 6
to find (easy/complicated) *resultar (fácil/complicado)* 9
to fix *arreglar* 4
to follow recommendations *seguir recomendaciones* 5
to forget *olvidar* 3
to frustrate/get frustrated *frustrar(se)* 9
to generate/create controversy *generar polémica* 5
to generate/create criticism *generar críticas* 5
to get a scholarship *obtener una beca* 1
to get in contact with *ponerse en contacto con* 7
to get pregnant *quedarse embarazada* 10
to get sad *ponerse triste* 9
to get up early *madrugar* 3
to get used to *acostumbrarse a* 3
to go out with/meet *quedar con* 3
to go with the flow *dejarse llevar* 3
to govern *gobernar* 6
to grade *poner notas* 2
to graduate *graduarse* 2
to have (something) available *disponer de* 4
to have access to the internet *tener acceso a internet* 10
to have confidence in *tener confianza en* 9
to have fun *divertir(se)* 9
to have initiative *tener iniciativa* 1
to have the right to vote *tener derecho a votar* 10
to have time for *tener tiempo para* 3
to have/conduct *realizar* 2
to have/there be *haber* 2
to hire *contratar* 1
to honor *homenajear* 8
to hurt *dañar* 4
to improvise *improvisar* 3
to increase *aumentar* 4
to infuriate *dar rabia* 9
to inspire hope/excite/to delude onself *ilusionar(se)* 9
to install *instalar* 4
to intervene/take part in *intervenir en* 6
to invade *invadir* 6
to juggle, to balance *compatibilizar con* 7
to know by heart *saber de memoria* 9
to know how to say no *saber decir no* 3
to lack *carecer de* 10
to last *durar* 4
to learn *aprender* 2
to leave something until the last minute *dejar algo para el final* 3
to lend *prestar* 4
to lie *mentir (a alguien)* 5
to limit *restringir* 10
to look for information *buscar información* 2
to look for resources *buscar recursos* 2
to make (someone) cry *hacer llorar (a alguien)* 5
to make (someone) laugh *hacer reír (a alguien)* 5
to make (someone) think (about something) *hacer reflexionar (a alguien) (sobre algo)* 5
to make a note of something *apuntar(se) algo* 3
to make an effort to *hacer un esfuerzo para* 3
to make anxious *dar ansiedad* 9
to make envious *dar envidia* 9
to make more flexible *flexibilizar* 7
to make sad *dar pena* 9
to make sensible decisions *tomar decisiones de forma consciente* 5
to make someone feel confident *dar seguridad* 9
to make/be happy *alegrar(se)* 9
to make/manufacture *fabricar* 4
to manipulate *manipular (a alguien)* 5
to market online/digitally *hacer marketing online/digital* 5
to meet the deadline *cumplir con la fecha límite* 3
to memorize content *memorizar contenido* 2
to mix *mezclar* 8
to move *emocionar (a alguien)* 5
to need things *necesitar cosas* 5
to not have time to/for *faltarle tiempo para...* 3
to note the most important *marcar lo más importante* 3
to notice *fijarse en* 5
to occupy *ocupar* 6
to organize oneself *organizarse* 3
to organize time/work *organizar el tiempo/el trabajo* 3
to own *poseer* 10
to participate in *participar en* 7
to pet/to stroke *acariciar* 9
to plan *planificar* 3
to plant *plantar* 4
to post (a picture) *colgar (una foto)* 7
to postpone *aplazar* 4
to prepare for clases/an exam *preparar las clases/un examen* 2
to preserve *preservar* 4
to prioritize *priorizar* 3
to process information *procesar información* 9
to procrastinate *procrastinar* 3
to produce *producir* 4
to promote *promover* 4
to propose *proponer (algo) (a alguien)* 5
to protect *proteger* 4
to provoke/be provocative *provocar (a alguien)* 5
to publish (something) online *publicar (algo) en internet* 7
to put an end to *acabar con* 6
to raise awareness of/about *concienciar a* 4
to raise awareness/to make aware *concientizar (a alguien) (de algo)* 5
to react to *reaccionar ante* 5
to rebel (against) *rebelarse (contra)* 6
to receive *recibir* 5
to recharge *reponer fuerzas* 3

to recommend *recomendar* 5
to reconcile *conciliar* 10
to recycle *reciclar* 4
to reduce *reducir* 4
to refuse *rechazar* 1
to refuse to *negarse a* 3
to register in a course *registrarse en una clase* 2
to reject *rechazar* 4
to remember *acordarse de* 3
to remember *recordar* 3
to repair *reparar* 4
to resist *resistir* 6
to resolve a conflict *solucionar un conflicto* 6
to rest *descansar* 3
to reuse *reutilizar* 4
to revolt/to rise up against *sublevarse contra* 6
to rise up against *levantarse contra* 6
to sadden/depress *entristecer(se)* 9
to save *ahorrar* 4
to save money *ahorrar dinero* 4
to scare *dar miedo* 9
to schedule *programar* 3
to sell *vender* 5
to send a message *transmitir un mensaje* 5
to set up *poner* 5
to share *compartir (en internet)* 7
to show *mostrar* 8
tto slow *frenar* 4
to solve a problem *solucionar un problema* 9
to speak in public *hablar en público* 9
to spend some time *pasar un rato* 3
to spend time *gastar tiempo* 4
to spend, to waste *gastar* 4
to stand out/grab attention *llamar la atención* 5
to stimulate *estimular* 3
to stop *dejar de (interrumpir una acción)* 4
to stress (out)/to get stressed (out) *estresar(se)* 9
to study marketing *estudiar mercadotecnia* 5
to suggest *sugerir (algo) (a alguien)* 5
to support *apoyar* 4
to surprise/to be surprised *sorprenderse* 9
to synchronize *sincronizar* 3
to tag *etiquetar* 7
to take a break *tomarse un descanso* 3
to take a vacation *tomarse unas vacaciones* 3
to take advantage of *sacar provecho de* 7
to take care of *cuidar* 4
to take care of a person *cuidar de una persona* 10
to take place *tener lugar* 8
to take some time *tomarse un tiempo* 3
to take your time (doing something) *tranquilamente* 3
to teach to read and write *alfabetizar* 10
to think twice *pensar algo dos veces* 7
to throw out *tirar* 4
to train *entrenar* 3
to translate into a language *traducir a un idioma* 9
to trick/mislead *engañar (a alguien)* 5
to trust *confiar en* 5
to turn off *cerrar* 4
to turn on the heat *poner la calefacción* 4
to turn out to be *resultar* 9
to upload *subir (algo a internet)* 7
to use and throw out *usar y tirar* 4
to use resources *gastar recursos* 4
to vote for *votar a* 10
to waste *desperdiciar* 3
to waste time *perder el tiempo* 3
to withdraw a campaign *retirar una campaña* 5
to work from home *trabajar desde casa* 7
to work individually *trabajar individualmente* 9
to work together *cooperar* 7
to work well/badly *funcionar bien/mal* 4
to worry *preocupar(se)* 9
to worry about *preocuparse por* 7
to write a list *hacer una lista* 3
too (much) *demasiado* 3
tool *herramienta f.* 2
touch *tacto m.* 5
toxic *tóxico/a adj.* 4
tradition/custom *costumbre f.* 8
traditional *tradicional m. f. adj.* 4
traditional costume *traje tradicional m.* 8
transexual *transexual m. f. adj.* 10
transexuality *transexualidad f.* 10
translator *traductor, traductora* 1
trauma *trauma m.* 10
tree *árbol m.* 4
trend *tendencia f.* 2
trust/confidence *confianza f.* 9
typical *típico/a adj.* 8
typical celebration *fiesta representativa f.* 8

U

unmotivated *desmotivado/a adj.* 1
uprising *levantamiento m.* 6
USB drive *memoria USB f.* 2
used *usado/a adj.* 4
user habit *hábito (de uso) m.* 7

V

vegetable garden *huerta f.* 4
verb *verbo m.* 9
verbal attack *ataque verbal m.* 7
videoconference *videoconferencia f.* 2
violence *violencia f.* 10
violence against/toward *violencia contra/hacia f.* 10
virtual team *equipo virtual m.* 7
voting *votación f.* 10
VR, virtual reality *realidad virtual f.* 2
vulnerability *vulnerabilidad f.* 10

W

wage, salary *salario m.* 1
wall *muro m.* 6
war *guerra f.* 6
waste *basura f.* 4
waste *residuos m.pl.* 4
ways of doing things *formas de hacer las cosas f.pl.* 3
wealth *riqueza f.* 10
weapon of freedom *arma de liberación m.* 10
well-behaved, disciplined *disciplinado/a adj.* 1
western/European power *potencia occidental/europea f.* 6
what *qué* 5
who *quién* 5
will power *fuerza de voluntad f.* 1
wind energy *energía eólica f.* 4
with a delay *con retraso* 3
with difficulty *con dificultad* 9
within *dentro de* 2
within *hasta dentro de* 2
woman *mujer f.* 10
woman entrepreneurial *mujer emprendedora f.* 10
women's rights *derechos de las mujeres m.pl.* 10
work *empleo m.* 10
work schedule *horario de trabajo m.* 1
work-life balance *conciliación laboral f.* 10
workers' rights *derechos de los trabajadores m.pl.* 10
working world *mundo laboral m.* 2
worried *preocupado/a adj.* 9
worried about *preocupado/a por adj.* 4
worry *preocupación f.* 9
written exam *examen escrito m.* 9

X

xenophobia *xenofobia f.* 6

ÍNDICE

A

academic programs and departments 51
Ahn, Luis von 28, 42
Alario, María Teresa 255
Aparicio, Yalitza 231

B

Baca, Susana 192, 207
Bachelet, Michelle 156
Bandaranaike, Sirimavo 248
Bauman, Zygmunt 170
Beauvoir, Simone de 240
Benedetti, Mario 218, 229
Borges, Jorge Luis 74
Byung-Chul Han 170

C

Cáceres, Berta 95
cada vez más/menos... 57, 66
Campoamor, Clara 248
Casa, Juan de la 200
Colón, Cristóbal 200
commands 80-81, 111
comparisons 68, 73
conditional 66, 115, 259
past and future conditionals 249, 260
connectors 44, 128, 137
Cortázar, Julio 200
countries
Bolivia 131
Brasil 106
Chile 130, 156, 180, 182, 253
Colombia 159, 208
Costa Rica 36
Cuba 252
Ecuador 37
El Salvador 84, 158
España 183, 195, 197
Estados Unidos 60
Guatemala 84
Guinea Ecuatorial 146, 245
Honduras 84, 206
México 84, 195
Nicaragua 84
Panamá 108
Perú 106, 195, 241
Puerto Rico 183, 252
Uruguay 229
Venezuela 195
creer/parecer 119
Cuarón, Alfonso 30, 200, 231
culture 36, 37, 74, 75, 84, 85, 108, 109, 130, 131, 144-147, 158, 159, 180, 181, 194-197, 206, 207, 228-231, 252, 253, 256, 257
Curie, Marie 248

D

daily routines 73
demonstrative adjectives and pronouns 115

E

emphasizing or intensifying 137, 200, 212, 213, 234
Evita 256
expressing agreement and disagreement 19
expressing personal opinions 136-137
expressing feelings, emotions and moods 18, 32, 47, 136, 217-223, 225, 227, 233-236
expressing plans, wishes, demands, requests 31, 79, 81, 82, 103, 104, 112, 114, 235, 247, 250

F

Franklin, Rosalind 248
Fuentes, Carlos 193
future, expressing 52-57, 64-65, 66, 68-69
future tense 66
future perfect tense 178, 186, 187

G

Gachet, Karla 37
Galeano, Eduardo 95, 229
García Lorca, Federico 200
García Márquez, Gabriel 200
Garro, Elena 5
Gasol, Pau 29
Gaubeca Vidorreta, Itxasne 255
geography and places (work 71), 147
giving advice, suggest and recommend 5, 8, 18, 91, 105, 114, 138, 224, 234, 250
González Iñárritu, Alejandro 200
gustar and similar verbs 43, 121, 222, 234

H

habitual actions 73, 88
historical periods and events and politics 162, 163, 165-167
Hussein, Amina 49

I

imperfet tense 14
imperfect tense and preterite 10, 16, 148-150
information, sequencing and organizing 44
intonation 83, 129, 179, 205, 227
ir 91

K

Kahlo, Frida 200, 255

L

Landero, Luis 49
landmarks 162
lLara, Barbarita 180
learning 314-315, 64, 237
lifestyle 116
likes, dislikes, interests and preferences 18, 222-223
Lleras Camargo, Alberto 193

M

Malinche, La 256
Menchú, Rigoberta 193
metaphors 160, 161
Milán, Eduardo 229
Mirabal, hermanas 256
Mistral, Gabriela 256
months and seasons 84
Mujica, José 95

N

narrating (past 11, 148, 164)
narrative resources 19
Ndongo, Donato 147-148
negation 136
Neruda, Pablo 200

O

object pronouns, direct and indirect 174, 187 (with infinitive), 212
Obono, Trifonia Melibea 244-245
ojalá + (**que**) 114, 247
Olabuenaga, Ana María 119
Onetti, Juan Carlos 229
oral presentations 38, 39

P

Pacheco, José Emilio 74
Padura, Leonardo 165
Parks, Rosa 248
passive constructions 200, 213
past actions and events, talk about 148, 164
past perfect tense 150, 164, 249
personality adjectives and nouns 46, 47
politeness 175, 226, 235
poder 33, 34, 66, 115, 258

porque, **por**, **para** 30-31, 44
prepositions 116, 164
present perfect 25, 29, 42-43
preterite 15, 16, 148-150, 163, 164
preterite and imperfect 10, 16, 148, 149, 164
professions, jobs 21-24, 31-34, 45-47
pronunciation 35, 107, 129, 157, 179, 205, 251
punctuation 82, 91

Q

querer 114
question words 152, 164

R

reacting, commenting 11, 19, 82
relative pronouns 187
relative clauses 79, 91, 151, 164
reported speech 175, 177, 186 (verb tense changes), 188 (introductory verbs), 250, 260 (in the past)
Rogers, Will 119

S

Saint-Exupéry, Antoine de 5
saber 33
Schweblin, Samanta 181
secquencing information 19
seguir + gerund 67
ser 33
ser y **estar** 12, 17
Serrano de Haro, Amparo 255
Sisa, Bartolina 256
skills and talents 21-23, 33, 34, 40, 41, 46, 47, 70, 82
social relationships 191
speech acts 235

T

Tavira, Marina de 231
tener 33
tener que + infinitive 33
text
  academic 254, 255
  apologetic 175
  expository 204, 208-211, 214
  organizing, cohesion 113, 115
  summarizing 182, 183
time
  expressions 74
  markers 43, 68
  management 76, 77, 86-89, 92, 93
Toro, Guillermo del 200
translation 362-363
Tristán, Flora 240, 256
Tubman, Harriet 248

V

Varela, Blanca 74
Varo, Remedios 200
verbs
  conjugation and uses 42, 78-79, 115, 164, 187, 222-224
  gerund 42, 67
  indirect object (evaluating) 222, 223
  stem or spelling changing 90
  reflexive constructions 212, 234
  subjunctive 78 (and indicative 79, 91), 80, 81, 90, 114, 124, 136, 137, 177, 224, 247
    imperfect 246, 247, 258-260,
    past perfect 260
Vilariño, Idea 229
Vitale, Ida 229
vocabulary
  history and politics 152-153, 166-167
  advertising 126-127, 138-139
  anglicisms 178
  behavior 262
  celebrations: various parts and activities 214
  consumption and the environment 116
  digital nomads 200
  discrimination and society 239, 242-243, 261
  emotions 218, 225, 236
  frequency 191
  job market and education 45
  labor market 71
  lexical variety and nominalization 165
  moods 32, 46
  participating in social media 189
  personal qualities 33, 45
  personal skills 59, 70
  places of work 71
  professions 33, 45
  social relationships 191
  work 191
  the five senses 140
  technological advances 69
  time management 92
  tips for a good purchase 138
  traditions 192, 214
  university of the future 69

W

weather and climate 108
Wollstonecraft, Mary 240
word combinations (frequent) 47, 93, 117, 126, 139, 191, 215, 237, 263
word families 136, 165, 236, 262
working 176, 191

Y

Ya, **aún no**, **todavía no** 29, 67

Z

Zurduy, Juana 256

MÉXICO, AMÉRICA CENTRAL Y EL CARIBE

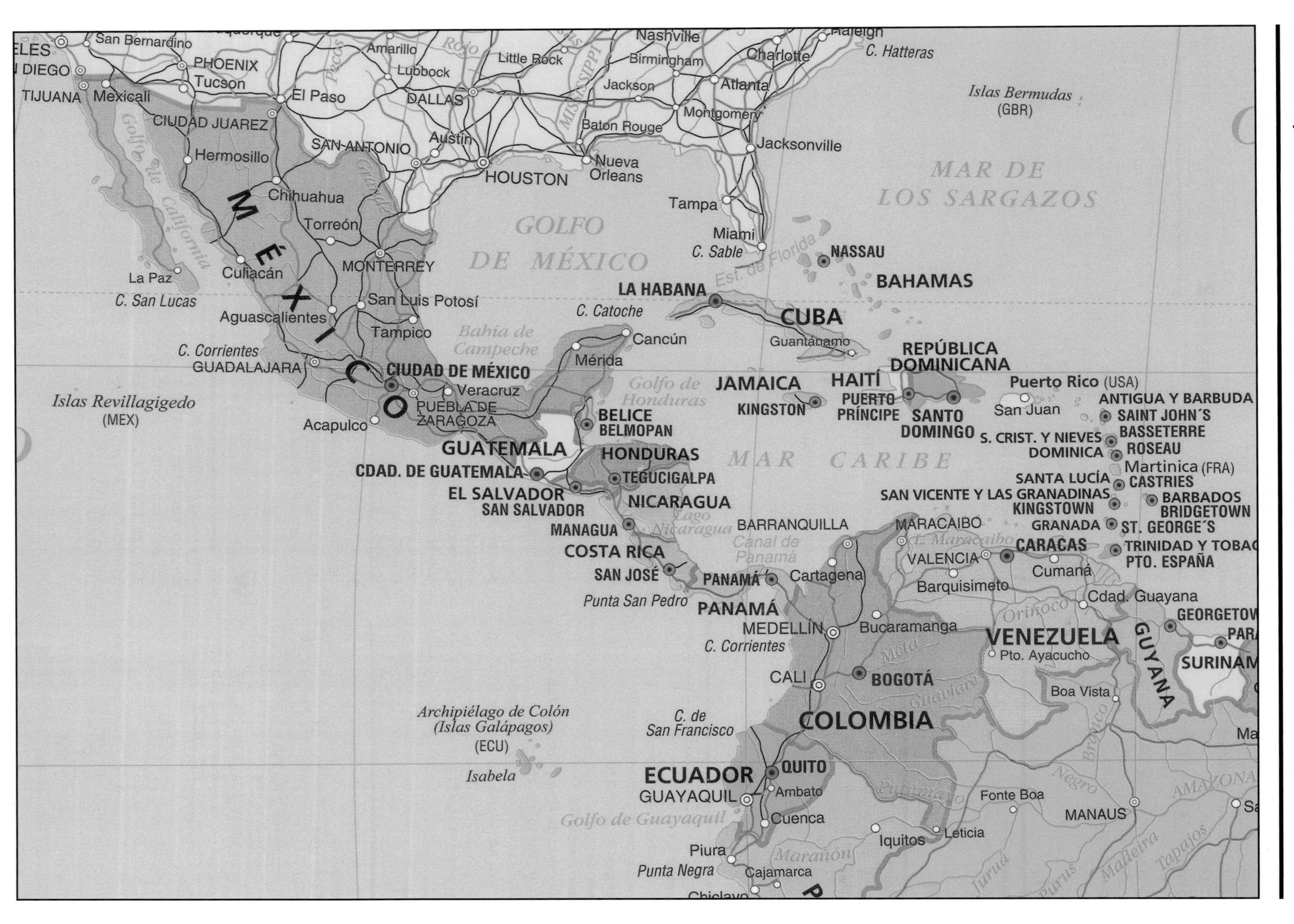

AMÉRICA DEL SUR

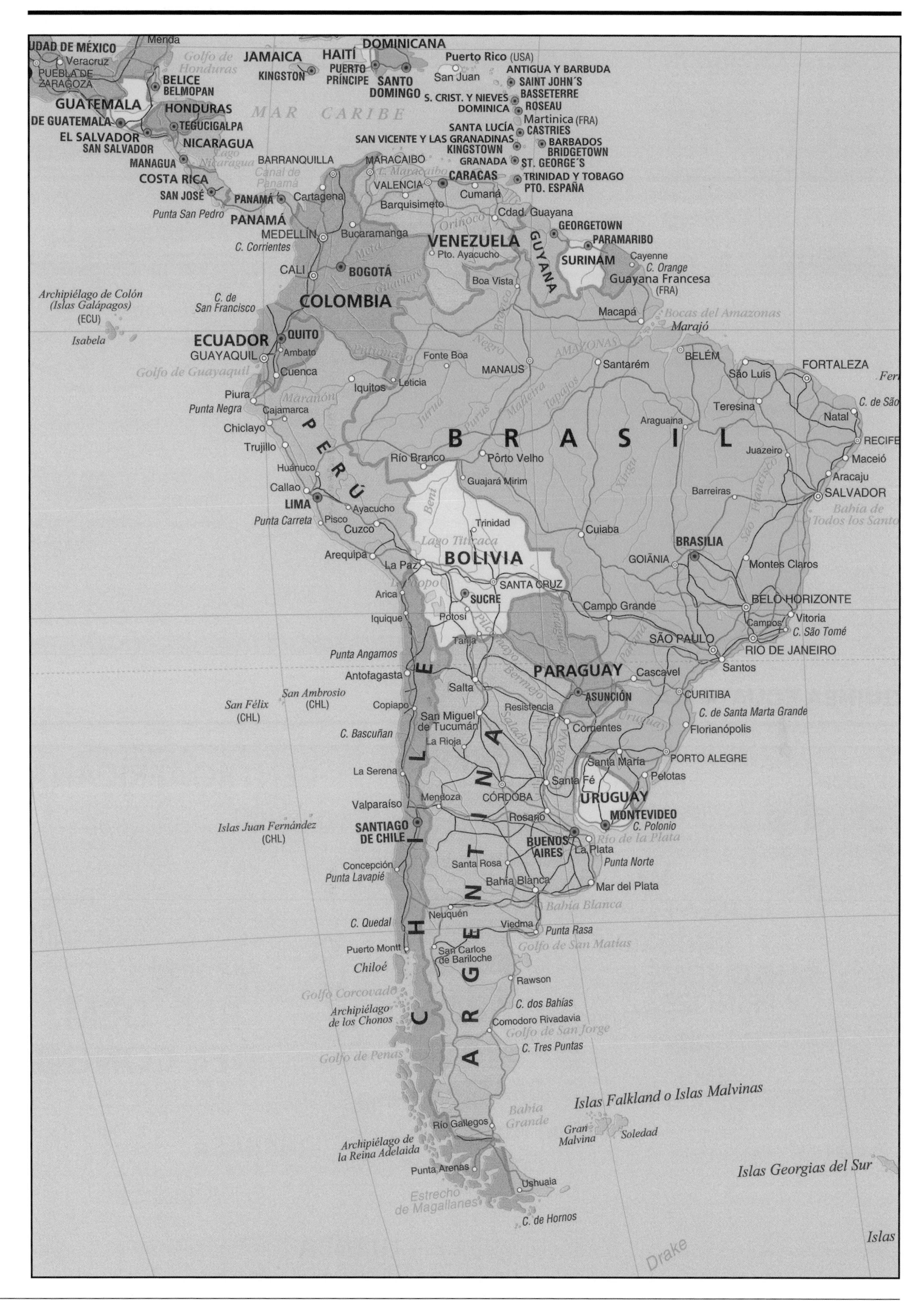

ESPAÑA

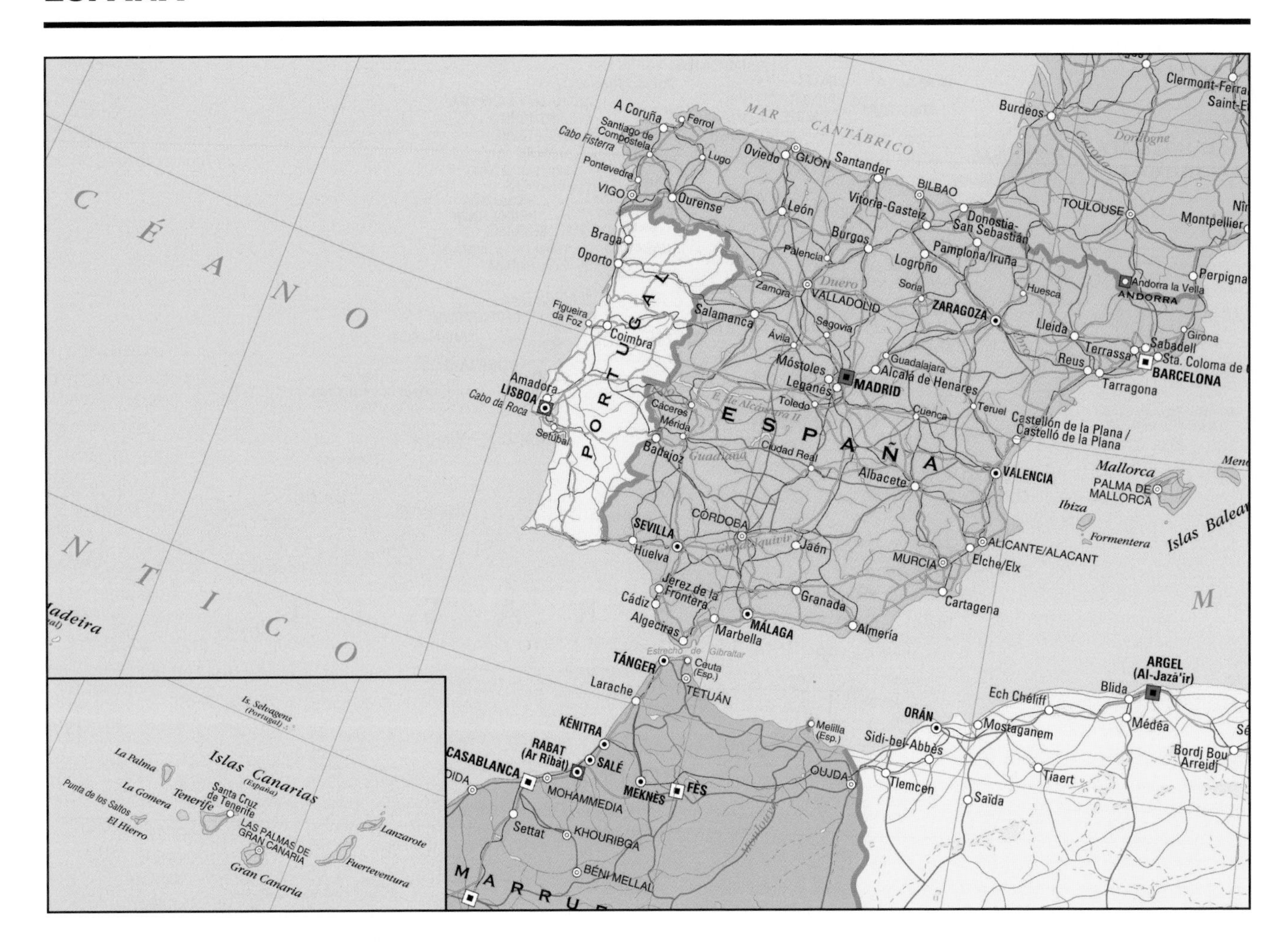

GUINEA ECUATORIAL

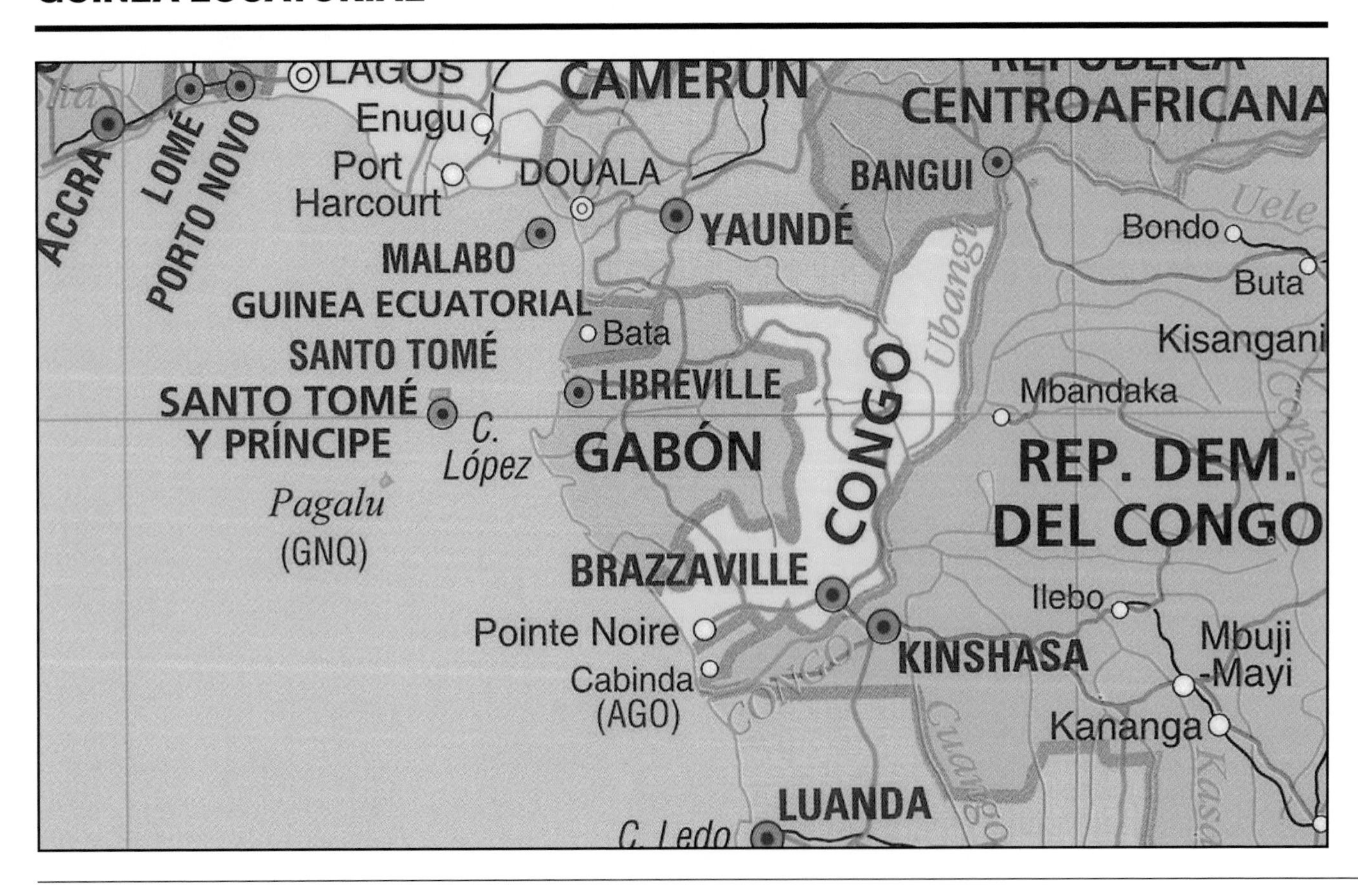

Text Credits

Capítulo 1: p. 39: Alberto Bustos, del artículo original publicado en Blog de Lengua; **Capítulo 2: p. 52:** eluniversal.com.mx; **p. 61:** *El chico de la última fila*, de Juan Mayorga. Ediciones La uña Rota, Segovia, 2019; **Capítulo 3: p. 85:** " Gioconda Belli c/o Schavelzon Graham Agencia Literaria www.schavelzongraham.com"; **p. 86:** journals.openedition.org; **Capítulo 5: p. 126:** Juanjo Mestre, para la revista El Publicista (elpublicista.es); Joan Lluís Montané; **Capítulo 6: p. 141:** Raquel Gu; **p. 142:** PNUD; **p. 145:** "Limam Boicha Poeta del Sáhara Occidental.
Poema del libro ""Los versos de la madera"" (Ed. Puentepalo, Islas Canarias, 2003)"; **p. 145:** Bahia M.H. Awah; **p. 147:** Donato Ndongo, "África:medio siglo de frustración"; **p. 159:** 2004 Laura Restrepo; **Capítulo 7: p. 180:** Barbarita Lara/MIT Technology Review en español/www.technologyreview.es; **p. 182:** Estrella Montolío, Manual de escritura académica y profesional (Vol. II), ed. Ariel; **Capítulo 9: p. 218:** "Fundación Mario Benedetti c/o Schavelzon Graham Agencia Literaria www.schavelzongraham.com"; **p. 229:** © 2008 Idea Vilariño - Licencia editorial cortesía de Penguin Random House Grupo Editorial, S.A.U; **Capítulo 10: p. 252:** Corazón loco; **p. 253:** Una mujer fantástica, producida por Fabula; **p. 255:** Gaubeca Vidorreta, I. (2005).Representación de las mujeres en obras paradigmáticas del arte de vanguardia del siglo XX.. Disponible en http://repositorio.uchile.cl/handle/2250/105979; **p. 255:** Amparo Serrano de Haro, "Imágenes de lo femenino en el arte: atisbos y atavismos", https://journals.openedition.org/505: Alario, M. T. (1995). "La mujer creada: lo femenino en el arte occidental". Revista Arte, Individuo Y Sociedad, (7), p. 45. https://doi.org/-; **p. 257:** "Guerrilla Girls, ¿Tienen que Estar Desnudas las Mujeres Para Entrar en el Met?, 1989 Copyright © Guerrilla Girls, courtesy guerrillagirls.com"

Photography Credits

Capítulo preliminar: p. 2: iStock/ DSGpro; **p. 3:** Saint-Exupéry en el hotel Ville de Montréal. Bibliothèque et Archives nationales du Québec, Fonds Bernard Valiquette. Dominio público; iStock/RPBMedia; EFE/lafototeca.com; **p. 4:** iStock/Robwilson39; iStock/LUHUANFENG; dreamstime/Ppy2010ha; Museu de Montserrat: Cortesía de Vogue México. Fotógrafos: Santiago & Mauricio; iStock/ Suljo; **p. 5:** iStock/primeimages; Dreamstime/Jose Antonio Nicoli; Photoking/Dreamstime; Gordan/Dreamstime; Portsmouth Square, San Francisco, California [1851 January]. Creator(s): McIntyre, Sterling C., photographer ; iStock/ilbusca; iStock/GeoffBlack ; Dreamstime/Ermess; Dreamstime/Serhii Stadnyk; Dreamstime/Sergio Hayashi; **p. 6**: iStock/Chagin; **p. 8:** iStock/gawrav; **p. 9:** iStock/millann; **p. 11:** iStock/basketman23; Dreamstime/Robwilson39; p.14: iStock/Mauro_Repossini; **p. 18**: iStock/m-imagephotography; **p. 19:** iStock/andresr; Nick Stubbs/Dreamstime; Mirko Vitali/Dreamstime; iStock/jacoblund; Igor Akimov/Dreamstime; iStock/gilaxia; iStock/NicolasMcComber; Vchalup/Dreamstime; Piotr Trojanowski/Dreamstime; Arkady Vyrlan/Dreamstime;

Capítulo 1: p. 20: Anan Chincho/Dreamstime; **p. 22:** SERVEI MUNICIPAL D'OCUPACIÓ DE BADIA DEL VALLÈS; **p. 23:** Ana Gómez Rudilla; **p. 24:** iStock/ajr_images; **p. 26:** Piksel/Dreamstime; iStock/FatCamera; iStock/Rohappy; Jose Castro; iStock/sturti; **p. 27:** iStock/PEDRE; **p. 28:** Mike McGregor/GettyImages; **p. 29:** MediaPunch Inc/Alamy; **p. 30:** iStock/Starcevic; iStock/snapphoto; iStock/visualspace; iStock/Starcevic; iStock/FG Trade; iStock/nensuria; iStock/nazar_ab; Wavebreakmedia Ltd/Dreamstime; iStock/FG Trade; **p. 31:** iStock/fcafotodigital; **p. 32:** Laindiapiaroa/Dreamstime; **p. 33:** iStock/pixdeluxe; **p. 34:** iStock/Tempura; iStock/Chaay_Tee; iStock/monkeybusinessimages; **p. 35:** iStock/GeorgeVieiraSilva; iStock/maxsol7; **p. 36:** iStock/OGphoto; iStock/lightphoto; iStock/stellalevi; Amwu/Dreamstime; **p. 37:** Karla Gachet; Karla Gachet; DeContrabando Show (www.decontrabandoshow.com); **p. 38:** iStock/dimarik; **p. 39:** iStock/kasto80; **p. 41:** Leonardo255/Dreamstime; iStock/fizkes; **p. 43:** iStock/catenarymedia; **p. 44:** iStock/ilyaliren; **p. 45:** iStock/master1305; iStock/LightFieldStudios; iStock/dima_sidelnikov; iStock/Tempura; iStock/Sidekick; iStock/MarioGuti; WENN Rights Ltd/Alamy; iStock/FatCamera; iStock/vgajic; iStock/kn1; Vsegda222/Dreamstime; iStock/pagadesign; **p. 46:** iStock/Vasyl Dolmatov;

Capítulo 2: p. 48: iStock/AlexLMX; **p. 49:** Universidad; sfgp/Album; **p. 50:** Universidad Mariano Gálvez; **p. 51:** Ilusión Óptica; **p. 52:** "Hilchtime/Dreamstime"; **p. 53:** Jose Castro; Jose Castro; **p. 54:** Ratz Attila/Dreamstime; **p. 55:** Ievgenii Tryfonov/Dreamstime; **p. 56:** Denisismagilov/Dreamstime; "Rawpixelimages/Dreamstime"; Japonikus/Dreamstime; **p. 57:** iStock/sarah5; **p. 59:** iStock/spukkato; **p. 60:** Grigor Atanasov/Dreamstime; **p. 61:** Centro Cultural PUCP; Quim Llenas/Getty Images; **p. 65:** Natdanai Pankong/Dreamstime; "Olaf Speier/Dreamstime"; "Mikhail Leonov/Dreamstime"; Katarzyna Bialasiewicz/Dreamstime; Viktor Stoilov/Dreamstime; Mimagephotography/Dreamstime; **p. 68:** Saiko3p/Dreamstime; **p. 70:** Miya227/Dreamstime; Dan Grytsku/Dreamstime; Roger Jegg/Dreamstime; Boarding1now/Dreamstime; **p. 71:** Hacohob/Dreamstime; Kurt Kleemann/Dreamstime; Yooran Park/Dreamstime; "Viorel Dudau/Dreamstime"

Capítulo 3: p. 72: iStock/ThomasVogel; **p. 73:** iStock/electravk; iStock/clu; Eurostat y Difusión; **p. 74:** Carlos Alvarez/GettyImages; Newscom/Alamy; History and Art Collection/Alamy; **p. 75:** " FelipeAstaburuaga Vicuña"; **p. 76:** iStock/shironosov; **p. 77:** iStock/alashi; iStock/DMEPhotography; iStock/michaelpuche; Jose Castro; iStock/dolgachov; **p. 78:** Kzenon/Alamy; **p. 79:** iStock/AGL_Photography; iStock/Antonio_Diaz;

iStock/Lidali; iStock/shapecharge; **p. 80:** Indigofish/ Dreamstime; **p. 81:** iStock/Juanmonino; **p. 82:** "Hongqi Zhang/Dreamstime"; **p. 84:** Gabriel Robledo / Dreamstime; iStock/ChuckSchugPhotography; **p. 85:** Oscar Elías/Album; **p. 88:** iStock/Jgalione; iStock/ lechatnoir; **p. 89:** Letloose78/Dreamstime; Jose Antonio Nicoli/Dreamstime; Jjspring/Dreamstime; **p. 93:** iStock/Mehaniq;

Capítulo 4: p. 94: iStock/DNY59; **p. 95:** Mr. Tickle/ Wikimedia Commons; Lorena Natalia Fernández/ Dreamstime; ProtoplasmaKid/Wikimedia Commons; UN Environment/Wikimedia Commons; **p. 96:** iStock/tupungato; Cosmo Condina/Alamy; Comercio Justo - Cáritas Tenerife; " Koba Samurkasov | Dreamstime.com"; **p. 97:** "ÓmarjavierUmaña"; **p. 98:** Multirealism/Dreamstime; **p. 99:** Winai Tepsuttinun/ Dreamstime; Club de Reparadores, www.reparadores. club; **p. 100:** iStock/DMEPhotography; Fotoluminate/ Dreamstime; Mopic/Dreamstime; **p. 101:** Sebastián Fiorilli; **p. 101:** iStock/luanateutzi; **p. 102:** iStock/ alvarez; iStock/Juanmonino; **p. 103:** Greenpeace / Martin Katz; **p. 104:** iStock/jhorrocks; **p. 105:** Tupungato | Dreamstime.com; **p. 106:** Click_and_ Photo/iStock; **p. 107:** Patricio Hidalgo/Dreamstime; **p. 108:** Frans Lanting Studio/Alamy; Avalon/ Photoshot License/Alamy; **p. 109:** " Cecilia Vicuña, Quipu de Lamentos, dimensiones variables, Museo de la Memoria y los Derechos Humanos, Santiago, Chile, 2014 Foto de Carolina Zuñiga"; **p. 109:** "Cecilia Vicuña, Quipu quemado, 2018, BAMPFA Berkeley Art Museum and Pacific Film Archive. Photo by Jonathan Bloom"; **p. 112:** NOTIMEX, Agencia de Noticias del Estado Mexicano; **p. 113:** "Anna Podekova/Dreamstime"; Starblue/Dreamstime; **p. 114:** Fouque Mike/Dreamstime; **p. 115:** Umarin Nakamura/Dreamstime; "Tsingha25/Dreamstime"; **p. 116:** Rose-marie Henriksson/Dreamstime; iStock/ FabrikaCr; Mada Jimmy/Dreamstime; Iurii Brukvach/ Dreamstime; "iStock/Coldimages"; Grafvision/ Dreamstime; **p. 117:** Alain Lacroix/Dreamstime; Gradts/Dreamstime;

Capítulo 5: p. 118: Fotomaton/Alamy; **p. 119:** Hulton Archive / Getty; Francisco Montiel/CreativeMornings - www.creativemornings.com/mx; **p. 120:** Sebastián Fiorilli; Alberto Clemares/Dreamstime; Michael Zech / Alamy Stock Photo; **p. 121:** ANDRÉS OLIVERA (CREATIVISTAS); **p. 121:** iStock/peterhowell; **p. 123:** iStock/Rocky89; iStock/fotografixx; iStock/97; **p. 125:** Ironjohn/Dreamstime; **p. 126:** Sebastián Fiorilli; **p. 127:** WWF España; **p. 128:** Bettmann / Getty Images; **p. 129:** Aodaodaod/Dreamstime; Valio84sl/Dreamstime; Isselee/Dreamstime; **p. 130:** Lucie Zrnova | Dreamstime; Konstantin Bratishko/ Dreamstime; **p. 131:** Orlando Arias Morales; **p. 132:** AnimaNaturalis.org; cranach/istock; Angelo Gilardelli/ Dreamstime; **p. 133:** Leslie Banks/Dreamstime; **p. 134:** Mixmike/iStock; **p. 135:** Miyuke Satake/Dreamstime;

Capítulo 6: p. 140: Byelikova_Oksana/iStock; **p. 141:** BobSmithImages/Alamy; **p. 143:** Ilusión Óptica; **p. 144:** Serhii Brovko/iStock; **p. 145:** "Stefano Montesi - Corbis/Getty"; Stefano Montesi - Corbis/Getty; Novarc Images / Alamy Stock Photo; **p. 147:** Marc GANTIER/Getty; **p. 148:** iStock/phive2015; **p. 149**: iStock/FG Trade; iStockShootdiem; iStockVvoeVale; **p. 150:** iStock/Holger Mette; **p. 151:** Marc Turcan/ Dreamstime; **p. 152:** iStockdibrova; **p. 153:** SOPA Images / Getty; Stefano Montesi - Corbis/ Getty; PACIFIC PRESS/Alamy; **p. 154:** Agcuesta/ Dreamstime; **p. 155:** iStock/AndreyKrav; **p. 156:** Diego Grandi/Dreamstime; **p. 157:** Marcogovel/Dreamstime; iStock/Mlenny; **p. 158:** Philip Scalia/Alamy; "Bloomberg/Getty"; **p. 159:** Auad/Alamy; **p. 160:** Kevin Futhey; **p. 163:** iStock/Natali_Mis; iStock/ Sinhyu; iStock/simonidadjordjevic; Adrian Frutiger/ The World Health Organization; **p. 165:** iStock/OSTILL; **p. 166:** iStock/powerofforever; iStock/Liuser; iStock/ wweagl; iStock/Vesnaandjic; iStock/zabelin; iStock/ LindaJohnsonbaugh; MARKA/Alamy; iStock/levi086; iStock/Nirian;

Capítulo 7: p. 168: iStock/farakos; **p. 169:** Moderna de Pueblo; 2009 by Randy Glasbergen/Glasbergen Cartoon; **p. 170:** TIBOUL/MAXPPP/Album/EFE; Leonardo Cendamo/Getty Images; **p. 171:** Zapping Produccions; Zapping Produccions; Zapping Produccions; Zapping Produccions; **p. 172:** iStock/ phototechno; **p. 174:** iStock/Koldunova_Anna; **p. 175:** Tribalium/Dreamstime; **p. 176:** Joerg Fockenberg/ EyeEm/Getty Images; **p. 178:** iStock/SasaJo; **p. 180:** Barbarita Lara/MIT Technology Review en español/ www.technologyreview.es; **p. 181:** Keith Morris / Hay Ffotos / Alamy Stock Photo; **p. 182:** seb_ra/ iStockphoto; **p. 183:** iStock/dennisvdw; iStock/ borchee; Matyas Rehak/Dreamstime; **p. 184:** Pablo Ramón/EFE/lafototeca.com; **p. 185:** Sueddeutsche Zeitung Photo / Alamy Stock Photo; **p. 186:** iStock/ Gogadicta; **p. 188:** iStock/akinbostanci; **p. 189:** Santiago Nunez Iniguez/Dreamstime;

Capítulo 8: p. 192: MISCELLANEOUSTOCK / Alamy Stock Photo; **p. 193:** INTERFOTO / Alamy Stock Photo; Julio Etchart / Alamy Stock Photo; George Skadding / Colaborador/Getty; **p. 194:** Ilusión Óptica; **p. 195:** iStock/Aneese; Chico Sanchez / Alamy Stock Photo; Fotoholica Press / Colaborador/ Getty; iStock/Jorgefontestad; **p. 196:** The Visual Explorer / Alamy Stock Photo; Carlos Mora / Alamy Stock Photo; EFE News Agency / Alamy Stock Photo; **p. 197:** ver crédito Campus sur; **p. 199:** Steven Greaves / Alamy Stock Photo; Kiko Jiménez/ Dreamstime; **p. 200:** Hyperstar / Alamy Stock Photo; **p. 201:** iStock/Oleg Elkov; Jan Sochor / Alamy Stock Photo; iStock/Solange_Z; Alejandro Muñoz / Alamy Stock Photo; iStock/tahir abbas; **p. 202:** iStock/Obaba; iStock/Obaba; iStock/Obaba; iStock/ Obaba; iStock/Obaba; iStock/jeffwqc; pepicat/ Adobe Stock; Paul Quayle / Alamy Stock Photo; SL_Photography/iStock; David Bautista /iStock; iStock/David Bautista; **p. 203:** iStock/CasarsaGuru; iStock/cristianl; iStock/ruizluquepaz; iStock/nantela; Julian Peters/Dreamstime; iStock/Ogphoto; iStock/ tekinturkdogan; iStock/sara_winter; iStock/fpm;

iStock/HonestTraveller; iStock/oleg66; iStock/apomares; **p. 204:** iStock/leungchopan; Alexis Lloret / Alamy Stock Photo; **p. 205:** iStock/calvindexter; **p. 206:** ORLANDO SIERRA / Colaborador/Getty; Danita Delimont / Alamy Stock Photo; Herbert Soriano/Dreamstime; **p. 207:** Tommy Lindholm / Alamy Stock Photo; **p. 208:** iStock/rchphoto; iStock/Ernesto Tereñes; ZUMA Press, Inc. / Alamy Stock Photo; Unesco; **p. 209:** iStock/rambo182; **p. 210:** iStock/OSTILL; iStock/OSTILL; **p. 211:** robertharding / Alamy Stock Photo; Eduardo Blanco / Alamy Stock Photo; **p. 212:** Toniflap/Dreamstime; **p. 213:** iStock/rustyl3599; **p. 214:** iStock/rbiedermann; iStock/monysasi; iStock/Svetlana Popova; iStock/Orbon Alija; iStock/xavierarnau; iStock/Pollyana Ventura; iStock/lisegagne; iStock/coscaron; iStock/arturogi; iStock/charliemarcos; iStock/Nazarevich; iStock/SL_Photography; **p. 215:** North Wind Picture Archives / Alamy Stock Photo;

Capítulo 9: p. 217: Llorenç Conejo; **p. 218:** valio84sl/iStock; **p. 218:** "Mariana Eliano / Colaborador/Getty"; **p. 219:** C&E Producciones; **p. 222:** iStock/Grafner; iStock/SteveGreen1953; **p. 223:** iStock/kool99; iStock/ajr_images; iStock/Sam Edwards; iStock/Saadetalkan; **p. 224:** iStock/Serdarbayraktar; iStock/joaoscarceus; iStock/mheim3011; iStock/Jgalione; iStock/Spiderstock; **p. 225:** "iStock/filipfoto"; **p. 228:** The Daily Nexus, Alex Nagase; **p. 229:** Daniel Jiménez; **p. 230:** iStock/baona; BFA / Alamy Stock Photo; **p. 231:** Geisler-Fotopress GmbH / Alamy Stock Photo; **p. 232:** Kumar Sriskandan / Alamy Stock Photo; **p. 233:** iStock/kasto80; Philip Scalia/ Alamy Stock Photo; **p. 234:** iStock/185010302;

Capítulo 10: p. 239: M. Stan Reaves / Alamy Stock Photo; **p. 240:** Bettmann / Colaborador/ Getty; Album / Granger, NYC; Granger Historical Picture Archive / Alamy Stock Photo; **p. 241:** Ilusión Óptica; **p. 245:** Trifonia Melibea Obono, Universidad de Las Palmas de Gran Canaria; **p. 246:** iStock/fcafotodigital; Beaniebeagle /Dreamstime; Psisaa/Dreamstime; **p. 247:** iStock/Steve Debenport; iStock/gawrav; iStock/FG Trade; iStock/NicolasMcComber; iStock/ponomarencko; iStock/PeopleImages; **p. 248:** Heritage Image Partnership Ltd / Alamy Stock Photo; ZUMA Press, Inc. / Alamy Stock Photo; Keystone Press / Alamy Stock Photo; Pictorial Press Ltd / Alamy Stock Photo; Science History Images / Alamy Stock Photo; PictureLux / The Hollywood Archive / Alamy Stock Photo; **p. 249:** Granger Historical Picture Archive / Alamy Stock Photo; **p. 250:** iStock/TheArtofPics; iStock/Django; iStock/FG Trade; iStock/alvarez; iStock/martin-dm; **p. 251:** iStock/Ridofranz; iStock/nortonrsx; iStock/Portra; iStock/Eloi_Omella; iStock/MStudioImages; iStock/Portra; iStock/Morsa Images; iStock/Juanmonino; Richard Saker / Alamy Stock Photo; **p. 253:** TCD/Prod.DB / Alamy Stock Photo; AF archive / Alamy Stock Photo; **p. 255:** Frida Kahlo, VEGAP.; manx_in_the_world/iStock; **p. 256:** Hackenberg-Photo-Cologne / Alamy Stock Photo; The Picture Art Collection / Alamy Stock Photo; Album / Granger, NYC; Keystone Press / Alamy Stock Photo; Ben Speck / Alamy Stock Photo; Archive PL / Alamy Stock Photo; PRISMA ARCHIVO / Alamy Stock Photo; **p. 258:** iStock/franz12; **p. 260:** iStock/Dutko; **p. 262:** iStock/fightbegin

Mapas: p. 294-296: Centro Nacional de Información Geográfica

Illustration Credits

Capítulo preliminar: p. 5: Capítulo 1: Daniel jiménez; **p. 21:** VEGAP**; p. 25:** Roger Pibernat**; p. 31:** Roger Pibernat**; Capítulo 2: p. 59:** Daniel Jiménez**; p. 62:** Daniel Jiménez**; p. 63:** Daniel Jiménez**; p. 67:** Daniel Jiménez**; p. 69:** Daniel Jiménez**; Capítulo 3: p. 79:** Daniel Jiménez**; p. 83:** Daniel Jiménez**; p. 87:** Daniel Jiménez**; p. 87:** Daniel Jiménez**; Capítulo 4: p. 103:** Daniel Jiménez**; p. 111:** Daniel jiménez**; Capítulo 5: p. 138:** Daniel Jiménez**; Capítulo 6: p. 160:** Daniel Jiménez**; p. 161:** iStock/nzphotonz**; Capítulo 7: p. 190:** Daniel Jiménez**; p. 191:** Daniel Jiménez**; Capítulo 8: p. 198:** Roger Pibernat**; p. 198:** Roger Pibernat**; Capítulo 9: p. 216:** Daniel Jiménez**; p. 220-221:** Roger Pibernat**; p. 223:** Flaticons**; p. 227:** iStock/calvindexter**; p. 250:** Daniel Jiménez**; p. 235:** Daniel Jiménez**; p. 236:** Jess Rodríguez / Alamy Stock Photo**; Capítulo 10: p. 238:** Sonya_illustration/iStock**; p. 261:** Daniel Jiménez